गाँधी और दलित भारत-जागरण

(अनुशीलन)

गाँधी
और
दलित भारत-जागरण

श्रीभगवान सिंह

भारतीय ज्ञानपीठ

लोकोदय ग्रन्थमाला : ग्रन्थांक 945

ग्रन्थमाला सम्पादक

रवीन्द्र कालिया

सह-सम्पादक

गुलाबचन्द्र जैन

पहला संस्करण : 2008
दूसरा संस्करण : 2009
तीसरा संस्करण : 2010

ISBN : 978-81-263-1967-1

प्रकाशक :
भारतीय ज्ञानपीठ
18, इन्स्टीट्यूशनल एरिया, लोदी रोड
नयी दिल्ली-110 003

मुद्रक : रुचिका प्रिण्टर्स, शाहदरा, दिल्ली-110 032

आवरण : राधेश्याम अग्रवाल

आवरण सज्जा : ज्ञानपीठ कला प्रभाग

तीसरा संस्करण : 2010
मूल्य : 290 रुपये

GANDHI AUR DALIT BHARAT-JAGRAN
(A Study)
by Shribhagwan Singh

Published by
Bharatiya Jnanpith
18, Institutional Area, Lodi Road
New Delhi-110 003

Website : www.jnanpith.net
e-mail : Jnanpith@satyam.net.in, sales@jnanpith.net

Third Edition : 2010
Price : Rs. 290

भूमिका

गाँधीजी पर मेरी यह दूसरी पुस्तक है। पहली पुस्तक 'गाँधी और हिन्दी राष्ट्रीय जागरण' नाम से छप चुकी है। दरअसल, यह पुस्तक लिखते हुए ही मुझे प्रस्तुत पुस्तक के विषय को लेकर दूसरी पुस्तक लिखने की आवश्यकता महसूस हुई। 'गाँधी और हिन्दी राष्ट्रीय जागरण' में मैंने यह दिखाने की कोशिश की है कि गाँधीजी के चिन्तन एवं कर्म का दायरा सिर्फ राजनीतिक-सामाजिक सरोकारों तक सीमित नहीं था, बल्कि वे भाषा एवं साहित्य के प्रति भी काफी जागरूक थे। देश को विदेशी भाषा अँग्रेजी की दासता से मुक्त कराने के लिए उन्होंने विभिन्न प्रान्तों की मातृभाषाओं तथा पूरे राष्ट्र के लिए सम्पर्क भाषा के निमित्त राष्ट्रभाषा के रूप में हिन्दी का देशव्यापी प्रचार किया। राष्ट्रभाषा के रूप में हिन्दी को स्वीकार करने के लिए राष्ट्रीय स्तर पर मानसिकता तैयार करने में, या यूँ कहें, हिन्दी जागरण को पूरे राष्ट्रीय जागरण का एक अभिन्न अंग बनाने में गाँधीजी की अतुलनीय भूमिका रही। साथ ही उन्होंने अपनी सामाजिक-राजनीतिक कार्रवाईयों के प्रचार-प्रसार में साहित्य का भी काफी उपयोग किया। इन दो बातों को केन्द्र में रखकर ही यह पुस्तक लिखी गयी। किन्तु गाँधीजी के अन्य पक्षों की चर्चा इस पुस्तक में न कर पाने का मलाल रह ही गया। प्रस्तुत पुस्तक उस मलाल को दूर करने की दिशा में एक छोटा प्रयास है।

प्रस्तुत पुस्तक का शीर्षक बहुतों को अटपटा लग सकता है। बात या तो भारतीय नवजागरण की होती है या फिर हिन्दी नवजागरण की या दलित-जागरण की। ऐसे में सम्भव है 'दलित भारत-जागरण' जैसी शब्दावली बेसुरी लगे, क्योंकि इन दिनों 'दलित' शब्द की अर्थ-व्याप्ति में संकोच, कटाव करते हुए उसे केवल हिन्दू समाज की वर्ण व्यवस्था के अन्तर्गत अछूत समझी जाती रही जातियों तक सीमित कर दिया गया है। अतएव पुस्तक के शीर्षक से पहली नजर में किसी को यह प्रतीति हो सकती है कि इसमें आज के प्रचलित अर्थ में 'दलित' शब्द

का प्रयोग करते हुए उससे सम्बद्ध जागरण की चर्चा की गयी हो। इसलिए यह स्पष्ट कर देना वांछनीय है कि मैं 'दलित' का अर्थ एक जाति विशेष तक सीमित कर देने से कभी सहमत नहीं रहा। 'दलित' शब्द का व्यापक अर्थ ही मुझे ग्राह्य रहा है और गाँधीजी के देश सम्बन्धी कार्यों के सन्दर्भ में इसी व्यापक अर्थ में इस पुस्तक का यह शीर्षक रखा गया है।

वैसे संस्कृत भाषा के इस 'दलित' शब्द का अर्थ प्राचीन साहित्य से लेकर आधुनिक साहित्य तक एक जैसा नहीं रहा है। आज जो अर्थ 'दलित' का है, वह पहले नहीं था। इस शब्द के बदलते अर्थों का जो वृत्तान्त किशोर कृणाल ने अपनी पुस्तक 'दलित देवो भव' की प्रस्तावना में दिया है, उसे यहाँ देखना अप्रासंगिक न होगा। उनके अनुसार "संस्कृत का दलित शब्द 'दल' धातु में 'क्त' प्रत्यय जुड़ने से बना है। संस्कृत साहित्य में इस 'दल' धातु का भी व्यवहार दो अर्थों में हुआ है—विदारण ओर विकसन। विदारण यानी फटने के अर्थ में भवभूति ने 'उत्तररामचरितम्' में इसका प्रयोग अनेक बार किया है; यथा 'अपि ग्रावा रोदित्यपि दलति वज्रस्य हृदयम्'। गीतगोविन्दकार जयदेव ने भी 'दलित-हिरण्यकशिपुतनुभृगम्' (दशावतार-स्तुति) में यही अर्थ लिया है। दूसरे अर्थ में यह प्रफुल्लित अथवा विकसित होने के सन्दर्भ में प्रयुक्त होता है। भारवि ने 'किरातार्जुनीयम् ' में 'न दलति निचेय तथोत्पलानां...' में इसका प्रयोग इसी अर्थ में किया है। मल्लिनाथ ने भी अपनी टीका में 'दलति विकसति' लिखकर इस अर्थ को एकदम स्पष्ट कर दिया है। 'प्रबोध चन्द्रोदय' नाटक में कृष्ण मिश्र ने भी लिखा है—"त्रैलोक्यं सहजप्रकाश दलितम्" यानी तीनों लोक सहज प्रकाश से उज्ज्वलित हैं। यहाँ 'दलित' शब्द 'धवलीकृत' अर्थ में प्रयुक्त है। आप्टे के 'संस्कृत हिन्दी-कोश' और 'शब्दार्थ चिन्तामणि-कोश' में भी 'दलित' शब्द के ये दोनों अर्थ मिलते हैं। संस्कृत-गणित में यह शब्द 'अर्धभाग' के अर्थ में प्रयुक्त हुआ है, जो भास्कराचार्य की प्रसिद्ध पुस्तक 'लीलावती' में 'व्येका दलिता विभाजितेष्टेन' से स्पष्ट है। हिन्दी और मराठी में 'दलित' शब्द भिन्न अर्थ में प्रयुक्त है। आधुनिक भारतीय साहित्य के सन्दर्भ में—

दलित वह है, जिसका दारुण दलन, दोहन एवं शोषण होता रहा है तथा समाज में जो वंचित, उपेक्षित एवं प्रताड़ित रहा है।

"शोक जिसका आहार, अश्रु जिसका उद्गार और अभिशाप जिसका उपहार रहा है, वह दलित है।"

"बहिष्कार जिसका सत्कार, बेगार जिसका दैनिक त्योहार और दुत्कार, फटकार एवं तिरस्कार जिसका पुरस्कार रहा है, वह दलित है।"

"अभाव जिसका भाग्य, अन्याय जिसका साक्ष्य और विलाप जिसका काव्य रहा है, वह दलित है।"

"अपमान जिसका प्रतिमान, पुरुषार्थ जिसका धनुष-बाण और अँगूठा जिसका अनूठा दान रहा है, वह दलित है।"

"बन्धन जिसका कंगन, उत्पीड़न जिसका इन्धन और अधिकार-अपहरण जिसका आलिंगन रहा है, वह दलित है।"

"विपत्ति जिसकी नियति, सम्पत्ति जिसकी स्वप्निल स्मृति और क्रान्ति जिसकी प्रसुप्त प्रवृत्ति रही है, वह दलित है।"

"दीनता जिसकी गृहिणी, दासता जिसकी भगिनी और अस्पृश्यता जिसकी संगिनी रही है, वह दलित है।"

"मौन जिसकी वाणी, क्रंदन जिसकी कहानी और वेदना जिसकी रानी रही है, वह दलित है।"

"श्रम को साध्य और कर्म को आराध्य मानकर भी दैन्य-दंश झेलने के लिए जो सदैव बाध्य रहा है, वह दलित है।"

प्राचीन साहित्य से लेकर आधुनिक भारतीय साहित्य के सन्दर्भ तक 'दलित' शब्द का जो अत्यन्त व्यापक अर्थ किशोर कुणाल ने बताया है वह एकदम सही है और इस दृष्टि से दलित केवल अस्पृश्यता का दंश भोगने वाले ही नहीं हैं, अपितु वे समस्त व्यक्ति या समूह या राष्ट्र, जो अन्याय, दारुण दोहन-शोषण, अपमान, अभाव, दैन्य उत्पीड़न के शिकार हैं, दलित हैं। इस दृष्टि से पूरा पराधीन भारत ही एक राष्ट्र के रूप में दलित था, इसलिए 'दलित भारत जागरण' की बात करते हुए उसमें गाँधीजी की भूमिका पर विचार करना तनिक भी असंगत नहीं है।

जहाँ तक गाँधीजी के चिन्तन एवं कर्म का 'दलित' से सम्बन्ध का सवाल है, उन्होंने स्वयं इसका व्यापक दायरे में ही अर्थ ग्रहण किया। उन्होंने अनेक बार अपने भाषणों एवं लेखों में इस बात का जिक्र किया कि जो देश गुलाम है, वहाँ का हर व्यक्ति गुलाम है और जो गुलाम होगा वह दलित ही कहलाएगा। गाँधी जी ने 'दलित' की पीड़ा दक्षिण अफ्रीका में रंगभेद से उत्पीड़ित भारतीयों तथा 'गिरमिटिया' मजदूरों की जिन्दगी में देखी, दलित की वेदना अपने देश के अछूतों में, बाल विधवाओं में और जिस्मफरोशी का धन्धा कर पेट पालने के लिए मजबूर 'पतित बहनों' में देखी। दलित की व्यथा उन्हें अँग्रेज निलहे जमींदारों द्वारा सताये जा रहे चम्पारण के किसानों में दिखायी पड़ी, तो दलित की आह-कराह उन्हें देश के हरेक फटेहाल, भूख से बेहाल, बेरोजगार आदमी में सुनाई पड़ी। दलित

की पीड़ा उस हरेक भारतीय में उन्होंने देखी जिसकी 1930 तक औसत दैनिक आय दो आने से भी कम थी और इससे भी आगे बढ़कर उस पूरे राष्ट्र में उन्होंने दलित की पीड़ा का साक्षात्कार किया जो औपनिवेशिक शासन के जुए तले दिनों दिन गरीब-कंगाल होता जा रहा था। गाँधीजी के लिए 'दलित' का दायरा अत्यन्त विस्तृत था जिसके अन्तर्गत न केवल मनुष्य बल्कि मनुष्येतर प्राणी तक शामिल थे जो भोजन जैसी बुनियादी जरूरत की चीज से वंचित थे। मनुष्येतर प्राणियों के प्रति गाँधीजी की यह दलित-व्यथा ही थी जो पक्षियों के सम्बन्ध में भी उनसे ऐसा उद्‌गार व्यक्त करवा सकी—"मैंने तो शोकविह्वल मन से ऐसे पंछी भी देखे हैं जो शक्ति के अभाव में लाख प्रोत्साहन और हिम्मत देने पर भी अपने डैने फड़फड़ा तक नहीं पाये।" (यह उनके लेख 'महान प्रहारी' से उद्‌धृत है। इसकी विस्तार से चर्चा चौथे अध्याय में की गयी है) उनकी दलित-संवेदनशीलता की ही व्यापकता थी कि वे अछूतों की दयनीय दशा देखकर चीत्कार कर उठते हैं कि 'जब तक अछूतपन नहीं मिटता, स्वराज्य नहीं आ सकता,' तो 'पतित बहनों की दशा से द्रवित हो 'स्वराज्य' को एक और नया अर्थ दे डालते हैं कि "स्वराज्य का अर्थ पतितों का उद्धार है।"

इन बातों का यहाँ विस्तार से जिक्र करने का कोई औचित्य नहीं, क्योंकि पुस्तक के विभिन्न अध्यायों में विस्तार से इन्हीं बातों की चर्चा की गयी है। यहाँ तो यह सब निवेदन करने का ध्येय सिर्फ यह बताना है कि इस पुस्तक का नाम 'गाँधी और दलित भारत-जागरण' यही सोचकर रखा गया कि गाँधीजी के भारत के सन्दर्भ में पूरे कृतित्व को सही रूप से एक शब्दावली में व्यक्त करने के लिए इससे ज्यादा उपयुक्त दूसरी शब्दावली नहीं हो सकती। यों तो गाँधीजी के चिन्तन का दायरा व्यक्ति से लेकर विश्व और मनुष्येतर प्राणी तक है, किन्तु जहाँ तक अपने देश एवं समाज के सम्बन्ध में उनके कार्यों के मूल्यांकन का प्रश्न है, उसे हम इस शीर्षक से अभिहित करके ही न्याय कर सकते हैं।

वस्तुतः गाँधीजी के लिए, जैसा कि हम आगे के विवेचन में देख सकेंगे, पूरा भारत ही दलित था जिसके दो पक्ष थे— पहला आन्तरिक दलन और दूसरा बाहरी दलन। आन्तरिक दलन के शिकार वे बेशुमार जन थे जिन्हें 'अछूत' बनाकर पशु से भी बदतर जीवन जीने को बाध्य कर रखा गया था। साथ ही 'स्त्री' जाति थी जो शिक्षा एवं सामाजिक समानता के अधिकारों से वंचित तो थी ही, इसके अतिरिक्त बाल-विवाह, बाल-विधवा, वेश्या, देवदासी जैसी कुप्रथाओं के कारण भी दलित बनी हुई थी। इसे ही डॉ. पूरनचन्द्र जोशी जैसे समाजशास्त्री 'आन्तरिक उपनिवेशवाद' की संज्ञा देते हैं जिसकी शिकार मुख्य रूप से अछूत जाति एवं

स्त्री जाति थी। बाहरी दलन में था–बाह्य औपनिवेशिक सत्ता द्वारा देश को राजनीतिक रूप से गुलाम बनाकर देश के संसाधनों का मनमाने ढंग से दोहन करना, यहाँ की जनता के साथ असमानतापूर्ण व्यवहार करना और अँग्रेजी भाषा एवं शिक्षा को थोपकर यहाँ की भाषा एवं संस्कृति का क्षरण करना। मेरी समझ में एक राष्ट्र के रूप में दलित भारत के मुख्य रूप से ये चार पक्ष थे—पहला, अछूतों का दलन, दूसरा, स्त्रियों का दलन, तीसरा, भाषा–शिक्षा के स्तर पर दलन तथा चौथा, राजनीतिक दलन जिसके अन्तर्गत राजनीतिक पराधीनता से लेकर आर्थिक शोषण तक के मुद्दे शामिल थे।

गाँधीजी से पूर्व इन चारों पक्षों को लेकर देश के कुछेक भागों में जागरण के कार्य उन्नीसवीं सदी से ही शुरू हो चुके थे, किन्तु इन चारों को एक साथ संयुक्त करके जागरण का अभियान गाँधीजी से पहले कोई नहीं चला सका था। गाँधीजी का विशिष्ट एवं मौलिक योगदान इस बात में प्रकट हुआ कि उन्होंने भारत को दलित–दमित, कमजोर बनाये रखने के लिए जिम्मेवार उपर्युक्त चारों खलनायकों के विरुद्ध अपने जागरण अभियान को खड़ा किया। दलित भारत के उद्धार के लिए, कायाकल्प के लिए उन्होंने अस्पृश्यता का मिटाया जाना, स्त्रियों को पुरुषों के समकक्ष समस्त प्रकार के अधिकारों का दिया जाना, देशी भाषाओं एवं शिक्षा का विकास करना, आर्थिक दृष्टि से स्वावलम्बी बनाना और राजनीतिक स्वाधीनता प्राप्त करना आदि को समान रूप से आवश्यक समझा और वे विभिन्न रचनात्मक कार्यक्रमों तथा आन्दोलनों के जरिये इन्हें मूर्त करने का जीवनपर्यन्त प्रयास करते रहे। गाँधीजी का महत्त्व राजनीतिक स्वाधीनता के लिए संघर्ष करने वाले के रूप में ज्यादा उजागर किया गया है, किन्तु सच है कि उन्होंने राजनीतिक स्वाधीनता से भी अधिक महत्त्व दिया था, अस्पृश्यता एवं स्त्री–पराधीनता, जैसी समस्याओं के निराकरण को। बहरहाल, राजनीतिक स्वाधीनता प्राप्त करना भी उनके संघर्ष का एक महत्त्वपूर्ण लक्ष्य रहा, इससे इंकार नहीं किया जा सकता।

इन बातों को ध्यान में रखते हुए मैंने पुस्तक में 'दलित–जागरण' नाम से कोई पृथक् प्रकरण न लिखकर, मात्र चार प्रकरणों में गाँधीजी द्वारा दलित भारत में उपर्युक्त मुद्दों को लेकर विचार एवं कर्म के स्तर पर राष्ट्रव्यापी जागरूकता एवं संघर्षशीलता की भावना पैदा करने के लिए किये गये प्रयासों का विवेचन किया है। प्रथम और द्वितीय प्रकरण में 'आन्तरिक उपनिवेशवाद' विवेच्य विषय है। प्रथम प्रकरण में 'अस्पृश्यता उन्मूलन' को लेकर उनके द्वारा किये गये राष्ट्रव्यापी आन्दोलनों का विवेचन है। यह करना इसलिए आवश्यक महसूस हुआ कि आजकल की राजनीति और साहित्य में प्रचलित 'दलित लेखन' ने गाँधीजी को दलितविरोधी

सिद्ध करने की जो दूषित हवा चला रखी है, वह न सिर्फ रुके, बल्कि विलुप्त हो जाए।

सदियों से हमारे समाज में स्त्रियों की जो दशा रही है, उसे देखते हुए उन्हें 'दलित' कहना ही पड़ेगा। तमाम प्रकार की सामाजिक-आर्थिक, शैक्षिक स्वतन्त्रताओं एवं समानताओं से वंचित कर, घर की चारदीवारी तक सीमित कर उनके व्यक्तित्व के विकास को अवरुद्ध रखा गया। बाल-विवाह, ऊँची जातियों में विधवाओं के पुनर्विवाह का निषेध, धर्म के नाम पर देवदासी बना देना, जीविका के लिए देह-व्यापार करने को विवश कर देना आदि बुराइयों ने सभ्यता-संस्कृति की महानता की गौरव-गाथा रचने वाले इस देश का चेहरा बिगाड़ रखा था, उसे अपाहिज बना रखा था। इस दिशा में देश के कुछ हलकों में प्रयास तो उन्नीसवीं सदी में ही शुरू हो चुके थे, लेकिन गाँधीजी ने स्त्री-समता-स्वतन्त्रता के सवाल को भी पूरे राष्ट्रीय जागरण के अभियान का अंग बनाकर स्त्रियों के प्रति पुरुष-मानसिकता में बदलाव लाने का एक माहौल पैदा किया। इस क्रम में उन्होंने एक नया कार्य यह किया कि वेश्याओं के सवाल पर किसी समाज सुधारक ने अब तक ध्यान नहीं दिया था, सो गाँधी जी ने इस अनछुए मुद्दे को भी अपने रचनात्मक कार्यक्रम का हिस्सा बनाया और निर्भीकतापूर्वक सभ्य समाज से इन 'पतित बहनों' को अपनी बहनों एव बेटियों की तरह समझते हुए व्यवहार करने की गुहार लगायी। स्त्री-जागरण में गाँधी जी का यह एक विशिष्ट योगदान था। दूसरे प्रकरण में गाँधीजी के इन्हीं कार्यों का विवेचन किया गया है।

पराधीन भारत में देशी भाषाओं एवं शिक्षा का प्रश्न भी अत्यन्त महत्त्वपूर्ण था। औपनिवेशिक शासनतन्त्र ने अपने साम्राज्यवादी स्वार्थों को साधने के निमित्त यहाँ की भाषाओं को हाशिये पर ठेलते हुए अँग्रेजी भाषा को लाद रखा था और अपने ढंग की शिक्षा पद्धति चलाकर वह यहाँ की सभ्यता-संस्कृति को भी विरूपित करने की चाल चल रहा था। देश के विभिन्न प्रान्तों में वहाँ की मातृभाषाओं में शिक्षा दी जाए और सम्पर्क भाषा के रूप में हिन्दी को पूरा देश राष्ट्रभाषा के रूप में स्वीकार करे, इसके लिए भी गाँधीजी ने राष्ट्रव्यापी अभियान चलाया। हालाँकि गाँधीजी के इस पक्ष का मैंने विस्तार से अपनी पुस्तक 'गाँधी और हिन्दी राष्ट्रीय जागरण' में विवेचन किया है, फिर भी उनके 'दलित भारत-जागरण' के अभियान को समग्रता में मूल्यांकित करने की दृष्टि से उसकी एक संक्षिप्त झाँकी यहाँ प्रस्तुत करना आवश्यक प्रतीत हुआ। इसलिए तीसरा प्रकरण इसी पक्ष पर केन्द्रित किया गया है।

पुस्तक का अन्तिम और चौथा प्रकरण है 'स्वराज्य-जागरण' यानी राजनीतिक

स्वाधीनता के लिए गाँधीजी द्वारा पूरे देश में चलाया गया दीर्घकालीन जागरण एवं संघर्ष का अभियान। हालाँकि राजनीतिशास्त्री लेखकों द्वारा गाँधीजी का महत्त्व स्वतन्त्रता संग्राम में इतना उजागर किया गया है जिससे एक आम धारणा बन गयी है कि उनके सत्याग्रह, संघर्ष एवं तमाम आन्दोलनों का एकमात्र लक्ष्य था—देश की आजादी हासिल करना, इसलिए इस विवेचन को पुस्तक के आरम्भ में न रखकर अन्त में रखना असंगत लग सकता है। किन्तु गाँधीजी के सम्बन्ध में यह बात सदैव ध्यान में रखी जानी चाहिए कि उनके चिन्तन-दर्शन का विषय सम्पूर्ण जीवन था और इस प्रकार उनके सम्पूर्ण जीवन दर्शन का एक पक्ष राजनीतिक था जो अत्यन्त महत्त्वपूर्ण होते हुए भी एकमात्र या सब कुछ नहीं था। वस्तुतः उनके लिए समाज, भाषा, शिक्षा, संस्कृति से जुड़ी अन्य समस्याएँ राजनीतिक सवाल से कम महत्त्वपूर्ण नहीं थीं, और सच तो यह है, जैसा कि हम इस पुस्तक के भी विवेचन में देखेंगे कि ब्रिटिश शासन के विरुद्ध आन्दोलन-संघर्ष शुरू करने के पहले से ही गाँधीजी अछूतोद्धार, स्त्री-सुधार या भाषा-शिक्षा के सवाल को लेकर सक्रिय हो चुके थे। इसीलिए इन पक्षों से सम्बद्ध विवेचन को पहले रखा गया है। चूँकि स्वाधीनता आन्दोलन में उनकी सीधी सक्रिय भागीदारी सामाजिक-शैक्षिक गतिविधियाँ शुरू करने के बाद 1920 ई. से शुरू हुई, इसलिए इसे पुस्तक का अन्तिम प्रकरण बनाया गया है। किन्तु पाठकों से विनम्र निवेदन है कि वे इस प्रकरण को गाँधीजी के नेतृत्व में चले स्वाधीनता-आन्दोलन से जुड़ी तमाम घटनाओं के तिथिवार ब्यौरा जानने के ध्येय से न पढ़ें, क्योंकि मेरे प्रयास का ऐसा प्रयोजन रहा भी नहीं है। इस प्रकरण में मेरा उद्देश्य तो उन बातों पर 'फोकस' करना है जिनके कारण पूरे स्वाधीनता आन्दोलन में गाँधीजी की भूमिका सारे राष्ट्रीय नेताओं, आन्दोलनकारियों एवं क्रान्तिकारियों की तुलना में विशिष्ट एवं अद्वितीय महत्त्व की हो सकी। इन चार मुद्दों के अतिरिक्त जो अन्य मुद्दे रहे, जैसे जनजातीय क्षेत्रों में चलने वाले आन्दोलन, साम्प्रदायिक सद्भाव, चरखे एवं खादी का प्रचार, इनका अलग से विवेचन न करके, इन्हीं चारों प्रकरणों के अन्तर्गत आनुषंगिक रूप में उल्लेख कर दिया गया है।

पुस्तक में प्रस्तुत सामग्रियों की प्रामाणिकता के सम्बन्ध में सूचित करना वांछनीय समझता हूँ कि मैंने मुख्य रूप से सम्पूर्ण गाँधी वाड्मय में गाँधीजी के संकलित लेखों एवं भाषणों को ही आधार बनाया है। वैसे गाँधीजी पर लिखी किताबें प्रचुर मात्रा में हैं, विशेषकर अँग्रेजी में, लेकिन उनका उपयोग मैंने नगण्य मात्रा में ही किया है। ऐसी पुस्तकों में मैंने सबसे अधिक सहारा लिया है, आचार्य जे. बी. कृपलानी की अँग्रेजी में लिखी पुस्तक के हिन्दी अनुवाद से, जो 'महात्मा

गाँधी : जीवन और चिन्तन' नाम से प्रकाशित है। इसका कारण यह है कि जीवतराम भगवानदास कृपलानी नाम के ये शख्स भले ही सरदार पटेल, राजगोपालाचारी, पं. जवाहरलाल नेहरू, राजेन्द्र प्रसाद, मौलाना अबुलकलाम आजाद की तरह चर्चित नेता नहीं रहे हों, किन्तु गाँधीजी से उनका लगाव-जुड़ाव इनमें किसी से भी कम नहीं रहा। एक दीर्घ आयु प्राप्त कृपलानी जी (जन्म : 11 नवम्बर 1888, निधन : 19 मार्च 1982) फरवरी 1915 में गाँधी जी से पहली बार मिले जब वे दक्षिण अफ्रीका से वापसी के बाद कुछ दिनों के लिए शान्ति निकेतन में ठहरे हुए थे। उस समय कृपलानीजी मुजफ्फरपुर (बिहार) के 'लंगट सिंह कॉलेज' में प्राध्यापक थे। वहीं रहते हुए वे चम्पारण के सत्याग्रह आन्दोलन से जुड़े और तब से लेकर गाँधी जी के जीवनकाल तक वे उनसे, कांग्रेस से और राष्ट्रीय आन्दोल से गहरे रूप से जुड़े रहे। वे बारह वर्षों तक (1934-1946) कांग्रेस के महासचिव रहे, 1947 में कांग्रेस के अध्यक्ष रहे। बाद में पं. नेहरू से मतभेद के कारण 1951 में कांग्रेस छोड़कर 'प्रजा सोशलिस्ट पार्टी' में शामिल हो गये। 1952, 1957, 1963, और 1967 में वे चार बार लोकसभा के लिए निर्वाचित हुए। यह संक्षिप्त परिचय प्रासंगिक न होते हुए भी इसलिए आवश्यक है कि कृपलानीजी जैसे गाँधीवादी स्वतन्त्रता सेनानी एवं बौद्धिक को जाननेवाले आज लगभग नहीं-से है। राष्ट्रीय स्वाधीनता आन्दोलन का इतिहास लिखने वाले भी कृपलानीजी की पुस्तकों से शायद ही कोई प्रमाण देते हों। बहरहाल, मेरी दृष्टि में गाँधीजी के कार्यों एवं आन्दोलनों के सम्बन्ध में वस्तुनिष्ठ परिस्थितियों के वर्णन को प्रामाणिक बनाने के लिए उनकी यह पुस्तक बहुत ही उपयुक्त लगी, इसलिए मैंने एकाध अपवाद को छोड़कर इसी का उपयोग किया है। राजनीतिक प्रकरण के अन्त में मैंने स्व. निखिल चक्रवर्ती के व्याख्यान (जो मुझे लेख के रूप में उपलब्ध हो गया) को विस्तार से उद्धृत किया है। चूँकि निखिल चक्रवर्ती एक राष्ट्रीयस्तर के विख्यात वामपन्थी बुद्धिजीवी-पत्रकार के रूप में समादृत रहे, अतएव ऐसे व्यक्ति द्वारा गाँधीजी का किया गया मूल्यांकन मेरी दृष्टि में बहुत महत्त्व रखता है।

यहाँ एक स्पष्टीकरण देना मुझे वांछनीय प्रतीत होता है। ऐसी जिज्ञासा सम्भव है कि पेशे के रूप में हिन्दी साहित्य के अध्ययन-अध्यापन से वास्ता होने के कारण गाँधी जैसे गैर-साहित्यिक विषय पर लिखते रहने का क्या औचित्य है? इसकी वजह बहुत कुछ तो मेरी प्रवृत्ति की है। चूँकि पहले मैं राजनीतिशास्त्र का छात्र रहा, बाद में हिन्दी साहित्य का छात्र हुआ, इसलिए राजनीति से साहित्य और साहित्य से राजनीति की तरफ यात्रा करते रहना मेरी प्रवृत्ति में निहित है। लेकिन वास्तविक कारण तो हिन्दी आलोचना की एक मुँहजोर धारा द्वारा उपस्थित

किया गया वह परिदृश्य है जिसमें गाँधीजी को समाज, राजनीति, देश, विकास, प्रगति, गरीब, दलित आदि सबका खलनायक बनाकर रख दिया गया है। हिन्दी आलोचना में विगत कई वर्षों से प्रगतिवाद, वामपन्थ के नाम एक प्रवृत्ति दिखाई देती रही है कि हिन्दी के रचनाकारों का मूल्यांकन करते समय जहाँ नहीं भी आवश्यक हो, वहाँ भी गाँधी को घसीट लाया जाता है और उनके विरुद्ध टिप्पणियाँ की जाती हैं। गाँधी के समकालीन हिन्दी साहित्यकारों जैसे प्रेमचन्द, रामचन्द्र शुक्ल, निराला, जयशंकर प्रसाद आदि के सम्बन्ध में लिखते हुए हमारे कतिपय आलोचक-प्रवर गाँधी के साथ इन लेखकों के रिश्ते को छत्तीस का बताने में ही अपनी खोजी प्रतिभा का चमत्कार समझते हैं। इसके लिए ये मनगढ़ंत बातों को परोसने और ऐतिहासिक तथ्यों की हत्या करने में भी संकोच नहीं करते। इधर दलित लेखन के उभार ने इस कार्य को और द्रुतगति से बढ़ा दिया है। वामपन्थियों और दलितपन्थियों में यद्यपि बहुत सारे मतभेद हैं, किन्तु गाँधी के विरोध के सवाल पर दोनों सहोदर-से हो जाते हैं।

इसे देखते हुए एक छोटी-सी कहानी याद आ जाती है। अधेड़ उम्र के एक व्यक्ति ने पहली पत्नी के रहते दूसरी शादी कर ली। जाहिर है दूसरी शादी वाली पत्नी जवान थी, सो वह अपने अधेड़ पति के सिर से पके-सफेद बालों को चुन-चुनकर निकालने का काम करने लगी, तो दूसरी तरफ पहली ने पति के सिर में बचे हुए काले बालों को निकालना शुरू कर दिया। इन दो पाटों के बीच बेचारे पति महोदय के बालों का क्या हश्र हुआ होगा, इसका हम अनुमान कर सकते हैं। आजकल हिन्दी साहित्य में 'गाँधी-प्रभाव' को लेकर बहुत कुछ ऐसा ही बर्ताव वर्ग-चेतना एवं दलित-चेतना के ध्वजारोहियों द्वारा हो रहा है। यह कहने में तनिक भी अतिवाद नहीं कि इनमें अधिकतर ऐसे आलोचक हैं जो गाँधी को पढ़ने-समझने का कोई उपक्रम किये बगैर धाराप्रवाह रूप से उनके खिलाफ फतवेबाजी किये जा रहे हैं। इसका एक कारण, मेरी समझ में, यह है कि हिन्दी में गाँधीजी के समस्त कृतित्व को सही परिप्रेक्ष्य में प्रस्तुत करने वाली किताबें भी बहुत कम हैं। और हों भी कैसे?

हिन्दी-लेखन की मुख्यधारा एक समय वर्ग-संघर्ष, वर्ग चेतना के समर्थक लेखकों के कब्जे में रही, तो अब वह वर्ण-संघर्ष, वर्ण-चेतना के समर्थक लेखकों के कब्जे में हैं। ये दोनों ही अपने-अपने ढंग से गाँधीजी के सकारात्मक पक्षों को भी नकारात्मक रूप से पेश करने की मुहिम चलाये हुए हैं। अतएव हिन्दी साहित्य का अध्येता गाँधीजी के सम्बन्ध में सही तथ्यों से अवगत हो सके, यही सोचकर मैं यह प्रयास कर रहा हूँ। यही कारण है कि मैंने पुस्तक के प्रकरण

में कहीं-कहीं पर हिन्दी लेखकों के सन्दर्भ में भी गाँधीजी के आन्दोलनों एवं रचनात्मक कार्यक्रम के प्रभावों का जिक्र कर दिया है। अगर यह पुस्तक हिन्दी जगत में गाँधीजी के सम्बन्ध में फैलायी गयी या फैलायी जा रही गलतफहमियों से पाठकों को थोड़ा भी मुक्त करने में सफल हो सकी, तो मैं अपना श्रम सार्थक समझूँगा।

और अन्त में निवेदित है मेरा हार्दिक आभार उन सभी गुरु-प्रवरों, सम्पादक-मित्रों एवं शुभ-चिन्तकों के प्रति जिनके प्रत्यक्ष-अप्रत्यक्ष सहयोग एवं प्रेरणा से मैं यह छोटा-सा कार्य सम्पन्न कर सका। मैं विशेष रूप से डॉ. मनोज कुमार राय जो इस समय महात्मा गाँधी अन्तर्राष्ट्रीय हिन्दी विश्वविद्यालय, वर्धा में अध्यापक हैं, का आभारी हूँ कि उन्होंने रवीन्द्रनाथ ठाकुर का लेख 'सत्य का आह्वान' उपलब्ध कराकर मेरे कार्य को सुगम किया। पुस्तक-प्रकाशन के लिए भारतीय ज्ञानपीठ के प्रति मेरा हार्दिक आभार।

भागलपुर
मार्च 2008

श्रीभगवान सिंह

अनुक्रम

प्रथम अध्याय

अस्पृश्यता–निवारण–जागरण

आमतौर पर गाँधीजी का मूल्यांकन करते हुए उनके कार्यों को स्वाधीनता संग्राम के दायरे तक सीमित कर दिया जाता है और उनके अन्य रचनात्मक एवं सामाजिक-सांस्कृतिक महत्त्व के कार्यों को अनदेखा कर दिया जाता है। यही नहीं, उनके द्वारा जीवनपर्यन्त चलाये गये अस्पृश्यता-निवारण या अछूतोद्धार के आन्दोलन की नोटिस नहीं ली जाती, जबकि वास्तविकता है कि गाँधीजी ने 'अस्पृश्यता-उन्मूलन' के सवाल को वैसे ही राष्ट्रव्यापी जागरण का विषय बना दिया था, जैसे स्वराज्य के मुद्दे को। उनके इन सामाजिक सुधार से जुड़े कार्यों की उपेक्षा का ही परिणाम है कि कुछेक वर्षों के दौरान उभरे दलित लेखन ने गाँधीजी को दलित विरोधी सिद्ध करने की मुहिम-सी चला रखी है। एक बात साफ कर दूँ कि गाँधीजी की दृष्टि में दलित केवल अछूत जाति वाले ही नहीं थे, और न ही 'दलित' का अर्थ कभी केवल अछूत जाति तक सीमित रहा। इसलिए उन्होंने 'अछूत' या 'अस्पृश्य' जैसे शब्दों का प्रयोग ही अधिक किया ओर आन्दोलन भी 'अछूतोद्धार' या 'अस्पृश्यता-निवारण' के नाम से चलाया। लेकिन अब अस्पृश्य जातियों के लेखकों ने केवल अपने को ही 'दलित' कहना शुरू कर दिया है और अन्य सवर्ण लेखक भी इसे सही मानने लगे हैं। चूँकि गाँधीजी के यहाँ दलितों के बजाय 'अछूत या अस्पृश्य' शब्द अधिक मिलते हैं, इसलिए आज के दलित बंधुओं को यह भ्रम हो जाता है कि उनके कार्यक्रम में दलितों से जुड़े सवाल का कोई स्थान नहीं था।

वैसे इन दिनों साहित्यिक एवं राजनीतिक हलकों में जो लेखकीय परिदृश्य दृष्टिगोचर होता है, उसमें गाँधीजी को दलित-विरोधी सिद्ध करना दलित पक्षधरता एवं प्रगतिशीलता का एक अनिवार्य लक्षण-सा हो गया है। ध्यातव्य है कि गाँधीजी के जीवनकाल से ही उन पर बुर्जुवा, पूँजीपतियों, जमींदारों के समर्थक तथा वर्ग-संघर्ष का दुश्मन आदि होने के आरोप लगते रहे। अब इन आरोपों में इजाफा करते

हुए उन्हें दलित-विरोधी भी सिद्ध किया जाने लगा है। इसमें अगर रियायत दी भी जाती है, तो यह कहकर कि उन्होंने डॉ. अम्बेडकर के दलित आन्दोलन से प्रेरित होकर या फिर उसकी काट के तौर पर अछूतोद्धार को अपने कार्यक्रम का अंग बनाया। मसलन, सूरजभान नाम के एक दलित लेखक अपने 'भारत में दलित उत्पीड़न' शीर्षक लेख में कहते हैं—"डॉ. अम्बेडकर के राजनीतिक आन्दोलन के परिणामस्वरूप ही गाँधीजी के नेतृत्व में चल रहे राष्ट्रीय आन्दोलन ने 1930 के बाद अछूतोद्धार के मुद्दे को अपने कार्यक्रम का अभिन्न अंग बना लिया। दलितों के अधिकारों को राजनीति में महत्त्वपूर्ण माना जाने लगा।" स्पष्ट है कि सूरजभान की राय के अनुसार 1930 के पहले गाँधीजी अछूतोद्धार के सवाल से दूर-दूर थे, लेकिन अम्बेडकर के राजनीतिक आन्दोलन ने वह गुल खिलाया कि उसने गाँधी को अछूतोद्धार के मुद्दे को अपने कार्यक्रम का अभिन्न अंग बनाने को विवश कर दिया।

गनीमत है कि सूरजभान कम-से-कम गाँधीजी को अछूतोद्धार के मुद्दे को अपने कार्यक्रम का अभिन्न अंग बताने का श्रेय देकर उन्हें दलित-विरोधी नहीं सिद्ध करते, किन्तु दलित-चेतना एवं लेखन के कुछ ऐसे भी पक्षधर हैं जो गाँधीजी को दलित-विरोधी सिद्ध करने में ही अपनी बौद्धिकता एवं ज्ञान की सार्थकता समझते हैं। इनमें ऐसे लेखक भी हैं जिन्हें गैर दलित के नाम से जाना जाता है। यानी ये अछूत जाति में जन्मे लेखक नहीं है, किन्तु अछूत जाति यानी दलित जाति के प्रबल पक्षधर के रूप में अपने को पेश करते हैं। "नये मुल्ला जी प्याज ज्यादा खाते हैं", वाले मसले को चरितार्थ करते हुए ये लोग गाँधीजी के जीवन-संसार से कोई एकाध घटना चुन लेते हैं और उसे सन्दर्भ एवं समग्र जीवन-चिन्तन से विच्छिन्न करते हुए उसके आधार पर गाँधीजी को दलित-विरोधी सिद्ध कर अपनी दलित पक्षधरता का प्रमाणपत्र प्रस्तुत कर देते हैं। उदाहरण के लिए किन्हीं विजय प्रकाश नाम के अन्वेषक बौद्धिक ने 'अनटचेबुल फ्रीडम' नाम से एक पुस्तक लिखी है। इस पुस्तक में गाँधीजी के दलित विरोधी रवैये के प्रमाण में लेखक ने एक घटना का उल्लेख किया है: "3 अप्रैल 1946 को वाल्मीकि युवकों ने गाँधी को अपने साथ खाने के लिए निमन्त्रित किया। गाँधी पशोपेश में पड़ गये। साफ मना कर देने पर वैचारिकता का संकट उत्पन्न हो सकता था। उन्होंने कहा कि उनके खाने पर खर्च होने वाला पैसा किसी हरिजन बच्चे की शिक्षा पर खर्च कर दिया जाए। युवकों के हठ करने पर उनकी तरफ से यह पेशकश हुई कि दलित युवक उनके घर पर खाना बनाकर उन्हें खिला दें। काफी देर तक बहस चलती रही। अन्त में एक भंगी लड़के ने अपने हाथ की मुट्ठी में से सुपारी के कुछ टुकड़े

निकालकर गाँधीजी को दिये और उन्हें खाने के लिए कहा। गाँधी ने सुपारी अपनी बकरी को खिला दी और कहा कि जब वे बकरी का दूध पिएँगे तो यह सुपारी दूध के साथ उनके पेट में चली जाएगी।''

इस घटना का जिक्र क्या हुआ, मानो 'बिल्ली के भाग्य से छींका टूटा', यानी दलित हिमायतियों को गाँधीजी को दलितों से घृणा करने वाले व्यक्ति के रूप में प्रचारित करने का पर्याप्त मसाला मिल गया। इस घटना का इस्तेमाल करते हुए कई प्रतिभाशाली लेखक दिखायी पड़ते हैं। इनमें एक हैं वीरेन्द्र यादव जो काफी अध्ययनशील एवं गवेषणात्मक प्रवृत्ति के लेखक के रूप में हिन्दी जगत में अपनी पहचान बना चुके हैं। वे गाँधीजी को दलित-विरोधी सिद्ध करने का कोई मौका अपने हाथ से नहीं निकल जाने देते। सो वे अपने एक लेख 'चाँद का अछूत विशेषांक' में गाँधीजी को दलित विरोधी बताने के लिए इस घटना का जिक्र करते हुए लिखते हैं; ''आज से आठ दशक पूर्व एक सरयूपारीण ब्राह्मण का चमार जाति के साथ एक ही थाली में भोजन करते हुए चित्र छपवाना कितना दुःसाहसपूर्ण रहा होगा इसका सहज ही अनुमान लगाया जा सकता है। विशेषकर तब और भी जब गाँधी सरीखे अछूतोद्धारक भी अपने अन्तिम वर्षों तक दलितों के साथ भोजन करने का आत्मबल नहीं जुटा पाये थे। इस सम्बन्ध में गाँधी के दिल्ली की भंगी कॉलोनी के निवास के दिनों की अप्रैल 1946 की उस घटना को याद करना प्रासंगिक होगा जब गाँधी ने दलितों के साथ भोजन करने से इंकार कर दिया था।''[2] दूसरे लेखक हैं विभूति नारायण राय जो पेशे से वरिष्ठ आरक्षी अधिकारी हैं, पर साहित्य जगत में भी लेखक और सम्पादक के रूप में काफी वजन रखते हैं। उन्होंने भी अपने एक लेख '1857 का दलित पक्ष' में गाँधीजी को दलित-विरोधी सिद्ध करने के लिए विजय प्रकाश की उपर्युक्त पुस्तक का हवाला देते हुए 1946 वाली घटना का जिक्र किया है।[3]

प्रकट है कि गाँधीजी को कैसे दलित-विरोधी सिद्ध किया जाए, इसके जुगाड़ में दलित लेखकों की तुलना में गैर दलित लेखक अधिक सक्रिय हैं। बहरहाल इस 1946 वाली घटना को लेकर इन लेखकों द्वारा गाँधीजी के दलित-चिन्तन एवं कर्म पर की गयी टिप्पणी से एक मजाकिया वाकया याद आ जाता है। कहते हैं—एक आदमी गाँव से पहली बार शहर गया। शहर पहुँचा तो उसे पहले रेलवे क्रासिंग मिली जिससे होकर ही शहर में प्रवेश किया जा सकता था। चूँकि उस समय किसी रेलगाड़ी के गुजरने का वक्त हो रहा था, इसलिए रेलवे क्रासिंग के गेट बन्द कर दिये गये थे। वह आदमी गेट को बन्द देख लौट पड़ा और गाँव पहुँचकर उसने गाँववालों को बताया कि अब शहर में कोई नहीं जा

सकता, क्योंकि वहाँ का गेट बन्द कर दिया गया है। 1946 वाली घटना को लेकर हमारे इन बुद्धिजीवियों का गाँधीजी के दलित सरोकारों के सम्बन्ध में बहुत कुछ ऐसा ही व्यवहार हुआ है। 1946 के पहले गाँधीजी ने इस सवाल पर क्या-क्या सोचा, क्या-क्या किया, कैसे किया आदि पर जरा भी ध्यान न देना और पूरे सन्दर्भ में एक घटना को ले उड़ना और फिर उसके आधार पर गाँधीजी को दलित-विरोधी सिद्ध कर देना साफतौर पर बौद्धिकता एवं गवेषणात्मकता के दिवालियेपन के सिवा कुछ नहीं है। बहरहाल इतना स्पष्ट है कि एक समय वर्ग-संघर्ष, वर्ग-चेतना से जुड़कर अपने को प्रगतिशील सिद्ध करने के लिए गाँधीजी को बुर्जुवा, पूँजीवादी नेता बताना आवश्यक था, तो आज अपने को दलित पक्षधर के रूप में प्रगतिशील सिद्ध करने के लिए गाँधीजी को दलितों का दुश्मन सिद्ध करना आवश्यक हो उठा है। प्रस्तुत अध्ययन में हम यही देखने का प्रयास करेंगे कि गाँधी पर दलित विरोधी होने का लगाया जाने वाला आरोप कितना और कैसे तथ्यहीन, मनगढ़ंत एवं सतही जानकारियों पर आधारित है।

हमें यह तथ्य सदैव ध्यान में रखना चाहिए कि जिस भारतीय नवजागरण की चर्चा की जाती है, उसके मुख्य रूप से दो मोर्चे थे। प्रसिद्ध समाजशास्त्री डा. पूरनचन्द जोशी के शब्दों में कहें—"तो पहला मोर्चा था 'आन्तरिक उपनिवेशवाद' के विरुद्ध चेतना जागृत करने का, तो दूसरा मोर्चा था 'ब्रिटिश साम्राज्यवाद' के विरुद्ध चेतना जागृत करने एवं संघर्ष करने का। 'आन्तरिक उपनिवेशवाद' से मतलब है भारतीय समाज में सदियों से विद्यमान नाना अँधविश्वासों, सामाजिक-कुरीतियों, रिवाजों से जिनके कारण देश एवं समाज की दशा अत्यन्त शोचनीय हो चुकी थी। सचमुच, देखा जाए तो भारतीय नवजागरण का आरम्भ इस 'आन्तरिक उपनिवेशवाद' यानी अन्दरूनी बुराइयों के विरोध से ही हुआ, औपनिवेशिक शासन-तन्त्र का विरोध तो उसमें बाद में जुड़ा। बंगाल में राजा राममोहन राय, केशवचन्द्र सेन, ईश्वरचन्द्र विद्यासागर, विवेकानन्द, तो महाराष्ट्र-गुजरात में रानाडे, ज्योतिबा फूले, दयानन्द सरस्वती आदि इस 'आन्तरिक उपनिवेशवाद' के विरोध के ही प्रखर बौद्धिक नेता एवं कार्यकर्ता के रूप में सामने आये। सन् 1885 ई. में अखिल भारतीय राष्ट्रीय कांग्रेस की स्थापना के बाद शनैः शनैः औपनिवेशिक शासनतन्त्र के विरुद्ध उभरता स्वर भारतीय नवजागरण का अंग जरूर बनने लगा था, किन्तु 'आन्तरिक उपनिवेशवाद' के विरुद्ध चली आ रही मुहिम शिथिल नहीं हुई, बल्कि वह और व्यापक एवं तीव्र होती गयी। भारतीय समाज में वर्ण व्यवस्था द्वारा स्थापित जाति-भेद एवं छुआछूत जैसी बुराइयों के खिलाफ महाराष्ट्र में ज्योतिबा फूले ने उन्नीसवीं सदी में ही जंग छेड़ दी थी, लेकिन बीसवीं सदी में इस जंग को और व्यापक एवं गहरा बनाने का

काम जिन दो व्यक्तियों ने किया उनमें पहला नाम महात्मा गाँधी का है, तो दूसरा नाम बाबा साहब भीमराव अम्बेडकर का है। दक्षिण अफ्रीका में रंगभेद के विरुद्ध सत्याग्रह की लड़ाई लड़कर गाँधीजी जनवरी 1915 में भारत आ गये और तब से लेकर जीवन के अन्तिम पहर तक वे छुआछूत या अस्पृश्यता के विरुद्ध अपने ढंग से देश में जन जागरण एवं जन आन्दोलन के कार्यक्रम चलाते रहे।

गाँधीजी के समस्त कृतित्व पर दृष्टिपात करने से यह तथ्य निर्भान्त रूप से स्वीकार करना पड़ता है कि औपनिवेशिक दासता के विरुद्ध भारतीय स्वाधीनता-संग्राम में एक महान योद्धा के रूप में उनका अवदान अवश्य अमिट है; किन्तु हमें इस सच को भी मानना होगा कि गाँधीजी साम्राज्यवाद विरोधी बनने के बहुत पहले से समाज की अन्दरूनी बुराइयों, असंगतियों के खिलाफ जागरूक हो चुके थे और उनके उन्मूलन की दिशा में दक्षिण अफ्रीका में रहते हुए ही प्रयासरत हो चुके थे। भाषा, शिक्षा, स्त्री-दशा आदि को लेकर अपने चिन्तन एवं कर्म को वे बहुत हद तक वहीं पर दिशा दे चुके थे। चूँकि वहाँ पर अस्पृश्यता जैसी समस्या नहीं थी, इसलिए इसको लेकर वहाँ पर उन्हें कोई आन्दोलन करने की आवश्यकता महसूस नहीं हुई। किन्तु स्वदेश आने पर उन्हें समाज अस्पृश्यता की ज्वाला से दग्ध नजर आया और इसे मिटाने के लिए वे जी-जान से पिल पड़े। दरअसल छुआछूत जैसी अमानवीय क्रूर प्रथा को लेकर गाँधीजी बचपन से ही बहुत संवेदनशील थे। इस अछूतपन के विरुद्ध उनके मन में एक जन्मजात मानवीय आक्रोश एवं नफरत का भाव भरा हुआ था। इस तथ्य का उन्होंने अपने भाषणों एवं लेखों में कई सन्दर्भों में जिक्र किया है। मिसाल के तौर पर पेश है 13-14 अप्रैल 1921 को अहमदाबाद में हुए 'अछूतों का चौथा सम्मेलन' में गाँधी जी द्वारा दिये गये भाषण का यह अंश—"मैं अस्पृश्यता को हिन्दू धर्म का सबसे बड़ा कलंक मानता हूँ। मेरे मन में इस विचार का प्रादुर्भाव दक्षिण अफ्रीका संघर्ष के दिनों में हुए कटु अनुभवों से हुआ था। इसका कारण यह नहीं कि मैं कभी नास्तिक था और यह सोचना भी उतना ही अनुचित है जैसा कि कुछ लोग समझते हैं कि मुझे यह विचार ईसाई धार्मिक साहित्य के अध्ययन से मिला है। मेरी यह धारणा उस समय की है जब 'बाइबिल' या बाइबिल मतानुयायियों से न तो मेरा कोई प्रेम था और न परिचय ही। ...मेरे मन में जब यह धारणा उत्पन्न हुई थी तब मैं मुश्किल से बारह साल का था। उका नाम का एक भंगी हमारे घर की टट्टियाँ साफ किया करता था। मैं अपनी माँ से प्राय: यह पूछा करता कि उसे छूना क्यों बुरा है, उसे छूने से मुझे क्यों रोका जाता है? यदि संयोग से उसे छू जाता तो मुझे नहाने के लिए कहा जाता था। मैं इसे मान तो लेता था, फिर भी मुस्कराते हुए आपत्ति जरूर

करता और कहता कि अछूतपन धर्मसम्मत नहीं है, उसका धर्मसम्मत होना असम्भव है। मैं अपनी माँ से कहा करता कि उनका यह ख्याल कि उका से छू जाना पाप है, बिलकुल गलत है।''[4]

इस सम्मेलन में बोलते हुए गाँधीजी ने अस्पृश्यता की मान्यता को झकझोरते हुए कहा—''यह सच है कि हिन्दू धर्म में अस्पृश्यता पाप नहीं समझी जाती। मैं शास्त्रों की व्याख्या के सम्बन्ध में किसी वाद-विवाद में नहीं पड़ना चाहता। 'भागवत' या 'मनुस्मृति' से प्रमाण देकर अपनी बात को सिद्ध करना शायद मेरे लिए कठिन भी हो। लेकिन मैं हिन्दू धर्म के तत्त्व को समझ चुकने का दावा करता हूँ। अस्पृश्यता की अनुमति देकर हिन्दू धर्म ने पाप किया है। इससे हमारा पतन हुआ है और हम साम्राज्य में शूद्र जैसे माने जाते हैं। ...जब तक हिन्दू लोग जानबूझ कर अछूतपन को अपने धर्म का अंग मानते रहेंगे तब तक स्वराज्य की प्राप्ति असम्भव है। युधिष्ठिर अपने कुत्ते को साथ लिये बिना स्वर्ग में नहीं गये तब उन्हीं युधिष्ठिर के वंशज अछूतों को छोड़कर स्वराज्य पाने की आशा कैसे कर सकते हैं? जिन अपराधों के लिए हम इस सरकार की निन्दा करते हैं और उसे 'दानवी सरकार' कहते हैं, उन अपराधों में से ऐसा कौन-सा अपराध है जो हमने इन अछूत भाइयों के प्रति नहीं किया है और जिसके हम दोषी नहीं हैं।''[5]

अब उपर्युक्त कथन के आधार पर कोई यह कहे कि गाँधीजी ने अछूतों का दर्जा कुत्ते जैसे रखा (युधिष्ठिर वाले प्रसंग को लेकर) तो यह उस दृष्टान्त के प्रति नासमझी ही कही जाएगी। गाँधीजी के कहने का अभिप्राय यह नहीं कि अछूत हमारे लिए वैसे ही हैं जैसे युधिष्ठिर के लिए उनका कुत्ता था। वस्तुत: वे तो यह अहसास कराना चाहते थे कि जिस युधिष्ठिर को हिन्दू समाज धर्मराज मानकर आदर देता रहा है वह भी कुत्ते जैसे एक मामूली जीव को, जो अत्यन्त आत्मीय बन गया था, छोड़कर स्वर्ग नहीं चले गये; फिर अछूत तो हमारे भाई-बन्धु हैं (तभी तो कहते हैं कि कौन-सा अपराध है जो हमने इन अछूत भाइयों के प्रति नहीं किया है), उन्हें छोड़कर यानी उन्हें 'अछूतपन' की स्थिति में बनाये रखकर हम स्वराज्य रूपी स्वर्ग को प्राप्त करने में सफल नहीं हो सकते। दरअसल गाँधीजी का यह कथन कोरी लफ्फाजी या वाग्जाल नहीं है, अपितु उनके हृदय-सिन्धु से निकले सच्चे उद्गार हैं जिन पर वे बचपन से अमल करते आ रहे थे। विदित है कि दक्षिण अफ्रीका में रहते हुए गाँधीजी अपने घर में शौच आदि की सफाई खुद किया करते थे या फिर पत्नी कस्तूरबा से करवाते थे। एक अतिथि के शौच की सफाई को लेकर एक बार बा के साथ उनकी काफी गरमा-गरम बहस हो गयी। 1898 ई. में घटित हुई इस घटना का उल्लेख करते हुए गाँधीजी ने लिखा है—''जब मैं डरबन में वकालत

करता था, तब बहुत बार मेरे मुंशी मेरे साथ रहते थे। ...मेरे घर की बनावट पश्चिमी ढंग की थी। उसके कमरे में नाबदान नहीं थे। मेरी राय में होने भी नहीं चाहिए। इस कारण हर कमरे में नाबदान के बजाय पेशाब के लिए खास बर्तन रख दिये गये थे। उन्हें उठाने का काम नौकर का नहीं था, बल्कि हम घर के मालिक और मालकिन का था। जो मुंशी अपने को घर का आदमी समझने लगते वे तो अपना बर्तन खुद उठाते ही थे। यह पंचम कुल में पैदा हुआ मुंशी नया था। उसका बर्तन हमें ही उठाना चाहिए था औरबर्तन तो कस्तूरबा उठाती थी। पर इसमें उसकी समझ में हद हो गयी थी। हममें झगड़ा हुआ। मेरा उठाना उससे देखा न जाता था और खुद उठाना भी जब्र गुजरता था। ...इस प्रकार सिर्फ उसके बर्तन उठा ले जाने से मुझे सन्तोष न हुआ। वह हँसते चेहरे से ले जाए तभी मुझे सन्तोष होता। अत: मैंने दो शब्द ऊँचे स्वर से कहे—"यह कलह मेरे घर में नहीं चल सकता।" वह भड़क उठी—"तो अपना घर अपने पास रखो। मैं जाती हूँ।" मैं तो ईश्वर को भूल गया थ। दया का लेश भी मेरे दिल में न रह गया था। मैंने हाथ पकड़ा। सीढ़ी के सामने ही बाहर निकलने का दरवाजा था। मैं उस असहाय अबला को पकड़कर दरवाजे तक खींच ले गया...।"[6]

गौरतलब है कि मल-मूत्र की सफाई करने के कारण जिन्हें 'अछूत' समझा जाता था, उस काम को गाँधीजी ने कभी गन्दा नहीं माना और न उसे करने वाले को अछूत माना। इसलिए वे खुद भी अपने घर में भंगी की तरह काम करते रहे। स्वाभाविक था कि ऐसे व्यक्ति के अन्दर गन्दगी साफ करने वाली जाति के प्रति किसी प्रकार का घृणा-भाव न होकर बन्धुत्व-भाव था। उन्होंने अपनी 'आत्मकथा' में कई स्थानों पर दक्षिण अफ्रीका में भारतीयों के साथ गोरी जाति के भेदमूलक व्यवहार के दंश को भोगते हुए इस बात का क्षोभ व्यक्त किया है कि भारतवर्ष में अछूत जातियों के साथ 'सवर्ण हिन्दू' जिस अस्पृश्यता का पाप करते आ रहे है, उसी का दंड वे दक्षिण अफ्रीका में रंगभेद के रूप में भोग रहे हैं। यह कहने में तनिक भी अतिशयोक्ति नहीं कि दक्षिण अफ्रीका प्रवास के दौरान ही 'अछूतों का उद्धार हो, उन्हें सामाजिक बराबरी का दर्जा मिले' यह सोच गाँधीजी के चिन्तन का अंग बन चुका था। यही कारण था कि जनवरी 1915 में भारत् वापस आने के बाद इस समस्या के समाधान की दिशा में वे जल्द ही प्रवृत्त हो गये जिसके प्रमाणस्वरूप उनके द्वारा अहमदाबाद में स्थापित आश्रम में एक अछूत दंपती को प्रवेश देने की अनुमति की घटना देखने को मिलती है। इस अछूत दंपती को आश्रम में प्रवेश देने के कारण गाँधीजी को जिन मुसीबतों का सामना करना पड़ा, उसकी चर्चा हम आगे चलकर करेंगे। किन्तु इस घटना के बाद 'अछूतोद्धार या अस्पृश्यता

उन्मूलन' के प्रति गाँधीजी का निश्चय दिन पर दिन और पुख्ता होता गया। वे अपने लेखों एवं सार्वजनिक सभाओं में दिये भाषणों में अस्पृश्यता के विरोध में मानो आग उगलने लगे। 5 नवम्बर 1917 को गोधरा में भाषण करते हुए गाँधी जी ने बहुत निर्भीकता के साथ कहा—"अछूतों का एक जुदा वर्ग बना देना हिन्दू धर्म के माथे पर कलंक है। जात-पाँत एक बंधन है, पाप नहीं। अछूतपन तो पाप है, सख्त जुर्म है और यदि हिन्दू धर्म इस बड़े साँप को समय रहते नहीं मार डालेगा, तो वह उसको खा जाएगा। अछूतों को अब हिन्दू धर्म के बाहर हरगिज न समझना चाहिए।"[7]

जो हिन्दू सवर्ण होने के कारण अपने को शूद्रों से जन्मजात रूप से श्रेष्ठ समझते थे, उनके इस दर्प पर चोट करते हुए गाँधी जी ने उसी भाषण में कहा—"असल में विदेशी हुकूमत के नीचे होने के कारण हम सब गुलाम हैं और इस तरह पश्चिमवालों की निगाह में शूद्र से भी हल्के अछूत हैं। ... रावण राक्षस था, पर यह अस्पृश्यता रूपी राक्षसी तो रावण से भी भयंकर है और इस राक्षस की धर्म के नाम पर जब हम पूजा करते हैं, तब तो हमारे पाप की गुरुता और भी बढ़ जाती है। इससे हबशियों की गुलामी भी कहीं अच्छी है। यदि इसे धर्म कहें तो ऐसे धर्म से मुझे घृणा होती है। यह हिन्दू धर्म हो ही नहीं सकता। मैंने तो हिन्दू धर्म द्वारा ईसाई धर्म और इस्लाम का आदर करना सीखा है, फिर यह पाप हिन्दू धर्म का अंग कैसे हो सकता है? इस पाखंड और अज्ञान के खिलाफ यदि जरूरत पड़े तो मैं अकेले लड़ूँगा, अकेला तपश्चर्या करूँगा और उसका नाम जपते हुए मरूँगा।"[8]

सवर्णों में ऐसे ज्ञानी जन भी थे जो अस्पृश्यता को हिन्दू धर्म का अनिवार्य अंग बताते हुए उचित सिद्ध कर रहे थे। ऐसे लोगों को बहुत ही विनम्रता, लेकिन दृढ़तापूर्वक फटकारते हुए गाँधीजी ने उसी भाषण में यह कहा—"मेरा जन्म वैष्णव सम्प्रदाय में हुआ है और इसके सिद्धान्त मुझे बड़े प्रिय हैं। वैष्णव धर्म में अथवा हिन्दू धर्म में मुझे कहीं यह विधान नहीं मिला कि भंगी-डोम आदि जाति अस्पृश्य हैं। हिन्दू धर्म अनेक रूढ़ियों से घिरा हुआ है। उनमें से कुछ रूढ़ियाँ प्रशंसनीय हैं, शेष निन्द्य हैं। अस्पृश्यता की रूढ़ि तो सर्वथा ही निन्द्य है। इसकी बदौलत दो हजार वर्षों से धर्म के नाम पर पाप की राशि हिन्दू धर्म पर लादी जाती रही है और अब भी लादी जाती है। मैं इस रूढ़ि को पाखंड कहता हूँ। इस पाखंड से आपको मुक्त होना पड़ेगा। इस रूढ़ि के समर्थन में 'मनुस्मृति' आदि धर्मग्रन्थों के श्लोक उद्धृत करने से कोई लाभ नहीं। इन ग्रन्थों में कितने ही प्रज्ञिप्त श्लोक हैं, कितने ही श्लोक नितान्त अर्थहीन हैं।

अस्पृश्यता के विरोध को वर्णाश्रम का विरोध न समझा जाए, इस बात का गाँधीजी उन दिनों काफी ध्यान रखते थे। दूसरे शब्दों में, यह कहा जा सकता है कि उस समय तक गाँधीजी की जो समझ बनी थी उसके मुताबिक अस्पृश्यता को दूर करने का तरीका यह नहीं था कि अछूतों के पारम्परिक कार्यों को घृणित मानकर उससे उन्हें मुक्त कराया जाए, अपितु उनके कार्यों को भी उसी तरह सम्मान के भाव से देखने की सोच विकसित की जाए जिस तरह एक डॉक्टर या एक माँ के कार्यों को देखा जाता है। अतएव अछूतोद्धार के आन्दोलन के उद्देश्य पर प्रकाश डालते हुए उन्होंने गोधरा वाले भाषण में ही यह भी कहा—"इस आन्दोलन से वर्णाश्रम धर्म का लोप नहीं हो सकता। इसका उद्देश्य इसके अतिरेक को दूर करके उसकी रक्षा करना है। इस आन्दोलन के पुरस्कर्ताओं की यह भी इच्छा नहीं कि भंगी आदि अपने काम छोड़ दें। किन्तु उन्हें यह दिखा देना है कि मल गन्दगी आदि साफ करने का उद्यम इतना आवश्यक और पवित्र है कि उसके करने से वैष्णव तक की शोभा हो सकती है। इस धन्धे को करने वाले नीच नहीं, किन्तु दूसरे पेशेवालों के बराबर सामाजिक अधिकारों के पात्र हैं और उनका उद्यम कितने ही रोगों से देश की रक्षा करता है। इसलिए वे डॉक्टर के समान सम्माननीय हैं।"[10]

प्रसंगवश, यहाँ यह निवेदन करना आवश्यक प्रतीत होता है कि यह वह समय था जब गाँधीजी वर्णाश्रम धर्म का समर्थन करते हुए अस्पृश्यता को मिटाना चाहते थे। कतिपय दलित नेताओं का मानना था कि चूँकि अस्पृश्यता वर्ण व्यवस्था की देन है, अतएव बगैर वर्ण व्यवस्था को मिटाये अस्पृश्यता को मिटाने के प्रयास निरर्थक हैं। यह एक बहुत बड़ा कारण था गाँधीजी और दलित नेताओं के बीच मतभेद रहने का। किन्तु वर्णाश्रम धर्म को लेकर गाँधीजी का मत सदैव एक-सा नहीं रहा और वह बहुत कुछ उनके साम्राज्यवाद विरोध की रणनीति के एक अंग के रूप में भी रहा जिस पर हम विस्तार से चर्चा आगे चलकर करेंगे। यहाँ तो हमारे लिए यह देखना-दिखाना ही महत्त्वपूर्ण है कि कैसे 1915 ई. से गाँधीजी अस्पृश्यता विरोध की दिशा में उत्तरोत्तर तेजी से आगे बढ़ रहे थे। इस सन्दर्भ में उल्लेखनीय है अमृतलाल पढ़ियार द्वारा अप्रैल 1918 में लिखित 'अन्त्यज स्तोत्र' जिसकी प्रस्तावना में गाँधीजी ने अछूतपन के समर्थकों को चेताते हुए लिखा—"जब तक हम अस्पृश्यता के इस दोष से मुक्त नहीं हो जाते, तब तक हम स्वराज्य भोगने योग्य हैं या नहीं, यह एक बड़ा सवाल बना रहेगा। गुलामों के मालिकों को अगर स्वराज्य भोगने योग्य कहा जा सकता है तो हम भी हो सकते हैं। यह बात याद रखनी चाहिए कि हम खुद इस समय पराधीन अवस्था में हैं; उससे मुक्त होने वाले को तो यह चाहिए कि वह अपने दोषों पर गहराई से विचार करे।

...जब हमारे बड़े-बूढ़े इस संसार से विदा हो लेंगे तभी अन्त्यजों का उद्धार होगा, यह कहना कायरता है। हमारा पुरुषार्थ तो इसमें है कि हम अपने बड़े-बूढ़ों के हृदयों में दया और शुद्ध धर्म की भावना जाग्रत करें।''[11]

ध्यान में रखने वाली बात यह है कि गाँधीजी अछूतपन के सवाल पर यह सब तब सोच और कर रहे थे जब भारतीय राजनीति में बाबा साहब अम्बेडकर का कहीं पता नहीं था। जब गाँधी जी 1915 में अपने आश्रम में एक अछूत दम्पती को रहने की अनुमति देकर सामाजिक बहिष्कार की धमकी का सामना कर रहे थे। तब अम्बेडकर कोलम्बिया विश्वविद्यालय में उच्च शिक्षा का अध्ययन कर रहे थे। इसलिए यह कहना सरासर तथ्य विरोधी है कि गाँधीजी ने अम्बेडकर के दलित-आन्दोलन से प्रेरित होकर या फिर उसकी प्रतिक्रिया में उसके प्रभाव को कम करने के लिए अस्पृश्यता-निवारण या अछूतोद्धार कार्यक्रम को अपने आन्दोलन का अंग बनाया।

गाँधीजी के सम्बन्ध में उपलब्ध उपर्युक्त तथ्यों के आलोक में यह बात शीशे की तरह साफ है कि उनके अन्दर छुआछूत को लेकर जन्मजात विरोधभाव रहा था जिसे दक्षिण अफ्रीका के अनुभवों ने और तीखा किया। इसी का परिणाम हुआ कि भारत में आते ही हिन्दू समाज के अन्दर अस्पृश्यता के रूप में विराजमान इस सर्वाधिक घृणास्पद उपनिवेशवाद के विरुद्ध उन्होंने मोर्चा खोल दिया जिसे वे उत्तरोत्तर व्यापकता प्रदान करते गये। जब 1920 ई. में गाँधीजी ने ब्रिटिश शासन के खिलाफ राष्ट्रव्यापी असहयोग आन्दोलन छेड़ा, तब उन्होंने अस्पृश्यता-उन्मूलन के सवाल को और गम्भीरता से लेते हुए उसे भी उसी तरह राष्ट्रव्यापी आन्दोलन बनाने का प्रयास किया जिस तरह साम्राज्यवाद विरोधी आन्दोलन को। प्रसंगवश उल्लेखनीय है कि अगस्त 1920 से मार्च 1922 तक जब गाँधीजी के नेतृत्व में चल रहे असहयोग आन्दोलन से पूरा देश आन्दोलित हो उठा था और लगता था कि अब स्वराज्य मिलकर ही रहेगा, तब भारत का अन्त्यज-वर्ग इस आन्दोलन या स्वराज्य को लेकर कतई उत्साहित नहीं था। वह उदासीन मनः स्थिति में था। यही नहीं, उस वर्ग में जो कुछेक प्रबुद्धजन थे, उनकी तरफ से लगातार यह कहा जा रहा था कि इस स्वराज्य से उन्हें क्या मिलनेवाला है? वे तो स्वराज्य मिल जाने के बाद भी भंगी, चमार, हांड़ी आदि का काम करते हुए अछूत ही बने रहेंगे। गाँधीजी के समक्ष ये प्रश्न रखे गये और वे लगातार यह भरोसा दिलाने की कोशिश करते रहे कि स्वराज्य में अस्पृश्यता जैसी अधम चीज का कोई वजूद नहीं होगा।

इस सन्दर्भ में उल्लेखनीय है, असहयोग आन्दोलन के दौरान गाँधीजी को एस. एम. माइकेल नाम के व्यक्ति द्वारा लिखा गया पत्र और उसमें उठाये गये

प्रश्न। इस पत्र को गाँधीजी ने 17.11.1920 के 'यंग इंडिया' में छापा था। इस पत्र में माइकेल द्वारा उठाये गये सवालों में प्रमुख थे—"आप यह भी कहते हैं कि आज जो इस साम्राज्य में हमारी स्थिति अछूतों जैसी हो गयी है, वह गोखले के शब्दों में 'न्यायप्रिय ईश्वर द्वारा किया गया प्रतिशोधात्मक न्याय है।' यदि ऐसा ही है तो क्या इसका यह अर्थ नहीं निकलता कि हम कदापि अपने राजनीतिक उद्देश्य तब तक प्राप्त नहीं कर सकते जब तक उस प्रतिशोधात्मक न्याय के मूल या कारणों को हम दूर नहीं कर लेते। और यदि हमारा वर्तमान आन्दोलन सफल भी हो जाता है, अँग्रेज हटा दिये जाते हैं और स्वतन्त्रता स्थापित हो जाती है। तो वह परिवर्तन एक घंटे भी नहीं टिकेगा क्योंकि जैसा हमारे सम्मानीय कविगुरु ठाकुर 'राष्ट्रीयता' पर लिखी पुस्तक में कहते हैं—"इस देश में सामाजिक दासता की बालू पर स्थायी राजनीतिक स्वतन्त्रता की इमारत नहीं उठाई जा सकती।" वे आगे चलकर कहते हैं कि "इस देश की सच्ची समस्या सामाजिक है, न कि राजनैतिक।"...इसलिए लाखों दलितों और मद्रास तथा दक्षिण के ब्राह्मणेतरों ने, जो उन भागों की आम जनता का प्रतिनिधित्व करते हैं, आपके इस राजनीतिक असहयोग आन्दोलन के विरुद्ध इतनी दृढ़ता से विरोध प्रकट किया है। यह उनकी राय में उल्टी गंगा बहाने जैसा है। ...वे पूर्णतया विश्वास करते हैं कि फिलहाल तो ब्रिटिश राज ही सबसे अच्छा है और यदि आप कल स्वतन्त्रता स्थापना में सफल भी हो जाएँ और यदि वह जाति की शिला से टकराकर चकनाचूर नहीं भी हो जाती, जैसा कि हमारे लम्बे और बहुविध इतिहास में कई बार हुआ है, तो भी वह थोड़े ही दिनों में अफगानों या जापानियों के हाथों छिन जाएगी। इसलिए वे भारत प्रजातन्त्र बने, इसके पहले प्रजातन्त्र के सुरक्षित रहने की परिस्थिति पैदा करना चाहते हैं, ताकि वह भीतरी और बाहरी शक्तियों से सुरक्षित रह सके।"[12]

एस. एम. माइकेल के पत्र में उठाये गये सवालों से स्पष्ट है कि भारत के अछूत समुदाय के लिए साम्राज्यवादी शोषण से अधिक उत्पीड़नकारी था, आन्तरिक उपनिवेशवाद, यानी वर्ण-व्यवस्थाजनित सामाजिक गैर बराबरी और अस्पृश्यता जैसी जमीनी वास्तविकताओं से निबटना, यह पहली प्राथमिकता थी। यह अस्पृश्यता ऐसी कठोर चीज थी जिसके जरिये सदियों से सवर्ण हिन्दुओं ने समाज के बेशुमार लोगों को अछूत बनाकर पशुओं से भी बदतर जीवन जीने को बाध्य कर रखा था। अतएव स्वाभाविक था कि ऐसे पददलित लोगों की दिलचस्पी राजनीतिक परिवर्तन से अधिक सामाजिक परिवर्तन के कार्यक्रमों में हो। सामाजिक परिवर्तन आरम्भ से ही भारतीय नवजागरण का सरोकार था, यह हम देख चुके हैं और इसके महत्त्व से गाँधीजी अनजान भी नहीं थे। किन्तु उनकी सोच में

सामाजिक परिवर्तन के साथ-साथ राजनीतिक परिवर्तन यानी राजनीतिक स्वतन्त्रता भी आवश्यक थी, क्योंकि उनके मतानुसार राजनीतिक सत्ता प्राप्त हो जाने पर यानी स्वतन्त्र हो जाने पर इच्छानुसार सामाजिक परिवर्तन की दिशा में कदम उठाये जा सकते थे। चूँकि गाँधीजी के लिए राजनीति का सदैव मतलब रहा समाज की बेहतरी के लिए सत्ता का इस्तेमाल करना, इसलिए वे राजनीतिक स्वतन्त्रता को सामाजिक बदलाव की पहली सीढ़ी मानते रहे। अपनी इस सोच के अनुरूप असहयोग आन्दोलन के दौरान वे इसमें अन्त्यजों की सहभागिता के लिए लगातार राजनीतिक स्वतन्त्रता के महत्त्व को अपने भाषणों, लेखों आदि में उजागर करते रहे। माइकेल द्वारा उठाये गये प्रश्नों का उत्तर देते हुए गाँधीजी ने 27.11.1920 के 'यंग इंडिया' में लिखा—"स्वामी विवेकानन्द पंचमों को (अछूत जातियाँ) 'दलित जातियाँ' कहा करते थे। स्वामी विवेकानन्द द्वारा दिया गया यह विशेषण अन्य विशेषणों की अपेक्षा निस्सन्देह अधिक सटीक है। हमने उनका दलन किया है और परिणामत: स्वयं ही पतन के गर्त में जा गिरे। आज जो इस समाज में हमारी स्थिति अछूतों जैसी हो गयी है, सो गोखले के शब्दों में—"बदले में हमारे प्रति न्यायी ईश्वर द्वारा किया गया न्याय ही है। ...मगर किसी गुलाम देश के किसी व्यक्ति के लिए अपने आपको गुलामी से छुटकारा दिलाये बिना दलित जातियों के लोगों को उनकी गुलामी से छुटकारा दिलाना सम्भव होता, तो मैं आज ही यह काम कर गुजरता। लेकिन यह असम्भव है। गुलाम को सही काम करने की भी छूट नहीं होती। अगर हमारी कोई सच्ची राष्ट्रीय विधानसभा होती तो मैं (सवर्ण) हिन्दुओं की धृष्टता का उत्तर अवश्य देता। इस तरह कि केवल दलित जातियों के उपयोग के लिए खास कुएँ खुदवाता और विशेष रूप से उन्हीं के लिए अपेक्षाकृत अच्छे और इतने अधिक स्कूल खुलवा देता कि दलित जातियों में ऐसा एक भी व्यक्ति न बचता जिसके बच्चों की पढ़ाई-लिखाई के लिए स्कूल न होते। लेकिन अभी तो मुझे उस शुभ दिन के लिए प्रतीक्षा करनी है।"[13]

ध्यातव्य है कि 'उस शुभ दिन' यानी 'स्वराज्य' मिलने की प्रतीक्षा की बात कहकर गाँधीजी अछूत बन्धुओं को अहसास कराना चाहते थे कि 'अछूतोद्धार' या अस्पृश्यता जैसी समस्याओं से प्रभावशाली ढंग से निबटने के लिए अपना राज होना आवश्यक है। किन्तु इसका मतलब यह भी नहीं कि गाँधीजी अछूतों के लिए तब तक कुछ करना नहीं चाहते थे जब तक स्वराज्य न मिल जाए। इसलिए उसी लेख में उन्होंने अपना इरादा स्पष्ट कर दिया—"लेकिन इस बीच क्या इन लोगों को अपनी शक्ति और साधनों के भरोसे ही छोड़ देना है? नहीं, ऐसा कुछ नहीं है। मैंने अपने विनम्र तरीके से 'पंचम' भाइयों के लिए जो कुछ कर सकता

हूँ, किया है और आगे भी करता रहूँगा।"[14]

दलितों द्वारा सरकार के साथ सहयोग कर कुछ पाने के दृष्टिकोण पर, जैसा कि माइकेल ने अपने पत्र में व्यक्त किया था, गाँधीजी का स्पष्टतः मानना था—'राष्ट्र के इन दलित लोगों के लिए तीन रास्ते खुले हैं। अगर उनका धीरज छूट रहा हो तो वे इसके लिए दूसरों को गुलाम बनाकर रखने वाली सरकार से सहायता माँग सकते हैं। उन्हें यह सहायता मिल भी जाएगी, लेकिन यह ताड़ से छूटकर भाड़ में गिरने के सामान होगा। आज 'पंचम लोग' गुलामों के भी गुलाम हैं। अगर उन्होंने सरकार से सहायता माँगी तो उनका उपयोग उनके अपने ही भाई-बन्दों को दबाने के लिए किया जाएगा। ...मुसलमानों ने यह नुस्खा आजमा कर देखा, लेकिन वे विफल रहे। उन्होंने देखा कि उनकी हालत पहले से भी बदतर हो गयी। सिखों ने अनजाने यही काम किया, लेकिन वे असफल रहे। आज भारत में कोई भी समुदाय उतना असन्तुष्ट नहीं है जितने कि सिख हैं। इसलिए सरकारी सहायता इस समस्या का कोई समाधान नहीं है।[15] सरकारी सहायता से अपनी कौम या समुदाय की भलाई की उम्मीद करना कैसे एक बहुत बड़ी भ्राँति का शिकार होना था, इसे गाँधीजी ने कई दृष्टान्त देकर अच्छी तरह साफ कर दिया।

यही नहीं, जो दलितजन धर्म-परिवर्तन को सामाजिक दासता एवं दलन से मुक्ति का उपाय समझते रहे थे, उनकी भ्राँति को भी दूर करते हुए गाँधीजी ने उसी लेख में लिखा—"दूसरा रास्ता है, हिन्दुत्व का परित्याग करके सामूहिक रूप से इस्लाम या ईसाईयत को अंगीकार कर लेना और अगर पार्थिव समृद्धि के लिए अपना धर्म बदलना सही होता, तो मैं बेहिचक उन्हें ऐसा करने की सलाह दे देता। लेकिन धर्म तो हृदय की चीज है, कोई भी भौतिक सुख-सुविधा ऐसी नहीं है जिसके कारण अपना धर्म छोड़ा जा सकता हो। अगर 'पंचम' समाज के साथ अमानवीय व्यवहार करना हिन्दुत्व का अंग होता तो हिन्दू धर्म का परित्याग कर देना उनका भी परम कर्तव्य होता और साथ ही मुझ जैसे लोगों का भी, जो धर्म को भी अन्धश्रद्धा का विषय नहीं बनाना चाहेंगे ओर धर्म के पवित्र नाम पर हर बुराई को बर्दाश्त नहीं कर लेंगे। लेकिन मेरे विचार से, अस्पृश्यता हिन्दुत्व का अंग नहीं है। यह तो हिन्दुत्व के शरीर पर निकला हुआ एक अतिरिक्त माँस-पिंड है जिसे हरसम्भव कोशिश करके काट फेंकना चाहिए और ऐसे हिन्दु सुधारकों की बहुत बड़ी संख्या इस देश में है जो पूरी लगन से हिन्दुत्व को इस कलंक से मुक्त करने के लिए प्रयत्नशील हैं। इसलिए मेरे विचार से धर्म-परिवर्तन भी इसका कोई उपाय नहीं है।"[16]

पंचमों के लिए तीसरा रास्ता क्या हो सकता था, इसका उल्लेख करते हुए

गाँधीजी ने लिखा—"तब अन्त में रह जाता है आत्म-सहायता और आत्म-निर्भरता के साथ-साथ ऐसे पंचमेतर हिन्दुओं की मदद लेने का रास्ता जो कर्तव्य मानकर स्वेच्छा से मदद दें और यह न समझें कि वे कोई कृपा का कार्य कर रहे हैं। हिन्दुत्व के प्रति विरोध प्रकट करने के लिए 'पंचम लोग' जब तक उनकी खास शिकायतें बनी रहती हैं तब तक के लिए बेशक हिन्दू वर्गों से सारे सम्पर्क और सम्बन्ध तोड़ ले सकते हैं। लेकिन इसके लिए संगठित रूप से समझदारी के साथ प्रयत्न करने की जरूरत होगी और जहाँ तक मुझे दिखाई देता है, पंचमों के बीच ऐसा कोई नेता नहीं है जो उन्हें असहयोग के माध्यम से विजय दिला सकता हो।"[17] इस प्रकार गाँधीजी ने अस्पृश्यों के लिए सरकारी सहायता, धर्म-परिवर्तन एवं संगठित होकर पृथक आन्दोलन करने जैसे विकल्पों के दोषों को दर्शाते हुए असहयोग आन्दोलन की राष्ट्रीय धारा में शामिल होना श्रेयस्कर बताते हुए निष्कर्ष के तौर पर कहा—"इसलिए पंचमों के लिए इससे अच्छा रास्ता शायद यह है कि वे वर्तमान सरकार की गुलामी का जुआ उतार फेंकने के लिए आज जो महान राष्ट्रीय आन्दोलन चल रहा है, उसमें हृदय से शामिल हो जाएँ। ...यद्यपि मुझे पंचमों की समस्या का समाधान ढूढ़ने की उतनी ही चिन्ता है जितनी अपने प्राणों की रक्षा करने की, फिर भी मैं अपना सारा ध्यान राष्ट्रीय असहयोग पर ही केन्द्रित करके सन्तुष्ट हूँ, क्योंकि मेरा यह निश्चित विश्वास है कि इस बृहत्तर समस्या में वह लघुतर समस्या भी शामिल है।"[18]

उपर्युक्त वक्तव्यों के आलोक में स्पष्ट है कि गाँधीजी 1915 में दक्षिण अफ्रीका से भारत आने के बाद दलितों की समस्याओं से न अनजान थे, न बेपरवाह। सत्य तो यह है कि वे बहुत ही गहराई से अछूतपन की समस्याओं से जूझने लगे थे। हाँ, तात्कालिक सन्दर्भ में वे देश की राजनीतिक स्वतन्त्रता को बृहत्तर प्रश्न मानते हुए उसी के एक अंग के रूप में अस्पृश्यता की समस्या को शामिल कर असहयोग आन्दोलन में अछूतों की भागीदारी की गुहार लगा रहे थे। दूसरी चीज कि गाँधीजी दलितों द्वारा संगठित होकर हिन्दू वर्गों से असहयोग करने के विरोधी भी नहीं थे, लेकिन जैसा कि उपर्युक्त कथन में है, उस समय 'पंचमों' के बीच कोई ऐसा नेता नहीं था जो उन्हें असहयोग के माध्यम से विजय दिला सके। स्पष्ट है कि दलितों की समस्या पर गाँधीजी इतनी गम्भीरता से 1920 में जब यह सोच-विचार कर रहे थे, तब अम्बेडकर का देश के राजनीतिक-सामाजिक वातावरण में कहीं पता नहीं था। गाँधीजी के अछूतोद्धार आन्दोलन को अम्बेडकर के दलित आन्दोलन के प्रभावस्वरूप बताना कितना इतिहास-विरोधी तथ्य है, यह पाठक खुद तय कर सकते हैं।

गाँधीजी की देश-समाज को लेकर जो समझ थी, उसके मुताबिक वे देश के सभी वर्गों एवं वर्णों के कल्याण के लिए राजनीतिक आजादी को आवश्यक मानते हुए 1920-22 के बीच देश के विभिन्न भागों में घूम-घूमकर असहयोग आन्दोलन के पक्ष में जन जागरण का अभियान चलाते रहे। इस राष्ट्रीय आन्दोलन में वे पंचमों से भी शामिल होने की गुहार लगाते रहे। आज भी ऐसा कहने वालों की कमी नहीं है कि दलितों ने असहयोग या स्वाधीनता आन्दोलन से अपने को अलग रखकर ठीक ही किया, क्योंकि उनकी दृष्टि में ब्रिटिश राज ही पंचमों के हित के अनुकूल था और वे राज के साथ सहयोग कर अपना अधिक भला कर सकते थे। लेकिन ब्रिटिश राज के साथ सहयोग करने के जो कटु अनुभव गाँधीजी को हुए थे, उसे ध्यान में रखते हुए वे देश के किसी वर्ग के लिए भी ब्रिटिश राज के बने रहने में भलाई नहीं देखते थे। गाँधीजी के इन अनुभवों की चर्चा हम आगे करेंगे। यहाँ पर इतना ही ध्यान में रखना पर्याप्त होगा कि 1920 में असहयोग का राष्ट्रव्यापी आन्दोलन छेड़ने वाले गाँधीजी ने अच्छी तरह यह महसूस कर लिया था कि ब्रिटिश राज से स्वतन्त्र होकर ही हिन्दुस्तान के समस्त समुदाय अपनी-अपनी दशा को वांछित ढंग से सुधार सकते थे। इसलिए असहयोग आन्दोलन से अपने को दूर रखने वाले अन्त्यजों को उन्होंने देशव्यापी भ्रमण करके बताने एवं जगाने का कठिन परिश्रम किया ताकि वे समझ सकें कि उनकी सामाजिक दशा में परिवर्तन के लिए आवश्यक है राजनीतिक रूप से स्वतन्त्र होना।

अपनी इस सोच के अनुरूप गाँधीजी देशव्यापी दौरा कर जहाँ एक तरफ देश के समस्त समुदायों के बीच राजनीतिक स्वतन्त्रता की चेतना उभारने का भगीरथ प्रयास करते रहे, तो वहीं दूसरी तरफ वे हिन्दू समाज में अछूतों के प्रति बरते जा रहे छुआछूत के भेदभाव के खिलाफ भी जबर्दस्त मुहिम चलाते रहे। असहयोग आन्दोलन के दौरान दरअसल गाँधीजी की मूल सोच थी देश के समस्त धर्म, समुदाय, जाति, वर्ग के लोगों को एक राष्ट्रीय धारा में विन्यस्त कर औपनिवेशिक दासता के विरुद्ध व्यापक संघर्ष में सबको सहभागी बनाना ताकि आजादी प्राप्त कर देश की राजनीतिक सत्ता का इस्तेमाल सबकी भलाई के लिए हो सके। यह समग्र दृष्टि गाँधीजी के पूरे साम्राज्यवाद विरोधी अभियान की पीठिका रही जबकि मुस्लिम लीग के नेतृत्व में केवल मुसलमानों, हिन्दू महासभा के नेतृत्व में केवल हिन्दुओं और अम्बेडकर के नेतृत्व में केवल अछूतों के सवाल को ही महत्त्वपूर्ण बना दिया गया। गाँधीजी की इस समग्र समन्वयकारी या समंजस्यवादी दृष्टि को न पहचान पाने के कारण ही कतिपय दलित बुद्धिजीवियों को वे अम्बेडकर या दलित-विरोधी प्रतीत होते हैं, जबकि सच्चाई यह है कि 1926-27 के करीब

जिस दलित आन्दोलन के तेजस्वी नेता के रूप में अम्बेडकर सामने आये, वह गाँधीजी की समग्र दृष्टि एवं रचनात्मक कार्यक्रम का सदैव एक अभिन्न अंग रहा। इस मुद्दे पर गाँधीजी और अम्बेडकर के वैचारिक मतभेदों की चर्चा हम आगे चलकर करेंगे, यहाँ तो हम यह देखने का प्रयास करेंगे कि असहयोग आन्दोलन के दौरान गाँधीजी ने कैसे अछूतोद्धार के आन्दोलन को राष्ट्रीय जागरण एवं राष्ट्रीय आन्दोलन का महत्त्वपूर्ण अंग बना दिया।

वास्तव में देखा जाए तो गाँधीजी ने ब्रिटिश राज के खिलाफ असहयोग के रूप में जिस राष्ट्रव्यापी आन्दोलन का बिगुल फूँका था, उसे सफल बनाने के लिए सभी वर्गों, सम्प्रदायों, समूहों की एकजुटता आवश्यक थी। देश में बहुसंख्यक हिन्दू थे और उनमें वर्चस्व था सवर्णों का, जो थे तो अल्पसंख्यक लेकिन देश एवं समाज में प्रभावशाली वे ही थे और उनका समर्थन आन्दोलन की सफलता के लिए बहुत अहमियत रखता था। अतएव इस बात का पूरा-पूरा ध्यान रखना जरूरी था कि उनके खिलाफ कोई बात ऐसे आक्रामक ढंग से न कही जाए जिससे वे बिदककर राष्ट्रीय आन्दोलन से छिटक जाएँ। दूसरी तरफ बहुसंख्यक अछूत थे जो सवर्णों के उत्पीड़न से चिढ़कर इस स्वराज्य दिलानेवाले आन्दोलन से दूर थे। एक ही समाज के दो परस्पर विरोधी बन गये धड़ों को एक धारा में, एक धागे में गूँथना मुश्किल होते हुए भी वक्त का बहुत बड़ा तकाजा था। जाहिर है इस काम को निहायत समझदारी एवं सावधानी से करना था ताकि दुराव रखने वाले दलित राष्ट्रीय आन्दोलन से जुड़ सकें, तो दूसरी तरफ इस आन्दोलन को समर्थन देने वाले सवर्ण भी बिदकर इससे अलग-थलग न हो जाएँ। इसलिए गाँधीजी ने यहाँ भी वही तरीका अपनाया जो उन्होंने दक्षिण अफ्रीका में रंगभेद के खिलाफ संघर्ष करते हुए अपनाया था। यानी सत्याग्रह की वही पद्धति जिसके अन्तर्गत हृदय-परिवर्तन का कार्य प्रमुख था। इसके लिए गाँधीजी अपने भाषणों एवं लेखों द्वारा सवर्णों को लगातार अस्पृश्यता के विरुद्ध सद्‌बुद्ध करते रहे, सड़ी-गली मान्यताओं की निर्मम आलोचना करने से भी वे बाज नहीं आये ताकि लोगों में सामाजिक सम्बन्धों के प्रति स्वस्थ सोच का विकास हो सके। गाँधीजी निरन्तर अपनी विनम्र शैली में, किन्तु पूरी दृढ़ता एवं साहस के साथ हिन्दू धर्म के झंडाबरदारों को अछूतपन के सवाल पर झकझोरते रहे। नवम्बर 1920 में पूना में भाषण करते हुए उन्होंने दो टूक लहजे में ब्राह्मणों को लक्ष्य करते हुए कहा—''पंचमों के प्रति व्यवहारों में तो ब्राह्मण नौकरशाही जितनी ही शैतानियत कर रही है। ...पंचमों को अस्पृश्य मानना निश्चय ही शैतानियत है। जब तक हम अपनी शैतानियत नहीं छोड़ देते, तब तक हममें दूसरों की शैतानियत मिटाने की योग्यता

नहीं आ सकती।''[19]

गाँधीजी अपने भाषणों और लेखों द्वारा लगातार अस्पृश्यता को धर्म-विरोधी, अमानुषिक बताकर उसके उन्मूलन के पक्ष में सवर्णों को तैयार करने का अभियान चलाते रहे। 12.12.1920 के 'नवजीवन' में गाँधीजी का 'वैष्णव और अन्त्यज' नाम से एक लेख छपा। इस लेख में उन्होंने अस्पृश्यता की मान्यता पर प्रहार करते हुए लिखा—''अस्पृश्यता को पाप समझना पश्चिमी विचार है, ऐसा कहना पाप को पुण्य मानने के बराबर है। अखा भगत ने (सत्रहवीं शताब्दी के प्रसिद्ध गुजराती कवि) कोई पाश्चात्य शिक्षा प्राप्त नहीं की थी, लेकिन उन्होंने ही कहा कि—'अस्पृश्यता अतिरिक्त अंग है।' अस्पृश्यता और वर्णाश्रम दोनों को शास्त्री वसन्तराम जी तथा 'गुजराती' के सम्पादक एक ही वस्तु मानते जान पड़ते हैं। मेरी अल्पमति के अनुसार वर्णाश्रम धर्म है, वह शाश्वत है, व्यापक है, प्रकृति के अनुकूल है और व्यवहार की एक व्यवस्था है। अस्पृश्यता हिन्दू धर्म का दूषण है। सम्भवत: वह कभी समाज की अवनति के दिनों में कुछ काल के लिए आपद्धर्म के रूप में आरम्भ की गयी एक व्यवस्था थी। वह अव्यापक है और शास्त्रों में इसका समर्थन नहीं किया गया है। इसके समर्थन में जिन श्लोकों को उद्धृत किया जाता है, वे क्षेपक हैं अथवा उनके अर्थ के विषय में मतभेद हैं। वैष्णवों ने अस्पृश्यता का धर्म के रूप में वर्णन नहीं किया है।''[20]

ध्यातव्य है कि असहयोग आन्दोलन के दौरान गाँधीजी अस्पृश्यता के सम्बन्ध में जो कुछ कह और कर रहे थे, उसका अटपटापन इस बात में निहित था कि वे वर्णाश्रम धर्म यानी वर्ण-व्यवस्था को सही मानते हुए अस्पृश्यता को गलत ठहरा रहे थे। वर्णाश्रम के सम्बन्ध में उनके विचारों की चर्चा हम करेंगे, यहाँ तो अभीष्ट है उनके अस्पृश्यता सम्बन्धी विचारों का अवलोकन करना जिनके अनुसार वे उसे वर्णाश्रमाधारित हिन्दू धर्म का आन्तरिक गुण नहीं मानकर उसके अन्दर उभर आये एक अनावश्यक मांस-पिंड के रूप में समझते-समझाते रहे। इसे इस तरह भी कहा जा सकता है कि जिस तरह हमारे घर-मकान की दीवारों पर कभी अनर्गल अनपेक्षित पौधे उग आते हैं जो दीवारों के साथ-साथ पूरे मकान के लिए भी खतरा बन जाते हैं, तो हम ऐसे में पूरे मकान को ढहाने की बजाय उन अनावश्यक पौधों का सफाया कर देते हैं। ठीक उसी तरह गाँधीजी वर्ण-व्यवस्था पर टिके हिन्दू धर्म का परित्याग करने के बजाय उसमें अस्पृश्यता के रूप में उग आये अनावश्यक कंटीले झाड़-झंखाड़ को उखाड़ फेंकना आवश्यक समझते थे। अस्पृश्यता को सरासर अधर्म की संज्ञा देते हुए 19.12.1920 के 'नवजीवन' (गुजराती) में गाँधीजी ने अन्त्यजों के सम्बन्ध में लिखा—''धर्म यज्ञ में तो देश की आहुति देने

को भी तैयार हो जाऊँ, ऐसी मेरी भावना है। मेरा स्वदेशाभिमान धर्माभिमान से मर्यादित है। इसलिए अगर देश हित धर्महित का विरोधी हो तो मैं देशहित को छोड़ने के लिए तैयार रहता हूँ। अन्त्यज को अस्पृश्य मानना मैं अधर्म समझता हूँ और अधर्म का आचरण करते हुए देशहित करने की मेरी तनिक भी इच्छा नहीं है।''[21] एक बात सदैव ध्यान में रखने की है कि अस्पृश्यता का सवाल गाँधीजी के लिए हमेशा नैतिक, धार्मिक मुद्दा रहा, न कि राजनीतिक। जब उसका राजनीतिकरण हुआ तब भी अस्पृश्यता का विरोध वे इसी दृष्टिकोण से करते रहे।

अस्पृश्यता विरोधी अभियान को राष्ट्रव्यापी एवं सशक्त बनाने के लिए गाँधीजी ने लेखन, सम्मेलन, सभा आदि सभी प्रचार माध्यमों का समान रूप से इस्तेमाल किया। अस्पृश्यता के समर्थकों से आमने-सामने होकर संवाद करने से उन्होंने कभी परहेज नहीं किया। अस्पृश्यता के सवाल पर सनातनी हिन्दुओं से मतभेद का जिक्र करते हुए गाँधीजी ने 25 दिसम्बर 1920 को नागपुर के 'अन्त्यज-सम्मेलन' में कहा—''मैं स्वयं हिन्दू हूँ, मैं दावा करता हूँ कि मैं कट्टर हिन्दू हूँ। आज गुजरात में हिन्दू समाज, विशेषतः वैष्णव समाज मेरे हिन्दू होने के दावे को मानने से इंकार करता है, तथापि मैं अपने दावे पर दृढ़ हूँ और कहता हूँ कि मैं सनातनी हिन्दू हूँ। अस्पृश्यता हिन्दू समाज का बहुत बड़ा दोष है। अन्य और बहुत सारे दोष हैं, लेकिन उन्हें आप यदि आज अथवा हजार साल बाद दूर करें तो भी वह क्षम्य होगा। लेकिन मैं अन्त्यजों की अस्पृश्यता की बात को सहन नहीं कर सकता, उसे बर्दाश्त करना सम्भव नहीं है। हिन्दू समाज का यह कर्तव्य है कि वह अस्पृश्यता को दूर करने के लिए भारी तपश्चर्या करे। जब तक हिन्दू समाज अस्पृश्यता के पाप से मुक्त नहीं होता तब तक स्वराज्य की स्थापना होना असम्भव है।''[22]

उपर्युक्त वक्तव्य में खटकने वाली बात जो प्रतीत होती है वह है गाँधीजी द्वारा अपने को 'एक कट्टर हिन्दू' कहना। आज के हिन्दुत्ववादी माहौल में उनके इस कथन का दुरुपयोग किया जा सकता है। किन्तु उन्हें क्यों ऐसा कहना पड़ा, इसकी चर्चा अन्यत्र अपेक्षित है। यहाँ ध्यान आकृष्ट करने वाली जो महत्त्वपूर्ण बात है, वह है गाँधी द्वारा स्वराज्य की स्थापना के लिए अस्पृश्यता का लोप अनिवार्य मानना। गौरतलब है गाँधी ने दक्षिण अफ्रीका में रहते 'हिन्द स्वराज्य' नाम की जो पुस्तक लिखी थी (हालाँकि यह पुस्तक 1909 में चार माह तक इंग्लैंड में रहने के बाद दक्षिण अफ्रीका लौटते वक्त गाँधीजी ने जहाज पर लिखी थी जो पहले किश्तवार 'इंडियन ओपिनियन' नाम के पत्र में छपी, फिर जनवरी 1910 में पुस्तक रूप में प्रकाशित हुई थी) उसमें 'स्वराज्य' का अर्थ स्पष्ट करते हुए उन्होंने लिखा था—''अपने मन पर शासन करना।'' लेकिन भारत आने के

बाद अछूतपन जैसी अमानुषिक प्रथा को देखते हुए उन्हें महसूस हो गया कि सच्चा स्वराज्य अस्पृश्यता जैसे कोढ़ के रहते नहीं स्थापित हो सकता। इसलिए वे असहयोग आन्दोलन के दिनों से लेकर जीवन के अन्तिम पहर तक राजनीतिक स्वतन्त्रता, साम्प्रदायिक सौहार्द, राष्ट्रभाषा के रूप में हिन्दी के प्रचार के साथ-साथ अस्पृश्यता-निवारण, अछूतोद्धार के लिए जी-जान से प्रयासरत एवं संघर्षत रहे।

प्रसंगवश, यह तथ्य भी उल्लेखनीय है कि गाँधीजी का अस्पृश्यता-उन्मूलन अभियान निर्विरोध, निर्विघ्न नहीं रहा। हिन्दू कट्टरपंथियों द्वारा उनका जबर्दस्त विरोध होता रहा। कई जगहों पर तो उनकी सभाओं में पथराव किये गये, लेकिन इन सब की तनिक भी परवाह न करते हुए गाँधीजी स्वराज्य प्राप्ति को सम्भव बनाने वाले असहयोग आन्दोलन को व्यापक एवं शक्तिशाली बनाने के लिए अस्पृश्यता-उन्मूलन के पक्ष में अपनी मुहिम को धारदार बनाते रहे। वर्णाश्रम का समर्थन करते हुए भी वे अस्पृश्यता को उसका स्वाभाविक आन्तरिक अंग मानने को कभी तैयार नहीं हुए। 18.12.1920 के 'यंग इंडिया' में छपे उनके लेख का यह अंश द्रष्टव्य है—"मैं हिन्दू समाज को चार वर्णों में विभक्त होने की बात की हिमायत करने के लिए तो सदा की भाँति आज भी तैयार हूँ और 'यंग इंडिया' में मैंने अक्सर यह बात कही भी है, लेकिन मैं अस्पृश्यता को मानवता के विरुद्ध एक जघन्य अपराध मानता हूँ। यह संयम का नहीं, बल्कि ऊँचेपन के अहं भाव का द्योतक है। हिन्दुत्व की किसी अन्य चीज ने मानव जाति के एक विशाल समुदाय का ऐसा दमन नहीं किया है जैसा इस अस्पृश्यता ने किया है। दलित समुदाय के लोग न केवल हर अर्थ में हमारे ही जितने अच्छे हैं, वे देश के, जीवन के कई क्षेत्रों में बहुत ही जरूरी सेवा भी कर रहे हैं। अगर हिन्दुत्व को एक सम्माननीय और उदात्त प्रेरणा देने वाले धर्म के रूप में मान्यता प्राप्त करनी है तो इस पाप से वह अपने आपको जितनी जल्दी मुक्त कर ले, उतना ही अच्छा है। इस पापमय प्रथा के समर्थन में धर्मग्रन्थों के संदिग्ध विधान को अस्वीकार करने में भी मुझे कोई संकोच नहीं है। सच तो यह है कि अगर ये विधान विवेक और हृदय की आवाज के विरुद्ध हों, तो मैं उन्हें अस्वीकार ही करूँगा। जब कोई सत्ता, कोई विधान विवेक से उत्पन्न होता हे, तो वह कमजोरों की रक्षा करता है, उन्हें ऊपर उठाता है, लेकिन जब कोई विधान अन्तर के धीमे, शान्त, मूक स्वर से अभिषिक्त विवेक को अपने पास नहीं फटकने देता, तो वह कमजोरों और असहायों को नीचे गिराता है।"[23]

गाँधीजी के सम्बन्ध में सामान्य तौर पर एक चलताऊ धारण बन गयी है कि उन्होंने अपने चिन्तन में विवेक (रीजन) की अपेक्षा, आस्था को अधिक महत्त्व

दिया। किन्तु यहाँ हम देखते है कि परम्परा से चली आ रही किसी चीज को स्वीकारने में उन्होंने अन्ध आस्था को अपदस्थ करते हुए विवेक को सर्वोपरि स्थान दिया है। स्वयंसिद्ध है कि गाँधीजी किसी भी विधान या प्रथा को विवेक की कसौटी पर उसके सही-गलत होने की परख कर अपनाने के हिमायती थे। विवेक की कसौटी पर अस्पृश्यता सदा उन्हें अनुचित प्रतीत होती रही, इसलिए धर्मग्रन्थों या शास्त्रों का हवाला देकर अस्पृश्यता के औचित्य को सिद्ध करने वालों के तर्क से वे कभी सहमत नहीं हुए। विवेक के महायान पर सवार हो गाँधीजी अस्पृश्यता-विरोधी अभियान को लेकर उसके गढ़ रहे तमिलनाडु में पहुँच गये जहाँ कभी शूद्रों के गले में घंटी बाँधकर चलने का रिवाज बना रखा गया था ताकि घंटी की आवाज सुनकर उस मार्ग से आनेवाले ब्राह्मण सावधान होकर अपने को उनकी छाया के भी स्पर्श से बचा सकें। 16 सितम्बर 1921 को मद्रास (अब चेन्नई) में मजदूरों की सभा में बोलते हुए गाँधीजी ने कहा—"पंचम जाति जैसी कोई चीज हिन्दू धर्म में है ही नहीं। छुआछूत की भावना ईश्वर और मानवता दोनों के प्रति अपराध है। यह हिन्दू धर्म का कलंक है। मेरे साथी मजदूरों, मैं आपसे आग्रह करता हूँ कि अपने दिल से यह भावना निकल दें कि पंचम भाई अछूत या किसी और से नीचे हैं।"[24]

अब तक के विवेचन के आलोक में स्पष्ट है कि असहयोग आन्दोलन के दौरान गाँधीजी ने अस्पृश्यता-उन्मूलन के सवाल को राष्ट्रव्यापी सवाल बना दिया। वास्तव में देखा जाए तो असहयोग आन्दोलन के दौरान गाँधीजी ने तीन चीजों का राष्ट्रव्यापी प्रचार-प्रसार किया, पहली थी, राजनीतिक मुक्ति की आकांक्षा, दूसरी थी, राष्ट्रभाषा के रूप में हिन्दी को स्वीकार करने की राष्ट्रीय सहमति तथा तीसरी थी, अस्पृश्यता की समस्या। गाँधीजी के नेतृत्व में ये तीनों ही मुद्दे राष्ट्रीय जागरण के मानों त्रिदेव या तीन देवियाँ जैसे बन गये और गाँधीजी जीवनपर्यन्त इन तीनों मुद्दों को लेकर क्रियाशील रहे।

सर्वविदित है कि चौरी-चौरा की हिंसक वारदात के कारण गाँधी ने मार्च 1922 में असहयोग आन्दोलन को स्थगित कर दिया। दूसरे शब्दों में स्वराज्य प्राप्ति की लड़ाई स्थगित हो गयी और गाँधीजी ने रचनात्मक कार्यों के जरिये देशवासियों के राजनीतिक एवं सामाजिक प्रशिक्षण का कार्य शुरू किया। उनके रचनात्मक कार्यों में विद्यापीठों की स्थापना कर देशी ढंग से शिक्षा दिए जाने, चरखा का घर-घर प्रचार कर खादी तैयार करने के साथ-साथ समाज में छुआछूत का भेद मिटाना आदि प्रमुख रहे। लेखों, भाषणों, सम्मेलनों आदि के जरिये अस्पृश्यता विरोधी मुहिम को निरन्तर मजबूत एवं व्यापक बनाने का काम गाँधीजी पहले की तरह

ही करते रहे। 21.8.1924 के 'यंग इंडिया' में गाँधीजी का एक लेख छपा। इसमें उन्होंने दक्षिण अफ्रीका में सत्याग्रह के अनुभवों के आधार पर अस्पृश्यता से निबटने के तौर-तरीकों का जिक्र करते हुए लिखा—"हम एक प्रकार की सरगर्मी पैदा करना चाहते थे। किन्तु अस्पृश्यता के कार्य से इस प्रकार की सरगर्मी नहीं पैदा हो सकती। इसके लिए तो यश-प्रतिष्ठा की अपेक्षा रखे बिना चुपचाप काम करते रहने की जरूरत है। एक ओर तो हमें हिंसा के जरिये नहीं, बल्कि धैर्यपूर्ण प्रयत्नों से, जो केवल प्रेम की प्रेरणा से ही सम्भव है, पूर्वागृहों की दीवार ढहानी है और कट्टरपंथियों के साथ धीरज खोने का मतलब अपना काम बिगाड़ना और अपनी तथा पंचमों की स्थिति को और भी खराब कर देना है। हमें दलीलें देकर उन्हें अपनी बात समझानी है, उनके व्यंग्य, अपमान सहने हैं, यहाँ तक कि बदले के तौर पर अपना हाथ उठाए बिना उनकी लातें भी सहनी हैं। ...दूसरी और पंचम भाइयों के साथ भी हमें समान रूप से धैर्य के साथ काम लेना होगा। वे हमेशा हमारे प्रयत्नों की कद्र नहीं करते। वे प्रायः हम पर अविश्वास करते हैं। मैं जानता हूँ, जब अछूत बच्चों को यह सिखाया जाता है कि अस्पृश्यों की थाली से जूठा खाना अध:पतन है और अस्वास्थ्यकर भी है, तो उनके माता-पिता बुरा मानते हैं। कुछ तो सफाई को बुरा समझते हैं। वे अपनी आदतों से उसी प्रकार दुराग्रहपूर्वक चिपके हुए हैं जिस प्रकार कट्टरपन्थी लोग इस विश्वास से बँधे हैं कि आदमी आदमी के स्पर्श से भी अपवित्र हो सकता है।"[25]

जाहिर है गाँधीजी के अस्पृश्यता-निवारण कार्यक्रम में जहाँ एक तरफ अछूतों के प्रति सवर्णों की मानसिकता बदलने के लिए प्रबोधन-कार्य शमिल था तो दूसरी तरफ अछूतों को भी उनकी मानसिकता से उबारने का उपक्रम था। 8 जनवरी 1925 को काठियावाड़ की राजनीतिक परिषद में अध्यक्षीय भाषण करते हुए गाँधीजी ने कहा—"सभी हिन्दुओं का यह परम कर्तव्य है कि वे अस्पृश्यता को समाप्त करें। अस्पृश्यता हिन्दू धर्म पर एक बहुत बड़ा कलंक है। इस कलंक को मिटाना बहुत जरूरी है। दलितों की जो सेवा करेगा वह हिन्दू धर्म का त्राता होगा।"[26] फिर 15 जनवरी, 1925 को खेड़त के किसान-सम्मेलन में पटीदारों को फटकारते हुए-से गाँधीजी ने कहा—"पटीदार लोग अन्त्यजों के साथ अच्छी तरह से व्यवहार नहीं करते, ऐसा मैंने सुना है। आप अपने को क्षत्रिय मानते हों, तो आप अन्त्यजों के साथ जबर्दस्ती नहीं कर सकते, उन्हें मार-पीट नहीं सकते, ज्यादा काम लेना और कम दाम देना, ऐसा राक्षसी न्याय नहीं कर सकते। 'गीता' देवताओं को सन्तुष्ट रखने को कहती है, "देवताओं को सन्तुष्ट रखोगे तो देवता वर्षा देंगे।" देवता आकाश में नहीं है। आपके देवता अन्त्यज हैं, आपके देवता पोनी पसारी हैं।

हिन्दुस्तान का देवता हिन्दुस्तान की गरीब जनता है। दया ही धर्म का मूल है और उसका त्याग करने वाला ईश्वर का त्याग करता है। अन्त्यजों और रंकों को यदि हम स्थान न देंगे, तो हमारा नाश निश्चित है।''[27]

गाँधीजी के वक्तव्य के एक-एक शब्द पर गौर किया जाए तो उस वक्त के मिजाज को देखते हुए उनमें बहुत ही साहसिकता एवं क्रान्तिकारिता के तेवर दिखाई देंगे। आज ये शब्द शायद बहुत हल्के या मामूली-से लगें। लेकिन याद करें 1893 में शिकागो के विश्व 'धर्म-सम्मेलन' में अपना पहला भाषण करते हुए स्वामी विवेकानन्द ने 'बहनों और भाइयों' के सम्बोधन से ही सभी श्रोताओं को मोहाविष्ट कर लिया था, क्योंकि वहाँ का श्रोता-समाज भाई-बहन जैसे रिश्ते की व्यापकता से अपरिचित था, इसलिए उन्हें यह सम्बोधन नया के साथ-साथ काफी प्रीतिकर भी लगा। कुछ ऐसा ही माहौल 1925-26 के आसपास का था जब सवर्ण हिन्दुओं से सपने में भी अछूतों को भाई-बहन के रूप में देखने-समझने की उदारता की बात सोची नहीं जा सकती थी। फिर उन्हें देवता मानने का कहाँ सवाल पैदा होता था? मन्दिर की पत्थर की मूर्तियों को जीवित इनसानों से अधिक महत्त्वपूर्ण मानने और उनके आस-पास अपवित्रता की आशंका से अछूतों को फटकने भी न देने वाले सवर्ण हिन्दुओं से अछूतों को भाई-बहन से भी आगे बढ़कर देवता का दर्जा देने की अपील करना सचमुच संस्कारबद्ध सोच को बदलने की दिशा में क्रान्तिकारी कदम ही कहा जाएगा। यह दीगर बात है कि 'क्रान्तिकारी' शब्द का 'पेटेंट' किये हुए वामपन्थी बुद्धिजीवियों ने गाँधीजी को कभी इस विशेषण के लायक नहीं समझा। बहरहाल, अछूतों के साथ किये जा रहे भेद-भाव के प्रति गाँधीजी का विद्रोह दृढ़ से दृढ़तर होता गया। प्रसंगवश, उल्लेखनीय है कि गुजरात के खेड़ा जिले के गाँव भादरन की एक घटना।

वाकया 11 फरवरी 1925 की रात का है जब उस गाँव में एक सभा को गाँधीजी सम्बोधित कर रहे थे। सभा के व्यवस्थापकों ने अन्त्यज-श्रोताओं के लिए बाड़े लगाकर अलग बैठने की व्यवस्था कर रखी थी। इस पर आपत्ति करते हुए गाँधीजी ने कहा—''अब तक सभाओं में जानेवाले लोग मेरी खासियतें जान गये हैं। इसमें एक यह है कि यदि किसी भी जलसे में मैं अन्त्यजों के लिए अलग विभाग देखूँ तो मुझे भारी चोट पहुँचती है और कुछ भी बोलना मेरे लिए असम्भव हो जाता है। अतएव मेरी प्रार्थना है कि यदि आप अस्पृश्यता को हिन्दू धर्म का कलंक मानते हों तो आप इस विषय में मेरा समर्थन करें कि जो बाड़ हमें अन्त्यज भाइयों से जुदा करती है, निर्मूल हो जाए।'' गाँधीजी का इतना कहना था कि कुछ लोगों ने उठकर बाड़ को तोड़ दिया। फिर अपने भाषण को आगे बढ़ाते हुए

गाँधीजी ने कहा—"मैं यह भी नहीं चाहता कि आप अन्त्यजों के साथ रोटी-बेटी का व्यवहार करें। यह तो आपकी इच्छा की बात है। परन्तु अन्त्यज को अस्पृश्य मानना इच्छा का विषय नहीं है। यदि आप अन्त्यज भाइयों के दुखों को महसूस न कर सकें; तो फिर आप 'सर्व खल्विदं ब्रह्म' किस तरह कह सकते है। उपनिषदों के रचयिताओं में पाखंडी कोई भी नहीं था। उन्होंने जगत को ब्रह्ममय कहा है। अतएव यदि अन्त्यज के दुख से दुखी न होंगे तो हम अपने को जानवर से भी बदतर साबित करेंगे। हमारा धर्म पुकार-पुकार कर कह रहा है कि जो जीव पशु में है वही हम सब लोगों में भी है। किन्तु हमने तो उस धर्म का गला ही घोंट दिया है। अखा भगत ने अस्पृश्यता-भावना को धर्म का अधिकांग कहाँ है? मैं तो दया भाव से, प्रेम-भाव से, भ्रातृभाव से इस अधिकांग की शल्य-क्रिया करने को कहता हूँ। यदि ऐसा करेंगे तो हिन्दू धर्म की शोभा बढ़ जाएगी।"[28]

यहाँ भी गाँधीजी के कहे एक-एक शब्द पर गौर करें, तो मानना पड़ेगा कि हिन्दू धर्मवलम्बियों के पाखंड पर, सिद्धान्त और आचरण में निहित विरोध पर शिष्ट तरीके से इससे अधिक चोट नहीं की जा सकती थी। सचमुच कितना बड़ा दोहरापन, पाखंड रहा है उस धर्म का जिसके वेदान्त दर्शन ने अद्वैतवाद का प्रतिपादन कर समस्त जीवात्माओं को ब्रह्म का अंश मानते हुए दोनों को एक बताया, लेकिन उसके अनुयायियों ने इस मूलभूत दर्शन, जीवन-दृष्टि पर पत्थर डालकर ऐसा द्वैत चलाया कि अन्य जीवों की बात कौन कहे, मनुष्य को ही अछूत बना डाला। गाँधीजी बार-बार इस दोहरेपन की तरफ सवर्णों का ध्यान आकृष्ट करते रहे। ऐसा भी नहीं था कि अस्पृश्यता को दूर करने तथा अन्त्यजों को भाई-बहन के समकक्ष दर्जा दिलाने का गाँधीजी का कार्य केवल भाषण देने या दूसरों को बताने-सिखाने तक सीमित था। वस्तुतः साबरमती में उन्होंने जो आश्रम बना रखा था, वह खुद अपने आप में अस्पृश्यता से निबटने की कार्यशाला और प्रयोगशाला दोनों ही था। गाँधीजी के विचारों के स्रोत सदैव उनके आचरण रहे। जिसे वे आचरण के रूप में आजमा लेते थे। उसे ही विचार के रूप में प्रस्तुत करते थे। धर्म, शिक्षा, भाषा, स्वदेशी, अस्पृश्यता, यौनता सम्बन्धी उनके समस्त विचार वही थे जिन पर आचरण करके उनकी क्रियात्मक मूर्तता को सिद्ध कर रखा था। दूसरे सवर्ण हिन्दू अस्पृश्यता-विरोध के मुद्दे पर उनका समर्थन करते या नहीं, इसकी लेशमात्र भी चिन्ता किये बगैर वे आश्रम में इस दिशा में काफी कुछ करते रहे। इस सम्बन्ध में उनके द्वारा लिखित पुस्तक 'सत्याग्रह आश्रम का इतिहास' के कुछ अंशों पर दृष्टिपात करना अप्रासंगिक नहीं होगा।

इस पुस्तक को गाँधीजी ने यरवदा जेल में रहते हुए 5 अप्रैल 1932 से

गुजराती में लिखना शुरू किया जिसका अन्तिम अंश 11 जुलाई 1932 को लिखा गया। इस पुस्तक के अनुसार 25 मई 1915 को अहमदाबाद के कोचरब में एक किराये के मकान में आश्रम की स्थापना की गयी। बाद में आश्रम में रहने वालों की संख्या बढ़ जाने के कारण इसे साबरमती ले जाया गया जहाँ पेड़, बागान एवं खेती लायक जमीन आदि उपलब्ध थे। उस आश्रम में अस्पृश्यता को लेकर कैसी सोच थी, उसके सम्बन्ध में गाँधीजी लिखते हैं—"सत्य का आग्रह रखने के लिए और उसकी खातिर मरना पड़े तो मरने की कला सीखने के लिए जो आश्रम स्थापित हुआ, उसमें अस्पृश्यता को कलंक मानते हुए भी उसे दूर करने की रचनात्मक प्रवृत्ति न पैदा की जाए, तो फिर वह सत्याग्रह-आश्रम कैसे कहला सकता है? अस्पृश्यता को पाप मानना मैं और मेरे साथी लोग दक्षिण अफ्रीका में ही सीख गये थे। इसलिए यहाँ आश्रम स्थापित होते ही अस्पृश्यता को मिटाना आश्रम का एक बड़ा कार्य हो गया।"[29]

जाहिर है कि आश्रम स्थापित करने के पीछे गाँधीजी का बहुत बड़ा संकल्प था—अस्पृश्यता का उन्मूलन। इसके अनुरूप उन्होंने आश्रम को 'अस्पृश्यता मिटाने की प्रयोगशाला' बनाने का निश्चय किया, लेकिन यह कार्य बहुत सरल-सहज सिद्ध नहीं हुआ। 'सर मुड़ाते ही ओले पड़े' वाली कहावत को चरितार्थ करते आश्रम की स्थापना होते ही अस्पृश्यता से लड़ने की चुनौती उनके सामने आ खड़ी हुई : "आश्रम स्थापित होने के बाद एक महीने के भीतर ही दूदा भाई ने कुटम्ब सहित आश्रम में रहने की माँग की। मैं नहीं मानता था कि इतनी जल्दी आश्रम की परीक्षा होगी। दूदा भाई को भरती करने की सिफारिश श्री अमृतलाल ठक्कर ने की थी। उनकी सिफारिश वाले परिवार का मुझे स्वागत करना ही चाहिए। इसलिए मैंने उसे आने का पत्र लिख दिया। इस कुटुम्ब के आते ही आश्रम में खलबली मच गयी। मैंने देखा कि आश्रम में जो परिवार रहते थे उन्हीं में कहीं-न-कहीं अछूतों के साथ परहेज और घृणा थी। मेरी ही पत्नी में, हालाँकि इस बारे में उसे दक्षिण अफ्रीका में बहुत कष्ट सहना पड़ा था, छुआछूत की भावना बाकी थी। ...यहाँ तक नौबत आयी कि मेरी पत्नी या तो आश्रम छोड़ दे या आश्रम के कड़े नियमों का पालन करे। ...अस्पृश्यता-निवारण आश्रम में रहने की एक अनिवार्य शर्त थी। इसलिए अगर मेरी पत्नी इस शर्त का पालन न करती, तो उसे आश्रम के बाहर रहना ही पड़ता। यह मेरे लिए दुःखद तो था ही। जिसने आज तक मेरे सुख-दुःख में बड़ी-बड़ी तकलीफें उठाकर मेरा साथ दिया था, उसका वियोग सहना भारी कष्ट था। मगर धर्म-पालन के लिए कैसे भी संकट आए, उन्हें सहन तो करना ही था। इसलिए स्वतन्त्र रूप में नहीं, परन्तु धर्म-पत्नी के नाते पत्नी ने जब छुआछूत को छोड़ दिया,

तो इसे स्वीकार करने में मुझे संकोच नहीं हुआ।''[30]

अस्पृश्यता-निवारण के प्रति 1915 तक ही गाँधीजी कितने दृढ़ संकल्प हो चुके थे, यह उपर्युक्त आत्म वक्तव्य दिन के उजाले की तरफ़ साफ है। इसके साथ और तो और, पत्नी तक से कोई समझौता करना उन्हें मान्य नहीं था। पत्नी-वियोग सहना 'भारी कष्ट का', 'दुःखद था', बावजूद इसके गाँधीजी छुआछूत में विश्वास करने वाली पत्नी को आश्रम में रखने को तैयार नहीं थे। आजकल की नारीवादिनियाँ इसे उनका पुरुष-वर्चस्व ही कहेंगी, किन्तु सत्य इससे अलग है। यह तो सिद्धान्त को क्रियात्मक रूप देने, कथनी को करनी में उतारने के लिए गाँधीजी द्वारा अपने प्रति निर्ममता बरतने का प्रमाण है। पत्नी ने अन्ततः अपने को पति के सिद्धान्तों के अनुरूप ढाल लिया, तो यह उसका पराभव भी नहीं समझना चाहिए। यह तो हृदय-परिवर्तन के सिद्धान्त में गाँधीजी की आस्था को ही चरितार्थ करता है। गाँधीजी के अन्तेवासी मगनलाल गाँधी और उनकी पत्नी को भी दूदा भाई के कुटुम्ब के आश्रम में रहने पर आपत्ति थी, लेकिन गाँधीजी के समझाने पर वैसे सभी आश्रमवासी अछूतपन मिटाने की मुहिम में उनके साथ हो गये। यही वह अनुभव था जिसके आधार पर गाँधीजी पूरे देश में अस्पृश्यता के कायल सवर्ण हिन्दुओं के मनान्तरण, हृदय-परिवर्तन के अभियान में पिल पड़े।

जैसा कि हमने देखा कि आश्रम का उन्होंने आरम्भ ही किया अस्पृश्यता निवारण की प्रयोगशाला बनाकर। यह कार्य कितना दुष्कर था, यह भी हम देख चुके, लेकिन यह मुसीबत कुछेक आश्रमवासियों की आपत्ति तक ही सीमित नहीं थी। बाहरी परेशानियाँ भी कम नहीं थीं जिसका जिक्र करते हुए उसी पुस्तक में गाँधीजी लिखते हैं—''इस तरह आश्रमवासियों में पैदा हुई खलबली शान्त हुई। बाहर भी कम खलबली नहीं मची थी, जिन्होंने आश्रम को मदद देने की प्रतिज्ञा की थी, उनमें मुख्य सहायक ने तुरन्त मदद बन्द कर दी। कुएँ से पानी न मिलने तक का भय खड़ा हो गया। मगर उससे हम बिना बाधा के पार हो गये और रुपये-पैसे की मदद के बारे में 'नरसिंह मेहता की हुंडी' स्वीकारने जैसी घटनाएँ हुईं। अनपेक्षित स्थान से अचानक तेरह हजार के नोट आ पड़े। इस तरह यह माना जा सकता है कि आश्रमवासियों ने दूदा भाई को सब संकट सहकर भी निभा लेने की जो प्रतिज्ञा की थी, वह भारी संकट उठाए बिना ही पूरी हुई। इस तरह अछूतपन मिटाने की परीक्षा में आश्रम उत्तीर्ण हुआ। अब अछूत परिवार आजादी से आते-जाते हैं और आश्रम में रहते हैं। दूदाभाई की लड़की तो ऐसी हो गयी है जैसे परिवार की लड़की हो।''[31]

आश्रम में वर्ण भेद न रहे, इसके लिए गाँधीजी ने जो तरकीब चलाई उसके

मुताबिक वर्ण भेद से परे धन्धे अपनाये गये—"अछूतों से सम्बन्धित तीन धन्धे आश्रम में चलते हैं और उनमें सुधार हो रहे हैं। आश्रम में रहने वाले सभी को भंगी का काम तो करना ही पड़ता है। दरअसल उसे धन्धा नहीं माना जाता, बल्कि वह तो हर एक का फर्ज समझा जाता है। इसलिए पाखाना सफाई सब मिलकर करते हैं। दूसरा धन्धा बुनाई का है। मोटी खादी गुजरात में तो अछूत जुलाहे ही बुनते थे। उनका धन्धा लगभग नष्ट हो गया था और बहुतेरे भंगी का काम करने लगे थे। अब उस धन्धे का जीर्णोद्धार हुआ है। तीसरा धन्धा चमार का है। यह भी आश्रम में जारी हो गया है। आश्रम में उपजातियों के बन्धन नहीं माने जाते। एक दूसरे के साथ खाने में छुआछूत नहीं रखी जाती, इसलिए आश्रम में सभी एक पंगत में खाने बैठते हैं।"[32]

वास्तव में देखा जाए तो 1915 में स्थापित साबरमती आश्रम एक ऐसा दर्पण है जिसमें गाँधीजी की अस्पृश्यता-निवारण सम्बन्धी सोच एवं कार्य को साफ-साफ देखा जा सकता है। अछूतों एवं सवर्णों को एक आश्रम में रखकर और छुआछूत से जुड़े कार्यों में सबको समान रूप से संलग्न कर अछूतपन मिटाने का ऐसा प्रयोग हिन्दुस्तान की धरती पर कदाचित अनोखा था। बौद्धों, सिद्धों एवं भक्त कवियों ने जरूर छुआछूत-विरोध की एक दीर्घकालीन परम्परा बना रखी थी, किन्तु सामाजिक स्तर पर छुआछूत को मिटाने का ऐसा क्रियात्मक प्रयोग शायद ही किसी सवर्ण या अवर्ण ने किया था। यह कहने में अतिशयोक्ति नहीं कि सदियों के अछूतपन से जर्जर-रुग्ण भारतीय समाज में गाँधीजी प्रथम व्यक्ति थे, जिन्होंने मिशनरी अन्दाज में अस्पृश्यता जैसी सामाजिक व्याधि से संस्थागत रूप से निबटने का उदाहरण प्रस्तुत किया। इस सबके बावजूद गाँधीजी को दलित-विरोधी बताना, उनके सम्बन्ध में कितने बड़े अज्ञान को प्रकट करना है, यह आसानी से देखा जा सकता है। इस क्रम में एक और बात पर विचार कर लेना आवश्यक प्रतीत होता है।

गाँधीजी के सम्बन्ध में यह सवाल तब भी उठाया गया और अब भी उठाया जाता है कि उन्होंने अस्पृश्यता-उन्मूलन के लिए उग्र आन्दोलन का मार्ग क्यों नहीं अपनाया? इसके समाधान के लिए हमें गाँधीजी के उस दृष्टिकोण को ध्यान में रखना चाहिए जो उन्होंने 8.12.1921 के 'नव जीवन' में छपे लेख में व्यक्त किया था—"अस्पृश्यता एक वृत्ति है, वस्तु नहीं। इसलिए लोगों के मन से उसे निकालना विद्यार्थियों को सरकारी स्कूलों से निकालने जैसी बात नहीं है। उसके सम्बन्ध में स्कूलों जैसा आन्दोलन नहीं किया जा सकता। जिस प्रकार 'शान्ति अर्थात् अहिंसा' का सिद्धान्त स्वीकार करने के लिए 'हृदय-परिवर्तन' की आवश्यकता

है, उसी प्रकार इसमें भी 'हृदय-परिवर्तन' की आवश्यकता है। इसलिए 'अस्पृश्यता-निवारण का आन्दोलन' भी शान्ति या अहिंसा के प्रसार के आन्दोलन की तरह ही चलाया जा सकता है।''[33] स्मरणीय है यह वह समय था जब पूरे देश में गाँधीजी के आह्वान पर ब्रिटिश शासन के विरुद्ध असहयोग आन्दोलन चल रहा था जिसके प्रभावान्तर्गत विद्यार्थी सरकारी स्कूलों का, वकील अदालतों का, सरकारी कर्मचारी सरकारी नौकरियों का परित्याग कर रहे थे। ऐसा करने की गुहार गाँधीजी ने लगाई भी थी। इसी को देखते हुए उनसे यह पूछा गया था कि क्यों नहीं ऐसा ही उग्र आन्दोलन अस्पृश्यता के खिलाफ भी चलाया जाता?

मेरी समझ में ऐसे प्रश्न के समाधान-स्वरूप गाँधीजी ने जो कुछ कहा था, उससे अधिक तर्कसंगत उत्तर दूसरा हो नहीं सकता था। स्कूल, कॉलेज, कचहरी, नौकरी आदि से किसी भी व्यक्ति का सम्बन्ध कुछ वर्षों का होता है। इनमें कुछेक के साथ सम्बन्ध निहायत ही अस्थायी किस्म के होते हैं। इसलिए इनसे एक झटके में सम्बन्ध-विच्छेद किया जा सकता है। किन्तु जो अस्पृश्यता सवर्ण हिन्दुओं की मानसिकता का, संस्कार का सदियों से अंग बन चुकी थी, उसे रातोंरात मिटाना हर्गिज मुमकिन नहीं था। वह एक मनोवृत्ति बन चुकी थी और किसी भी मनोवृत्ति को मिटाने में एक लम्बी, दीर्घकालीन प्रक्रिया अपेक्षित होती है। तलवार या तोप के भय से किसी से हम बहुत जल्द मनोनुकूल लाभ ले सकते हैं, लेकिन उसकी मानसिकता, संस्कारबद्ध सोच को तुरन्त नहीं बदल सकते। इसके लिए शिक्षण-प्रशिक्षण समझाने-बुझाने आदि की दीर्घकालीन प्रक्रिया अपनानी पड़ती है, तब जाकर कहीं हमारी संस्कारबद्ध सोच में परिवर्तन आ पाता है। सदियों से प्रचलन में रहने के कारण एक मनोवृत्ति के रूप में अपना अस्तित्व कायम कर चुकी अस्पृश्यता से लड़ने के लिए गाँधीजी ने हृदय-परिवर्तन को आवश्यक मानते हुए अहिंसा के प्रसार के आन्दोलन की तर्ज पर चलने का जो रास्ता अपनाया, वह शत-प्रतिशत सही था। दीर्घकालीन प्रक्रिया में ही सोच-समझ को बदलने का कार्य स्थायी होता है जब कि जोर-जबर्दस्ती से शीघ्रता में किया गया परिवर्तन कैसे अस्थिर होता है, यह सोवियत संघ समेत तमाम पूर्वी यूरोपीय देशों की समाजवादी व्यवस्थाओं के विघटन से स्पष्ट हो चुका है।

यह भी ध्यान में रखने योग्य बात है कि समझाने-बुझाने का कार्य गाँधीजी ने केवल सवर्णों तक ही सीमित नहीं रखा, अछूतों को भी अपनी जीवन-दशा सुधारने के लिए वे हमेशा ललकारते रहे। मसलन, 'नवजीवन' में छपे पूर्वोक्त लेख में ही उन्होंने यह लिखा था—''हिन्दू अपने पापों का परिमार्जन कर भी लें तो इससे क्या अन्त्यजों को विमान मिल जाएगा, क्या उन्हें स्वर्ग प्राप्त हो

जाएगा? यह पुरुषार्थ तो उन्हें स्वयं ही करना होगा। उन्हें शराब पीना, जूठा अन्न लेना छोड़ देना चाहिए। उन्हें माँसाहार छोड़ देना चाहिए। ...यह सब तो तभी हो सकता है जब अन्त्यज खुद इसे करें, उनके लिए दूसरे लोग यह नहीं कर सकते। उनकी भूख को दूर करने के लिए चरखा और करघा मौजूद ही हैं। हजारों अन्त्यज इसे अपनाकर अपनी दशा सुधारने में सफल हुए हैं। स्वदेशी आन्दोलन ही ऐसा है कि वह समाज के सब अंगों का पोषण करता है।''[34]

अब तक प्रस्तुत किये गये तथ्यों के आलोक में साफ है कि 1925-26 तक गाँधीजी अपने प्रयासों से अछूतोद्धार या अस्पृश्यता निवारण आन्दोलन को देश के चप्पे-चप्पे तक गहरे स्तर पर फैलाकर उस राष्ट्रीय जागरण का अभिन्न अंग बनाने में सफल हो चुके थे। समाज अछूतपन के सवाल पर नयी अँगड़ाई लेने लगा था, सवर्णों की सोच में परिवर्तन आने लगा था, कितने सवर्ण गाँधी टोपी पहनकर अछूतोद्धार के कार्य में पिल पड़े और ध्यान रहे इतना सब तब सम्पन्न हो चुका था जब भारत के राजनीतिक क्षितिज पर दलित मसीहा अम्बेडकर का अभ्युदय होना बाकी था। जब अम्बेडकर राजनीतिक मंच पर आये, तब अस्पृश्यता के सवाल पर वे गाँधीजी के लिए एक जबर्दस्त चुनौती के रूप में सामने आये, फिर भी गाँधीजी का अस्पृश्यता-निवारण का आन्दोलन राष्ट्रीय स्वाधीनता संग्राम के समानान्तर जीवन के अन्तिम समय तक चलता रहा। गाँधीजी के साथ अम्बेडकर की असहमतियों की चर्चा हम बाद में करेंगे, उसके पहले हम उस मुद्दे की चर्चा करेंगे जिसे लेकर गाँधीजी को दलित आन्दोलन का खलनायक सिद्ध किया जाता रहा है। यह मुद्दा रहा है उनके द्वारा वर्णाश्रम धर्म यानी वर्ण व्यवस्था का समर्थन किये जाने का। आज भी बहुतों द्वारा बार-बार यही आक्षेप किया जाता है कि गाँधीजी उस वर्ण व्यवस्था के कट्टर समर्थक रहे जिसकी अस्पृश्यता औरस संतान थी। ऐसे लोगों के अनुसार वर्णाश्रम का समर्थन करते हुए अस्पृश्यता-उन्मूलन का आन्दोलन चलाना पाखंड के सिवा कुछ नहीं था। यह कहना कितना सही है, इसके लिए थोड़ा विस्तार में जाकर तथ्यों की शिनाख्त करना जरूरी है।

वर्णाश्रम : सहमति से असहमति की ओर

वर्णाश्रम यानी वर्ण व्यवस्था के सम्बन्ध में गाँधीजी के विचारों को अगर एक वाक्य में सूत्रबद्ध किया जाए तो वह वाक्य होगा कि ''वे पहले वर्ण-व्यवस्था से सहमत रहे, किन्तु जीवन के परवर्ती काल में वे इससे असहमत हो गये।'' इस सत्य को समझने के लिए हमें थोड़ा वर्ण-व्यवस्था के इतिहास का अवलोकन करना पड़ेगा।

हिन्दू धर्म या हिन्दू समाज का सामाजिक आधार-स्तम्भ रहा है—वर्णाश्रम यानी वर्ण-व्यवस्था जो वैदिक काल में ही पूरी तरह अपना आकार ग्रहण कर चुका था। इसके अन्तर्गत ब्राह्मण, क्षत्रिय, वैश्य और शूद्र के रूप में चार वर्णों का उल्लेख करते हुए समस्त धार्मिक, सामाजिक, राजनीतिक एवं आर्थिक कार्यों का आवंटन किया गया था। यह वर्ण विभाजन एक प्रकार से श्रम-विभाजन था जो निश्चित तौर पर काफी समय तक सामाजिक जीवन के सुचारू रूप से परिचालन के लिए कारगर और प्रगतिशील भूमिका निभाता रहा। सभी वर्णों के कार्यों का समाज में सम्मान था एवं सभी एक समरसतापूर्ण वातावरण में जीवनयापन करते थे, परन्तु यह श्रम-विभाजन शनैः-शनैः जन्माधारित होने लगा और ऊँच-नीच, छोटे-बड़े का भी भेद बढ़ने लगा।

यही नहीं, वर्णाश्रम के अन्तर्गत चार वर्णों की व्यवस्था को हाशिये पर डालते हुए कुकुरमुत्ते की तरह नाना जातियों, उप-जातियों के द्वीप प्रकट हो गये। विभिन्न जातियों, उपजातियों के चलन से छोटे-बड़े के भेद भी बढ़ते गये और हर जाति वाले अपने नामों के साथ जातिसूचक उपनाम भी लगाने लगे। वेद महाभारत, रामायण, उपनिषद पुराण आदि ग्रन्थों में चार वर्णों के उल्लेख तो बराबर मिलते हैं, किन्तु जातिसूचक उपनाम का उल्लेख किसी चरित्र या पात्र के नाम के साथ नहीं मिलता। वशिष्ठ, परशुराम, द्रोणाचार्य आदि ब्राह्मण वर्ण के तो जाने जाते हैं, किन्तु किसी के नाम के साथ त्रिपाठी, द्विवेदी, पांडेय, चतुर्वेदी जैसे उपनाम नहीं जुड़े हैं। राम और उनके पूर्वज दिलीप, रघु, अज, दशरथ सभी क्षत्रिय के रूप में वर्णित हैं, किन्तु किसी के साथ सिंह जैसा जातिसूचक उपनाम नहीं लगा। दुष्यन्त, भरत, ययाति, कृष्ण, भीष्म पितामह, युधिष्ठिर, अर्जुन, भीम, दुर्योधन, आदि महाभारतकालीन नामों के साथ भी 'सिंह', 'ठाकुर', 'राय' जैसा जातिवाचक उपनाम नहीं मिलता। इसी तरह साहित्यकारों में वाल्मीकि, व्यास से लेकर कालिदास, भवभूति या फिर भक्ति काल के तुलसी, सूर, मीरा, कबीर, रैदास, नामदेव तक किसी के नाम के साथ जातिवाचक उपनाम देखने को नहीं मिलता। अब इन जातिवाचक उपनामों का चलन कब से हुआ, इसे इतिहासविद् एवं समाजशास्त्री ही बता सकते हैं। हमारी समझ में जो एक बात आती है, वह यह कि चार वर्णों का अनेक जातियाँ-उपजातियों में बिखरना और फिर कालान्तर में अपनी-अपनी अस्मिता का बोध कराने के लिए जातिवाचक उपनामों का गढ़ा जाना प्रकारान्तर से एक सुगठित एवं समरसतापूर्ण समाज के विखंडित होते जाने का ही प्रमाण है। इनमें एक दूसरे से अपने का श्रेष्ठ, ऊँचा समझने की मनोवृत्ति के उत्पन्न होने से समाज में भेदभाव में और इजाफा हुआ होगा। जाहिर है जो निर्बल, कमजोर

रहे होंगे उन्हें जातिक्रम में सबसे नीचे धकेलते हुए, गन्दगी साफ करने जैसे कार्य करने को मजबूर किया गया होगा और इस क्रम में उन्हें अछूत का दर्जा दे दिया गया होगा। इस प्रकार चार वर्णों पर आधारित सामाजिक व्यवस्था अनेकानेक जातियों-उपजातियों की बेतरतीब धाराओं में फैलती हुई तथा ऊँच-नीच, स्पृश्य-अस्पृश्यता जैसे भावों को बढ़ावा देते हुए समाज के स्वास्थ्य के लिए हानिप्रद होती गयी। मध्यकाल में इस्लाम के नाम पर आने वाले आक्रमणकारी हों या फिर बाद में आने वाले यूरोपीय व्यापारी हों, इन सबका मुकाबला करने में विभिन्न जातियाँ में बिखरा समाज कभी सक्षम नहीं हो सका—उत्तरोत्तर पतनोन्मुख होता चला गया।

उन्नीसवीं सदी के उत्तरार्द्ध में जब मोहनदास करमचन्द गाँधी ने होश सम्भाला तो उनका सामना ऐसी ही जातियों-उपजातियों से बजबजाते हिन्दू समाज से हुआ जिसमें सफाई जैसे आवश्यक सेवा करने वाले समूह को 'अछूत' बनाकर पशु से भी बदतर जीवन जीने का बाध्य कर रखा गया था। यह वही चीज थी जो उपनिवेशवादी बुद्धिजीवियों तथा मानव-सेवा के नाम पर ईसाइयत का प्रचार करने आयी ईसाई मिशनरियों को हिन्दू समाज को असभ्य-बर्बर कहकर उस पर हँसने को मौका देती थी। वैसे श्रम-विभाजन या कार्यों का बँटवारा हर देश, हर समाज में रहा है और रंग या नस्ल के आधार पर भेद-भाव करने का चलन भी रहा है, किन्तु गन्दगी साफ करने के कारण अपने ही समाज के बहुत बड़े हिस्से को अछूत बनाकर रख देना, उसे समस्त धार्मिक-सामाजिक समानता के अधिकारों से वंचित कर रखना जैसी चीज हिन्दू समाज की ही कुरूपता थी। हालाँकि तब तक इस देश में मुसलमानों की संख्या काफी हो चुकी थी, किन्तु उनका धार्मिक एवं सामाजिक जीवन नितान्त अलग किस्म का था जिसमें ईसाई समाज से भी कम भेदभाव थे (कम से कम गोरे-काले का भेद तो वहाँ नहीं था) ये उपनिवेशवादी, बौद्धिक एवं मानवतावादी इसलिए उनको उपहास का विषय नहीं बना सकते थे। परन्तु विविध मत-मतान्तरों, देवी-देवताओं में आस्था रखने एवं नाना जातियों में विखंडित होकर कुछ को सवर्ण, स्पृश्य, तो बहुसंख्यक को अवर्ण, अस्पृश्य बनाकर रखने वाला हिन्दू समाज अतीत की बहुत सारी उत्कृष्ट उपलब्धियों के बावजूद अपने को असभ्य-जंगली ही सिद्ध कर रहा था। इसी को ध्यान में रखते हुए उपनिवेशवादी बौद्धिकों का कहना था कि वे यहाँ के लोगों को सभ्य बनाने आये हैं। हालाँकि इसके पीछे उनकी मंशा साम्राज्यावादी वर्चस्व का औचित्य सिद्ध करने की थी, लेकिन इस तथ्य से इनकार नहीं किया जा सकता कि मुगल साम्राज्य के पतन के बाद हमारी दशा उस आदमी जैसी हो गयी थी, जिसके घर की जमीन के अन्दर बेशुमार हीरे-जवाहरात

गड़े-पड़े हों और वह कटोरा लेकर भीख माँग रहा हो।

ऐसा भी नहीं था कि चिन्तन एवं कर्म के स्तर पर इन विभेदमूलक प्रवृत्तियों के विरोध का अभाव रहा। जिन ग्रन्थों को हिन्दू धर्म-ग्रन्थों के रूप में चिह्नित किया जाता है, उन्हीं में उपनिषद भी हैं जिनके जरिये अद्वैत का सिद्धान्त प्रतिपादित कर ब्रह्म एवं जीवात्मा को अभिन्न बताते हुए 'सार्वभौमिक एवं सार्वकालिक समता का दर्शन' प्रणीत किया गया। यहीं पर 'वसुधैव कुटम्बकम्', 'सर्वं खल्विदम् ब्रह्म' जैसी वैश्विक भ्रातृत्व एवं अपनत्व की अवधारणाओं की उद्घोषणा की गयी। बौद्ध धर्म ने मानव-समता का अभियान चलाया और बौद्ध कवि अश्वघोष ने वर्ण-व्यवस्था की चिन्दी-चिन्दी कर देने वाली 'वज्रसूची' जैसी पुस्तक की रचना की, सिद्ध कवियों ने लगातार वर्ण-विभेद पर प्रहार किये, भक्त कवियों ने जाति-पाँति पर करारी चोटें कीं। इन समस्त वर्ण-विरोधी लेखकीय प्रयासों का एक अच्छा परिणाम यह जरूर हुआ कि कम-से-कम चिन्तन एवं लेखन के क्षेत्र में वर्णाश्रम में जो कठोरता आ गयी थी, उसमें कमी आयी। मसलन, बाल्मीकि से लेकर कालिदास, भवभूति तक अपने काव्य में राम द्वारा तपस्या जैसा अनधिकार कर्म करने वाले शम्बूक का वध चित्रित करते आये थे, लेकिन भक्तिकाल में रामकथा के शिरोमणि कवि तुलसीदास ने अपने महाकाव्य 'रामचरितमानस' में शम्बूक-वध प्रसंग का समावेश न करना ही उचित समझा। ब्राह्मण वर्ण में पैदा होने के बावजूद सूरदास, तुलसीदास भी भक्ति के क्षेत्र में जात-पाँत के बन्धनों का विरोध करते दिखाई देते हैं। फिर भी सामाजिक जीवन में वर्ण-व्यवस्था और उसकी आनुषंगिक जाति-व्यवस्था का वजूद मिट न सका और रही बात अछूतपन की तो मध्यकाल में उसमें और नया आयाम जुड़ गया। प्रसिद्ध उपन्यासकार अमृतलाल नागर ने अपने उपन्यास 'नाच्यो बहुत गोपाल' में ऐसे कई दृष्टान्त दिये हैं जब मध्यकाल में आक्रमणकारी युद्ध में जीते गये बन्दियों द्वारा अपनी बात मनवाने में विफल हो जाते थे, तो उनकी देह पर ढेरों मैला उलीचवा कर उनका मानभंग कर दिया करते थे और इस प्रकार बहुतेरे युद्धबन्दी मानभंग हो जाने पर भंगी बना दिये जाते थे जो अछूत श्रेणी में शामिल हो जाते थे। आज भी कई प्रदेशों में अपने नाम से 'राजपूत' या 'चौहान' उपनाम लगाने वाली कई दलित जातियाँ हैं जो मध्यकाल की ऐसी घटनाओं के ही प्रमाण हैं।

सचमुच देखा जाए तो सिद्धान्त या साहित्य के स्तर पर जाति व्यवस्था की कठोरता में भले ही कमी आयी हो, किन्तु सामाजिक जीवन में वह जस की तस बनी रही। भक्तिकाल में 'जाति-पाति पूछे नहीं कोई, हरि को भजे सो हरि को होई' का उद्घोष खूब धूम मचाये रहा, किन्तु व्यवहार में होता यही रहा कि भंगी,

चमार, डोम आदि को अछूत मानकर मूर्तिपूजकों ने उन्हें मन्दिरों के आस-पास भी फटकने नहीं दिया। वस्तुतः हिन्दू समाज में जातिगत भेद-भाव, सतीदाह, स्त्रियों की अशिक्षा, बेटियों को बेचना या जनमते ही मार देना या फिर बाल-विवाह के हवाले कर देना जैसी बुराइयों में छुआछूत का आ जाना कोढ़ में खाज की तरह था। इस समस्या से भारतीय नवजागरण के हरेक पुरोधा को टकराना पड़ा, चाहे राजा राममोहन राय हों या दयानन्द सरस्वती या रवीन्द्रनाथ ठाकुर। राजा राममोहन राय वर्ण-विभेद के विरुद्ध जरूर बढ़े थे, किन्तु सती-दाह जैसे सवाल पर उलझे रहने के कारण अस्पृश्यता का मुद्दा उनसे अछूता रह गया था। स्वामी दयानन्द सरस्वती ने इस दिशा में ज्यादा कारगर कार्य किये-विधवा विवाह से लेकर अछूतोद्धार करने तक आर्य सामाजियों की भूमिका बहुत हद तक क्रान्तिकारी रही, इससे इनकार नहीं किया जा सकता। उन्नीसवीं सदी में ही महाराष्ट्र में ज्योतिबा फूले ने वर्ण-विभेद, अस्पृश्यता के विरुद्ध तथा स्त्री-शिक्षा के समर्थन में जोरदार आन्दोलन चला रखा था। इन्हीं धार्मिक एवं सामाजिक सुधारों के आन्दोलनों से आन्दोलित माहौल में गाँधीजी ने अपना होश सँभाला था।

निःसन्देह छुआछूत या अस्पृश्यता के विरोध में सर्वाधिक व्यापक एवं प्रभावशाली आन्दोलन चलाने वाले के रूप में गाँधीजी का ही नाम लेना पड़ेगा। बुद्ध से लेकर उन्नीसवीं सदी तक जातिगत भेदभाव के खिलाफ जो क्रियात्मक आन्दोलन हुए थे, (ध्यान रहे यहाँ हम साहित्यिक आन्दोलन की बात नहीं कर रहे हैं) उनमें कोई भी पूरे भारत तक अपना प्रभाव-प्रसार करने में सफल नहीं रहा था। गाँधीजी ने जो आन्दोलन चलाया, जैसा कि हम देख चुके हैं, वह भारतव्यापी था। किन्तु एक विशेष बात यह थी कि भेद भाव को पैदा करनेवाली इस वर्ण-व्यवस्था के प्रति गाँधीजी का नजरिया अपने समस्त पूर्ववर्ती सुधारकों से अलग किस्म का था। गाँधीजी के पूर्व जितने भी चिन्तक, सुधारक हुए सबने भेद-भाव एवं छुआछूत को वर्ण-व्यवस्था की देन मानते हुए वर्ण-व्यवस्था का विरोध किया। गाँधीजी छुआछूत एवं भेदभाव का तो विरोध करते रहे, किन्तु वर्ण-व्यवस्था का समर्थन करते रहे। आज हम ज्ञान-विज्ञान, बुद्धि-विवेक के जिस मुकाम पर पहुँचे हुए हैं, वहाँ यह देखकर विचित्र लगता है कि कोई अस्पृश्यता का विरोध करे लेकिन उस वर्णाश्रम का विरोध न करे जिसने अपनी कोख से ऐसी अमानवीय, राक्षसी वृत्ति को जन्म दे रखा है। सचमुच, यह एक बहुत बड़ा विरोधाभास है और इसी विरोधाभास का नाम है मोहनदास करमचन्द गाँधी। जाहिर है ऐसे व्यक्ति का विकास-पथ न तो गणितीय फार्मूले की तरह सूत्रबद्ध होता है, न सीधी-सपाट रेखा में गमन करता है। मोहनदास से 'महात्मा गाँधी' और फिर 'राष्ट्रपिता' तक

की यात्रा सम्पन्न करने वाले इस शख्सियत के वर्ण, जाति, अस्पृश्यता सम्बन्धी विचारों को काफी विस्तार एवं गहराई में जाकर देखना होगा, तभी हम उसके साथ न्याय कर सकते हैं।

इन दिनों सरपट ढंग से एक वाक्य में यह कहने वाले काफी हैं कि 'गाँधी जी वर्ण-व्यवस्था के समर्थक थे।' ऐसा कहनेवालों का ध्यान इस ओर आकृष्ट करना चाहूँगा कि वर्ण-व्यवस्था के सम्बन्ध में गाँधीजी के विचारों के साथ सम्यक् न्याय करने के लिए उन्हें दो चरणों में बाँटकर विचार करना चाहिए। पहला चरण है 1915 से 1932 तक और दूसरा है 1932 से जीवन के अन्तिम समय तक। पहले चरण में वे अस्पृश्यता के घनघोर विरोधी एवं वर्ण-व्यवस्था के समर्थक के रूप में दिखाई पड़ते हैं, किन्तु ध्यान रहे वर्ण-व्यवस्था के वे अन्ध समर्थक नहीं थे, बल्कि उसके पीछे उनके कुछ वस्तुनिष्ठ सत्य पर आधारित तर्क थे।

यहाँ पर उल्लेखनीय है, उनके द्वारा 25 मई 1920 को सी. एफ. एन्ड्रयूज को लिखे पत्र के कुछ अंश जिनमें गाँधीजी ने जाति प्रथा, अन्तर्जातीय विवाह एवं छुआछूत जैसे कई सवालों पर अपनी राय व्यक्त की थी—"तुमने तो मुझसे बड़ा गहरा सवाल पूछा है। मैंने बराबर यह स्वीकार किया है कि विवाह और जाति-प्रथा के सवाल पर मेरे और तुम्हारे बीच बुनियादी मतभेद हैं। मैं शादी को हर व्यक्ति के लिए आवश्यक नहीं मानता। मानव-जीवन की सर्वोच्च कल्पना की दृष्टि से विवाह का दर्जा ब्रह्मचर्य से नीचे है, लेकिन अधिकांश लोगों के मामलों में मैं विवाह को सर्वथा आवश्यक मानता हूँ। साथ ही, मैं विवाह में स्त्री और पुरुष के चुनाव पर कुछ अनुशासनिक बन्धनों को भी लागू करना चाहूँगा, जैसे किसी भाई का अपनी बहन से विवाह करना अनुचित माना जाएगा। वैसे ही किसी पुरुष या स्त्री का अपने समुदाय जिसे हम जाति कह सकते है, से बाहर विवाह करना मैं अनुचित ठहराऊँगा। इस तरह मैं ऐसी स्थिति उत्पन्न कर दूँगा कि कोई व्यक्ति विवाह के सम्बन्ध में अपने समुदाय या जाति से बाहर के लोगों के विषय में सोचे ही नहीं और अगर किसी स्त्री या पुरुष को उसके लिए निर्धारित क्षेत्र के भीतर कोई योग्य पात्र नहीं मिलता है तो उसे ब्रह्मचर्य के जीवन में ही संतोष मानना होगा। दूसरे शब्दों में, मैं इस मामले में बेलगाम स्वेच्छाचरिता में विश्वास नहीं करता। अधिकांश विवाहों के पीछे शारीरिक आकर्षण की ही प्रेरणा रहती है। मैं इस आकर्षण के क्षेत्र को संकुचित कर देना चाहूँगा। ...मेरे विचार से जाति-प्रथा का यदि ठीक से नियमन किया जाए तो वह एक उपयोगी संस्था है। अस्पृश्यता ईश्वर के प्रति और मानवता के प्रति एक अपराध है। जाति-प्रथा को मैं शुद्ध बनाऊँगा, किन्तु अस्पृश्यता को मैं समाप्त ही कर दूँगा। अगर मणिलाल (गाँधी

जी के दूसरे पुत्र) किसी अछूत लड़की के प्रेम में पड़ जाए तो मैं उसके इस चुनाव के सम्बन्ध में कोई आपत्ति नहीं करूँगा, लेकिन यह अवश्य मानूँगा कि वह मेरी शिक्षा को अपने जीवन में उतार नहीं सका। इस मामले में मैं उसे अपनी जाति की सीमा के भीतर ही रहने को कहूँगा—सो कुछ इसलिए नहीं कि दूसरी जातियों के प्रति अपने मन में घृणा या अरुचि के भाववश वह ऐसा करे बल्कि इसलिए कि मैं चाहूँगा वह संयम बरते। ...मैं यह पसन्द नहीं करूँगा कि ब्राह्मण अपनी जाति की सीमा से बाहर जाकर यहाँ-तहाँ, जिस-तिस के साथ खाता फिरे।''[35]

इस लम्बे उद्धरण से कई बातें सामने आती हैं। पहली कि यहाँ गाँधीजी वर्ण-व्यवस्था एवं जाति-प्रथा को लगभग एक-सा मानते हुए उसके नियमन को मानने के कट्टरता की हद तक पक्षधर दिखाई देते हैं, इसलिए वे अन्तर्जातीय - विवाह को भी समर्थन देने को तैयार नहीं, किन्तु इस व्यवस्था के अन्दर अस्पृश्यता को कोई जगह देने को तैयार नहीं। जाति-प्रथा का समर्थन एवं अन्तर्जातीय-विवाह का विरोध निःसन्देह खटकने वाली बात है, किन्तु गाँधीजी के साथ न्याय करने के लिए हमें 21वीं सदी के भारत में न रहकर बीसवीं सदी के दूसरे दशक के भारत में जाना होगा। मतलब यह कि उस समय गाँधीजी के लिए प्राथमिक मुद्दा था—अस्पृश्यता को मिटाना। उस समय सवर्ण हिन्दुओं में अस्पृश्यता का विरोध करने से ही काफी क्षोभ था। अब अगर अन्तर्जातीय-विवाह को प्रोत्साहित किया जाता तो यह साफ-साफ जातिगत सीमाओं का अतिक्रमण होता और ऐसे में सवर्णों में और उबाल पैदा होता जिससे अस्पृश्यता निवारण का आन्दोलन हाशिये पर चला जाता। अतएव सबसे पहले आवश्यक था, लोगों में अस्पृश्यता मिटाने के सवाल पर सहमति बनाना। इस दृष्टि से देखा जाए तो मानना पड़ेगा कि आन्दोलन के आरम्भिक दिनों में वर्ण-व्यवस्था के समर्थक के रूप में अपने को पेश करना गाँधी जी की रणनीति का एक अंग था, क्योंकि इस सम्बन्ध में उनके दृष्टिकोण में लगातार परिवर्तन होते गये हैं।

वास्तव में अस्पृस्यता-उन्मूलन का आन्दोलन जैसे-जैसे व्यापक होता गया, वैसे-वैसे गाँधीजी के वर्ण व्यवस्था सम्बन्धी विचारों में बदलाव आते गये। इस क्रम में वे कभी-कभी वर्ण व्यवस्था एवं जाति प्रथा में भी अन्तर करते हुए दिखाई देते हैं। इस सम्बन्ध में दृष्टव्य हैं, 8.12.1920 के 'यंग इंडिया' में उनके छपे लेख का यह अंश—...दूसरी प्रथाओं की तरह यह प्रथा भी (जाति प्रथा) बहुत से अस्वस्थ और अनावश्यक रीति-रिवाजों का शिकार बन गयी है। मैं समाज के सिर्फ चार बड़े विभाजनों को ही मूलभूत, कुदरती और जरूरी मानता हूँ। बेशुमार

उपजातियों से कभी-कभी कुछ लाभ भी होता है, लेकिन अक्सर उनसे अड़चन ही पैदा होती है। ऐसी उपजातियाँ जितनी जल्दी एक हो जाएँ उतनी ही समाज की भलाई है। लेकिन मैं मौलिक वर्ण-विभाजन को तोड़ने की किसी भी कोशिश के खिलाफ हूँ। वर्ण विभाजन असमानता पर आधारित नहीं है, इसमें ऊँच-नीच का भी कोई सवाल नहीं है और जहाँ ऊँच-नीच का ऐसा कोई सवाल उठ रहा है, उदाहरणार्थ मद्रास, महाराष्ट्र या अन्य स्थानों में, वहाँ उसे जरूर रोका जाना चाहिए। हिन्दुस्तान में और सारी दुनिया में लोकतन्त्र की जो भावना तेजी से फैल रही है, उसके असर से वर्ण-व्यवस्था में से भी ऊँच-नीच के ख्याल अपने आप मिट जाएँगे। लोकतन्त्र की भावना कोई यान्त्रिक वस्तु नहीं है कि समाज के बाहरी ढाँचे में जोड़-तोड़ करके उसे उसके अनुकूल बना लिया जाए। यह तो हृदय-परिवर्तन की अपेक्षा रखती है। अगर लोकतन्त्र की भावना के फैलाव में जात-पाँत रुकावट हो, तो हिन्दुस्तान में जो एक साथ हिन्दू-ईसाई, इस्लाम, पारसी और यहूदी-पाँच धर्म वर्तमान हैं, वे भी इसमें रुकावट ही बनेंगे। लोकतन्त्र की भावना लोगों में भ्रातृभाव के संचार की अपेक्षा रखती है। ...और मुझे तो किसी ईसाई या मुसलमान को इसी तरह अपना भाई मानने में कोई अड़चन नहीं मालूम होती, जिस तरह मैं सहोदर को भाई मानूँगा। हमें यह कभी नहीं भूलना चाहिए कि जो हिन्दू धर्म वर्ण-व्यवस्था के लिए जिम्मेवार है, उसी हिन्दू धर्म ने सिर्फ मनुष्य के प्रति नहीं, बल्कि जीव-मात्र के प्रति अनिवार्य रूप से भ्रातृत्व भाव रखने का विधान भी किया है।" इसी लेख में वे अन्तर्जातीय विवाह को अपेक्षित न मानते हुए लिखते हैं—"मेरे विचार से लोकतन्त्र की भावना को फैलाने के लिए विभिन्न जातियों के बीच परस्पर रोटी-बेटी का सम्बन्ध होना जरूरी नहीं। किसी परिपूर्ण से परिपूर्ण लोकतान्त्रिक व्यवस्था के अधीन भी खान-पान और शादी-ब्याह के रीति-रिवाज सर्वत्र एक से होंगे, मैं ऐसा नहीं मानता। हमें हमेशा विविधता के बीच में ही एकता ढूँढ़नी होगी।"[36]

गौरतलब है कि वह समय था जब गाँधीजी अस्पृश्यता के विरोधी थे, परन्तु वर्ण धर्म के कायल थे। अतएव वे अस्पृश्यता को वर्ण धर्म से अलगाने में कभी चूक नहीं करते थे। उदाहरणार्थ, 21 अगस्त, 1924 के 'यंग इंडिया' में उन्होंने लिखा—"हमें यह समझ लेना चाहिए कि यह अन्तर्जातीय खान-पान या अन्तर्जातीय-विवाह का प्रश्न नहीं है। साथ ही इस सवाल का सम्बन्ध वर्णधर्म के, जिसका मतलब लोग गलती से जाति प्रथा मान बैठे हैं, उन्मूलन से भी नहीं है। इसका तो सीधा-सादा सम्बन्ध अस्पृश्यता-निवारण से, अकारण ही जो एक पंचम वर्ण बना दिया गया है, उसके उन्मूलन से है। ...अस्पृश्यता आन्दोलन का उद्देश्य तो

केवल इस पापपूर्ण अन्धविश्वास को दूर करना है कि किसी खास जाति में उत्पन्न व्यक्ति के स्पर्श से कोई इतना अपवित्र नहीं हो जाता कि उसके लिए प्रायश्चित करना आवश्यक है।''[37]

स्पष्ट है कि गाँधीजी वर्ण-धर्म के कायल होते हुए भी उसके नाम पर मनुष्य और मनुष्य के बीच किसी प्रकार के विभेद करने के सख्त खिलाफ थे। उनकी दृष्टि में वर्ण धर्म का मतलब था समाज द्वारा नियत किये गये कार्यों का निष्पादन करना। इसलिए वे हर कार्य को समान रूप से सम्मान के लायक समझते थे। अपनी इस सोच को मूर्त रूप देने का ही काम वे साबरमती आश्रम के जरिये करते रहे। आश्रम की व्यवस्था में कुछ गड़बड़ी आने लगी, तो उन्होंने 1932 में 'आश्रम का इतिहास' नामक पुस्तक में उसका जिक्र करते हुए जो लिखा वह भी उनके वर्ण-धर्म सम्बन्धी विचारों को समझने में काफी सहायक है। उनके कथनानुसार—''अगर आश्रम-व्यवस्था इस तरह बिगड़ गयी है, तो वर्ण-व्यवस्था की हालत भी इससे कुछ खराब नहीं है। मूलतः चार वर्ण थे। अब अनगिनत है। यदि जातियों के बराबर वर्ण मानें, तो जातियों का पार ही नहीं है और यदि यह माने कि जातियों का वर्णों से कोई सम्बन्ध ही नहीं है, तो एक ही वर्ण रहा है और वह है—शूद्र। यहाँ 'शूद्र' शब्द दोषसूचक नहीं है, लेकिन वस्तुस्थिति का सूचक है, जो वर्ग नौकरी करता है, वह पराधीन है, यानी शूद्र है। आज तो सारा हिन्दुस्तान पराधीन है, इसलिए वह शूद्र। किसान अपनी जमीन का मालिक नहीं, व्यापारी अपने व्यापार का मालिक नहीं। शास्त्रों में ब्राह्मणों और क्षत्रियों के जो गुण बतलाये गये हैं, वैसे गुणवाले ब्राह्मण और क्षत्रिय भाग्य से ही देखने को मिलते है। ...जब वर्ण-व्यवस्था की खोज हुई थी, तब मेरे ख्याल में ऊँच-नीच की भावना नहीं थी। इस संसार में न तो कोई ऊँचा है, न नीचा, इसलिए जो अपने को नीचा मानता है वह सिर्फ अज्ञान के कारण ही मानता है। उसे नीचा होने का पाठ उसके सहारे ऊँचापन भोगने वालों ने सिखाया है।''[38] ध्यान दें तो पाएँगे कि इस कथन में वर्ण-व्यवस्था के विश्लेषण के सम्बन्ध में गाँधीजी की अपनी बारीक, सूक्ष्म तकनीक निहित है। मोटे तौर पर वे जरूर वर्ण-व्यवस्था की हिमायत करते दिखाई देते हैं, किन्तु वर्ण के आधार पर ऊँच-नीच का भेद बरतने वालों पर वे कितना मारक प्रहार करते हैं यह कहकर कि ''उसे नीचा होने का पाठ उसके सहारे ऊँचापन भोगने वालों ने सिखाया है।''

इस प्रकार हम देखते है कि 1920-24 तक गाँधीजी वर्ण-विभाजन के समर्थक थे जिन्हें अन्तर्जातीय-विवाह भी स्वीकार्य नहीं था, लेकिन 1932 तक आते-आते इस मामले में उनके दृष्टिकोण में काफी बदलाव आने लगता है, वे

वर्ण व्यवस्था की व्याख्या में अपनी मौलिकता का पुट देने लगते हैं—"लेकिन वर्ण-व्यवस्था को मानने के साथ ही यह भी मान लेना चाहिए कि विद्वत्ता कोई धन्धा नहीं है और रुपया जमा करन के लिए उसका उपयोग नहीं होना चाहिए। इसलिए वकील या डॉक्टर के काम को जिस हद तक धन्धा माना जाए उस हद तक उसमें से भी उतना ही लिया जाना चाहिए जितना आजीविका के लिए पर्याप्त हो। पहले ऐसा ही था। देहाती वैद्य बढ़ई से ज्यादा नहीं कमाते थे। उन्हें भी जीविका के लायक ही मिलता था। मतलब यह कि सब धन्धों की कीमत बराबर है और जीविका के लिए पर्याप्त भर होनी चाहिए। वर्णों की विशेषता उसकी संख्या निश्चय करने में नहीं है, उनकी विशेषता मनुष्य के कर्तव्य का निश्चय करने में है।" फिर वे इसी क्रम में विवाह के सम्बन्ध में जातिगत सीमाओं का अतिक्रमण करते हुए लिखते हैं—"वर्ण का जो गलत अर्थ आज होता है, वह दूर होना चाहिए। छुआछूत मिटनी चाहिए और रोटी-बेटी के व्यवहार के साथ वर्ण का जो निकट का सम्बन्ध आज है, वह ढूँढ़ना चाहिए। किसके साथ खाया जाए और कौन किसके साथ विवाह करे, इसका वर्ण के साथ कोई सम्बन्ध नहीं है। मनुष्य जहाँ खाना चाहेगा, जहाँ खाना उसे पसन्द होगा, जहाँ उसे प्रेम से निमन्त्रण मिलेगा वहीं वह खाएगा। स्त्री-पुरुष को जहाँ अपना श्रेय दिखेगा वहाँ वे विवाह करेंगे। आमतौर पर विवाह एक ही वर्ण में होना सम्भव है, मगर दूसरे वर्ण में हो तो वह पाप नहीं माना जा सकता।"[39]

ध्यातव्य है कि गाँधीजी के विचारों में इस समय तक जो परिवर्तन आया उसके अनुसार वे वर्ण-व्यवस्था के समर्थक रह गये, उस हद तक जिस तक उससे मनुष्यों के कर्तव्य का निश्चय होता था। उसके अतिरिक्त खान-पान, शादी-ब्याह, बेटी-रोटी आदि मामलों में वर्ण-व्यवस्था की हदबन्दी के वे कायल नहीं रह गये 1932 के बीतते-बीतते । दृष्टव्य है, 13 मार्च 1932 को प्रेमा बहन कंटक को लिखे पत्र में उनका यह कथन—"अन्तर्जातीय विवाह की आवश्यकता को एक हद तक मैं स्वीकार करता हूँ। अगर पुरुष को विवाह-विच्छेद का अधिकार हो, तो स्त्री को भी होना चाहिए। लेकिन सामान्यतया मैं इस प्रथा का विरोधी हूँ। प्रेम की गाँठ अविभाज्य होनी चाहिए।"[40] ध्यान रहे 1932 में स्त्री के विवाह-विच्छेद करने के अधिकार की हिमायत करना मामूली साहस एवं प्रगतिशीलता की बात नहीं थी।

अन्तर्जातीय रोटी-बेटी के व्यवहार को लेकर गाँधीजी का विरोध कैसे धीरे-धीरे ठंडा पड़ता जा रहा था, यह 6 अक्टूबर, 1932 के हरिभाऊ पाठक को लिखे पत्र में भी देखा जा सकता है—"रोटी-बेटी-व्यवहार अस्पृश्यता को समूल नष्ट

करने के कार्यक्रम का कोई अभिन्न अंग नहीं है। ये दोनों तो एक अलग सुधार के विषय हैं और एक न एक दिन हिन्दू समाज की सारी जातियों को इन्हें स्वीकार करना ही होगा। मेरा अपना विचार है कि आज वर्ण-व्यवस्था टूट गयी है। आज न कोई सच्चा ब्राह्मण रह गया है, न सच्चा क्षत्रिय और न सच्चा वैश्य। हम सब शूद्र हैं अर्थात एक ही वर्ण के हैं। ...निश्चय ही अस्पृश्यता-निवारण का मतलब ऊँच-नीच के भाव का समूल नष्ट कर दिया जाना है।''[41] फिर 4 नवम्बर 1932 को उनके द्वारा दिया गया यह वक्तव्य देखा जा सकता है—''अस्पृश्यता जिस रूप में हम सब उसे जानते हैं, एक जहरीला कीड़ा है जो हिन्दू धर्म की जड़ों को खा रहा है। भोजन और विवाह सम्बन्धी प्रतिबन्ध हिन्दू समाज के विकास में बाधक हैं। मेरे ख्याल से यह भेद मौलिक है। इस तूफानी आन्दोलन में मुख्य सवाल पर हद से ज्यादा बोझ डालकर उसे जोखिम में डालना समझदारी नहीं होगी। जनसाधारण को अस्पृश्यता-निवारण का एक रूप विशेष समझाया गया है। अब अचानक यदि उससे भिन्न रूप में देखने को कहा जाता है, तो यह उसके साथ विश्वासघात जैसी बात भी हो सकती है। इसलिए जहाँ लोग खुद अन्तर्जातीय भोज के लिए तैयार हों, वहाँ तो उसे चलाया जा सकता है, पर उसे भारतव्यापी आन्दोलन का अंग नहीं बनाया जाना चाहिए।''[42]

उपर्युक्त वक्तव्यों पर ध्यान से विचार करें तो साफ झलकता है कि 1932 तक आते-आते गाँधीजी जातिगत सीमाओं को तोड़कर शादी-विवाह करने के विरोधी नहीं रह गये, परन्तु वे इसको लेकर देशव्यापी आन्दोलन भी नहीं करना चाहते थे। उनके लिए आन्दोलन का मुख्य विषय था—अस्पृश्यता, ऊँच-नीच की भावना को मिटाना। इसलिए वे चाहते थे कि हरेक हिन्दू के दिमाग से जन्मजात छोटे-बड़े का भाव मिट जाए और वह एक दूसरे के साथ समानता के स्तर पर आचरण करें। अर्थात पहले सोच के स्तर पर उसका पूरी तरह रूपान्तरण हो जाए, उसके बाद वह जिसके साथ खाये या विवाह करे। यह गाँधीजी की रणनीति थी कि कहीं अन्तर्जातीय विवाह का मुद्दा उग्र आन्दोलन का रूप लेने लगा, तो कतिपय लोग भड़क कर अस्पृश्यता-निवारण के आन्दोलन से अलग न हो जाएँ। ऐसे में तय था कि अस्पृश्यता आन्दोलन खटाई में पड़ जाता। इसलिए वे फूँक-फूँक कर कदम रख रहे थे। बात भी व्यावहारिक दृष्टि से सही थी। ऐसे कितने लोग हैं जो अन्तर्जातीय विवाह करने के बावजूद अपने को बड़े तथा दूसरों को छोटे समझने की मानसिकता से मुक्त नहीं हो पाते। इसलिए जहाँ तक भेद भाव मिटाने का सवाल है, इसका अमोघ अस्त्र अन्तर्जातीय विवाह न तब था, न अब है।

वास्तव में देखा जाए तो भेद-भाव मिटाने के लिए केवल बाह्य ढाँचे में

परिवर्तन करना पर्याप्त नहीं होता। इसके लिए व्यक्ति की आन्तरिक बनावट में भी बुनियादी बदलाव की जरूरत होती है ओर इसके लिए अपेक्षित होती है प्रशिक्षण की दीर्घकालीन प्रक्रिया। गाँधीजी का यही प्रयास था कि अस्पृश्यता-निवारण आन्दोलन के तहत सबसे पहले आदमी-आदमी के सोच-संस्कार में रचे-बसे ऊँच-नीच का भेद मिटा दिया जाए और इसे हर्गिज प्रगति-विरोधी या प्रतिक्रियावादी सोच नहीं कहा जा सकता। अगर वे अन्तर्जातीय विवाह के मुद्दे को विश्वासघात जैसी बात बता रहे थे, तो प्रकारान्तर से उस आशंका को व्यक्त कर रहे थे कि कहीं अस्पृश्यता-निवारण आन्दोलन में लगे लोग आन्दोलन में इस नये आयाम के जुड़ने से भड़क कर अलग न हो जाएँ। हाँ, इस प्रक्रिया में स्वाभाविक रूप से सम्भव होने वाले अन्तर्जातीय विवाहों एवं भोज के अब विरोधी नहीं रह गये और फिर कभी बाद में ही इनका उन्होंने विरोध किया। 1932 का वर्ष गाँधी जी के जीवन में इस दृष्टि से एक युगान्तरकारी काल-बिन्दु है कि इसके बाद वे वर्ण धर्म के वैसे समर्थक एवं अन्तर्जातीय विवाहों के वैसे विरोधी नहीं रह गये जैसे वे इसके पहले थे।

गाँधीजी के वर्णाश्रम धर्म सम्बन्धी विचारों में आये परिवर्तनों के सम्बन्ध में गाँधी साहित्य के गहरे अध्येता श्री पन्नालाल सुराणा के लेख 'गाँधी और दलित' का यह अंश यहाँ पर बहुत उल्लेखनीय प्रतीत होता है—"उनके (गाँधी जी के) नजदीकी साथियों ने बात चलायी कि उन्हें जो शुद्ध श्रम विभाजन के रूप में वर्ण धर्म अभिप्रेत है, वैसी वास्तविकता नहीं है। वास्तव में जन्माधारित जाति-व्यवस्था चल रही है। दो जातियों के बीच रोटी-बेटी का व्यवहार नहीं होता। अपने को ऊँची जाति के मानने वाले लोग नीची मानी गयी जाति के आदमी के हाथ से पानी तक नहीं लेते। अछूत मानी गयी जातियों पर कई तरह के अत्याचार थोपे जाते है। काफी सोच-विचार के बाद उन्होंने 1931 में एक लेख में लिखा—"मैंने यह बार-बार कहा है कि आज जो जाति व्यवस्था चल रही है, उस पर मेरा बिलकुल विश्वास नहीं है। तरक्की के रास्ते में वह रोड़े डालने वाली तथा बड़ी गन्दी चीज है जो फेंक देने लायक ही है। आदमी-आदमी में ऊँच-नीचता व विषमता है। यह मैं कतई नहीं मानता। हम सब लोग पूरी तरह समान हैं। लेकिन समता आत्मा की है, शरीर की नहीं। वह मानसिक अवस्था है। हमें हमेशा समता का विचार करना चाहिए तथा वैसा आचरण करने का आग्रह रखना चाहिए। आज दुनिया में विषमता के बीच रहते हुए हमें समता स्थापित करनी है। एक आदमी को दूसरे से ऊँचा कहना तो ईश्वर तथा मानवता के खिलाफ पाप करना है। हैसियत तथा औकात में असमानता दर्शाने वाली जाति एक दुष्ट प्रवृत्ति है।" (यंग इंडिया,

4.6.1931) तत्पश्चात गाँधीजी ने वर्णाश्रम का कभी भी समर्थन नहीं किया। जाति प्रथा मुझे बिलकुल मंजूर नहीं, ऐसा सन् 1931 के लेख में स्पष्टतः कहा है तथा बाद में कभी भी वर्णाश्रम का जिक्र नहीं किया है, तो वे वर्णाश्रम धर्म के समर्थक थे, ऐसा कहना या मानना ठीक नहीं है।''[43]

उपर्युक्त तथ्यों एवं तर्कों के आलोक में शीशे की तरह साफ है कि वर्ण-धर्म के सवाल पर गाँधीजी की चिन्तन-यात्रा सहमति से असहमति, स्वीकार से अस्वीकार की ओर रही है। इसके बावजूद अगर किसी को गाँधीजी वर्ण-धर्म के समर्थक के रूप में ही दृष्टिगत होते हैं, तो यही कहा जा सकता है कि ऐसे व्यक्ति को अपनी समझ का उपचार करा लेना चाहिए। यों तो अस्पृश्यता विरोधी अभियान गाँधीजी जीवनपर्यन्त चलाते रहे, किन्तु इस दिशा में आगे बढ़ने से पूर्व यहाँ उनके और अम्बेडकर के बीच अस्पृश्यता के सवाल पर हुए वाद-विवाद-संवाद का अवलोकन कर लेना अपेक्षित है।

अम्बेडकर : प्रतिरोध से पूरकता तक

''भारत का विभाजन मुस्लिम लीग एवं जिन्ना की सफलता और गाँधी एवं कांग्रेस की विफलता का प्रमाण है, तो भारत में पृथक 'दलिस्तान' का न बन पाना गाँधी की सफलता और अम्बेडकर की समझदारी का प्रमाण है।'' प्रस्तुत प्रकरण में हम अपने इस कथन का ही पल्लवन करेंगे।

डॉ. भीमराव अम्बेडकर का प्रवेश भारतीय राजनीति में ठीक उस समय एक दहकते गोले की तरह हुआ जब गाँधीजी अस्पृश्यता विरोधी जागरण को राष्ट्रव्यापी बनाने में लगे हुए थे। यह गोला तो पहले गाँधी के प्रखर प्रतिरोध के रूप में सामने आया, किन्तु शनैः शनैः साम्राज्यवादियों की चालाकियों को समझते हुए गाँधी के मिशन का पूरक अंग बन गया। प्रतिरोध से पूरकता तक की यह विकास-यात्रा देखना ही हमारे इस विवेचन का मुख्य ध्येय है।

अब तक के विवेचन के अन्तर्गत यह बात साफ हो चुकी है कि साबरमती आश्रम में शुरू होकर 1920-22 में असहयोग आन्दोलन के दौरान गाँधीजी ने अस्पृश्यता-निवारण को राष्ट्रव्यापी मुद्दा बना दिया था। ध्यातव्य है यह वह समय था जब भीमराव अम्बेडकर अमेरिका से लेकर इंग्लैंड तक उच्च शिक्षा प्राप्त करने में लगे हुए थे। भारत में, विशेषकर महाराष्ट्र प्रदेश में, सार्वजनिक जीवन में अम्बेडकर की क्रियाशीलता 1925-26 के आसपास दिखाई देने लगी और वे गाँधी के अस्पृश्यता-निवारण आन्दोलन से अपने को अलग रखते हुए महाराष्ट्र में अछूतों को वर्ण-व्यवस्था के खिलाफ लामबन्द करने लगे। इसी समय उन्होंने मुम्बई के

निकट कोकल जिला में 'महार सम्मेलन' का आयोजन किया जिससे उनकी छवि एक 'दलित मसीहा' के रूप में उभरकर सामने आयी। इससे भी अधिक लोकप्रियता उन्हें मिली 1927 में जब उन्होंने पानी के सवाल को लेकर सशक्त आन्दोलन किया जो 'महार आन्दोलन' के नाम से ज्ञात है।

महाराष्ट्र के कोलाबा जिले की नगरपालिका ने अछूतों को चाबदार तालाब से जल भरने का अधिकार दे दिया था, किन्तु सवर्ण हिन्दू इसके खिलाफ थे, अतएव कोलाबा जिले के अछूतों ने मार्च 1927 में अम्बेडकर के नेतृत्व में एक सभा का आयोजन किया, जिसमें 20 मार्च को उन्होंने चाबदार तालाब से पानी ले जाने का निश्चय किया। इससे वहाँ पर तनाव का वातावरण बन गया। दोनों पक्षों में मारपीट तक हो गयी। महाड़ के सवर्ण हिन्दुओं ने चाबदार तालाब की शुद्धि की तो अम्बेडकर ने इसका घोर प्रतिवाद किया। बहरहाल, इस महार आन्दोलन ने अम्बेडकर को एक जुझारू नेता की पहचान दी। हालाँकि अछूतों को यह सब अधिकार दिलाने के लिए गाँधीजी भी प्रयास करते आ रहे थे जिसके परिणामस्वरूप देश के विभिन्न भागों में सवर्ण-अवर्ण सभी वर्णों के लोग शामिल होकर अस्पृश्यता-निवारण आन्दोलन को व्यापक बनाने में लगे थे, किन्तु अम्बेडकर को इस सवाल पर गाँधीजी का नेतृत्व स्वीकार नहीं हुआ और वे खुद इस मुद्दे पर अपने ढंग से लड़ने के लिए आगे बढ़े।

उल्लेखनीय है कि महाराष्ट्र की महार जाति जो अछूत मानी जाती थी, में जन्मे (1891) अम्बेडकर ने छात्र जीवन से ही छुआछूत का दंश काफी भोगा था, यह उनके जीवनवृत्त से स्पष्ट होता है। अछूतपन जैसे अवरोध का सामना करते हुए बड़ौदा के महाराज सियाजीराव गायकवाड़ के सौजन्य से कॉलेज एवं फिर विदेशों में जाकर उच्च शिक्षा प्राप्त करने में वे कामयाब हुए जो उनकी अपराजेय संघर्षशीलता का एक सबूत था, लेकिन उच्च शिक्षा प्राप्त कर स्वदेश वापस आने पर, यहाँ के हिन्दू समाज में कुंडलीमार कर बैठे अछूतपन के सवाल ने उन्हें चैन से नहीं बैठने दिया और वे इस सवाल के समाधान की दिशा में जी-जान से लग गये। इस सवाल पर गाँधीजी के साथ काम करने के बजाय उन्होंने अलग रहकर काम करना क्यों उचित समझा, इसके कुछ कारण थे।

मेरी समझ में गाँधीजी के कार्यक्रमों में प्राथमिकता थी, देश की राजनीतिक स्वतन्त्रता प्राप्त करने की। हालाँकि वे बार-बार कहते रहे कि, अस्पृश्यता को मिटाए बगैर सच्चा स्वराज्य सम्भव नहीं, किन्तु यह अछूतोद्धार उनके स्वराज्य-प्राप्ति के बड़े आन्दोलन का एक अंग ही बनकर रह गया था। दूसरी बात यह कि गाँधीजी अस्पृश्यता पर प्रहार तो कर रहे थे, हिन्दू धर्म के अखाड़े में ही उतरकर अस्पृश्यता

को धर्मसम्मत सिद्ध करने वाले समस्त तर्क-जाल को छिन्न-भिन्न करते रहे। लेकिन वे वर्ण-व्यवस्था की हिमायत भी (1932 तक) करते रहे। हालाँकि वर्ण-व्यवस्था के सम्बन्ध में उनके दृष्टिकोण में 1932 के बाद परिवर्तन तो आया, फिर भी सत्य यह है कि उसके विरोध में उन्होंने कोई आन्दोलन नहीं चलाया। अम्बेडकर को गाँधीजी का यह अन्तर्विरोधी रवैया पसन्द नहीं था। एक तो अम्बेडकर यह मानते थे कि स्वराज्य प्राप्ति से ज्यादा आवश्यक अस्पृश्यता को मिटाना है, जातिगत-वर्णगत भेदभाव को समाप्त करना है। दूसरे चूँकि यह छुआछूत या भेदभाव वर्ण-व्यवस्था की कोख से पैदा हुआ है, इसलिए वर्ण-व्यवस्था के विरुद्ध भी अवाम को जागरूक एवं संगठित कर आन्दोलन किया जाना चाहिए। ये दो ऐसी चीजें थीं, जिन्होंने अम्बेडकर को गाँधीजी से अलग रहकर स्वतन्त्र रूप से दलितों के सवाल को राष्ट्र का प्रमुख विषय बनाने की मंशा से कार्य करने को विवश किया। यही कारण था कि वे समस्त वर्णो तथा वर्गों को औपनिवेशिक दासता के खिलाफ लामबन्द करने वाली मुहिम से अलग रहकर अछूतपन या अन्य जातिगत ऊँच-नीच के भाव को जन्म देने वाली वर्ण-व्यवस्था को मिटाने हेतु उसके भुक्त-भोगियों को ही संगठित करने लगे। कहा जा सकता है कि अम्बेडकर स्वराज्य को मुख्य मुद्दा बनाने वाली गाँधीवादी एवं राष्ट्रीय धारा से अलग होकर दलितों के हितार्थ उसी तरह कार्य करने लगे जिस तरह उन दिनों मुस्लिम लीग मुसलमानों के लिए, हिन्दू महासभा हिन्दुओं के लिए एवं अकाली दल सिखों के लिए काम कर रहे थे, मुख्य राष्ट्रीय धारा से पृथक रहकर।

सर्वविदित है कि गाँधीजी और काँग्रेसी नेता काँग्रेस को हिन्दुस्तान के समस्त धर्मावलम्बियों, जातियों , सम्प्रदायों की प्रतिनिधि संस्था बताकर पूरे देश की राजनीतिक आजादी की लड़ाई लड़ रहे थे, इसलिए इन सम्प्रदाय आधारित संगठनों को पृथकतावादी बताते हुए जनता को इनसे दूर रहने की सलाह दे रहे थे, लेकिन जिस औपनिवेशिक शासन के विरुद्ध यह जंग चल रही थी, उसने 'फूट डालो और राज करो' वाली अपनी पुरानी नीति को और कारगर बनाने के लिए विभिन्न साम्प्रदायिक संगठनों को पृथक राजनीतिक अधिकार देने का एक नया नुस्खा अपनाया। इससे प्रोत्साहित होकर 'मुस्लिम लीग' मुसलमानों के लिए, तो 'हिन्दू महासभा' हिन्दुओं के लिए, 'अकाली दल' सिखों के लिए अलग-अलग राजनीतिक अधिकारों की माँग करने लगे। ऐसे माहौल में पहले अम्बेडकर को भी प्रतीत हुआ कि दलित समुदाय के लिए भी शेष हिन्दू समाज से अलग होकर राजनीतिक अधिकार हासिल करने में ही भलाई है। ब्रिटिश राज तो चाहता ही था कि धर्म, जाति के आधार पर भारतीय जनता में मतभेद बढ़े ताकि उनके आधार पर राष्ट्रीय

एकता एवं अखंडता को खंडित करते हुए इस देश को अनेक द्वीपों में विभक्त करने में वह सफल हो जाए और साम्राज्यवाद विरोधी मुहिम की हवा निकल जाए। इसलिए वे अम्बेडकर के दलित मोर्चा को भी हिन्दू समाज से पृथक रूप में पहचान देने को तत्पर हो गये। ऐसी ही पृष्ठभूमि में गाँधी और अम्बेडकर का आमना-सामना 1931 में लन्दन में आयोजित द्वितीय गोलमेज सम्मेलन में हुआ। इस सम्मेलन में गाँधीजी काँग्रेस के प्रतिनिधि के रूप में, और डॉ. अम्बेडकर दलित समुदाय के प्रतिनिधि के रूप में आमन्त्रित किये गये थे। इस सम्मेलन में दलित-समुदाय को पृथक राजनीतिक अधिकार दिए जाने के सवाल पर गाँधीजी और अम्बेडकर की एक-दूसरे से असहमतियाँ खुलकर सामने आयीं जिनकी कुछ झलकियों का यहाँ उल्लेख किया जाना प्रसंगानुकूल है।

अँग्रेजों की चाल थी कि भारत के विभिन्न समुदायों की पहचान धर्म या जाति के आधार पर करते हुए विशेष निर्वाचन क्षेत्रों का प्रावधान किया जाए। इसके लिए एक 'संघ-संरचना समिति' गठित की गयी थी। इस समिति के समक्ष 17 सितम्बर 1931 को लन्दन में अपना दृष्टिकोण रखते हुए गाँधीजी ने कहा—"अब मैं विशेष निर्वाचन-क्षेत्रों द्वारा विशेष हितों के प्रतिनिधित्व के सवाल पर आता हूँ। यहाँ मैं जो कुछ कह रहा हूँ, उसे काँग्रेस का ही विचार समझिए। काँग्रेस ने हिन्दू-मुस्लिम-सिख समस्याओं के सम्बन्ध में विशेष रूप से विचार करने की बात किसी तरह स्वीकार कर ली है। इसके कुछ ऐतिहासिक कारण हैं। वह इस सिद्धान्त को अब और किसी समुदाय के सम्बन्ध में किसी भी रूप में लागू नहीं करने देगी। मैंने यह सुना कि विशेष हितों का दावा करने वालों की सूची में कौन-कौन आते हैं। जहाँ तक अस्पृश्यों का सम्बन्ध है, अभी तक मैं यह नहीं समझ पाया हूँ कि डॉ. अम्बेडकर क्या कहना चाहते हैं, लेकिन इतना तो है ही कि अस्पृश्यों के हितों का प्रतिनिधित्व करने का गौरव अकेले अम्बेडकर साहब को ही प्राप्त नहीं होगा। उसकी भागीदार काँग्रेस भी बनेगी। उनके हित काँग्रेस को उतने ही प्रिय हैं जितने कि भारत के किसी भी अन्य समुदाय अथवा व्यक्ति के हित प्रिय हो सकते हैं। इसलिए मैं किसी और जन समुदाय के सम्बन्ध में विशेषज्ञ प्रतिनिधित्व का सिद्धान्त लागू करने का तीव्र विरोध करूँगा। वयस्क मताधिकार के अधीन मजदूरों के संगठनों आदि को तो विशेष प्रतिनिधित्व की जरूरत होती ही नहीं, जमींदारों को तो कतई नहीं होती।"[44]

दरअसल, डॉ. अम्बेडकर को ब्रिटिश शासन ने, जैसा कि हम पहले भी कह चुके हैं, गोलमेज-सम्मेलन में बुलाया ही इसलिए था कि वे वहाँ पर काँग्रेस के इस दावे को झूठ सिद्ध कर सकें कि वह भारतवर्ष के सभी समुदायों का

प्रतिनिधित्व करती है। अम्बेडकर पूरी तरह से लीगी या महासभाई नेताओं की तरह यह मन बनाकर भी गये थे कि वे अन्त-अन्त तक अस्पृश्यों को एक अलग समुदाय के रूप में वैध मान्यता दिलवाकर उनके लिए अलग से निर्वाचन-अधिकार को प्राप्त कर सकेंगे। इसलिए उनकी पूरी कोशिश यह सिद्ध करने की थी कि भारतवर्ष के समस्त अछूतों के वे ही एकमात्र प्रतिनिधि हैं। दूसरी तरफ गाँधीजी लगातार वहाँ पर यह सिद्ध करने में लगे हुए थे कि डॉ. अम्बेडकर ही अछूतों के एकमात्र प्रतिनिधि नहीं है, बल्कि काँग्रेस के साथ देश के ज्यादा अछूत जुड़े हुए हैं, इसलिए देश के समस्त अछूत क्या चाहते हैं, उसे काँगेस के माध्यम से ही जानने का काम होना चाहिए। इस बात को गाँधीजी ने लन्दन में कई अवसरों पर कहा। 6 अक्टूबर 1931 को लन्दन में एक वार्तालाप में यह पूछे जाने पर कि अम्बेडकर का कहना है कि काँग्रेस को अस्पृश्यों का प्रतिनिधि होने का दावा करने का कोई अधिकार नहीं है, गाँधीजी ने कहा—"डॉ. अम्बेडकर की बात का मैं बुरा नहीं मानता, हर एक अस्पृश्य की तरह डॉ. अम्बेडकर को मुझ पर थूकने तक का अधिकार है। और वे मुझ पर थूकें तो भी मैं हँसता रहूँगा। परन्तु यह बताना चाहता हूँ कि डॉ. अम्बेडकर देश के उसी एक भाग की तरफ से बोलते हैं जिस भाग में वे रहते हैं। हिन्दुस्तान के दूसरे भागों की तरफ से वे नहीं बोल सकते। मुझे देश के कई भागों से कथित अस्पृश्यों की ओर से अधिसंख्य तार मिले हैं, जिनमें उन्होंने डॉ. अम्बेडकर को अपना प्रतिनिधि मानने से इंकार कर दिया और काँग्रेस उनके लिए जो काम कर रही है उसे वे जानते हैं और वे यह भी जानते हैं कि यदि अपनी आवाज की ओर लोगों का ध्यान आकर्षित करने में वे सफल न होंगे तो उनकी तरफ से मैं उनके सत्याग्रह-संग्राम का नेतृत्व करूँगा और यदि कट्टरपन्थी हिन्दुओं की ओर से कोई विरोध हुआ तो उसे ठंडा कर दूँगा। दूसरी ओर अगर उन्हें पृथक प्रतिनिधित्व, जिसकी माँग डॉ. अम्बेडकर इतना आग्रहपूर्वक कर रहे हैं, दे दिया जाता है तो इससे खुद उन्हीं का बहुत बड़ा नुकसान होगा। इससे हिन्दू समाज दो सशस्त्र छावनियों में बँट जाएगा और उससे अनावश्यक विरोध-भाव पैदा होगा।"[45]

लगभग ऐसा ही सवाल 17 अक्टूबर 1931 को लन्दन के पत्र 'स्पेक्टेटर' के सम्पादक एवलिन रेंच ने गाँधीजी से पूछा था कि कुल हलकों में ऐसा माना जाता है कि उनके (अस्पृश्यों के लिए) पृथक निर्वाचन मंडलों की व्यवस्था की जानी चाहिए और आपको उनकी ओर से बोलने का कोई हक नहीं है। इसके जवाब में फिर गाँधीजी ने दृढ़तापूर्वक कहना—"मैं बेहिचक कह रहा हूँ कि अगर भारत के सभी भागों के अस्पृश्यों के मत लिए जाएँ तो उनका प्रतिनिधि मैं ही

चुना जाऊँगा। डॉ. अम्बेडकर निस्सन्देह बड़े बुद्धिमान और उत्साही आदमी हैं। उनके मन में कटुता होना सभी तरह से उचित है। मैंने अपना अधिकांश जीवन अस्पृश्यों का पक्ष समर्थन करने में लगाया है। मैं भारत के सभी भागों में जाकर उन लोगों से मिला हूँ। उनमें से कई मेरे आश्रम में हैं। एक अस्पृश्य लड़की को मैंने गोद भी लिया है। ...अस्पृश्यों के हितों का ख्याल करके मैं ऐसा मानता हूँ कि विशेष निर्वाचक-मंडल या सीटों का आरक्षण उनके लिए घातक होगा। अगर इसे प्राप्त करने की कोशिश की गयी तो फिर उनके खिलाफ विरोध भड़केगा। मेरा ख्याल है उनके 'खुले दरवाजे से आने से' उन्हें सामान्य हिन्दुओं जैसे मताधिकार दिए जाने से ही उनके हितों की सबसे अच्छी तरह रक्षा होगी। वे देखेंगे कि भारतीय जनमत का दिशा-निर्देशन करने वाले नेता उनके सामाजिक दर्जे को उठाने और उनको मन्दिरों में प्रवेश करने का अधिकार दिलाने को कटिबद्ध हैं और साथ ही उन तमाम बाधाओं और असुविधाओं को दूर करने को तैयार हैं जिन्हें वे लोग अतीत में झेलते आये हैं।''[46]

गाँधीजी ने जो कुछ कहा, वह पूर्णत: सत्य था। हम देख चुके हैं कि 1931 ई. में लन्दन के गोलमेज सम्मेलन में जाने से पूर्व गाँधी जी अस्पृश्यता के सवाल पर कई वर्षों तक काम करके पूरे देश को आन्दोलित कर चुके थे जिसके परिणामस्वरूप देश के विभिन्न भागों के अछूतों का गाँधीजी और काँग्रेस से बहुत गहरा आत्मीय लगाव हो चुका थ। इसके विपरीत डॉ. अम्बेडकर ने अछूतों को लेकर अब तक जो कुछ भी किया था उसका प्रभाव महाराष्ट्र प्रान्त की सरहदों तक सीमित था। अतएव भारत के समस्त अस्पृश्यों के प्रतिनिधि होने का उनका दावा करना सही नहीं था और इस बिन्दु पर गाँधीजी द्वारा उनका प्रतिवाद सत्य पर आधारित था। कटुता डॉ. अम्बेडकर के मन में सवर्णों के प्रति तो थी ही, और यह स्वभाविक भी थी, साथ ही गाँधीजी के प्रति भी थी, क्योंकि वे सवर्णों के घेरे से बाहर अछूतों के सवाल को नहीं ले जाना चाहते थे। इसे गाँधीजी ने अपने वक्तव्य में स्पष्ट भी किया है, किन्तु उनके मन में जब किसी अस्पृश्य के लिए कटुता नहीं थी, तब भला डॉ. अम्बेडकर के प्रति क्यों कर हो सकती थी। हाँ, यह उन्हें कतई पसन्द नहीं था कि अम्बेडकर देश के समस्त अछूतों का नेता होने का मिथ्या दावा कर बृहत् हिन्दू समाज से उन्हें अलग करने का काम करें। गाँधीजी तो यह चाहते थे कि अम्बेडकर अस्पृश्यों के लिए पृथक निर्वाचन मंडल की माँग छोड़कर काँग्रेस की मुख्य धारा में शामिल हो जाएँ। इसी आशा का पत्र उन्होंने 22 अक्टूबर 1931 को मिर्जा इस्माइल को लिखा था कि ''प्रिय सर मिर्जा, यदि आप डॉ. अम्बेडकर को मना सकें तो यह आपकी बड़ी भारी जीत होगी। दक्षिण अफ्रीका

में मैंने खुद वह सब झेला था, जो वे झेलते रहे हैं। इसलिए उनकी सब बातों के प्रति मेरी सहानुभूति है। उनके साथ मधुरतम व्यवहार करना चाहिए।''[47]

अस्पृश्यों को पृथक निर्वाचन-मंडल देने में गाँधीजी को यह खतरा दिखाई देता था कि उसके कारण समाज में तनाव बढ़ेगा और अँग्रेज चाहते भी यही थे कि भारतीय समाज में हिन्दू बनाम मुसलमान या सिख या सवर्ण बनाम अछूत जैसे अनेक तनाव पैदा होते रहें ताकि उनके विरुद्ध चलने वाला राजनीतिक आन्दोलन कभी मजबूत न हो सके। इसलिए गाँधीजी नहीं चाहते थे कि अस्पृश्यों को पृथक निर्वाचन मंडल देकर समाज में अन्तर्कलह पैदा किया जाए जिससे गृहयुद्ध जैसी विस्फोटक स्थिति सामने आ जाए। 24 अक्टूबर 1931 को गाँधीजी ने 'ऑक्सफोर्ड भारतीय मजलिस' में जो भाषण किया उसमें उन्होंने इसी बात को विस्तारपूर्वक रखते हुए कहा—''मुसलमान और सिख, ये सब तो संगठित हैं। लेकिन अस्पृश्यों के साथ ऐसी बात नहीं है। उनमें राजनीतिक-जागृति बहुत कम आयी है, और उनके साथ इतना बुरा व्यवहार किया जाता है कि मैं उन्हें खुद उन्हीं से बचाना चाहता हूँ। अगर उन्हें पृथक निर्वाचन-मंडल प्राप्त हो जाए तो गाँवों में, जो हिन्दू कट्टरपंथियों के गढ़ हैं, उनकी जिन्दगी दूभर हो जाएगी। युगों से अस्पृश्यों की उपेक्षा करते आने का प्रायश्चित तो उच्चवर्गीय हिन्दुओं को करना ही है। यह प्रायश्चित सक्रिय समाज सुधार के द्वारा और सेवा के बल पर अस्पृश्यों के जीवन को अधिक सहज बनाकर किया जा सकता है। लेकिन इसका तरीका उनके लिए पृथक निर्वाचन-मंडल की माँग करना नहीं है। उनको पृथक निर्वाचक-मंडल देकर तो आप अस्पृश्यों ओर कट्टरपंथियों में वैर-वैमनस्य का बीज बो देंगे। आपको यह समझ लेना चाहिए कि मैं केवल मुसलमानों और सिखों के सम्बन्ध में ही, एक अनिवार्य बुराई के रूप में विशेष प्रतिनिधित्व के प्रस्ताव को बर्दाश्त कर सकता हूँ। मेरा निश्चित मत है कि अस्पृश्यों के लिए पृथक निर्वाचक-मंडल का सुझाव इस शैतान सरकार की नयी कारस्तानी है। आवश्यकता सिर्फ इस बात की है कि उनके नाम मतदाता-सूची में दर्ज कर लिए जाएँ और संविधान में उनके मूलभूत अधिकारों की व्यवस्था कर दी जाए।''

गाँधीजी ने जो कुछ कहा, वह समाज की वस्तुनिष्ठ सच्चाई पर आधारित था। वाकई उस समय देश में अस्पृश्य उस तरह संगठित नहीं थे जिस तरह मुसलमान या सिख थे। अम्बेडकर को दलितों को संगठित करने में महाराष्ट्र तक की सफलता मिली थी—पूरे देश में वे दलितों का संगठन खड़ा नहीं कर पाये थे। पूरे देश में तो गाँधीजी और काँग्रेस ही अछूतोद्धार का आन्दोलन चलाये हुए थे। दूसरी बात यहाँ गौर करने की यह है कि अपने वक्तव्य में गाँधीजी ने पृथक

निर्वाचक-मंडल के प्रस्ताव को 'शैतानी सरकार की नयी कारस्तानी' कहकर अम्बेडकर को इस दोष से मुक्त ही रखा और सूत्र रूप में उन्हें यह भी संकेत कर दिया कि वे सरकार की इस 'नयी कारस्तानी' के मर्म को समझते हुए उसके द्वारा अपने को साम्राज्यवादी हितों के पक्ष में इस्तेमाल न होने दें।

पृथक निर्वाचक मंडल के विरोध में एक दूसरा प्रभावशाली तर्क पेश करते हुए गाँधीजी ने उसी भाषण में यह कहा—"अस्पृश्यों को पृथक निर्वाचन-मंडल देने का मतलब उनकी बेड़ी को स्थायी बना देना होगा। पृथक निर्वाचन-मंडल मिल जाने पर भी मुसलमान तो सदा मुसलमान ही रहेंगे, इसी प्रकार क्या आप यह चाहते हैं कि अस्पृश्य सदा अस्पृश्य ही बने रहें? पृथक निर्वाचन-मंडल अस्पृश्यों के इस कलंक को स्थायी रूप दे देंगे। आवश्यकता इस बात की है कि अस्पृश्यता का मूलोच्छेद कर दिया जाए और जिस क्षण आप वैसा कर देंगे, उसी क्षण दम्भी उच्च वर्णवालों ने एक निम्नवर्ग पर जो निर्योग्यताएँ लगा रखी हैं वे नष्ट हो जाएँगी। जब आप इस निर्योग्यता को मिटा देंगे तो फिर पृथक निर्वाचन-मंडल किसको देंगे? आप यूरोप के इतिहास पर गौर कीजिए। क्या यहाँ मजदूरों अथवा स्त्रियों के लिए पृथक निर्वाचन-मंडल की व्यवस्था है? अस्पृश्यों को वयस्क मताधिकार देकर आप उन्हें पूरी सुरक्षा प्रदान कर देंगे। कट्टरपन्थी हिन्दुओं को भी उनके पास उनसे वोट माँगने जाना पड़ेगा।"

फिर अम्बेडकर की माँग को लक्ष्य करते हुए उन्होंने आगे कहा—"आप पूछते हैं कि फिर उनके प्रतिनिधि डॉ. अम्बेडकर उनके लिए पृथक् निर्वाचन-मण्डल की माँग क्यों करते हैं? डॉ. अम्बेडकर के प्रति मेरे मन में बड़ा सम्मान है। उन्हें कटु होने का पूरा अधिकार है। अगर वे हमारा सिर नहीं फोड़ देते तो इसी को उनका बहुत बड़ा आत्मसंयम मानना चाहिए। आज उनका मन आशंकाओं से इतना भरा हुआ है कि वे और कोई चीज देख ही नहीं सकते। उन्हें प्रत्येक हिन्दू अस्पृश्यों का पक्का विरोधी दिखाई देता है और ऐसा दिखाई देना सर्वथा स्वाभाविक है। ...अपना क्रोध प्रकट करना उनके लिए बिलकुल स्वाभाविक है। लेकिन वे जिस पृथक निर्वाचक-मंडल के लिए प्रयत्नशील हैं, उससे उन्हें समाज-सुधार के क्षेत्र में जो कुछ मिलना चाहिए, वह नहीं मिला सकेगा। हो सकता है, उससे उन्हें खुद सत्ता और पद मिल जाए, लेकिन अस्पृश्यों की कोई भलाई नहीं होने वाली है। यह सब मैं प्रमाणपूर्वक कह सकता हूँ, क्योंकि मैं इतने वर्षों से उनके सुख-दुख का साझीदार बनकर उनके बीच रहता आ रहा हूँ।"[48]

जाहिर है कि गाँधीजी अछूतों के लिए पृथक निर्वाचन-मंडल के विरोध में इतना कुछ कहने के लिए इसके पक्ष में अम्बेडकर के आग्रहपूर्ण रवैये के कारण

बाध्य थे। वैसे यह एक बड़ा विचित्र तथ्य सामने आता है कि पहले अम्बेडकर खुद पृथक निर्वाचन-मंडल के सिद्धान्त के विरोधी रह चुके थे। गाँधीवादी लेखक पन्नालाल सुराणा ने अपने लेख 'गाँधी और दलित' में इसका जिक्र करते हुए बताया है कि "सन 1929 में 'मोतीलाल नेहरू कमेटी' की रिपोर्ट प्रकाशित हुई। उसे शीर्षक दिया गया था 'एंटी सेपरेटिस्ट मैनिफेस्टो' यानी 'अलगाववाद के खिलाफ घोषणा-पत्र'। केन्द्रीय तथा प्रान्तीय स्तर पर जिम्मेदार हुकूमत का ढाँचा खड़ा किया जाए, जाति, धर्म, वंश, लिंग आदि किसी भी कारण से भेदभाव न करते हुए बालिग स्त्री-पुरुषों को मताधिकार दिया जाए, व्यक्ति के मानवाधिकार की रक्षा करने की जिम्मेदारी शासन पर डाली जाए आदि सिफारिशें उस रिपोर्ट में की गयी थीं। उस रिपोर्ट का स्वागत करने वाला लेख बाबा साहब ने अपने 'बहिष्कृत भारत' अखबार में 18 जनवरी 1929 को लिखा था। उसी लेख में बाबा साहब ने लिखा था—"फिलहाल जो व्यवस्था चल रही है उसमें सबसे आपत्तिजनक कोई बात है तो मुस्लिमों के लिए पृथक चुनाव क्षेत्र। नेहरू कमेटी ने दो महत्त्वपूर्ण तब्दीलियाँ सुझायी हैं, पहली बात पृथक नहीं; आरक्षित चुनाव क्षेत्र तथा दूसरी, मुसलमानों को जनसंख्या के अनुपात में ही सीटें देना।" डॉ. अम्बेडकर का मानना था कि पृथक चुनाव क्षेत्र की व्यवस्था स्वस्थ प्रजातन्त्र तथा भावनात्मक एकता को नुकसान पहुँचाने वाली है। साइमन कमीशन को 17 मई 1929 को दिए अपने दूसरे ज्ञापन में उन्होंने लिखा था—"जिन देशों में मुसलमान अल्पसंख्यक हैं उनमें भारत अकेला नहीं है। बुलगारिया, ग्रीस, रूमानिया, युगोस्लाविया, रूस आदि देशों में भी वैसी स्थिति है। लेकिन वहाँ कहीं भी उनके लिए पृथक् चुनाव क्षेत्र नहीं है।" साइमन कमीशन ने अपनी रिपोर्ट 1929 के अन्त में सरकार को सौंपी। उसमें 1909 तथा 1919 की व्यवस्था यानी मुस्लिमों के लिए पृथक चुनाव क्षेत्र चालू रखने की तो सिफारिशें की, लेकिन पिछड़े वर्गों के लिए वैसी सिफारिश नहीं की गयी थी। बालिग मताधिकार की माँग मंजूर नहीं की गयी। इस पर डॉ. अम्बेडकर ने टिप्पणी की थी, लेकिन पिछड़ों के लिए पृथक चुनाव क्षेत्र नहीं दिया गया, इस बात पर उन्होंने नाराजगी नहीं दिखायी।"[49]

प्रकट है कि डॉ. अम्बेडकर 1929 तक मुसलमानों को पृथक निर्वाचन क्षेत्र दिए जाने के विरुद्ध थे और उसके लिए उन्होंने कई देशों के उदाहरण भी प्रस्तुत किये, अपने लेख में। अब इसे चमत्कार नहीं तो क्या कहा जाए कि 1939 में वे 'गोलमेज-सम्मेलन' में अपने ही तर्कों को विस्मृत कर पृथक निर्वाचन-मंडल के पक्ष में खड़े हो गये जबकि गाँधीजी इंग्लैंड के मजदूरों और स्त्रियों को पृथक निर्वाचन मंडल न दिए जाने का उदाहरण प्रस्तुत कर इसे भारत के सन्दर्भ में भी

अनुचित सिद्ध कर रहे थे। ऐसा प्रतीत होता है कि एक तो मुस्लिम लीग, हिन्दू महासभा, अकाली दल आदि द्वारा अपने-अपने सम्प्रदायों के लिए पृथक अधिकारों की माँग करने से बने माहौल तथा दूसरे सरकार द्वारा ऐसी पृथकतावादी माँगों को प्रोत्साहन देने की नीति ने अम्बेडकर के अपने ही पहले वाले दृष्टिकोण में परिवर्तन करने को बाध्य कर दिया हो और वे अछूतों के लिए पृथक निर्वाचन मंडल की माँग के मार्ग पर बढ़ चले हों।

जहाँ तक गाँधीजी का सवाल है, वे तो मुसलमान एवं सिख के लिए भी पृथक निर्वाचन-मंडल के पक्ष में नहीं थे। इसे वे मजबूरी के तहत स्वीकार करने को तैयार हो गये थे, परन्तु अस्पृश्यों के लिए पृथक निर्वाचन-मंडल देने के सवाल पर वे कोई समझौता करने को तैयार नहीं थे। 31 अक्टूबर, 1931 को लन्दन में 'फ्रेंड्स हाउस' में क्वेकरों के साथ बातचीत में उन्होंने अपने दृष्टिकोण को फिर स्पष्ट करते हुए कहा—"पृथक निर्वाचन-मंडल स्वीकार करना काँग्रेस की दृष्टि में मुसलमानों, सिखों, हिन्दुओं और समूचे राष्ट्र के लिए बुरा है। लेकिन सबसे बुरा अस्पृश्यों के लिए है। अस्पृश्यों की समस्या इससे ऊपर है। मैं ऐसा मानता हूँ कि उन्हें पृथक निर्वाचक मंडल देना उनको मार देने के समान होगा। वे उच्चतर वर्गों के हाथों में है। वे लोग उन्हें पूरी तरह से दबा सकते हैं और इनसे, जो पूरी तरह से उनकी दया पर निर्भर है, प्रतिशोध ले सकते हैं। ...मौजूदा परिस्थितियों में पृथक निर्वाचक मंडल स्वीकार करके मैं उनके विनाश को आमन्त्रण कैसे दे सकता हूँ?" मैं इस अपराध का भागी नहीं बनूँगा। अपनी समस्त योग्यताओं के बावजूद डॉ. अम्बेडकर इस सवाल पर अपना विवेक खो बैठे हैं। जहाँ कहीं भी हिन्दू धर्म है, वहाँ उन्हें अन्याय ही दिखाई देता है। अगर वे अस्पृश्यों के सच्चे प्रतिनिधि होते तो मैं अलग हो जाता। आज वे इस सवाल पर सुसम्बद्ध ढंग से और विवेक के साथ विचार नहीं कर सकते हैं। मैं उनका अस्पृश्यों का प्रतिनिधि होने का दावा स्वीकार नहीं करता। उनका प्रतिनिधि मैं हूँ।"[50]

एक बात साफ है कि ब्रिटिश सरकार येन-केन प्रकारेण मुस्लिम, सिख जैसे साम्प्रदायिक एवं अस्पृश्य जैसे सामाजिक विषमता का सवाल उठाकर भारत के विखंडन का रास्ता तैयार कर रही थी। इसे न मुस्लिम नेता समझ रहे थे न सिख या दलित नेता इसे देख-समझ रहे थे। इसे उन्होंने दो टूक शब्दों में 12 नवम्बर 1931 को 'कॉमनवेल्थ ऑफ इंडिया लीग' में कहा—"भारतीय साम्प्रदायिक प्रश्न का कोई समाधान नहीं ढूँढ़ पाये और ब्रिटिश सरकार ने प्रारम्भिक अवस्था में ही परिषद को गलत दिशा में मोड़ दिया। साम्प्रदायिक प्रश्न को सारी समस्या का केन्द्र-बिन्दु बनाकर सरकार ने हिन्दुओं, सिखों तथा मुसलमानों के लिए अपने-

अपने स्वार्थ साधने के लिए इस परिषद् की गाड़ी को अलग-अलग दिशाओं में खींचने के रास्ते साफ कर दिये। सच तो यह है कि साम्प्रदायिक प्रश्न अनेक प्रश्नों में केवल एक है और यह परिषद साम्प्रदायिक समाधान ढूँढ़ने का कोई अनिवार्य साधन नहीं है। जब सरकार ने परिषद बुलायी तो वह जानती थी कि साम्प्रदायिक नेताओं में कोई सहमति नहीं हो पायी है और उसने साम्प्रदायिक प्रश्न को तत्काल सबसे पहले पेश करके फूट और मतभेद के लिए रास्ता तैयार कर दिया और उस फूट तथा मतभेद को स्थायी बनाये रखने का भी सामान जुटा दिया। ...मुझे पूरा विश्वास है कि आपकी सराकार को अन्ततः काँग्रेस के साथ ही सारा मामला तय करना पड़ेगा। जहाँ तक मेरा सम्बन्ध है, मैं भले ही सर मुहम्मद शफी का प्रतिनिधि न होऊँ, लेकिन मुसलमानों का प्रतिनिधि होने का दावा अवश्य करता हूँ। इसी तरह यद्यपि मैं डॉ. अम्बेडकर का प्रतिनिधि नहीं हूँ, लेकिन दलित वर्गों का अवश्य हूँ और डॉ. दत्त का प्रतिनिधि न होते हुए भी ईसाइयों का प्रतिनिधित्व जरूर करता हूँ...मैं यह दावा करता हूँ कि काँग्रेस भारत के 33 करोड़ लोगों का प्रतिनिधित्व करती है। सभी वर्गों के हित सर्वसाधारण के हितों के अधीन होने चाहिए। सरकार काँग्रेस के इसी प्रतिनिधिक स्वरूप को स्वीकार नहीं करती और यही सबसे बड़ा दोष है।''[51]

जाहिर है कि गाँधीजी का सारा प्रयास था काँग्रेस को और फिर काँग्रेस के प्रवक्ता के तौर पर खुद को भारत के समस्त समुदायों का प्रतिनिधि सिद्ध करना ताकि सरकार विभिन्न सम्प्रदायों के आधार पर भारत का 'बालकानाइजेशन'[52] (Balkanisation) अर्थात 'विखंडीकरण' न कर सके। इसलिए वे लगातार अल्पसंख्यक, अस्पृश्य सबके लिए सामान्य समाधान ढूँढ़ने पर जोर दे रहे थे। अल्पसंख्यक के सवाल पर तो वे चुप भी रह जाते थे, किन्तु अस्पृश्यता के आधार पर पृथक अधिकार का दिया जाना उन्हें कतई गवारा नहीं था। 13 नवम्बर 1931 को लन्दन में 'अल्पसंख्यक-समस्या समिति' की बैठक में गाँधीजी ने कहा— ''अन्य अल्पसंख्यकों के दावों को मैं समझ सकता हूँ, किन्तु अछूतों की ओर से पेश किया गया दावा मेरे लिए सबसे अधिक क्रूर है। इसका अर्थ यह हुआ कि अस्पृश्यता का कलंक सदैव के लिए कायम रहने वाला है। अछूतों के वास्तविक हितों को मैं भारत की स्वतन्त्रता के लिए नहीं बेचूँगा। मैं स्वयं व्यक्तिगत रूप से अछूतों के विशाल समुदाय का प्रतिनिधि होने का दावा करता हूँ। ...इस समिति और समस्त संसार को यह जान लेना चाहिए कि आज हिन्दू समाज-सुधारकों का एक ऐसा दल मौजूद है जो अस्पृश्यता के इस कलंक को धोने के लिए प्रतिज्ञाबद्ध है। हम नहीं चाहते कि हमारे रजिस्टरों और जनगणना में अछूत नाम की एक

पृथक जाति लिखी जाए। ...अस्पृश्यता जीवित रहे, इसकी अपेक्षा मैं यह अधिक अच्छा समझूँगा कि हिन्दू धर्म डूब जाए। इसलिए डॉ. अम्बेडकर के प्रति अछूतों को ऊँचा उठा देखने की उनकी इच्छा तथा उनकी योग्यता के प्रति अपना पूरा सम्मान प्रकट करते हुए भी मैं अत्यन्त नम्रतार्वूक कहूँगा कि उन्हें जो भारी अन्याय भोगना पड़ा और जो कटु अनुभव हुए हैं उनके कारण उनका विवेक कलुषित हो गया है। यह बात मुझे दुःख के साथ कहनी पड़ी है, किन्तु यदि मैं न कहूँ, तो मैं अछूतों के हित के प्रति जो मेरे लिए प्राणों के समान है, सच्चा न रहूँगा। सारे संसार के राज्य के बदले भी मैं उनके अधिकारों को नहीं बेचूँगा। अपने उत्तरदायित्व का पूरा ध्यान रखते हुए, मैं यह कहता हूँ कि डॉ. अम्बेडकर का सारे भारत के अछूतों की ओर से बोलने का दावा उचित नहीं है। इससे हिन्दू धर्म में जो विभाजन होगा वह मेरे लिए किसी भी तरह सन्तोष की चीज नहीं हो सकती। अछूत यदि मुसलमान या ईसाई हो जाएँ तो मुझे इसकी परवाह नहीं। वह मैं सह लूँगा, किन्तु गाँवों में यदि हिन्दुओं के दो भाग हो जाएँ तो हिन्दू समाज की जो दशा होगी वह मुझसे सही न जा सकेगी।''[53]

इस दूसरे गोलमेज-सम्मेलन के दौरान गाँधीजी ने विभिन्न अवसरों पर जो वक्तव्य दिये, जिन्हें हम उद्धृत कर चुके हैं, उनको देखने से स्पष्ट हो जाता है कि ब्रिटिश राज की मुख्य दिलचस्पी भारतीय नेताओं को आपस में उलझाये रखने की थी और समस्या का समाधान ढूँढ़ना तो एक बहाना था। इस कार्य में वह सफल भी रहा। नतीजा हुआ कि बगैर किसी समाधान को प्राप्त किये, यह सम्मेलन सम्पन्न हो गया। हालाँकि गाँधीजी इस सम्मेलन में अन्त तक यह प्रयास करते रहे कि अल्पसंख्यक या पिछड़े होने के नाम पर किसी सम्प्रदाय को पृथक निर्वाचन का अधिकार नहीं दिया जाए, किन्तु जैसा कि आचार्य जे. बी. कृपलानी लिखते हैं—''अँग्रेज राजनीतिज्ञों की जी-हजूरी करने वाले अल्पसंख्यक प्रवक्ताओं ने गाँधीजी को निरुपाय बना दिया। वे अँग्रेजों से पृथक निर्वाचन के आधार पर समझौता करने को तैयार थे, क्योंकि वे समझते थे कि इससे उन्हें लाभ होगा। वास्तव में, अल्पसंख्यकों को पृथक निर्वाचन देने से वे हमेशा अल्पसंख्यक बने रहते। इस नकली और हेराफेरी के सम्मेलन में गाँधीजी की कुछ न चली।''[54] लेकिन अँग्रेजों की चाल को समझते हुए गाँधीजी ने भी यह बात बहुत दृढ़ता से चलते-चलते कह दी कि पिछड़े वर्ग को अलग चुनाव क्षेत्र देने का संकेत देकर अँग्रेजों ने भारतीय समाज की या हिन्दू समाज की एकता पर प्रहार करने की चाल चली है, मैं उसका जी-जान से विरोधी करूँगा। इस संकल्प के साथ गाँधीजी दिसम्बर 1931 में भारत लौट आये।

वस्तुतः गोलमेज परिषद में सरकार ने जो रुख अपनाया, उसे देखते हुए भारत आने के बाद गाँधीजी चैन से नहीं बैठ सके। हालाँकि वहाँ पर उन्होंने साफ-साफ बता दिया था कि उन्हें या काँग्रेस को अस्पृश्यों के लिए पृथक निर्वाचन मंडल का प्रावधान कदापि स्वीकार नहीं होगा, फिर भी ब्रिटिश सरकार इस पर ध्यान न देकर पृथक निर्वाचन मंडल देने की दिशा में ही कदम बढ़ाये जा रही थी। इसे भाँपते हुए ही गाँधीजी ने 11 मार्च 1932 को सर सैम्युअल होर को (उस समय भारत मन्त्री थे) लिखे पत्र में साफ-साफ चेतावनी दे डाली—"जहाँ तक हिन्दू समाज का सम्बन्ध है, पृथक निर्वाचन-मंडलों का अर्थ उसे चीरकर उसके टुकड़े कर देने जैसा होगा। मेरे लिए तो इन वर्गों का प्रश्न मुख्यतः नैतिक और धार्मिक है। उसका राजनीतिक पहलू महत्त्वपूर्ण अवश्य है, फिर भी नैतिक और धार्मिक प्रश्न की तुलना में वह नगण्य ही है। इस मामले में मेरी भावनाएँ समझने के लिए आपको यह याद रखना चाहिए कि इन लोगों में मैं बिलकुल बचपन से दिलचस्पी लेता रहा हूँ और इनकी खातिर मैंने कई बार सर्वस्व की बाजी लगा दी है। मैं यह बात किसी अभिमान की भावना से कदापि नहीं कह रहा हूँ, क्योंकि मुझे लगता है कि सवर्ण हिन्दू कितना ही प्रायश्चित क्यों न करें, सदियों से उन्होंने हरिजनों को जान-बूझकर जैसा अध:पतित जीवन जीने के लिए बाध्य किया है, उसका परिशोधन वे नहीं कर सकते। मगर मैं जानता हूँ उनके पृथक निर्वाचक मंडल बनाना उन्हें कुचलकर उनकी जो अधम स्थिति बना दी गयी है, न तो उसका प्रायश्चित है और न ही यह उसके निराकरण का उपाय है। इसलिए महामहिम की सरकार को मैं नम्रतापूर्वक जता देता हूँ कि अन्त्यजों के लिए अगर वह पृथक निर्वाचक मंडल बनाने का निर्णय देगी, तो मुझे आमरण उपवास करना पड़ेगा।"[55]

ब्रिटिश सरकार की दुष्ट मंशा का अनुमान करते हुए गाँधीजी ने मार्च 1932 में पृथक निर्वाचन क्षेत्र दिये जाने पर आमरण अनशन करने की धमकी तो दे डाली, लेकिन सरकार पर उसका कोई असर नहीं हुआ और तत्कालीन ब्रिटिश प्रधानमन्त्री रेम्से मैकडोनल्ड ने अगस्त 1932 में 'साम्प्रदायिक निर्णय' (Communal Award) की घोषणा कर गाँधीजी को अपनी धमकी को मूर्त रूप देने को बाध्य कर दिया। इस निर्णय द्वारा मुसलमान, सिख, एंग्लो-इंडियन, इंडियन क्रिश्चन आदि के साथ दलितों को (जिन्हें उस समय सरकारी भाषा में 'डिप्रेस्ड क्लासेज' कहा जाता था) भी पृथक चुनाव क्षेत्र देने का प्रावधान किया गया था। स्पष्टतः यह डॉ. अम्बेडकर की सफलता का प्रमाण था।

उस समय गाँधीजी यरवदा जेल में बन्द थे। इस निर्णय को स्वीकार करना

उनके लिए सम्भव नहीं था। उन्होंने अब तक दलितों को पृथक निर्वाचन मंडल दिये जाने के विरोध में जो कुछ कहा था, वह सब उन्हें 'अरण्य रोदन' प्रतीत होने लगा। अहिंसा का यह पुजारी बहरी सरकार को अपनी आवाज सुनाने के लिए बम तो नहीं फोड़ सकता था, नतीजतन उसे वही करने को बाध्य होना पड़ा जिसकी धमकी मार्च महीने में दे रखी थी। उन्होंने 20 सितम्बर से आमरण उपवास करने की घोषणा कर दी। 20 सितम्बर से उनके उपवास के शुरू होते ही पूरे देश में खलबली-सी मच गयी। कहीं मदनमोहन मालवीय की अगुवाई में सर्वदलीय नेताओं की बैठकें होती रहीं, तो कहीं डॉ. अम्बेडकर को मनाने की पुरजोर कोशिशें होती रहीं। कृपलानीजी लिखते हैं—"उपवास 20 सितम्बर को प्रारम्भ हुआ। राजेन्द्र बाबू, राजाजी और अन्य काँग्रेसी नेताओं ने, जो अभी जेल के बाहर थे, हिन्दुओं से अपील की कि वे अछूतों के लिए अपने मन्दिर खोल दें और छुआछूत के कलंक को हिन्दू समाज से मिटाने के लिए कटिबद्ध होकर प्रयत्न करें। अछूतों के एक नेता एम. सी. राजा ने अम्बेडकर के नेतृत्व को अस्वीकार कर दिया और साम्प्रदायिक निर्णय की निन्दा की। कवीन्द्र रवीन्द्र ने गाँधीजी को आशीर्वाद दिया और हिन्दुओं से अपील की कि वे गाँधीजी के मिशन की सहायता के लिए कार्य करें। ...राजनीतिज्ञों ने सरकार से सलाह कर इस समस्या का समाधान निकालने की कोशिश की।"[56]

गाँधीजी के उपवास से पूरे देश में बेचैनी-सी छा गयी। बड़े-बड़े नेता सुलह-समझौता के प्रयास में लग गये। डॉ. अम्बेडकर से सबने अनुरोध किया कि वे अपनी माँग में परिवर्तन करें ताकि गाँधीजी के प्राण बचाये जा सकें। राजेन्द्र बाबू, तेज बहादुर सप्रू, मदनमोहन मालवीय इत्यादि के प्रयासों के कारण अन्ततः डॉ. अम्बेडकर भी समझौता करने को राजी हो गये जिसके फलस्वरूप साम्प्रदायिक निर्णय के स्थान पर 'पूना समझौता' हुआ। इसके अनुसार प्रादेशिक विधानसभाओं में दलित वर्णों को 147 सीटें प्राप्त हुई। यद्यपि निर्वाचन मंडल संयुक्त होने थे, लेकिन प्रारम्भिक निर्वाचन में अछूतों के उम्मीदवार उन्हीं के तो चुने जाने थे। 25 सितम्बर को समझौते का अनुमोदन हुआ और 26 को एक साथ लन्दन और दिल्ली से इसकी घोषणा कर दी गयी। इसके बाद गाँधीजी ने अपना अनशन समाप्त कर दिया। निस्सन्देह गाँधीजी के उपवास का यह एक चमत्कारिक प्रभाव ही था जिससे देश एक बहुत बड़े संकट से बच गया। स्मरणीय है कि गाँधीजी के प्रिय अनुयायियों में एक पं. जवाहरलाल नेहरू उनके उपवास करने के निर्णय के विरुद्ध थे, लेकिन जब समझौता हुआ तो उन्होंने सुखद विस्मय के साथ स्वीकार किया कि "कैसा जादूगर है। मैंने सोचा था वह यरवदा जेल में बैठा एक लघु मानव है और उसे

कितनी कुशल जानकारी इस बात की थी कि किस तरह लोगों की हृदयतन्त्री के तार बजाये जाते हैं।" कृपलानी जी का मानना है कि "इस मामले में गाँधीजी की सफलता से लोगों की पस्त हिम्मत खत्म हो गयी और उनमें एक नयी आशा का संचार हुआ। इस संकट से, भारत नैतिक दृष्टि से, अपने विरोधियों से श्रेष्ठ उभरा।"[57]

इस प्रकार हम देखते है कि गाँधीजी ने उपवास के जरिये पृथक निर्वाचन मंडल की ओट में अस्पृश्यों को हिन्दू समाज से अलग करने की सरकारी साजिश को विफल कर दिया। उनके उपवास का प्रभाव अम्बेडकर पर भी ऐसा हुआ जैसा उनके समस्त वक्तव्यों एवं तर्कों का नहीं हुआ था, यानी अम्बेडकर का भी हृदय-परिवर्तन कर ही डाला और उन्होंने बहुत बड़े राष्ट्रीय संकट की घड़ी में समझदारी का परिचय देते हुए 'पूना समझौते' को स्वीकार कर लिया। जैसा कि पं. नेहरू, आचार्य कृपलानी के वक्तव्यों से स्पष्ट है कि 'पूना समझौते' को उस समय की राजनीति में पूरे देशहित की दृष्टि से बहुत ही उत्तम समझा गया, लेकिन इधर कुछेक वर्षों से 'कई दलित संगठन और व्यक्ति', जैसा कि पन्नालाल सुराणा पूर्वोक्त लेख में कहते हैं, "ऐसा मानते हैं कि पृथक चुनाव क्षेत्र नामक बहुत बड़ी सत्ता हमें मिलने वाली थी। गाँधीजी ने वह नहीं होने दिया। इसलिए गाँधीजी दलितों की मुक्ति तथा विकास के रास्ते में रोड़े डालने वाले हिन्दू नेता थे, वे दलितों के मित्र नहीं, शत्रु हैं।" ऐसे आरोप को सुनकर यही महसूस होता है कि इन आरोपकर्ताओं को उस समय की राजनीतिक-सामाजिक परिस्थितियों का कोई ज्ञान ही नहीं है।

वास्तव में उस समय के पूरे राजनीतिक-सामाजिक सन्दर्भों को ध्यान में रखने पर आज के दलितवादियों का ऐसा कथन गाँधी और अम्बेडकर दोनों के प्रति सरासर अन्याय है, क्योंकि इससे न सिर्फ गाँधीजी की छवि धूमिल होती है, बल्कि अम्बेडकर का राष्ट्रीय एकता को बनाये रखने में जो ऐतिहासिक योगदान है, उसका भी अवमूल्यन होता है। जहाँ तक गाँधीजी का सवाल है, हमारी दृष्टि में अस्पृश्यों के लिए पृथक निर्वाचन मंडल का उनके द्वारा विरोध किया जाना बिलकुल सही था। उनका यह तर्क अकाट्य और बड़ा दमदार था कि इस प्रकार की व्यवस्था से अछूत तो सदैव के लिए अछूत ही बने रहेंगे, क्योंकि पृथक निर्वाचन मंडल का आधार अछूतपन ही बना रहेगा। गाँधीजी जैसे व्यक्ति, जिसने अछूतपन जैसे कलंक को मिटाना अपने जीवन का एक महत्त्वपूर्ण अनिवार्य मिशन बना लिया था, भला कैसे बर्दाश्त कर सकते थे कि इस अछूतपन को शाश्वत बनाये रखने का कोई प्रावधान बनाया जाए? इसके विरोध के पीछे उनका यह तर्क भी

बहुत वाजिब था कि पृथक निर्वाचन मंडल बन जाने के कारण अछूत केवल अछूतों से वोट माँगेंगे और सवर्ण केवल सवर्णों से जो प्रकारान्तर से सामाजिक अन्तर्विभाजन को और गहराता। इसकी जगह पर सम्मिलित निर्वाचन का प्रावधान किया जाना ही सही था, क्योंकि इसके अन्तर्गत एक अछूत को अगर सवर्णों के पास वोट के लिए जाना पड़ता, तो सवर्ण प्रत्याशी को भी वोट के लिए अछूतों के दरवाजे पर दस्तक देनी पड़ती और वह प्रक्रिया सदियों से चली आ रही ऊँच-नीच की भावना एवं सामाजिक अन्तर्विभाजन को कम करने में कारगर होती। आज आजाद भारत के साठ वर्षों की लोकतान्त्रिक व्यवस्था पर जब हम नजर डालते हैं तो मानना पड़ता है कि सम्मिलित निर्वाचन की व्यवस्था हमारे समाज के अन्दर ऊँच-नीच के दर्प को न्यून करते हुए सवर्ण एवं अवर्ण को आसपास बराबरी के दर्जे पर लाने में काफी सफल एवं कारगर हुई है।

जहाँ तक डॉ. अम्बेडकर का सवाल है, यह मानना पड़ेगा कि 'पूना समझौता' गाँधी द्वारा उनके ठगे जाने या बेवकूफ बनाये जाने का नहीं, बल्कि उनकी बहुत बड़ी समझदारी का परिणाम था। वस्तुतः पूना समझौते ने वह प्रक्रिया शुरू की जिससे अम्बेडकर राष्ट्रीय धारा के समीप आते गये और वे मुस्लिम लीग एवं हिन्दू महासभा की तरह हिन्दू-मुस्लिम समुदायों को अलग-थलग करने वाली पृथकतावादी राजनीति के पाप से बच गये। उन्होंने गाँधीजी को सहयोग देकर बृहत् हिन्दू समाज को बाँटने में अँग्रेजों की कूटनीति को विफल कर दिया। यह कहने में तनिक अतिरंजना नहीं कि मुस्लिम लीग एवं हिन्दू महासभा के स्वप्न पाकिस्तान-हिन्दुस्तान के रूप में देश को दो टुकड़ों में करके साकार हो गये, वहीं अम्बेडकर की समझदारी ने अँग्रेजों को 'दलितस्तान' के रूप में भारत का तीसरा टुकड़ा करने में सफल नहीं होने दिया, किन्तु ध्यान में रखने योग्य यह बात भी है कि अगर अम्बेडकर ने गाँधीजी का अनुरोध स्वीकार कर हिन्दू समाज को बँटने से बचा लिया, तो इससे यह नहीं समझा जाना चाहिए कि उन्होंने या गाँधीजी ने कोई साम्प्रदायिक कार्य कर दिया। अगर अस्पृश्यों को हिन्दू समाज से अलग मान्यता मिल गयी होती तो निस्सन्देह भारतवर्ष का एक और टुकड़ा होता। इसलिए हिन्दू समाज को एक रखने के गाँधी एवं अम्बेडकर ने जो प्रयास किये, वह मुस्लिम या किसी अन्य अल्पसंख्यक समुदाय के मुकाबले में नहीं था, बल्कि वह तो अँग्रेजों द्वारा देश को 'बालकानाइजेशन' के रास्ते पर ले जाने से रोकने के लिए अनिवार्य था। इसलिए प्रकारान्तर से गाँधीजी और डॉ. अम्बेडकर दोनों ही भारत की राष्ट्रीय एकता एवं अखंडता के रक्षक सिद्ध होते हैं।

साम्प्रदायिक निर्णय का एक अच्छा प्रभाव यह जरूर हुआ कि इसके बाद

गाँधीजी ने वर्ण-व्यवस्था का समर्थन करना बन्द कर दिया और अस्पृश्यता उन्मूलन के कार्यों में वे और उनके सहयोगी और अधिक तत्परता से लग गये। गाँधीजी द्वारा अछूतों के उन्नयन के लिए 'हरजिन' शब्द का प्रयोग, मन्दिर प्रवेश का आन्दोलन, 'हरिजन' पत्र का प्रकाशन, हरिजन सेवक संघ की स्थापना जैसे कार्यों का आरम्भ 1932 के साल से ही हुआ। इन कार्यों का सुखद परिणाम यह हुआ कि अम्बेडकर के लिए भी राष्ट्रीय स्वाधीनता का आन्दोलन पहले की तरह अछूत नहीं रहा। इसके प्रति उनके बदलते नजरिये का ही परिणाम हुआ कि उन्होंने पं. नेहरू के नेतृत्व में बनी अन्तरिम सरकार में विधि मन्त्री बनना स्वीकार किया, साथ ही स्वतन्त्र भारत के लिए बनाये जानेवाले संविधान की प्रारूप-समिति का अध्यक्ष बनना भी स्वीकार किया।

हरिजन : नैतिक उन्नयन का बोध

जैसा कि हम पहले के विवेचन में देख चुके हैं कि गाँधीजी काफी समय तक रणकौशल के रूप में वर्ण-धर्म एवं अस्पृश्यता के सवाल को अलग-अलग मानकर चलते रहे। किन्तु 'साम्प्रदायिक निर्णय' की घोषणा ने उन्हें अपने इस रणकौशल में बदलाव लाने को विवश कर दिया और वे वर्ण-व्यवस्था का समर्थन स्थगित करते हुए अस्पृश्यता निवारण-आन्दोलन को और अधिक प्रभावशाली बनाने के कार्य में लग गये। यहाँ भी यह प्रश्न पूछा जा सकता है कि फिर उन्होंने वर्ण या जाति-प्रथा के विरोध में कोई आन्दोलन क्यों नहीं चलाया? अब इस 'क्यों' पर हम आगे चलकर विचार करेंगे। यहाँ जो बात उल्लेखनीय है वह यह कि जाति-प्रथा के विरुद्ध गाँधीजी ने भले कोई आन्दोलन नहीं चलाया, किन्तु जहाँ तक अछूतों को सवर्णों के समकक्ष मान-सम्मान का दर्जा दिलाने का प्रश्न है, इसके लिए वे जीवनपर्यन्त यथासम्भव प्रयास करते रहे। इन्हीं प्रयासों की शृंखला में उनके द्वारा अछूतों के लिए प्रयुक्त किया जाने वाला 'हरिजन' शब्द भी है।

अस्पृश्यता-निवारण आन्दोलन से लेकर वर्ण-धर्म के पक्ष एवं विपक्ष तक गाँधीजी की वैचारिक यात्रा को देखते हुए जो बात मुख्य रूप से उभर कर सामने आती है कि वे पूरी ईमानदारी एवं सत्य निष्ठा से यह चाहते थे कि हर मनुष्य को मनुष्य के रूप में सम्मान प्राप्त हो, उसे कोई अपने से नीचा न समझे। अछूत जातियों को समाज में यह सम्मान तिनके भर भी सुलभ नहीं था। उन्हें चमार, चूहड़े, डोमवा, मेहतरवा जैसे अपमानजनक सम्बोधनों से पुकारा जाता था। यहीं नहीं, यह भी माना जाता था कि इनका ईश्वर से कोई वास्ता नहीं, ईश्वर के लाड़ले-दुलारे तो सिर्फ ऊँची जाति वाले हैं। अतएव अछूतों के अन्दर सम्मान का, खुद के होने के गर्व का,

नैतिक उन्नयन का बोध हो, इसके लिए गाँधीजी ने 'हरिजन' शब्द का प्रयोग शुरू किया। हालाँकि आज के दलित बुद्धिजीवी 'हरिजन' शब्द पर भी आपत्ति करते हैं और गाँधीजी की आलोचना का एक कारण इसे भी बनाते हैं, किन्तु समय की सामाजिक परिस्थितियों के सन्दर्भ का स्मरण करें कि जब अछूत जाति के लोगों को हिकारत-नफरत की नजर से देखा जाता था, तब उन्हें 'हरिजन' शब्द से सम्बोधित करना वाकई एक बहुत साहसिक मानवतावादी कदम था। ध्यातव्य है कि इस 'हरिजन' शब्द को अछूतों के सन्दर्भ में, लोकप्रिय बनाने के ध्येय से ही उन्होंने अँग्रेजी में 'हरिजन' एवं हिन्दी में 'हरिजन सेवक' जैसे पत्रों को प्रकाशित कराया।

'हरिजन' शब्द का प्रयोग करने के पीछे निहित उद्देश्य को स्पष्ट करते हुए गाँधीजी ने 'हरिजन सेवक' के प्रथम अंक (23.2.1933) में छपे अपने 'हरिजन क्यों' शीर्षक लेख में लिखा : "जिनको हम अछूत मानकर पाप करते हैं, उनको मैं 'हरिजन' क्यों कहता हूँ, ऐसा प्रश्न कई सज्जनों ने पूछा है। काठियावाड़ के एक अछूत भाई ने बरसों पहले मुझे लिखा था कि 'अन्त्यज, अछूत, अस्पृश्य नाम से उन भाइयों को दुःख होता है। उनका दुःख मैं समझ सकता था। मेरे नजदीक वे न अन्त्यज थे, न अस्पृश्य थे, न अछूत थे। उसी भाई ने बताया कि अपने एक भजन में भक्त कवि नरसिंह मेहता ने अछूत भाइयों का उल्लेख 'हरिजन' नाम से किया था। यद्यपि जो भजन उस भाई ने अपने समर्थन में मुझे भेजा था उसका अर्थ जो वह बताते थे, वैसा मेरी दृष्टि में नहीं था, तो भी मुझे 'हरिजन' नाम बहुत प्रिय जँचा। 'हरिजन' का अर्थ है—ईश्वर का भक्त, ईश्वर का प्यारा। ईश्वर की प्रतिज्ञा है कि दुखियों का वह बेली है, दया का सागर है, अशक्तों को शक्ति देने वाला है, निर्बलों का बल है, पंगु का पैर है, अँधों की आँख है, इसलिए दलित लोग उसके प्यारे होने ही चाहिए। इस दृष्टि से अछूत भाइयों के लिए 'हरिजन' शब्द सर्वथा उपयुक्त है, ऐसा मेरा विश्वास है।"[58]

जाहिर है कि अछूतों के लिए सम्मानजनक नाम के रूप में 'हरिजन' शब्द का चयन गाँधीजी ने एक अछूत भाई के सुझाव पर ही किया था। इसी लेख में अछूतपन को पूर्व कर्म का फल मानने की धारणा का खंडन करते हुए उन्होंने लिखा—"अछूतपन, जैसा हम आज मानते हैं, न पूर्व कर्म का फल है, न ईश्वरकृत है। आधुनिक अछूतपन मनुष्यकृत है, सवर्ण हिन्दूकृत है। कर्म का फल सब भोगते हैं, लेकिन ऐसा कहकर हमको और किसी को दूषित बताने का कोई अधिकार नहीं है। ...हम चार करोड़ हिन्दुओं को अस्पृश्य मानते हैं, इस कारण उनको अवश्य विशेष और असाधारण कष्ट भोगना पड़ता है। अपने पास में पैसे होते हुए भी उन लोगों को न खाने का, न पीने का, न रहने का ठिकाना मिल सकता है, जैसा

दूसरों को। उनके लिए न मन्दिर है, न धर्मशाला है, न औषधालय है, न पाठशाला है, जैसे दूसरों के लिए। उनको हमने ऐसा गिराया है जिससे वह अपने मनुष्यपन को भी प्रायः भूल गये हैं। ...ऐसे दलित लोग अगर ईश्वर के प्यारे नहीं हैं, तो जगत् नास्तिक बन जाए। सीधी बात यह है कि ईश्वर है, वह करुणा का भंडार है, दुखियों का दुःख हरता है, भूखों का उदर भरता है। इसलिए हिन्दुस्तान में जो सबसे अधिक दुःख में पड़े हुए हैं उनको 'हरिजन' कहना यथार्थ है और मेरा विश्वास है कि यदि हम इन हरिजनों की अस्पृश्यता दूर नहीं करेंगे, उनको नहीं अपनाएँगे, तो उनकी हाय से हिन्दू जाति का नाश हो जाएगा।

''तुलसी हाय गरीब की, कभी न खाली जाय,
मुए ढोर की चाम से लोह भस्म हो जाय।''

उपर्युक्त बातों से यह तो स्पष्ट है कि गाँधीजी ने किस मंशा से अछूतों के लिए 'हरिजन' शब्द का चुनाव किया, इसके साथ ही हमारे समाज की कई आन्तरिक विद्रूपताएँ भी प्रकट हुई हैं। अब आज के दलित बुद्धिजीवी एवं राजनेता 'हरिजन' शब्द को अपने लिए 'मिसफिट' समझकर इसके लिए भी गाँधीजी को कोसते हैं, तो समझ में नहीं आता कि वे आखिर गाँधी से चाहते क्या हैं? जैसा कि उपर्युक्त बातों से प्रकट है कि गाँधीजी ने एक दलित भाई के सुझाव पर ही अस्पृश्य-अछूत जैसे अपमानजनक नामों की जगह पर 'हरिजन' नाम को उपयुक्त समझा। जिस 'हरि' यानी ईश्वर पर सवर्ण जाति ने अपना इजारा समझ रखा था और अछूतों को उनसे दूर-दूर का भी रिश्ता नहीं रहने दिया था, उन अछूतों को ईश्वर का सबसे ज्यादा प्यारा-दुलारा बताकर, हरिजन के रूप में उनका उन्नयन करके गाँधीजी ने अपने जमाने में कितना बड़ा क्रान्तिकारी साहस का काम किया था, यह उस समय की सामाजिक वास्तविकता को ध्यान में रखकर ही समझा जा सकता है। प्रसंगवश उल्लेखनीय है कि ऐसा ही क्रान्तिकारी कार्य ईसा मसीह ने भी किया था जब उनके समय के शासकों ने ईश्वर का प्रतिनिधि होने का दावा करते हुए बेशुमार लोगों को गुलाम, दलित बना रखा था। ईसा ने अपने को ईश्वर का पुत्र कहते हुए स्वेच्छाचारी रोमन शासकों को यही समझाने का प्रयास किया कि ईश्वर की सन्तान होने के नाते सब एक-दूसरे से प्यार करो। धन एवं ऐश्वर्य का गर्व-खर्व करने के लिए ही ईसा ने कहा था कि सूई के छिद्र में ऊँट का प्रवेश सम्भव हो सकता है, किन्तु ईश्वर के स्वर्ग में धनवान का प्रवेश सम्भव नहीं हो सकता। गाँधीजी ने भी इसी अन्दाज में सवर्णों को अछूतों के प्रति अपने व्यवहार में बदलाव लाने के लिए चेताया। वे हिन्दू समाज में ऊँचे लोगों द्वारा

निम्न वर्ग के लोगों को अछूत बनाया जाना देखकर यही समझाने का प्रयास कर रहे थे कि जिस ईश्वर का नाम लेकर वे अपने को बड़ा समझ रहे हैं, उस ईश्वर के अत्यन्त प्रियजन तो ये अछूत, दलित, निर्बल हैं। ध्यान रहे, गाँधीजी का समस्त नैतिक, सामाजिक, राजनीतिक संघर्ष आस्तिकता के अखाड़े से ही परिचालित होता था, इसलिए वे ईश्वर के नाम पर होने वाले भेदभाव को ईश्वर के नाम पर ही समाप्त करना चाहते थे। यही कारण था कि उन्होंने अछूतों के लिए 'हरिजन' शब्द को सर्वाधिक उपयुक्त समझा।

मन्दिर-प्रवेश अर्थात धार्मिक समानता का आन्दोलन

अस्पृश्यता-निवारण आन्दोलन को और धारदार एवं व्यापक बनाने के लिए गाँधीजी ने उसी वर्ष यानी 1932 में ही दूसरा जो महत्त्वपूर्ण कार्य किया वह था अन्त्यजों को मन्दिरों में प्रवेश करने का अधिकार दिलाना। वस्तुतः आस्तिकता के अखाड़े में सवर्ण आस्तिकता का होश दुरुस्त करने के लिए गाँधीजी ने एक अत्यन्त कारगर हथियार के रूप में 'हिन्दू-मन्दिरों में अछूतों के प्रवेश का आन्दोलन' चलाया। हालाँकि उस समय भी कुछ ऐसे लोग थे जिन्होंने 'मन्दिर-प्रवेश आन्दोलन' को फालतू किस्म की चीज समझते हुए बहुत महत्त्व नहीं दिया। आज भी ऐसे सोचने वालों की कमी नहीं है। ऐसे लोगों के लिए सिर्फ सामाजिक-आर्थिक रूपान्तरण के प्रयास ही काफी समझे जाते हैं, लेकिन गाँधीजी की दृष्टि में अछूतों को सामाजिक स्तर पर समानता, सम्मान का स्थान दिलाने के साथ-साथ धार्मिक स्तर पर भी समानता, सम्मान का दर्जा दिलाने के लिए उनका मन्दिरों में प्रवेश करने का अधिकार होना आवश्यक था और यह चीज भी व्यापक जन आन्दोलन के जरिये ही प्राप्त की जा सकती थी।

वास्तव में देखा जाए तो ऐसा न तब था और न अब है कि सारे अछूत ईश्वर विरोधी हों और वे मन्दिरों में जाने से परहेज करते हों। मध्यकाल के भक्ति आन्दोलन के अन्तर्गत ही अछूत जातियों से सम्बद्ध भक्त कवियों ने अगर निराकार निर्गुण ईश्वर की भक्ति-उपासना के मार्ग का अवलम्बन किया तो उसके पीछे बहुत बड़ा सामाजिक कारण यह था निम्न जातियों में पैदा होने के कारण इन ईश्वर भक्तों के लिए ईश्वर की मूर्तियों तक पहुँचने का मार्ग सवर्णों द्वारा बन्द कर दिया गया था। बहुत सम्भव है कि अगर निर्गुनिया कवियों के लिए भी मन्दिरों के दरवाजे खुले होते तो वे मन्दिरों में जाने से शायद परहेज नहीं करते। वस्तुतः कबीर आदि ने मूर्तियों, मन्दिरों एवं पूजा-उपासना से जुड़े कर्मकांडों का जो विरोध किया, मेरी समझ में उसका सबसे बड़ा कारण अछूत जातियों का मन्दिरों में प्रवेश

का निषिद्ध होना था। सवर्ण हिन्दुओं द्वारा थोपे गये इस अमानवीय विभेद का प्रतिवाद इन कवियों ने साकारोपासना, मूर्तिपूजा का तिरस्कार करके किया जो वाजिब था। सचमुच बहुतेरे ईश्वर-भक्तों को अछूत मानकर ईश्वर की मूर्ति की पूजा करने से वंचित कर रखना सरासर वेदान्त प्रणीत अद्वैत दर्शन का उल्लंघन तो था ही, कथनी और करनी का भी अन्तर था। राम के सवर्ण भक्त यह जानते हुए भी कि राम ने शबरी, निषाद जैसे निम्न समझे जानेवाले जनों को अपने अत्यधिक स्नेह, सम्मान का पात्र बनाया, शबरी-निषाद के वंशजों को ही राम-शिव के मन्दिरों में जाने से वंचित कर रखा था। निश्चित तौर पर अछूत जातियों के मन में यह काफी पीड़ादायक बात थी। उन्नीसवीं शताब्दी में आर्य समाज ने अछूत जातियों को आत्म-सम्मान दिलाने के कुछ महत्त्वपूर्ण कार्य किये, लेकिन मन्दिरों में जाने के इच्छुक अछूतों के लिए यह सवाल यानी मन्दिरों में जाने का अधिकार प्राप्त करना जस का तस बना हुआ था।

सन् 1915 ई. से, जैसा कि पूर्व विवेचन में हम देख चुके हैं, अस्पृश्यता-निवारण की दिशा में निरन्तर सक्रिय रहने वाले गाँधीजी को सामाजिक स्तर पर जब काफी सफलता मिल चुकी, तब उन्होंने धार्मिक स्तर पर भी दलितों के समानता के अधिकार को उठाना आवश्यक समझा। धार्मिक समानता के अन्तर्गत अछूत जातियों को भी मन्दिरों में जाकर मूर्तियों की पूजा करने का अधिकार मिलना आवश्यक था, ताकि इस दृष्टि से भी वे अपने को सवर्ण हिन्दुओं से हीन न समझें। इस विचार ने गाँधीजी को बीसवीं सदी के चौथे दशक के शुरू होते-होते ब्राह्मणवाद द्वारा स्थापित इस विभेदमूलक धार्मिक स्थिति को चुनौती देते हुए पूरे देश में अछूतों को मन्दिरों में प्रवेश कराने का आन्दोलन चलाने को प्रेरित किया। देश के विभिन्न भागों में इस आन्दोलन की अगुवाई गाँधी-विचार के कायल सवर्ण हिन्दुओं ने ही की। मन्दिर-प्रवेश के आन्दोलन को आवश्यक मानते हुए गाँधीजी ने 6 अक्टूबर 1932 को हरिभाऊ पाठक को लिखे पत्र में कहा था—"हम सब किसी-न-किसी प्रकार की मूर्तियों में विश्वास करते हैं। मैं भी करता हूँ। खुद मेरे लिए किसी साधारण मन्दिर में कोई आकर्षण नहीं है, लेकिन उसका जबर्दस्त आध्यात्मिक महत्त्व है। इसलिए हरिजनों के लिए उसके द्वार खुले होने चाहिए। आवश्यकता मन्दिरों के विनाश की नहीं, उनके सुधार की है।"[60]

मन्दिर के मुद्दे पर गाँधीजी के चिन्तन में एक बड़ा दिलचस्प अन्तर्विरोध दिखाई पड़ता है जिसका यहाँ उल्लेख करना प्रासंगिक प्रतीत होता है। वे सर्वसाधारण के मन्दिरों में और पूजा-पाठ करने के कतई विरोधी नहीं थे और इसीलिए वे यह सुविधा दलितों को भी दिलाना नैतिक कर्तव्य समझते थे, किन्तु व्यक्तिगत तौर

पर वे दीवारों एवं छत निर्मित देवालय या मन्दिर में खास विश्वास नहीं रखते थे। चूँकि जनसामान्य का इसमें विश्वास था, अतएव उनकी भावना का सम्मान करते हुए मन्दिरों के बने रहने एवं उसमें सुधार के वे पक्षधर थे। चूँकि अछूत भी इसी जनसामान्य के अभिन्न अंग थे, अतएव उन्हें भी मन्दिरों में जाने का अधिकार प्राप्त होना चाहिए ताकि वे धर्म के स्तर पर भी गैर बराबरी या दोयम दर्जा न महसूस करें। यही कारण था कि वे हरिजनों को भी मन्दिरों में प्रवेश दिलाने के लिए आन्दोलन के क्षेत्र में कूद पड़े। उनके इस अन्तर्विरोध को समझने के लिए गौरतलब है, गाँधीजी द्वारा 8 अक्टूबर, 1932 को नारायण मोरेश्वर खरे को लिखे पत्र का यह अंश :"हम मूर्तिपूजा को प्रोत्साहन नहीं देते, किन्तु उसका निषेध भी नहीं करते। जब तक हिन्दू धर्म है तब तक किसी-न-किसी रूप में मन्दिर बने ही रहेंगे। हिन्दू धर्म जिन मन्दिरों को मान्यता देगा, उसमें अन्त्यजों को प्रवेश करने का अधिकार होना ही चाहिए। ...साबरमती आश्रम में जो लोग गणेश-पूजादि करना चाहें उन्हें रोका नहीं जा सकता। किन्तु मेरे विचार में आश्रम के रूप में हमें तटस्थ रहना चाहिए और इसलिए आश्रम में सार्वजनिक मूर्ति-मन्दिर न बनने दें। हमारा सार्वजनिक मन्दिर तो प्रार्थना-भूमि है जिसकी दीवारें दिशाएँ हैं, जिसकी छत आकाश है और जिसमें मूर्ति निराकार भगवान की है।"[61]

ऐसा ही मत गाँधीजी ने 4 मार्च 1933 को बॉयड टकर (जो एक अमेरिकी संवाददाता थे और उस समय शान्ति निकेतन में गुरुदेव रवीन्द्रनाथ का सन्निध्य प्राप्त कर रहे थे) को लिखे पत्र में भी व्यक्त किया था—"व्यक्तियों या राष्ट्रों के लिए किसी एक व्यक्ति के मोहक प्रभाव के अधीन हो जाना कल्याणकर नहीं है। वह एक सुनहरा आवरण है जो सत्य का मुखड़ा ढक देता है। ...शान्ति निकेतन में एक साधारण किन्तु सुन्दर-सा भवन है जहाँ प्रार्थना की जाती है, धूप और अगरू जलाई जाती है और उपदेश दिये जाते हैं। साबरमती में हमारे यहाँ कोई भवन नहीं है, कोई दीवार नहीं हैं, लेकिन दिशाबिन्दु उसकी दीवारें हैं, आकाश छत है, धरती माता फर्श है; तथापि प्रात: और सायंकालीन प्रार्थनाओं के लिए स्थान चुना गया है, उसमें एक मन्दिर के सारे आवश्यक तत्त्व मौजूद हैं।"[62]

जाहिर है कि निजी तौर पर गाँधीजी का दीवारों और छत से घिरे मन्दिरों में और उनमें प्रतिष्ठित मूर्तियों में कोई विशेष आकर्षण नहीं था, किन्तु वे अपनी निजी राय को सर्वसाधारण पर न थोपते हुए और मन्दिरों को उनकी धार्मिक आस्था का आधार मानते हुए मन्दिरों के अस्तित्व यानी उनके बने रहने के प्रबल पक्षधर थे और सर्वसाधारण की इस धारा में हरिजनों को शामिल कराकर वे धार्मिक स्तर पर उनकी समानता के अधिकार को प्रतिष्ठित करना चाहते थे। परन्तु, इससे यह

नहीं समझना चाहिए कि गाँधीजी की दृष्टि में मन्दिर-प्रवेश का अधिकार प्राप्त हो जाना ही अछूतों की समस्त समस्याओं का समाधान था। 21 नवम्बर 1932 को 'टाइम्स ऑफ इंडिया' नामक अँग्रेजी पत्र के प्रतिनिधि से बातचीत में गाँधीजी ने जो कहा, वह मन्दिर-प्रवेश के मुद्दे पर उनके समग्र दृष्टिकोण को समझने में काफी उपयोगी है—"यह कहना सही नहीं है कि हरिजनों के सामाजिक अधिकारों से सम्बन्धित तमाम प्रश्नों का समावेश मन्दिर-प्रवेश के प्रश्न में हो जाता है। मन्दिर-प्रवेश का प्रश्न कई प्रश्नों में एक है।"[63]

वस्तुतः मन्दिर-प्रवेश का प्रश्न गाँधीजी की दृष्टि में विशुद्ध धार्मिक एवं नैतिक स्वरूप का था। वे हरिजनों को हिन्दू धर्म का अभिन्न अंग मानते थे, इसलिए उन्हें सवर्णों के समकक्ष लाने के लिए मन्दिरों में प्रवेश का अधिकार दिलाना यानी धर्मिक स्तर पर भी समानता लाना वे आवश्यक समझते थे। गाँधीजी के इस कार्य का भी सनातनी हिन्दुओं द्वारा पुरजोर विरोध हो रहा था, लेकिन ऐसे विरोध के विरोध में वे दृढ़ता से डटे रहे। सात दिसम्बर 1932 को पूना के सनातनियों के साथ बातचीत में गाँधीजी ने कहा—"मन्दिर-प्रवेश का प्रश्न शुद्ध धार्मिक स्वरूप का है। मेरी मान्यता बदलना बहुत कठिन काम है। ...कितने ही साल के अध्ययन और अनुभव से मेरा विश्वास हो गया है कि हरिजनों का मन्दिर प्रवेश कराना धार्मिक कर्तव्य है। मैंने अपने लिए जो शास्त्र निश्चित किया है, वह मैं दूसरों पर लादना नहीं चाहता। मगर मैं कहता हूँ कि यदि आपका दिल आजकल की रूढ़ि के विरुद्ध बगावत नहीं करता, तो मुझे उपवास करना पड़ेगा। अगर बगावत करें तो मेरे उपवास करने का कारण नहीं रह जाता।"[64]

गाँधीजी के मन्दिर-प्रवेश-आन्दोलन का सम्बन्ध जहाँ हरिजनों को धर्म के स्तर पर समानता एवं सम्मान का स्थान दिलाने से था, वहीं वह सवर्ण हिन्दुओं की मानसिकता में परिवर्तन लाने की मंशा से भी प्रेरित था। किन्तु वे यह नहीं चाहते थे कि इसके लिए हरिजनों को सवर्णों के समक्ष याचना करनी पड़े। वे चाहते थे कि एक तरफ सवर्ण हिन्दू खुद ऐसा करने को यानी हरिजनों को मन्दिरों में प्रवेश का अधिकार मानने को तैयार हो जाएँ, तो दूसरी तरफ हरिजन इसे सम्मानपूर्ण ढंग से प्राप्त करें। इस सम्बन्ध में 4 फरवरी 1933 को उनके और अम्बेडकर के बीच हुई बातचीत के टुकड़े द्रष्टव्य हैं। यह बातचीत रंगा अय्यर के दो विधेयकों से सम्बद्ध थी।

इनमें एक विधेयक का उद्देश्य था, अस्पृश्यता का बेहूदा रिवाज खत्म करना और कानून द्वारा अस्पृश्यता की दलील को मंजूर न करना। दूसरे विधेयक का सम्बन्ध हरिजनों को मन्दिर-प्रवेश का अधिकार देने से था। इन विधेयकों के

सम्बन्ध में अम्बेडकर का कहना था—"जहाँ तक हमारा सम्बन्ध है राजनीतिक सत्ता के सिवाय और किसी बात से हमारा तात्कालिक सम्बन्ध नहीं है। हमें तो यह चाहिए कि सवर्ण हिन्दुओं की नजर में हमारा बुनियादी दर्जा सुधरे। ...हिन्दू कहलाने के साथ ही मुझे यह स्वीकार करना पड़ता है कि जन्म से मैं एक नीच जाति का हूँ। इसलिए मेरे ख्याल से मुझे हिन्दुओं से कह देना चाहिए कि आप मुझे ऐसा धर्म सिद्धान्त बताइए जिसमें ऐसा नीचपन का भाव न आये। यदि ऐसा न हो तो मुझे हिन्दू धर्म को तिलांजलि दे देनी चाहिए। ...सिर्फ राहत पहुँचाने वाले उपायों से मुझे सन्तोष नहीं हो सकता। मुझे तुम्हारे दयादान से मरना नहीं है। ...हम सवर्ण हिन्दुओं से यह नहीं कह सकते कि आप यह तय कीजिए कि हम आपके अंग है या नहीं। ये विधेयक पास कराकर आपको अपना निर्णय बताना है।" इसके उत्तर में गाँधीजी का कहना था—"ऐसा करने को मैं आपसे नहीं कहता। यह मैंने कभी नहीं चाहा कि दलित लोग सवर्ण हिन्दुओं के पास पैरों पड़ते हुए जाएँ और विधेयक पास कराने के लिए उनसे कहें। इससे मैं सहमत हूँ कि आपका हिन्दुओं के पास जाना आपके गौरव को शोभा नहीं दे सकता। मेरी स्थिति तो यह है—आपको याद होगा कि गोलमेज-परिषद में मैंने भाषण दिया तभी से—कि हमें प्रायश्चित करना है।"[65]

सचमुच देखा जाए तो अम्बेडकर अगर दलितों के आत्म-सम्मान के प्रवक्ता थे, तो गाँधीजी दलितों के आत्म-सम्मान के प्रवक्ता तथा सवर्ण होने के नाते सवर्णों द्वारा दलितों के साथ किये जा रहे अस्पृश्यता जैसे पाप के प्रायश्चितकर्ता दोनों ही थे। गाँधीजी को यह कतई पसन्द नहीं था कि मन्दिर-प्रवेश जैसे धार्मिक प्रश्न पर अछूत जातियों को याचना करनी पड़े। वे तो खुद इस बात के पैरोकार थे कि अछूतों के प्रति अब तक अपने द्वारा किये गये पापों के प्रायश्चित स्वरूप सवर्ण हिन्दुओं को चाहिए कि वे खुद आगे बढ़कर मन्दिरों के दरवाजे अछूतों के लिए खोल दें। इसके लिए उन्होंने देश के महत्त्वपूर्ण स्थानों पर मन्दिरों में हरिजनों को प्रवेश दिलाने के लिए सत्याग्रही आन्दोलन चलवाये। इन आन्दोलनों का नेतृत्व जगह-जगह पर गाँधीजी के सवर्ण अनुयायियों ने ही किया। कितने स्थानों पर पुरातनपन्थियों द्वारा इस आन्दोलन का विरोध किया गया, पण्डे-पुजारियों द्वारा आन्दोलनकारियों पर लाठियाँ चलायी गयी, गाँधीजी की सभाओं में पथराव किये गये।

मन्दिर प्रवेश आन्दोलन के दौरान गाँधीजी को कैसी-कैसी मुसीबतों, प्रतिरोधों का सामना करना पड़ा इसका जिक्र करते हुए गाँधीजी के बहुत बड़े सहयोगी आचार्य जे. बी. कृपलानी लिखते हैं—"कट्टर हिन्दू गाँधीजी की गतिविधियों को

क्रोध, भय और घृणा तक की दृष्टि से देखते थे। उनके पुराने किले ढ़ह रहे थे। इसलिए उन्होंने गाँधीजी के विरुद्ध जगह-जगह काले झंडे के प्रदर्शन किये। उनके सक्रिय सदस्य गाँधीजी की सभाओं में केवल तर्क-वितर्क और तंग करने के लिए आते थे। समाचार-पत्रों में विवाद उठाये जाते थे। ये लोग गाँधीजी पर धर्म-विरोध का आरोप लगाते थे। कट्टर हिन्दुओं ने हरिजन-उद्धार में लगे कार्यकर्ताओं को भड़काने की पूरी चेष्टा की कि वे हिंसा कर बैठें ताकि अहिंसा के पुजारी की बदनामी हो। इस स्थिति में मई 1934 में उड़ीसा की जगन्नाथपुरी में उन्होंने राज्य का शेष दौरा पदयात्रा करके पूरा करने का निर्णय किया। इससे विरोधियों को उनपर आक्रमण का पूरा अवसर मिलता। 25 जून से महाराष्ट्र का दौरा करने के लिए वे पूना गये। जब वे और उनका दल म्युनिसिपल हॉल की ओर जा रहे थे एक बम इन लोगों पर फेंका गया। यद्यपि गाँधजी को कोई चोट नहीं आयी, उनके दल के कुछ सदस्य घायल हुए। उन्होंने बम फेंकने वाले के प्रति गहरा तरस का भाव प्रकट किया और कहा—"मैं शहीद होने के लिए लालायित नहीं हूँ, परन्तु यदि उस धर्म की रक्षा के कर्तव्य-पालन में, जो करोड़ों हिन्दू भाइयों की तरह मेरा धर्म है, यह मुझे प्राप्त होता है, तो मैं सचमुच इस पद का अधिकारी होऊँगा।"[66]

मन्दिर प्रवेश आन्दोलन को लेकर उड़ीसा, महाराष्ट्र में कट्टरपन्थी हिन्दुओं द्वारा गाँधीजी के विरोध का यह हाल था, तो उत्तर भारत में सदियों से हिन्दू धर्म का गढ़ रहने वाली काशी नगरी भी इस पतित कर्म में पीछे नहीं थी। काशी में कट्टरपन्थियों ने गाँधीजी के साथ जो बदसलूकी की उससे काफी व्यथित होकर हिन्दी के कथा-सम्राट प्रेमचन्द ने साप्ताहिक पत्र 'जागरण' के 5 अक्टूबर 1932 अंक में लिखा—"संयुक्त प्रान्त का दौरा करते समय महात्मा गाँधी विगत वर्ष काशी में आये, तो केवल शास्त्राभिमानी पंडितों ने ही काले झण्डे दिखाकर उनका स्वागत किया था। उस समय महात्मा गाँधी के स्वागत और व्याख्या में कितने काशी निवासी एकत्र थे तथा काले झंडों के साथ कितने थे, यह दखने से ही स्पष्ट हो गया कि काशी में ही इन धर्मप्राण पंडितों के सच्चे साथी कितने हैं। महात्मा जी समस्त भारत में घूम आये थे, पर कहीं भी किसी सनातनी ने उनका अपमान नहीं किया था, किन्तु काशी ने अपने सिर कलंक ले ही लिया।...इस समय जबकि सारे देश में अछूतों को अपनाने और गले लगाने की धूम मच रही है, तब वे लोग मुश्किल से सिर्फ काशी में ही कुल सौ के करीब हैं—नक्कारखाने में तूती की आवाज सुनाने को हौसला बाँधे हुए।"[67]

प्रेमचन्द की इस टिप्पणी से एक बात स्पष्ट है कि जहाँ मन्दिर प्रवेश

आन्दोलन के सवाल पर गाँधीजी का विरोध चन्द कट्टरपन्थी सनातनियों तक सीमित था, वहीं इसका सकारात्मक प्रभाव बहुत तेजी से व्यापक होता जा रहा था। अतएव यह कहने में तनिक अतिशयोक्ति नहीं कि कुछ कट्टरपन्थियों के विरोध के बावजूद सवर्णों की मानसिकता बदलने एवं हरिजनों को मन्दिरों में प्रवेश दिलाकर उनके अन्दर आत्म-सम्मान का भाव पैदा करने में यह आन्दोलन काफी सफल रहा। गाँधीजी के इस अछूतोद्धार आन्दोलन का ही असर था कि मदनमोहन मालवीय जैसे शास्त्री पंडित को इसमें शरीक होकर पुरातनपन्थियों के विरुद्ध आगे आना पड़ा। उस समय मालवीय जी सनातनी हिन्दुओं के शीर्षस्थ नेता थे। गाँधीजी के इस आन्दोलन से प्रभावित होकर उन्होंने भी सवर्णों से अपने सोच में बदलाव लाने की गुहार लगायी। प्रसंगवश उल्लेखनीय है 19.1.1933 के 'बाम्बे क्रॉनिकल' में मालवीय जी का छपा पत्र जिसमें अछूतों के हित में यह योजना प्रस्तुत की गयी—

1. संस्कार तथा उपदेश, जिसे दीक्षा भी कहते हैं, इसके अन्तर्गत होंगे:
   (क) प्रायश्चित अर्थात् कष्ट और आत्म-शुद्धि,
   (ख) त्याग अर्थात् मुर्दा माँस, गोमांस और जूठा भोजन और मदिरा का त्याग,
   (ग) मन्त्र प्राप्ति,
   (घ) आचार ग्रहण—दैनिक स्थान तथा दैनिक प्रार्थना,
   (ङ) व्रत- सभी वर्णों के लिए निर्धारित पंचव्रत का पालन यथा अहिंसा, सत्य, अस्तेय, शौच तथा इन्द्रिय-निग्रह,
2. (क) सार्वजनिक सभाओं और पाठशालाओं में उपस्थित होने की स्वतन्त्रता,
   (ख) सार्वजनिक कुओं, सड़कों, उद्यानों, सरायों, धर्मशालाओं दाह-संस्कार के घाट इत्यादि के प्रयोग का अधिकार, और
   (ग) सार्वजनिक मन्दिरों में देवदर्शन और स्तुति के निमित्त अधिकार।

इस योजना की क्रियान्विति से दलित वर्ग का महान सामाजिक, धार्मिक तथा आध्यात्मिक उत्थान हो जाएगा। इसके फलस्वरूप वे पूरे सही अर्थों में वास्तव में हरिजन बन जाएँगे। ...पूरी आशा की जाती है कि ईश्वर-कृपा से इन विचार-विमर्शों का निष्कर्ष ऐसा होगा जिसका सनातन धर्म के पालक और मानवता के शुभाकांक्षी सभी सहर्ष स्वागत करेंगे।''[68]

न केवल मालवीय जी, अपितु बहुत सारे सवर्ण हिन्दुओं का रवैया दलितों के प्रति बदलने लगा। जैसे-जैसे लोग इस आन्दोलन के पक्ष में आते गये, वैसे-

वैसे बहुत सारे सार्वजनिक मन्दिरों के कपाट अछूतों के लिए खुलते गये। इस क्रम में कहीं-कहीं प्रबल प्रतिरोध भी प्रकट हुआ। इस सम्बन्ध में केरल के मालाबार भाग में गुरुवायूर मन्दिर की घटना उल्लेखनीय है। मालाबार में केलप्पन गाँधीवादी तरीके से बहुत दिनों से सार्वजनिक कार्य कर रहे थे, विशेष रूप से हरिजनों के बीच। केलप्पन गुरुवायूर मन्दिर में हरिजनों को प्रवेश दिलाना चाहते थे, लेकिन जमोरिन और मालाबार का कट्टरपन्थी वर्ग न केवल मन्दिर-प्रवेश के मार्ग में बल्कि अन्य सुधारों के मार्ग में भी अन्य रुकावटों के अलावा सनातन काल से चली आ रही परम्पराओं को तोड़ने के विरुद्ध कानूनी रुकावटें डालता था। कोई दूसरा उपाय न देखकर केलप्पन ने हरिजनों के लिए मन्दिर खुलवाने के लिए आमरण अनशन कर दिया। फिर गाँधीजी के कहने पर उन्होंने अपना अनशन तोड़ दिया। केलप्पन का उपवास करना कितना राष्ट्रीय महत्त्व को हो गया था यह 5 दिसम्बर 1932 के 'जागरण' में छपी प्रेमचन्द की इस टिप्पणी से भी पता चलता है—"केलप्पन ने जिस साहस से गुरुवायूर के मन्दिर को अछूतों के लिए खुलवा देने के लिए उपवास करने का निश्चय किया था, जिस साहस से वे कई दिन तक लगातार उपवास करते रहे, उसकी जितनी प्रशंसा की जाए, थोड़ी है। उस समय जमोरिन ने जिद कर मन्दिर न खोलने में अहम्मन्यता तथा जड़ता दिखलायी थी, उसकी जितनी निन्दा की जाए वह थोड़ी है। उस समय महात्माजी के मना करने से केलप्पन ने अनशन तोड़ दिया था। महात्माजी ने इतने समय तक इस बात की प्रतीक्षा की थी कि किसी प्रकार जमोरिन को अक्ल आ जाएगी। महामना मालवीय जी, राजगोपालाचारी और राजेन्द्र प्रसाद तथा श्रीमती गाँधी ने भी इस दिशा में भरसक कोशिश की थी कि जमोरिन अपनी जिद तोड़ दें, लेकिन जमोरिन ने कुछ भी नहीं किया।"[69]

अछूतों के लिए मन्दिरों के दरवाजे खुलवाने का कार्य कितना कठिन था, यह उपर्युक्त घटना से स्पष्ट है। सबसे लम्बा आन्दोलन तो मीनाक्षी मन्दिर में हरिजनों को प्रवेश दिलाने के लिए चला। तमिलनाडु प्रदेश का यह मन्दिर भी बरसों से कट्टरपन्थियों के कब्जे में था जो अछूतों के मन्दिर-प्रवेश के अधिकार को स्वीकार करने को तैयार नहीं थे। लेकिन पाँच-छह वर्षों तक चले सत्याग्रह के परिणामस्वरूप वे कट्टरपन्थी भी बदले और 8 जुलाई 1939 को उस प्रसिद्ध मन्दिर में हरिजनों के प्रवेश की अनुमति मिल गयी। यह घटना मन्दिर प्रवेश आन्दोलन के इतिहास में एक मील का पत्थर थी जिसकी नोटिस लेते हुए गाँधीजी ने 22.7.1939 के 'हरजिन' पत्र के अंक में लिखा—"अस्पृश्यता निवारण की लड़ाई और हरिजन के लिए मन्दिर-प्रवेश के आन्दोलन में यह एक बड़ी घटना

है।...मदुरा के प्रसिद्ध मन्दिर का हरिजनों के लिए खोला जाना इस दृष्टि से और भी बड़ी घटना है कि यह जनता के संकल्प का ही शुभ फल है। इसका अर्थ है मीनाक्षी मन्दिर में जाने-वाले लोगों का निश्चित हृदय-परिवर्तन। हमें यह आशा करनी चाहिए कि इस मन्दिर के खुलने के बाद दक्षिण भारत के दूसरे बड़े-बड़े मन्दिर भी हरिजनों के लिए खुल जाएँगे।''[70]

इस प्रकार देखा जाए तो भारतीय इतिहास में शूद्रों-विशेषकर अस्पृश्यों के उन्नयन का यह एक अनोखा प्रयोग था। हालाँकि शूद्रों के उन्नयन के प्रयासों का भी एक लम्बा सिलसिला रहा है जो बुद्ध के जीवनकाल से शुरू होकर भक्तिकाल तक और फिर आधुनिक काल तक चला आता हुआ मिलता है। आधुनिक इतिहास में इस प्रकार का एक दिलचस्प उदाहरण शिवाजी के रूप में मिलता है जिसका उल्लेख प्रो. देवीप्रसाद चट्टोपाध्याय ने इस प्रकार किया है—''मराठों को महानता के शिखर पर पहुँचाने वाले शिवाजी थे। वह शूद्र थे। किन्तु उन्होंने जब 1664 में अपने लिए एक छोटा, पूर्ण रूप से स्वतन्त्र राज्य बना लिया तो उसके बाद वे अपना राज्याभिषेक कराना चाहते थे। किन्तु एक शूद्र का राज्याभिषेक करने के लिए ब्राह्मण तैयार नहीं थे। इसलिए एक वंशावाली बनायी गयी जिसमें भोंसले परिवार को चित्तौड़ के सिसोदिया वंश की एक उपशाखा बताया गया और घोषणा की गयी कि यह परिवार कई शताब्दियों तक क्षत्रिय रीति रिवाजों की उपेक्षा करता रहा इसलिए यह व्रात्य बन गया। बनारस के एक प्रकांड पंडित, जो मराठा थे, अपना यह मत देने के लिए आमन्त्रित किये गये कि शिवाजी एक 'व्रात्य' क्षत्रिय थे और यदि शास्त्रोचित विधि के अनुसार उनका शुद्धिकरण हो जाता है तो फिर राज्यभिषेक समारोह किया जा सकता है। विश्वेश्वर भट्ट नामक यह पंडित बहुत लिखने वाला था और वाद-विवाद कला में प्रवीण था। उन्हें गाग भट्ट भी कहा जाता था क्योंकि शास्त्रार्थ के लिए एकत्र सभाओं में वह एक बैल की तरह उच्च स्वर में बोलता था। बेचारे शिवाजी को पूरे पन्द्रह दिन तक शुद्धिकरण के विभिन्न अनुष्ठान करने पड़े तब कहीं जाकर उनका राज्याभिषेक हुआ।''[71]

यहाँ पर एक बात ध्यान देने की यह है कि भारत के आधुनिक इतिहास में शूद्र शिवाजी का राज्याभिषेक हो या महाभारत काल में सूतपुत्र कर्ण का दुर्योधन द्वारा राज्याभिषेक हो, ये घटनाएँ शूद्र से उच्च वर्ण में प्रतिष्ठित होने की प्रक्रिया की उपस्थिति के प्रमाण तो हैं, किन्तु ये व्यक्ति-विशेष स्तर पर ही किये गये प्रयासों के दृष्टान्त है। बुद्ध से लेकर भक्त कवियों तक वर्ण-विभेद का जो प्रतिरोध है, वह सवर्ण-दुर्ग से अलग हटकर अपने-अपने द्वीप बनाने के प्रयास सदृश्य है। सवर्णों के दुर्ग में, उनके वर्चस्व क्षेत्र में प्रविष्ट कर, पूरे अन्त्यज समुदाय को

धार्मिक-आध्यात्मिक स्तर पर उनके समकक्ष समानता का स्थान दिलाने का कार्य तो भारतीय इतिहास में पहली बार गाँधीजी के अछूतोद्धार-कार्यक्रम के अन्तर्गत मन्दिर-प्रवेश आन्दोलन के रूप में ही सम्भव हो पाया। इसी अर्थ में यह अनोखा प्रयास था और इस प्रयास में गाँधीजी जीवनपर्यन्त लगे रहे, कभी विरत नहीं हुए। जो सुधीजन 1946 में गाँधीजी द्वारा अछूतों के साथ भोजन करने से इंकार करने को उनके दलित-विरोध के प्रमाण के रूप में प्रस्तुत कर रहे हैं, उनकी जानकारी के लिए आवश्यक है कि हम यह भी देख लें कि उस समय गाँधीजी इस सवाल पर क्या सोच एवं कर रहे थे।

सन् 1946 के आते-आते यह तस्वीर साफ होने लगी थी कि देश को राजनीतिक आजादी मिलने में अब कोई रुकावट नहीं है। निःसन्देह अपने स्वाधीनता-संग्राम को लक्ष्य तक पहुँचते देख गाँधीजी भी आश्वस्त थे, किन्तु दलित सवाल को लेकर उनकी बेचैनी जस की तस थी। इसके प्रमाणस्वरूप हम उनके उस समय व्यक्त कई वक्तयों को देख सकते हैं। उदाहरणार्थ, मसूरी-प्रवास के दौरान 31 मई 1946 को प्रार्थना-सभा में बोलते हुए गाँधीजी ने अछूतपन की चर्चा करते हुए कहा—"मैं खुद स्वेच्छा से 'हरिजन' बन गया हूँ। मुझे ऐसी जगह रहना अच्छा लगेगा जहाँ 'हरिजन' भी आकर रह सकें। जो जन्म से 'हरिजन' है वह भले ही अपना वर्ण छोड़ दें, लेकिन मैं जो स्वेच्छा से 'हरिजन' बना हूँ, ऐसा कैसे कर सकता हूँ? मैं तो यह सलाह देने में भी नहीं हिचकिचाया हूँ कि यदि हिन्दू धर्म में लगे जात-पाँत के कीड़े को नष्ट करना है, उसे मिटाने से बचाना है, तो सभी हिन्दुओं को अतिशूद्र बन जाना चाहिए।"[72] फिर मसूरी-प्रवास के ही दौरान 8 जून 1946 को प्रार्थना-सभा में भाषण करते हुए गाँधजी ने कहा—"जहाँ तक हरिजनों की बात है, मेरे लिए तो सभी हरिजन हैं। मैंने कहा है कि जो धर्म ऊँच-नीच का भेद करता है, वह धर्म नहीं है। मैंने सलाह दी है कि सभी को स्वेच्छा से हरिजन बन जाना चाहिए और हरिजनों को भी भंगी। भगवान शिव को भंगी इसलिए कहा जाता है कि वे सृष्टि के कल्याण के मद में मस्त हैं। इसलिए भंगी बनकर आप मानवता के सेवक ओर प्रेमी बनें। भंगी जो सेवा करते हैं वह मानवता की सबसे उपयोगी सेवा है। इसलिए जो धर्मशाला बनाने की तजवीज है उसमें हरिजनों के खिलाफ भेदभाव नहीं किया जा सकता। मेरी कल्पना की धर्मशाला के दरवाजे तो जाति, रंग या धर्म का भेदभाव किये बिना सबके लिए खुले रहेंगे।"[73]

गुजरात के एक हरिजन बन्धु का पत्र गाँधीजी ने 15 जून 1946 के 'हरिजन' में छापा था। उस पत्र में हरिजन बन्धु द्वारा उठाये गये प्रश्न और फिर गाँधीजी

द्वारा उसका दिया गया उत्तर दोनों ही दृष्टव्य हैं। प्रश्न था—"चुनावों से स्पष्ट हो गया है कि आज हिन्दुस्तान में खास कर दो दलों का जोर है—"एक मुस्लिम लीग का ओर दूसरा काँग्रेस का। मुस्लिम लीग में कोई हरिजन नहीं है। मगर काँग्रेस में बहुत से हरिजन हैं। चुनावों से यह भी जाना जा सकता है कि काँग्रेस में हरिजन ज्यादा हैं, क्योंकि अम्बेडकर दल की बहुत कम स्थानों पर जीत हुई है। जब काँग्रेस दल की अलग-अलग समितियों के चुनाव होते हैं, तो उनमें हरिजनों को क्यों खड़ा नहीं किया जाता?" इस पत्र से एक बात तो शीशे की तरह साफ है कि आज के दलित लेखक अम्बेडकर के प्रभाव को जितना फैला कर दिखाएँ, लेकिन 1946 तक, जैसा कि एक हरिजन बन्धु के कथन से ज़ाहिर है, उनका प्रभाव बहुत कम हरिजनों पर था। बहरहाल, यहाँ जब गौरतलब है उस हरिजन बन्धु द्वारा उठाये गये प्रश्न के सन्दर्भ में गाँधीजी द्वारा दिया गया जवाब—"काँग्रेस को जो इतने सारे हरिजन मिले हैं, उसका मतलब ही यह है कि काँग्रेस ने उनकी कुछ-न-कुछ सेवा की होगी, तभी वे मिले होंगे। आज हरिजन-संसार परवश है। वह हिन्दू समाज और हिन्दू धर्म का अविभाज्य अंग है। अगर यह टूट जाए या अलग हो जाए तो हिन्दू धर्म और हिन्दू समाज का नाश हो जाए और होना चाहिए। ...मैं जो स्वेच्छा से हरिजन और हरिजन में भी 'भंगी' बन गया हूँ, कहता हूँ कि सवर्ण-अवर्ण का भेद मिटाना चाहिए। अवर्णों में भी बहुत से उपभेद हैं, वे मिटने चाहिए अर्थात् आज सबकी एक ही जाति होनी चाहिए और वह है 'भंगी' की। 'भंगी' सबका अकेले हिन्दुओं का ही नहीं, बल्कि सारी मनुष्य जाति का सेवक है। जब हम ऐसे 'भंगी' बन जाएँगे तब सब भेद मिटकर एक ही भेद रह जाएगा यानी फिर कोई भेद नहीं रहेगा। ...काँग्रेस ऐसी ही संस्था है जिसके नजदीक सब बराबर हैं, चाहे वे हिन्दू हों या मुसलमान या किसी भी अन्य जाति के। तो फिर काँगेस का कर्तव्य है कि जो नीचे पड़े हुए हैं, उन्हें ऊपर उठाए, जो ऊपर चढ़कर बैठे हैं उन्हें समानता के लिए नीचे उतारे और जो ठेठ पाताल में है, उन्हें उससे उबार ले। न किसी को हिमालय की चोटी पर रहना है, न नीचे पाताल में। सबको पृथ्वी की सुन्दर समतल सतह पर रहना है। यह काँग्रेस की प्रतिज्ञा है। काँग्रेस अभी इसे पूरा नहीं कर पायी है।"[74]

इन तथ्यों को देखने से साफ है कि 1946 के वक्त भी अछूतों या हरिजनों के सवाल पर गाँधीजी की उस सोच में कोई कमी नहीं आयी थी जो असहयोग आन्दोलन या मन्दिर प्रवेश-आन्दोलन के वक्त थी। अब चन्द दलितों के साथ भोजन न करने के कारण, जैसा कि पहले इस आरोप का जिक्र किया जा चुका

है, उस शख्सियत को दलित-विरोधी सिद्ध करना, जो 1946 में भी हरिजन के बगैर किसी धर्मशाला की कल्पना तक नहीं कर सकता था, जो सबको हरिजन एवं भंगी बनने का आह्वान कर रहा था, समझदारी का दिवालियापन नहीं तो क्या है? गाँधीजी के लिए कुछेक अछूतों के साथ भोजन करने से ज्यादा महत्त्वपूर्ण एवं आवश्यक था—समस्त अस्पृश्य समुदाय को उस स्तर पर लाना जहाँ वे सबके साथ अपने को हर दृष्टि से समकक्ष समझ सकें। जहाँ तक भोजन करने या ना करने का सवाल है, इसे ज्यादा तूल नहीं दिया जाना चाहिए। खान-पान नितान्त व्यक्तिगत अभिरुचि का विषय है, नितान्त निजी पसन्द-नापसन्द का मामला है। अधिकांश हिन्दू परिवारों में कुछ लोग शाकाहारी होते हैं तो कुछेक माँसाहारी। शाकाहारियों में भी कुछ तो इतने कट्टर होते हैं जो पत्नी या बेटा-बेटी भी जिस दिन सामिष भोजन कर लेते हैं, उस दिन उनसे अपने को स्पर्श नहीं होने देते। यहाँ तक कि उनके बर्तन भी अलग होते हैं, उनका खाना भी दूसरों से अलग बनता है। किन्तु इससे यह कभी सिद्ध नहीं होता कि वे सामिष आहार प्रेमी पत्नी या बेटे-बेटी से घृणा करते है। इसके विपरीत वे सारे कर्म-कुकर्म इन्हीं घरवालों के लिए ही करते हैं। इस सन्दर्भ में अपने निजी अनुभव का उल्लेख करना भी विषयान्तर नहीं होगा।

मेरे संयुक्त परिवार में मेरे पिता जी एकमात्र निरामिष भोजन करने वाले थे। बचपन में मैं उन्हीं के साथ उनकी थाली में ही भोजन करता और रात में उन्हीं के साथ उनसे कहानियाँ सुनते हुए सो जाता। किन्तु जिस दिन या रात घर में सामिष भोजन बनता, उसे ग्रहण करने के कारण उनके साथ न भोजन कर पाता, न उनके साथ सो पाता। बावजूद इसके वे बेहद प्यार करते थे। यहीं नहीं, वे अपने पहनने-ओढ़ने के सामान को भी घर के किसी सदस्य को छूने नहीं देते थे। क्या मजाल कि घर का कोई सदस्य उनके गमछे का भी इस्तेमाल कर ले। परन्तु इसका मतलब यह नहीं कि वे परिवार के सदस्यों से नफरत करते थे। सत्य तो यह था वे परिवार के ऐसे मुखिया थे जो तुलसीदास के इस दोहे को पूरी तरह से चरितार्थ करते थे—"मुखिया मुख सो चाहिए खान-पान को एक। पालइ-पोषइ सकल अंग तुलसी सहित विवेक।" इस तरह के आचरण करने वाले पुरुष एवं स्त्री अधिकांश हिन्दू परिवारों में मिल जाएँगे। क्या गाँधीजी की भी स्थिति इसी तरह की नहीं मानी जा सकती। उनकी जीवनी पढ़ने से ज्ञात होता है कि खाने-पीने से लेकर पहनने-ओढ़ने तक उनकी अपनी पसन्द, शैली रही जिसे वे नितान्त निजी स्तर पर साधते रहे—प्रयोग करते रहे। वे खुद निरामिष रहे, किन्तु किसी को उन्होंने शाकाहारी बनने के लिए विवश नहीं किया। अतएव इस एक घटना

के आधार पर गाँधीजी को दलित-विरोधी सिद्ध करने की बौद्धिक कोशिश पूर्वग्रह प्रेरित तो है ही, उनके समग्र व्यक्तित्व एवं कृतित्व के प्रति अज्ञान का भी प्रमाण है।

आन्दोलन : साम्प्रदायिकता के कठघरे में?

अब गाँधीजी के अस्पृश्यता-निवारण आन्दोलन पर एक और दृष्टि से विचार कर लेना भी अपेक्षित है कि यह आन्दोलन किसी सम्प्रदाय विशेष के विरुद्ध तो नहीं था। छुआछूत मिटाने को लेकर गाँधीजी द्वारा किये जा रहे आन्दोलनों एवं रचनात्मक कार्यों के आधार पर उनके जीवन काल में उन्हें साम्प्रदायिकता के कठघरे में खड़ा करने का प्रयास किया गया, यह कहकर कि वे अल्पसंख्यक जातियों के मुकाबले हिन्दू समाज को संगठित करना चाहते थे। आज के सेक्यूलर वामपन्थी लेखक भी गाँधीजी द्वारा अपने को बार-बार हिन्दू कहने के आधार पर उन्हें साम्प्रदायिक धड़े में घकेलने की कोशिश करते हैं। इस सम्बन्ध में गाँधीजी ने 22 दिसम्बर 1933 को 'मद्रास मेल' के प्रतिनिधि से भेटवार्ता में अस्पृश्यता-निवारण के प्रयास को साम्प्रदायिक चश्मे से देखने का दृढ़तापूर्वक प्रतिवाद करते हुए जो कुछ कहा वह बहुत महत्त्वपूर्ण है—"मैं जोरदार शब्दों में इस बात से इनकार करता हूँ कि मेरा ऐसा कोई उद्देश्य है। वस्तुतः मैं इस मामले में हिन्दू महासभा से असहमत हूँ। हिन्दू महासभा की गतिविधियाँ मूलतः साम्प्रदायिकतापूर्ण है और उनका उद्देश्य अन्य जातियों के मुकाबले हिन्दुओं के हितों को आगे बढ़ाना है। हरिजन आन्दोलन में साम्प्रदायिकता की कोई भावना नहीं है। इसका उद्देश्य हिन्दू धर्म में आन्तरिक सुधार करना है और ऊँच-नीच के कृत्रिम भेदों को दूर करना है। सवर्ण हिन्दुओं को धार्मिक, सामाजिक और राजनीतिक मामलों में जो अधिकार प्राप्त हैं वे ही अधिकार हरिजनों को दिलाने के लिए मैं लड़ रहा हूँ। मेरा उद्देश्य कोई हिन्दू मतदाताओं की संख्या बढ़ाने का नहीं है। एक आदमी के लिए जिस हद तक सम्भव है, उस हद तक मैं इस आन्दोलन को राजनीति से मुक्त रखने की कोशिश कर रहा हूँ।"[75]

इन दिनों मूल्यांकन-पुनर्मूल्यांकन के नाम पर जो लेखकीय परिदृश्य है, उसे देखते हुए बहुत क्षोभ के साथ कहना पड़ता है कि कतिपय राजनीतिक समीक्षक ऐतिहासिक सन्दर्भ को ध्यान में रखे बगैर तथ्यों का विकृतिकरण करते हुए समाज-सुधार के कार्य करने वालों में भी साम्प्रदायिकता का दर्शन करा देने में ही अपनी मौलिकता एवं खोजी प्रतिभा की सार्थकता समझने लगे है। जो गाँधी हिन्दू महासभा की गतिविधियों की भर्त्सना कर रहे थे, उन्हें भी 'महासभाई' अर्थ में हिन्दूवादी कह देना कितना असंगत है। गाँधीजी का कार्य हिन्दू महासभा से नितान्त अलग

किस्म का था। इसे समझने के लिए हमें इसके स्वरूप एवं उद्देश्य की भी जानकारी होनी चाहिए। वस्तुतः मुस्लिम लीग की तर्ज पर गठित हिन्दू महासभा का सरोकार हिन्दुओं के हित से वैसा ही था जैसा कि मुस्लिम लीग का मुसलमानों के हित से था। इन दोनों साम्प्रदायिक संगठनों के चरित्र को समझने के लिए पं. जवाहर लाल नेहरू का दिया एक वक्तव्य ही काफी होगा जो 2.12.1933 के 'बाम्बे क्रॉनिकल' में छपा था—"दोनों ही संस्थाएँ (मुस्लिम लीग एवं हिन्दू महासभा) धनी उच्च-वर्ग का प्रतिनिधित्व करती हैं और साम्प्रदयिकता का लाभ उठाने की होड़ में इन दोनों दलों का वास्तव में प्रयत्न अपने लिए जितना सम्भव हो सके उतने ज्यादा अधिकार ओर विशेषाधिकार हासिल करना होता है। बहुत-से-बहुत इन संस्थाओं का उद्देश्य यह हुआ कि हमारे कुछेक बेरोजगार बुद्धिजीवियों को रोजगार मिल जाएगा। इन साम्प्रदायिक माँगों से जनता की जरूरतें कैसे पूरी होती हैं? श्रमिकों, कृषकों तथा निम्न मध्यवर्गीय लोगों के लिए—जो राष्ट्र के अधिकांश भाग का प्रतिनिधत्व करते हैं—हिन्दू महासभा या मुस्लिम लीग का क्या कार्यक्रम है? जैसा कि अजमेर में हिन्दू महासभा ने इस ओर इंगित किया था। वर्तमान सामाजिक ढाँचे में परिवर्तन न करने वाले नकारात्मक कार्यक्रम के अलावा उनका कोई कार्यक्रम नहीं है। इससे स्वयं ही यह प्रकट हो जाता है कि साम्प्रदायिक संस्थाओं की बागडोर उच्च-वर्ग के लोगों के हाथ में है जिन्होंने आज सामाजिक वर्ग बना रखे हैं।"[76]

जाहिर है कि मुस्लिम लीग एवं हिन्दू महासभा ऐसी संस्थाएँ थीं जो अपने-अपने समुदाय के उच्च वर्गों के न्यस्त स्वार्थों को ध्यान में रखकर काम कर रही थीं। गरीब, शोषित कामगार आबादी के हितों से इनका रिश्ता छत्तीस का था। आज भी विश्व हिन्दू परिषद् जैसी संस्था मन्दिर निर्माण जैसे मुद्दे पर खूब सरगर्मी दिखाती है; किन्तु हिन्दू समाज के अन्दर आज भी जातिगत वैमनस्य, दहेज जैसी बीमारी का बढ़ते जाना, जिसके कारण कितनी बहुएँ जिन्दा ही जला दी जाती हैं, नाना समस्याओं से जूझ रहे दलितों एवं आदिवासियों की स्थिति के रूप में दारुण समस्याएँ हैं, उनको लेकर यह परिषद् कभी मुँह तक नहीं खोलती। इस दृष्टि से तुलना करें तो गाँधीजी का कार्य सर्वथा इनसे भिन्न स्वरूप का था जिसके अन्तर्गत वंचित, दलित, पीड़ित, पाशविक जीवन जीने को बाध्य कर दिये गये अछूतों को मनुष्यता के स्तर पर प्रतिष्ठित करने का ध्येय था। अतएव गाँधीजी के अस्पृश्यता-निवारण-आन्दोलन को मुसलमानों के मुकाबले में हिन्दुओं को संगठित करने के प्रयास के रूप में देखना सरासर नासमझी है। चूँकि अस्पृश्यता जैसी कुरीति हिन्दू धर्म के नाम पर हिन्दू समाज में बनी हुई थी, अतएव उसके

खिलाफ लड़ने के लिए अपने को सही हिन्दू सिद्ध करना गाँधीजी के लिए रणनीतिक दृष्टि से ठीक वैसे ही आवश्यक था जैसे मध्यकालीन यूरोप में ईसाई धर्म में घुस आयी बुराइयों का प्रतिरोध करने के लिए मार्टिन लूथर जैसे सुधारकों को अपने को सच्चा ईसाई सिद्ध करना आवश्यक था।

वैसे देखा जाए तो छुआछूत, विधवा का पुनर्विवाह न होना या वर्णगत भेद-भाव जैसी बुराइयों का सम्बन्ध तो हिन्दू समाज से ही रहा है। यही कारण है कि राजा राममोहन राय से शुरू होने वाले भारतीय नवजागरण के आरम्भ से ही इन बुराइयों के विरुद्ध स्वर मुखरित होने लगा। राममोहन राय ने सती-दाह जैसे अमानुषिक रिवाज का विरोध किया, ईश्वरचन्द्र विद्यासागर ने विधवा-विवाह के समर्थन में मुहिम चलायी, महाराष्ट्र में ज्योतिबा फूले ने वर्णाश्रम के आधार पर होने वाले भेदभाव, अछूतपन आदि के विरोध में तथा स्त्री शिक्षा के पक्ष में कार्य किये। महाराष्ट्र में ही पंडिता रमाबाई ने स्त्री-शिक्षा की दिशा में एक उबाल पैदाकर दिया। स्वामी दयानन्द सरस्वती और उनके 'आर्य समाज' ने भी विधवा-विवाह एवं अछूतोद्धार की दिशा में युगान्तरकारी कार्य किये। स्पष्टतः ये सारी समस्याएँ हिन्दू समाज से जुड़ी हुई थीं। इसलिए उन्होंने हिन्दू धर्मशास्त्रों का कहीं विरोध, तो कहीं समर्थन से अपने कार्यों को पुष्ट किया। गाँधीजी इस सुधार-शृंखला की एक ऐसी कड़ी के रूप में सामने आये जिन्होंने हिन्दू समाज की सर्वाधिक गर्हित, घृणित, अमानुषिक प्रथा के रूप में विद्यमान अछूतपन के उन्मूलन के अभियान को राष्ट्रव्यापी बनाया। निस्सन्देह ऐसे सुधारवादी प्रयासों का उद्देश्य समाज के निचले पायदान पर अवस्थित आदमी का उन्नयन करना था, न कि उसे किसी धर्म या समुदाय विशेष के विरुद्ध उन्मादी योद्धा या जिहादी बनाना था। अतएव हिन्दू धर्म या हिन्दू समाज के आन्तरिक सुधार या रूपान्तरण से जुड़ा गाँधीजी का यह अस्पृश्यता-निवारण आन्दोलन कतई साम्प्रदायिक चरित्र का नहीं था। वह साम्प्रदायिक तब होता जब दूसरे समुदायों को हेय ठहराकर उनसे अलग रहने की भावना का प्रचार किया जाता, जैसा कि मुस्लिम लीग एवं हिन्दू महासभा जैसी संस्थाएँ कर रही थीं।

मूल्यांकन और महत्त्व

अब तक के तथ्याधारित विवेचन के आलोक में स्पष्ट है कि 1915 में अहमदाबाद में आश्रम की स्थापना के समय से गाँधीजी ने अस्पृश्यता-उन्मूलन के लिए जो मुहिम शुरू की वह उत्तरोत्तर व्यापक एवं प्रखर होती उनके जीवन के अन्तिम पहर तक चलती रही। छुआछूत के विरुद्ध लड़ने एवं अछूतोद्धार के लिए रचनात्मक

कार्य करने में उन्होंने कोई कसर नहीं छोड़ी। अँग्रेजी का यह मुहावरा 'लेफ्ट नो स्टोन अनटर्न्ड' उनके इस प्रयास के सन्दर्भ में बहुत सटीक उतरता है। यों तो वर्ण भेद एवं छुआछूत के विरुद्ध जागरण के प्रयास उन्नीसवीं सदी में ही भारत के कुछ भागों में छिटपुट रूप से शुरू हो गये थे, किन्तु इस छुआछूत विरोध अभियान को अखिल भारतीय स्तर पर संगठित करने एवं फैलाने का कार्य गाँधीजी के हाथों ही सम्पन्न हुआ, इस तथ्य को किसी वितंडावाद से नहीं झुठलाया जा सकता। अम्बेडकर ने 1926-27 से महाराष्ट्र प्रान्त में जिस दलित जागरण का नेतृत्व करना शुरू किया, उसकी सशक्त पृष्ठभूमि तो गाँधीजी 1920-22 के करीब असहयोग आन्दोलन के दौरान ही तैयार कर चुके थे। आज अम्बेडकर के दलित आन्दोलन को, गाँधीजी का कद छोटा करने के लिए जितना भी महत्त्व दिया जाए, परन्तु सच्चाई यही है कि अम्बेडकर का प्रभाव महाराष्ट्र तक ही सीमित रहा और आज भी उसके उत्तराधिकारियों की रिपब्लिकन पार्टी का प्रभाव की दृष्टि से यही हाल है। 1931 के दूसरे गोलमेज सम्मेलन के अवसर पर लन्दन में गाँधीजी ने भारतवर्ष के समस्त अछूतों का प्रतिनिधि होने का जो दावा किया था, वह शत-प्रतिशत सही था।

अब तक के विवेचन में हमने देखा कि गाँधीजी 'अछूतोद्धार' के सवाल पर क्रियात्मक रूप से किसी से पीछे नहीं, आगे ही रहे। 'अर्द्धनग्न फकीर' की संज्ञा पाने वाले इस व्यक्ति ने न मल-मूत्र साफ करने के काम से कभी परहेज किया, न हरिजनों की बस्ती में रहने से। जो भी उनके वश में था, वह सब उन्होंने 'अछूतोद्धार' के लिए किया। केवल यही उनके वश में नहीं था कि वे अपने को फिर से अछूत जाति में पैदा कर लेते। अस्पृश्यता के विरुद्ध उन्होंने जिस तरह की अहिंसात्मक आक्रामकता दिखायी, उसने कतिपय सवर्णों की नींद हराम कर दी और गाँधीजी को ऐसे लोगों का किस तरह कोपभाजन बनना पड़ा, उसका जिक्र हम कर चुके हैं। कट्टरपन्थी हिन्दुओं की असहिष्णुता की चरम परिणति के रूप में ही नाथूराम गोड्से ने 30 जनवरी 1948 को उन्हें गोली मारकर सवर्णवाद के विरुद्ध लड़ने वाले एक महान अहिंसक योद्धा का अन्त कर दिया। प्रसिद्ध समाजवादी चिन्तक डॉ. राममनोहर लोहिया ने अपने 'हिन्दू बनाम हिन्दू' शीर्षक लेख में बहुत सही बात कही है कि गाँधीजी ने हिन्दू धर्म की रूढ़ियों के विरुद्ध जो लगातार अभियान चलाया, उसी से कट्टरपन्थी हिन्दुओं के आक्रोश के शिकार होकर वे अन्ततः शहीद हुए। इसे देखते हुए विचित्र लगता है कि अम्बेडकर ने उस बुद्ध को सम्पूर्णता में स्वीकार कर लिया जो जन्मना सवर्ण थे, अंशतः उन्होंने गाँधीजी को भी स्वीकार किया; किन्तु आज के अम्बेडकरवादी पता नहीं क्यों

गाँधीजी को अपना हमदर्द नहीं समझ पाते।

हाल के दिनों में कुछ दलित लेखकों ने मार्क्स और अम्बेडकर के बीच साम्य-सूत्र स्थापित करने की कोशिश की है। इनकी दृष्टि में गाँधी के साथ अम्बेडकर को सम्बद्ध करना अम्बेडकर का अपमान प्रतीत होता है। कँवल भारती, सुभाष गाताडे ऐसे ही दलित लेखक हैं जो मार्क्स और अम्बेडकर के विचारों में साम्य एवं पूरकता के बिन्दुओं को रेखांकित करने में लगे हैं। कँवल भारती अपने 'अम्बेडकर चिन्तन में मार्क्स' शीर्षक लेख में बताते हैं कि हमारे देश में मार्क्सवाद और दलित चिन्तन धारा के बीच कम-से-कम इतनी अलंघ्य बाधाएँ तो नहीं हैं कि दोनों एक दूसरे के करीब आने के लिए कुछ कदम भी आगे न बढ़ सकें। 'रेडिकल दलित, वाम और सम्भावनाओं के नये क्षितिज'[77] शीर्षक लेख में सुभाष गाताडे कँवल भारती की स्थापनाओं को आगे बढ़ाते हुए अम्बेडकर और वाम चिन्तन के बीच समान बिन्दुओं को तलाशने एवं दोनों में एकजुटता का प्रस्ताव करते हैं। निस्सन्देह वाम-चिन्तन-मार्क्सवाद के साथ अम्बेडकरवाद को मिलना अच्छा ही कहा जाएगा, लेकिन इस क्रम में गाँधी और अम्बेडकर की जो पारस्परिक पूरकता की भूमिका रही है, उसे नजरअन्दाज करना सरासर इतिहास विरोधी होगा, क्योंकि 'अछूतोद्धार' के कार्य में गाँधी और अम्बेडकर ही अपने-अपने ढंग से लगे रहे। इसके लिए न तो मार्क्सवाद में कोई निर्देश सूत्र था, न ही मार्क्स के नाम पर राजनीति करनेवाली कम्युनिस्ट पार्टी या वाम चिन्तन के पास कोई कार्यक्रम तब था, न अब है।

आज के दलित चेतना के ध्वजारोहियों, जिनमें दलित पक्षधरता वाले गैर दलित लेखक ही अधिक हैं, को गाँधीजी पर इस बात का भी गुस्सा आता है कि उन्होंने अस्पृश्यता को मिटाने के लिए पूरी वर्ण-व्यवस्था या सवर्णों के विरुद्ध उग्र आक्रामक आन्दोलन क्यों नहीं चलाया? दूसरी तरफ तब से लेकर अब तक वामपन्थियों की यह शिकायत रही है कि गाँधीजी ने पूँजीपतियों एवं सामन्तों के विरुद्ध मेहनतकश वर्ग का संघर्ष नहीं उभरने दिया और वर्ग-समन्वय या वर्ग-सहयोग का मार्ग अपनाकर वर्ग-संघर्ष की प्रक्रिया से होने वाले परिवर्तन को बाधित किया। लेकिन ऐसे आरोपकर्ता गाँधीजी के चिन्तन एवं कर्म को सम्पूर्णता में समझने की जहमत न तब उठाते थे, न अब भी उठाने को तैयार हैं। गाँधीजी के कार्यों को हम सही ढंग से समझ सकें, इसके लिए आवश्यक है उनके परम अस्त्र 'सत्याग्रह' के स्वरूप को समझना जिसका प्रयोग वे दक्षिण अफ्रीका में 'रंगभेद' के खिलाफ लड़ने से लेकर भारत में विभिन्न अन्याय-जुल्म तक के विरोध में करते रहे। वस्तुतः दक्षिण अफ्रीका से लेकर हिन्दुस्तान तक गाँधीजी ने अन्याय,

दमन, शोषण के विरुद्ध लड़ने में अस्त्र के रूप में जिस सत्याग्रह का प्रयोग किया, उसमें विरोधी पक्ष के लिए घृणा या हिंसक आक्रामकता का कभी कोई स्थान नहीं रहा। उन्होंने अपने विरोधियों के प्रति सदैव सहिष्णुता, क्षमा एवं प्रेम का मार्ग अपनाया।

प्रसंगवश उल्लेखनीय है कि दक्षिण अफ्रीका में गोरेपन के दम्भी अँग्रेजों द्वारा उनके साथ जो दुर्व्यवहार हुआ, ट्रेन के फर्स्ट क्लास के डिब्बे से धक्के देकर उतारे जाने से लेकर उन पर अँग्रेज युवकों द्वारा अंडे, पत्थर फेंकने व जानलेवा हमले करने जैसे कितने निन्दनीय प्रयास हुए, फिर भी गाँधीजी ने किसी के विरुद्ध मुकदमा दायर करने से इनकार कर दिया जबकि ऐसा प्रस्ताव उन्हें सरकार की तरफ से ही दिया गया था। दक्षिण अफ्रीका में ही मीर अमन नाम के पठान ने लाठी से गाँधीजी का माथा फोड़ दिया, किन्तु उसके खिलाफ भी उन्होंने कोई मुकदमा नहीं किया। इन सारी बातों का जिक्र उन्होंने अपनी 'आत्मकथा' में किया है। गाँधीजी के इस स्वभाव एवं आचरण के कारण ही दक्षिण अफ्रीका में उनके 'रंगभेद-विरोधी आन्दोलन' में धीरे-धीरे गोरी जाति के कई लोग उनके सहयोगी बन गये। अपनी पुस्तक 'दक्षिण अफ्रीका के सत्याग्रह का इतिहास' में गाँधीजी ने 'गोरे सहायक' नाम से एक स्वतन्त्र अध्याय ही लिया है जिसमें उन्होंने कई गोरे पुरुष एवं महिलाओं का उल्लेख किया है जिन्होंने गोरी सरकार के रंगभेद के विरुद्ध चलने वाले आन्दोलन में खुलकर गाँधीजी का साथ दिया।

यह सब कहने का मतलब यह कि दक्षिण अफ्रीका में प्रयुक्त सत्याग्रह अस्त्र का ही प्रयोग गाँधीजी ने हिन्दुस्तान की धरती पर भी औपनिवेशिक दासता एवं सामाजिक विषमता के खिलाफ लड़ने में किया। एक तरफ उन्होंने औपनिवेशिक दासता से मुक्ति के लिए देशव्यापी आन्दोलन चलाया, तो दूसरी तरफ जर्जर सामाजिक रूढ़ियों एवं कुरीतियों के विरुद्ध देशव्यापी मुहिम चलायी। ध्यान रहे ब्रिटिश शासन के विरोध का नेतृत्व करनेवाले गाँधीजी ने अपने कार्यक्रम में अँग्रेजों के प्रति घृणा को कोई स्थान नहीं दिया; ठीक उसी प्रकार अछूतोद्धार का आन्दोलन चलाते हुए सवर्णों के विरुद्ध भी घृणा उभारना उनके जीवन दर्शन एवं कार्यशैली का हर्गिज अंग नहीं बन सका था। वे अपने सत्याग्रह के बल पर अँग्रेजों की सोच में बदलाव लाकर उनके यहाँ से स्वेच्छापूर्वक निकल जाने का प्रयास करते रहे। उसी प्रकार वे अपने 'अछूतोद्धार' आन्दोलन के जरिये सवर्णों के दिलो-दिमाग से अछूतपन का भाव मिटाकर अन्त्यजों को बराबरी का दर्जा देने को उन्हें मानसिक रूप से तैयार करते रहे।

इसके अतिरिक्त जो दूसरी चीज उस समय गाँधीजी की दृष्टि में सर्वाधिक

महत्त्वपूर्ण थी, वह थी देश की राजनीतिक स्वतन्त्रता जिसके लिए वे सबका सहयोग लेकर चलने में विश्वास करते थे। पूना समझौते के बाद डॉ. अम्बेडकर भी गाँधीजी की इस सोच से सहमत होते गये कि राजनीतिक सत्ता मिल जाने के बाद हम वांछित ढंग से आर्थिक और सामाजिक संरचना में परिवर्तन ला सकते हैं। यही कारण था कि वे धीरे-धीरे राष्ट्रीय धारा के समीप आते गये जिसकी सुखद परिणति उनके 'संविधान सभा की प्रारूप-समिति' के अध्यक्ष बनने तथा पं. जवाहर लाल नेहरू के नेतृत्व में बनी आन्तरिम सरकार में मन्त्री बनने के रूप में सामने आयी। वैसे देखा जाए तो गाँधीजी का जो सोचना था, वह आजादी के बाद शनैः शनैः मूर्त तो होता ही गया। भले ही उस समय कम्युनिस्टों ने देश को मिली आजादी को 'झूठी आजादी' की संज्ञा दी हो, किन्तु सच्चाई यही है कि इस आजादी के आने से हिन्दुस्तान के सामाजिक, आर्थिक, राजनीतिक चेहरे में परिवर्तन होते गये। कुल मिलाकर देखा जाए तो गाँधीजी के 'अछूतोद्धार आन्दोलन' के कारण सामाजिक सोच में बहुत सकारात्मक परिवर्तन आया न सिर्फ राजनीति, बल्कि लेखकों एवं बौद्धिकों के बीच भी अछूतों या दलितों का सवाल मुख्य धारा का अंग बन गया।

लेखकों पर प्रभाव

आज के अत्यधिक प्रबुद्ध एवं जागरूक लेखक अस्पृश्यता-निवारण आन्दोलन का छिद्रान्वेषण करते हुए इसका महत्त्व कम करने की लाख कोशिश करें, किन्तु ऐतिहासिक सच्चाई यह है कि गाँधीजी ने इस आन्दोलन से उस समय के कई महान साहित्यकारों को बहुत गहरे स्तर पर प्रभावित किया। यह बात बहुतों को मालूम है कि गाँधीजी के असहयोग-आन्दोलन से हमारे कविगुरु रवीन्द्रनाथ ठाकुर सहमत नहीं थे। इस पर दोनों के बीच लेखों के माध्यम से वाद-विवाद-संवाद भी हुआ था। किन्तु अस्पृश्यता के सवाल पर गाँधीजी ने सवर्ण मानसिकता के विरुद्ध जो मजबूती दिखलायी, उसने रवीन्द्रनाथ को भी हिलाकर रख दिया और वे भी महात्मा के समर्थन में उतर पड़े। आचार्य कृपलानी ने लिखा है—"कवीन्द्र रवीन्द्रनाथ ठाकुर ने अपनी जबर्दस्त आवाज गाँधीजी के उद्देश्य के समर्थन में उठायी। पूना की एक सार्वजनिक सभा में उन्होंने कहा—"आज हम युग-युगों से चली आयी दासता के उस बोझ को, जिसने मानवता का तिरस्कार किया, उन झुकी हुई पीठों से उतारने में, जो इस कालिमा के शिकार केवल अपने जन्म के कारण हुए, महात्माजी के दिव्य कार्य में दृढ़ संकल्प होकर सहयोग दें। हम केवल भारत की नैतिक गुलामी की जंजीरों को ही नहीं तोड़ रहे हैं, बल्कि समस्त मानवता

का भी पथ प्रदर्शित कर रहे हैं। हम अन्याय को चुनौती दे रहे हैं, चाहे वह जिस रूप में जहाँ कहीं हो, कि वह हमारी अन्तरात्मा की उस चिरन्तन पुकार का उत्तर दे, जो महात्माजी ने हमारे जीवन में प्रस्थापित की है।''[78] रवीन्द्रनाथ की तरह और भी ऐसे कितने सवर्ण लेखक थे जिनकी सोच एवं लेखन पर गाँधीजी के अस्पृश्यता निवारण आन्दोलन का गहरा असर पड़ा।

इस आन्दोलन के समर्थन में उतरने वाले देश के दूसरे अत्यन्त महत्त्वपूर्ण साहित्यकार थे—प्रेमचन्द। वैसे बरसों से प्रेमचन्द के रचना-संसार से गाँधीवादी प्रभावों को विस्थापित करते हुए मार्क्सवादी प्रभाव को स्थापित करने का खूब चलन रहा। अब इधर के वर्षों में प्रेमचन्द के यहाँ जो थोड़ा-बहुत गाँधीवादी प्रभाव की छाया रह गयी थी, उसे हटाने के लिए अम्बेडकर के प्रभावों को घुसेड़ा जा रहा है। प्रेमचन्द की कुछ कहानियों एवं एकाध उपन्यासों में अछूत जातियों से सम्बद्ध समस्याओं को देखकर कुछेक दलित लेखक एवं कुछेक उनके समर्थक गैर दलित लेखक यह सिद्ध करने लगे हैं कि यह सब अम्बेडकर के दलित आन्दोलन के प्रभाव के फलस्वरुप प्रेमचन्द लिख सके। इन बातों में कितना सच है, कितना झूठ, यह देखने के लिए हमें खुद प्रेमचन्द के रचना-संसार में प्रविष्ट करना होगा।

आगे बढ़ने से पूर्व प्रेमचन्द के सम्बन्ध में यह निवेदन कर देना आवश्यक समझता हूँ कि वे किसी भी व्यक्ति या विचार के अनुवादक मात्र नहीं थे। वे एक महान साहित्यकार थे जो देश-काल के प्रति सतत जागरूक रहे और इस जागरूकता के तहत ही उन्होंने अपने समय के विभिन्न राजनीतिक-सामाजिक यथार्थों को अपने रचना-संसार में विन्यस्त किया। विश्व की महत्त्वपूर्ण घटनाओं पर नजर रखनेवाले प्रेमचन्द के लिए यह कैसे सम्भव हो पाता कि वे अपनी ही सरजमीं पर सामाजिक-राजनीतिक समस्याओं को लेकर होनेवाले आन्दोलनों के प्रति उदासीन रह जाते। गाँधीजी के साथ तो वे विचार के स्तर पर असहयोग आन्दोलन के समय से ही जुड़ चुके थे। उनके आह्वान पर उन्होंने सरकारी नौकरी से 1921 में त्यागपत्र दे दिया। उन सब बातों में जाने का यहाँ अवकाश नहीं, कहना सिर्फ यह है कि गाँधीजी के साथ प्रेमचन्द का लगाव अस्पृश्यता आन्दोलन के दौरान और गहरा हुआ ओर वे इसके समर्थन में पूरी तरह से उतर पड़े जिसके प्रमाणस्वरूप उस अवधि में उनके द्वारा 'जागरण' पत्रिका में लिखी सम्पादकीय टिप्पणियों एवं रचनात्मक साहित्य को देखा जा सकता है।

गाँधीजी की राजनीतिक-सामाजिक गतिविधियों पर प्रेमचन्द की हमेशा नजर रहती थी। जब गाँधीजी ने यरवदा जेल में 20 सितम्बर 1932 से ब्रिटिश सरकार द्वारा अछूत जातियों को पृथक निर्वाचन मंडल देने की घोषणा के विरोध में आमरण

अनशन करने की घोषणा कर दी, सारा राष्ट्र दहल गया। प्रेमचन्द ने गाँधीजी के पक्ष में एक लम्बी प्रतिक्रिया 19 सितम्बर 1932 के 'जागरण' में ही लिख डाली जिसका शीर्षक ही था 'महान तप'। प्रेमचन्द ने पूरी तरह से अम्बेडकर एवं ब्रिटिश सरकार की नीतियों से असहमत होते हुए गाँधीजी के उपवास को महिमामंडित करते हुए लिखा—"कल यरवदा जेल में वह महान तप आरम्भ होगा, जिसकी कल्पना से ही रोमांच हो जाता है। भारत की तपोभूमि में इससे पहले भी बड़ी-बड़ी कठिन तपस्याएँ की गयी हैं, लेकिन यह तपस्या अभूतपूर्व है। भारत के इतिहास में ही नहीं संसार के इतिहास में भी इसकी नजीर न मिल सकेगी। ज्ञान के लिए, मोक्ष के लिए, प्रभुता के लिए, औरों ने भी तप किये हैं, पर राष्ट्र के लिए प्राणों की आहुति देने का संकल्प महात्मा गाँधी ही की कीर्ति है। वह सेवा-यज्ञ जो आज से चालीस वर्ष पहले दक्षिण अफ्रीका में शुरू हुआ था, उसकी यह पूर्णाहुति है। धन्य हो महात्मा! राष्ट्र की सेवा में तुम पहले ही अपना सर्वस्व अर्पण कर चुके थे। एक प्राण रह गया था। उसे भी राष्ट्र को ही भेंट करने जा रहे हो। इस छल-प्रपंच के युग में तुमने सत्ययुग की प्रतिष्ठा कर दी और दिखा दिया कि सतयुग और कलजुग केवल हमारे चित्त की वृत्तियाँ हैं।"

जैसा कि पूर्व विवेचन में हम देख चुके हैं कि अम्बेडकर का जोर इस बात पर था कि मुसलमान एवं सिखों की तरह अछूतों को भी हिन्दू धर्म से अलग मानते हुए पृथक निर्वाचन क्षेत्र अधिकार दिया जाए, जबकि गाँधीजी अछूतों को हिन्दू समाज के अन्तर्गत मानते हुए सम्मिलित निर्वाचन की माँग पर अड़े हुए थे। इस विवाद में प्रेमचन्द ने पूरी तरह से गाँधीजी का समर्थन करते हुए उपर्युक्त टिप्पणी में ही आगे लिखा—"शूद्रों के साथ हमने अन्याय किया है। हमने उन्हें जी भरकर रौंदा, कुचला, दला। इस अन्याय ने जिस हृदय को सबसे ज्यादा दुःखी किया है, वह उसी तपस्वी का हृदय है जिसने अपना जीवन दलित भाइयों की सेवा में ही व्यतीत किया है। उसने जिस राष्ट्रीय एकता का भवन खड़ा करने के लिए एक-एक कंकड़ जमा किया था, वह सारी सामग्री उसकी आँखों के सामने बिखरी जा रही है। उस अन्याय के प्रायश्चित स्वरूप वह क्या कुछ न करता, वह यहाँ तक राजी है कि दलितों के लिए शिक्षा और जायदाद की कोई शर्त न रखो, उनके हरेक बालिग स्त्री-पुरुष को निर्वाचन का अधिकार दे दें, शेष हिन्दू समाज के लिए निर्वाचन की जितनी कड़ी शर्तें चाहे लगा दो, पर अछूतों को हिन्दुओं से अलग न करो, क्योंकि इससे केवल हिन्दू समाज की ही क्षति न होगी, अछूतों का अस्तित्व ही न रहेगा। ऐसा विचार उसी आत्मा से निकल सकता है, जो अछूतों की सेवा, चिंतन करते-करते स्वयं अछूत भावना से ओत-प्रोत हो गया है। हम

किसी ऐसे दूसरे व्यक्ति का नाम नहीं जानते, जिसने इस एकाग्रता, इस प्रेम और इस उत्साह से दलित-समाज की सेवा की हो।''

ध्यान रहे दलित नेता के रूप में उस समय अम्बेडकर राष्ट्रीय राजनीति में अपनी पहचान बना चुके थे, लेकिन प्रेमचन्द की जानकारी में दलित समाज की जिस एकाग्रता, प्रेम और उत्साह से सेवा करनेवाले गाँधीजी थे, वैसा दूसरा कोई नहीं था। इस टिप्पणी में प्रेमचन्द ने पृथक निर्वाचन के मुद्दे पर अपनी राय देते हुए लिखा—''दलितों के उद्धार का सबसे उत्तम साधन है—सम्मिलित निर्वाचन। यही उनके उत्थान का मूल-तन्त्र है। उनमें शिक्षा-प्रचार होते अभी बहुत दिन लगेंगे। उनमें कालगति से जो कुसंस्कार आ गये हैं उनका परिशोध भी समय लेगा। हिन्दू जाति में न्याय भावना को व्यापक रूप से जगाने में भी बहुत दिन लगेंगे। शिक्षित समाज में तो ऊँच-नीच का भाव बहुत दूर हो चुका है। ग्रामों में अभी इस उदारता का, इस जागृति का प्रकाश नहीं फैलने पाया। ये सभी साधन छह मास वाले रास्ते हैं। निकटतम मार्ग संयुक्त निर्वाचन ही है जिसके सम्मुख यह भेद-भाव, यह भिन्नता, यह गर्व ठहर नहीं सकता। उस निर्वाचन में ऐसे अनुदार व्यक्तियों के लिए स्थान ही नहीं है, जिन पर दलित समाज को विश्वास न हो। हमें विश्वास है कि अगर आज किसी गाँव के चमार या पासी या मुसहर से जिज्ञासा की जाए, तो वह हिन्दू जाति से अलग होना कदापि स्वीकार न करेगा। वह हिन्दू समाज में रहकर अपना उद्धार चहाता है, हिन्दू समाज से निकलकर नहीं। हमारे देखते-देखते कितनी ही जातियाँ, जो पहले नीच और दलित थीं, आज अपने संस्कारों को बदलकर जनेऊ पहन रही हैं, अपने आचरण सुधार रही हैं। ...वे अब अपनी सेवा का गौरव समझने लगे हैं। उनके देवता वही हैं जो सब हिन्दुओं के हैं। आदर्श वही हैं, विश्वास वही हैं, दृष्टिकोण वही हैं। हिन्दुत्व उनके अणु-अणु में भरा हुआ है। एक समय था, जब कुलीनता के मतवाले हिन्दुओं के कान पर जूँ नहीं रेंगती थी, पर अब हिन्दू समाज इतना चेतनाशून्य नहीं है। दलितों के लिए अब मन्दिर खुलते जा रहे हैं, कुओं पर भी वह रोक-टोक नहीं रही। ...पृथक निर्वाचन से इस स्वाभाविक क्रिया के मार्ग में ऐसी बाधा आ खड़ी हुई है जो रोग और रोगी दोनों ही का अन्त कर देगी। इस बाधा को हरने के लिए महात्मा गाँधीजी अपने प्राणों की भेंट चढ़ाने जा रहे हैं।''

तो यह था गाँधीजी के अस्पृश्यता-निवारण आन्दोलन के प्रति प्रेमचन्द का गहरा लगाव और वे हिन्दू जाति से अछूतों को अलग न मानने की उन सभी दलीलों की तरफदारी कर रहे थे जो गाँधीजी गोलमेज सम्मेलन से ही अम्बेडकर के तर्कों की काट के तौर पर प्रस्तुत करते आ रहे थे। प्रेमचन्द भावुकता के कायल

नहीं थे, किन्तु पृथक निर्वाचन के सवाल पर उपवास कर अपने प्राणों को संकट में डाल देने वाले गाँधीजी के प्रति अत्यन्त भाव-विह्वल होकर उसी टिप्पणी के अन्त में उन्होंने यह लिखा—"हम अपने अछूत भाइयों को जो हमसे रूठ गये हैं, मनाएँगे, उनके चरणों पर गिरकर मनाएँगे। हमें विश्वास है डॉ. अम्बेडकर और मि. श्रीनिवासन भी राष्ट्र की इस याचना को अस्वीकार न करेंगे। हमारी नौका को भँवर से निकालकर पार ले जाने वाला अकेला गाँधी है। उसी में वह सामर्थ्य है, वह देवत्व है, वह ऐश्वर्य है। हमें विश्वास है, वह ईश्वर के दरबार से हमारे उद्धार का बीड़ा लेकर आया है, हम उस दिन का इन्तजार कर रहे हैं, जब स्वाधीनता का वरदान लाकर जीर्ण और निराश माता की भेंट करेगा।"[79]

प्रेमचन्द इतना ही लिखकर रुक नहीं गये। वे इस मुद्दे पर लगातार गाँधीजी के पक्ष में लेखनी चलाते रहे। जब गाँधीजी के उपवास के कारण डॉ. अम्बेडकर अपने रुख में परिवर्तन करने को राजी हो गये, जिसके फलस्वरूप पूना समझौता हो सका, तो प्रेमचन्द ने 26 सितम्बर के 'जागरण' में इसका सहर्ष स्वागत करते हुए लिखा—"समझौता हो गया। ...उस महान आत्मा के अनशन व्रत ने, उसकी तपस्या ने, केवल सात दिनों में यह दिखला दिया कि वास्तव, में तपस्या कितनी बलवती होती है। उस महान आत्मा की तपस्या ने, ब्रिटेन के महान राजनीतिज्ञों द्वारा तैयार की हुई उस सुदृढ़ दीवार को, जो हिन्दू अछूतों को अलग करने के लिए बड़े गहन कौटिल्य के सीमेंट से तैयार की गयी थी, विध्वस्त कर दिया। छूत-अछूत का वह मसला, जो आगामी गृहयुद्ध का संकेत कर रहा था, और इसी के लिए ब्रिटिश राजनीतिज्ञों ने जिसकी नीव को दृढ़ किया था, हल हो गया। ...किन्तु अभी हमारे सामने बहुत बड़ा कर्तव्य खड़ा हुआ है। हमारा कर्तव्य तभी पूरा होगा जब हम देश के वर्तमान अछूपतन को जड़-मूल से नष्ट कर देंगे। यदि हम उस पवित्रात्मा से, महान आत्मा से सच्ची श्रद्धा रखते हैं, भक्ति रखते हैं, स्नेह करते हैं, तो हमारा प्रधान कर्तव्य है कि हम उसके हृदय की माँगों को पूरा करें।"[80]

जैसा कि हम देख चुके हैं कि पूना-समझौते के बाद अस्पृश्यता मिटाने की दिशा में एक अत्यन्त प्रभावशाली उपाय के रूप में गाँधीजी ने मन्दिर-प्रवेश का आन्दोलन शुरू किया। प्रेमचन्द व्यक्तिगत तौर पर न मन्दिरों के कायल थे, न मूर्ति-पूजा के। लेकिन जिस तरह गाँधीजी मन्दिरों के कायल न होने के बाद बावजूद अछूतों को धार्मिक स्तर पर समानता का अधिकार दिलाने के लिए मन्दिर-प्रवेश का अधिकार आवश्यक समझ रहे थे, उससे प्रेमचन्द भी सहमत थे। यही कारण था कि जब मन्दिर-प्रवेश का आन्दोलन पूरे देश में चल पड़ा, तो इसके विरोधियों

के विरोध में प्रेमचन्द भी लगातार लिखते रहे। कुछेक कट्टरपन्थी हिन्दुओं द्वारा इस आन्दोलन का विरोध होते देख प्रेमचन्द ने 5 अक्टूबर 1932 के 'जागरण' में लिखा—"जो हिन्दू महात्मा गाँधी को हिन्दू जाति का सच्चा रक्षक समझता है, वह इस बात की प्रतिज्ञा करे कि महात्माजी के प्राण प्यारे अछूत जिस मन्दिर में न जाने पाएँगे, उसमें हम भी नहीं जाएँगे और जो शास्त्राभिमानी पंडित या पुजारी या पंडा महात्मा जी को धर्मद्रोही और अहिन्दू कहेगा, उसको किसी प्रकार का दान या पूजा-चढ़ावा नहीं देंगे। जो लोग अछूतों को हिन्दू बनाये रखते हैं और इसी में हिन्दू जाति का सच्चा कल्याण समझते हैं, वे प्रतिज्ञापर्वूक अछूतों के लिए अलग मन्दिर बनाएँ और धर्मप्राण पंडे-पुजारियों को पैसे और दक्षिणा देकर अपमान खरीदने से बचे रहें। यदि विश्वनाथ जी का मन्दिर अछूतों के लिए नहीं खुलेगा, तो अछूत भाइयों के साथ मिलकर करोड़ों हिन्दू इसी काशी में दूसरे मन्दिर का निर्माण करके उसी में विश्वनाथ का आवाहन-पूजन करेंगे, क्योंकि विश्वनाथ किसी एक जाति या सम्प्रदाय के देवता नहीं हैं, वह तो प्राणी मात्र के पिता और नाथ हैं, उन पर सबका दखल-कब्जा बराबर-बराबर है। अब ऐसे ही आन्दोलन की जरूरत है और यह शीघ्र ही उठने वाला भी है।"[81]

इस प्रकार प्रेमचन्द एक जागरूक पत्रकार के रूप में गाँधीजी के अस्पृश्यता-निवारण आन्दोलन से जुड़ी तमाम गतिविधियों के समर्थन में 'जागरण' पत्र में लगातार लिखते रहे। यहाँ पर उनके कुछेक अंशों का ही उल्लेख किया गया है, फिर भी वे यह सिद्ध करने के लिए पर्याप्त है कि जहाँ तक गाँधी और अम्बेडकर के बीच चुनाव करने का प्रश्न था, पूरे दिलोदिमाग से प्रेमचन्द गाँधीजी के साथ थे। इसके साथ ही वे एक जागरूक साहित्यकार के रूप में अपनी रचनाओं के माध्यम से भी छुआछूत की समस्याओं को साहित्यिक शैली में व्यक्त करने में पीछे नहीं रहे। वैसे तो उन्होंने ढाई सौ के करीब कहानियाँ लिखीं, लेकिन इन दिनों उनकी जिन तीन-चार कहानियों के रूप में 'सद्गति', 'ठाकुर का कुआँ', 'दूध का दाम', 'कफन' जैसी कहानियों की जो ज्यादा चर्चा की जाती है, वे सब इसी अस्पृश्यता निवारण आन्दोलन के दौरान लिखी गयी हैं। अमृतराय ने अपनी पुस्तक 'कमल का सिपाही' में प्रेमचन्द की समस्त कहानियों के प्रकाशन की जो प्रामाणिक तिथियाँ दी हैं, उनके अनुसार 'सद्गति' (अक्टूबर, 1931, 'मानसरोवर' में) 'दूध का दाम' (जुलाई 1934, 'हंस' में), 'कफन' (1936 'जामिया' में) प्रकाशित हुई। इन सभी कहानियों में अछूतों के जीवन से जुड़ी कई समस्याओं को प्रेमचन्द ने निरूपित किया है। यहाँ हम थोड़े में 'ठाकुर का

कुआँ' की चर्चा करेंगे—एक झूठ का पर्दाफाश करने के लिए।

उल्लेखनीय है कि 'ठाकुर का कुआँ' शीर्षक कहानी ठाकुर यानी सवर्ण-प्रभु के कुएँ से अछूतों द्वारा पानी लेने की मनाही यानी पाबन्दी से उपजी यातना-पीड़ा की बड़ी ही दारुण दास्तान है। अब इस कहानी के सम्बन्ध में दलित चेतना के कुछेक ध्वजारोही यह तथ्यान्वेषण प्रस्तुत करने लगे हैं कि यह कहानी प्रेमचन्द ने पानी के सवाल को लेकर अम्बेडकर द्वारा किये गये महाड़ आन्दोलन के प्रभावस्वरूप लिखी। ध्यान रहे यह कहानी लिखी गयी अगस्त 1932 में जबकि महाड़ आन्दोलन हुआ था 1927 में। 'प्रेमचन्द विविध प्रसंग' में अमृतराय ने प्रेमचन्द के जितने लेखों एवं सम्पादकीय टिप्पणियों का संकलन किया है, उनमें महाड़ आन्दोलन की कहीं कोई चर्चा नहीं मिलती। फिर भी इस कहानी पर अम्बेडकर के 1927 के आन्दोलन का प्रभाव देख लेना और जो गाँधी पानी, शिक्षा, निर्वाचन-अधिकार, मन्दिर-प्रवेश आदि मुद्दों पर लगातार आन्दोलन करते आ रहे थे और 1932 में भी उन्होंने अपने उपवास से पूरे देश को झकझोर रखा था, जैसा कि प्रेमचन्द के कथन से भी प्रकट है, उनका इस कहानी पर प्रभाव न देख पाना-तथ्यान्वेषण है या मिथ्यारोपण, इसका निर्णय पाठक ही कर लें।

सच तो यह है कि थोड़ी और गहराई में हम जाएँ ताो पाएँगे कि उस समय की राजनीति में छुआछूत के सम्बन्ध में गाँधीजी द्वारा उठाये गये सवालों एवं उनके समाधान स्वरूप किये जा रहे कार्यों को प्रेमचन्द बहुत ही बारीक ढंग से अपनी रचनाओं के माध्यम से साहित्यिक अभिव्यक्ति दे रहे थे। मसलन, उनकी 'कफन' कहानी को देख सकते हैं। फरवरी 1933 में 'हरिजन सेवक' के प्रथम अंक में ही गाँधीजी ने लिखा था—"...हम चार करोड़ हिन्दुओं को अस्पृश्य मानते हैं, इस कारण उनको अवश्य विशेष और असाधारण कष्ट भोगना पड़ता है। उनके लिए न मन्दिर है, न धर्मशाला है, न औषधालय है, न पाठशाला है। उनको हमने ऐसा गिराया है जिससे वह अपने मनुष्यपन को भी प्रायः भूल गये हैं।" (द्रष्टव्य है सन्दर्भ सं. 45) ध्यातव्य है, यहाँ गाँधीजी ने यह कहकर कि—"उनको हमने ऐसा गिराया है जिससे वह अपने मनुष्यपन को भी प्रायः भूल गये हैं' सवर्णों द्वारा पैदा की गयी उस अमानवीयकरण की प्रक्रिया को उकेर कर रखा दिया जिसके तहत अछूत जातियों में संवेदनशून्यता की स्थिति पैदा हो रही थी। क्या अमानवीयकरण की यही प्रक्रिया 'कफन' कहानी में घीसू-माधव की संवेदनशून्यता के रूप में नहीं विन्यस्त हुई है? आज के दलित लेखकों को इस कहानी में दलितों का अपमान दिखाई दे रहा है, लेकिन गाँधीजी के पूर्वोक्त कथन को ध्यान में रखें तो मानना पड़ेगा कि सवर्ण हिन्दुओं द्वारा अछूतों को जिस तरह मनुष्य से नीचे का दर्जा देकर रखा गया था उससे वे

मनुष्य जैसे नहीं रह गये थे। इस यथार्थ को गाँधीजी ने राजनीतिक भाषा में प्रकट करने का साहस किया, तो उसे ही प्रेमचन्द ने 'कफन' कहानी में साहित्यिक शैली में प्रकट कर सवर्णों के ऊँचेपन के खोखलेपन का पर्दाफाश किया।

प्रेमचन्द ने दलित सवाल को सबसे अधिक उग्र रूप में अपने प्रसिद्ध उपन्यास 'गोदान' में प्रस्तुत किया। मुख्यतः कृषक जीवन से सम्बद्ध होने के बावजूद इस उपन्यास में अछूत जाति से जुड़ा एक छोटा-सा प्रसंग यह है कि मातादीन नाम का ब्राह्मण युवक जिस सिलिया नाम की लड़की से प्यार करता है, वह चमार जाति की है। जब इक्कीसवीं सदी में भी यह बहुत सहज नहीं हो पाया है, तब भला 1936 में यह कैसे सहज-सम्भव हो पाता कि एक ब्राह्मण युवक चमार जाति की लड़की से विवाह कर सके। हाँ, उसे रखैल बनाकर अवश्य रख सकता था, लेकिन सिलिया के घर-बिरादरी वाले उच्च वर्ण के इस स्वेच्छाचार को चुनौती देते हैं और एक दिन मातादीन को पकड़कर सिलिया से विवाह करने को बाध्य करते हैं। जब झिंगुरी सिंह चमारों को शांत करने की कोशिश करते हैं, तो सदियों से ऐसे व्यभिचार को सहते आये अछूतों का आक्रोश विस्फोट कर उठता है जिसे सिलिया के बाप हरखू के इस कथन में देखा जा सकता है— "झगड़ा कुछ नहीं है ठाकुर, हम आज या तो मातादीन को चमार बनाके छोड़ेंगे, या उनका और अपना रक्त एक कर देंगे।" और अन्ततः होता यही है कि मातादीन के ब्याह करने से इनकार करने पर उसे पटककर ये चमार उसका जनेऊ तोड़ डालते हैं और उसके मुँह में एक बड़ी-सी हड्डी का टुकड़ा डाल देते हैं। यहाँ प्रेमचन्द अस्पृश्य जाति के पक्ष में खड़े सवर्णों की थोथी नैतिकता एवं धार्मिकता पर करारा प्रहार करते हैं।

प्रेमचन्द के रचना-संसार में यह अछूत-विमर्श निस्सन्देह गाँधीजी द्वारा उन दिनों चलाये जा रहे अछूतोद्धार आन्दोलन के समानान्तर विन्यस्त होते दिखाई देता है। अब इसकी काट के तौर पर कहा जा सकता है और कहा भी जा रहा कि 'गोदान' के चमार जिस तरह की हिंसक भाषा बोलते हैं, सवर्ण मातादीन के मुँह में जबर्दस्ती करके हड्डी डालने जैसा उग्रवादी काम करते हैं, वैसे क्रिया-कलापों के लिए गाँधीजी के अछूतोद्धार कार्यक्रम में कोई स्थान नहीं था। इसलिए वीरेन्द्र यादव जैसे गाँधी-परहेजी समीक्षक अपने लेख 'औपनिवेशिकता, सांस्कृतिक राष्ट्रवाद और भारतीय किसान : सन्दर्भ गोदान' में कहते हैं—..."गाँधी के अछूतोद्धार आन्दोलन के सरोकारों का अतिक्रमण करता 'गोदान' का दलित-विमर्श वर्णाश्रम व्यवस्था की गुलामी से मुक्ति का उद्घोष होने के साथ-साथ हिन्दू धर्म की उस आन्तरिक टूटन का भी परिचायक हे, जो पंडित दातादीन के बेटे मातादीन को

जनेऊ उतार फेंकने को विवश करता है। ...हरखू चौधरी के हाथों में दलितों का नेतृत्व सौंपकर प्रेमचन्द अपने देश-काल की गाँधीवादी राजनीति का अतिक्रमण करते हुए हिन्दू अभिजात्य से दलितों के जिस स्वाभविक विलगाव का संकेत देते हैं, वही आज का दलित यथार्थ है।"[82]

विचारणीय है कि क्या 'गोदान' का दलित-विमर्श सचमुच गाँधीवादी राजनीति का अतिक्रमण है ? वैसे श्री यादव ने यह स्पष्ट नहीं किया कि गाँधीवादी राजनीति थी क्या ? गाँधी साहित्य के अध्येता मानते हैं कि गाँधीजी की राजनीति हमेशा एक लीक पर चलने वाली कभी नहीं रही। हम देख चुके हैं कि जो गाँधीजी 1910 के आसपास स्वराज्य का मतलब 'मन का शासन करना' मानते थे, वे ही असहयोग आन्दोलन के दौरान यह कहने लगे कि 'अस्पृश्यता के पाप से मुक्त हुए बगैर स्वराज्य की स्थापना सम्भव नहीं है। गाँधीजी ने अछूतोद्धार के लिए भले ही हिंसक भाषा या उग्रता का अवलम्बन नहीं किया, किन्तु वे अछूतों को ऐसी उग्रता के लिए ललकारने से भी बाज नहीं आये। इसके प्रमाणस्वरूप हम याद करें उनके उन पूर्वोक्त कथनों को जो उन्होंने लन्दन में गोलमेज-सम्मेलन के अवसर पर कहे थे, एक तो यह कि—"हर एक अस्पृश्य की तरह डॉ. अम्बेडकर को मुझ पर थूकने तक का अधिकार है और वे मुझ पर थूकें तो भी मैं हँसता रहूँगा," दूसरा यह कि "डॉ. अम्बेडकर के प्रति मेरे मन में बड़ा सम्मान है। उन्हें कटु होने का पूरा अधिकार है। अगर वे हमारा सिर नहीं फोड़ देते , तो इसी को उनका बहुत बड़ा आत्मसंयम मानना चाहिए।"

गाँधीजी के उपर्युक्त वक्तव्यों पर ध्यान देने की जरूरत है। उन्होंने अस्पृश्यों से अपने ऊपर 'थूकने' या 'सिर फोड़ने' की बात 1931 में कहकर उस सामाजिक अन्तर्दृष्टि का परिचय दिया था जिसे प्रेमचन्द 1936 में 'गोदान' में आकर हरखू चौधरी के मुँह से कहलवाते हैं—"हम उनका और अपना रक्त एक कर देंगे।" गाँधीजी अपने विश्वास एवं सिद्धान्त के अनुरूप अस्पृश्यता-उन्मूलन का आन्दोलन जरूर शान्तिपूर्ण एवं अहिंसात्मक ढंग से चलाते रहे, लेकिन वे भी इस तथ्य से अनजान नहीं थे कि सवर्ण हिन्दुओं ने अछूतों पर जितने अत्याचार किये हैं, अगर अछूत उन पर थूकने या उनका सिर फोड़ने जैसा काम करने लगें, तो वह तनिक अस्वाभाविक न होगा। 'थूकने' और 'सिर फोड़ने' की बात कहकर गाँधीजी ने जहाँ एक तरफ अछूतों के इतने उग्र हद तक चले जाने का संकेत दे दिया था, तो दूसरी तरफ सवर्ण हिन्दुओं को भी चेताया था कि अगर उन्होंने अछूतों के प्रति अपना रवैया नहीं बदला तो आने वाले दिनों में अछूतों के द्वारा उनके सिर फोड़े जाएँगे, उनके मुँह पर थूका जाएगा। इसे ध्यान में रखा जाए तो मानना पड़ेगा कि

'गोदान' में दलित-विमर्श के अन्तर्गत प्रेमचन्द ने चमारों द्वारा मातादीन के मुँह में हड्डी का टुकड़ा डलवा कर गाँधी के उन्हीं शब्दों को रचनात्मक मुहावरे में ढाला है। प्रेमचन्द ने भी 'गोदान' में दलितों के ऐसे उग्र रूप का कल्पित चित्र प्रस्तुत कर सवर्ण हिन्दुओं को सावधान किया है कि अगर उन्होंने अछूतों के साथ स्वेच्छाचार-व्यभिचार का व्यवहार नहीं बदला, तो आनेवाले दिनों में उन्हें अछूतों के ऐसे ही आक्रोश एवं आक्रामकता का शिकार होना पड़ सकता है। अतएव गोदान का दलित-विमर्श, मेरी समझ में गाँधीवादी राजनीति का अतिक्रमण नहीं, अपितु गाँधी के दलित-विमर्श की साहित्यिक शैली में प्रस्तुति है।

यों तो प्रेमचन्द के रचना-संसार में गाँधी जिस तरह सहमति एवं असहमति, प्रशंसा एवं आलोचना के साथ मौजूद हैं, उतना कोई भी दूसरा व्यक्ति मौजूद नहीं है। केवल गाँधी से जुड़े प्रसंगों को ही सामने लाने के लिए एक पूरी पुस्तक लिखी जा सकती है। किन्तु यहाँ हमारा मुख्य विषय यह है नहीं। प्रेमचन्द को लेकर यहाँ पर जो इतना लम्बा प्रकरण खिंच गया, उसका एकमात्र कारण यह रहा कि हिन्दी पाठकों के बीच गाँधी और प्रेमचन्द को लेकर जितनी तथ्यविरोधी बातें परोसी जा रही हैं, उन्हें दुरुस्त करने के लिए सही बातों को थोड़े विस्तार में प्रस्तुत करना आवश्यक महसूस हुआ, क्योंकि यह पुस्तक आखिर लिखी तो जा रही है हिन्दी पाठकों के लिए ही। अब इस चर्चा को यहीं विराम देते हुए हम अन्य रचनाकारों की ओर बढ़ते हैं।

यह एक बहुत बड़ा ऐतिहासिक सत्य है, जिसे हिन्दी समीक्षा लगातार अनदेखा करती रही है कि गाँधी के अस्पृश्यता निवारण आन्दोलन या अछूतोद्धार के कार्यक्रम ने अपने समय के परिवेश को इस कदर प्रभावित किया कि प्रेमचन्द के अतिरिक्त अन्य रचनाकारों की रचनाशीलता पर भी उसका प्रत्यक्ष या प्रच्छन्न रूप से प्रभाव देखा जा सकता है। प्रेमचन्द के समकालीनों में हिन्दी के एक अन्य महत्त्वपूर्ण साहित्यकार हैं—जयशंकर प्रसाद। यद्यपि प्रसाद जी ने प्रेमचन्द की तरह अस्पृश्यता के मुद्दे पर बहुत नहीं लिखा, लेकिन उनकी लिखी 'विराम चिह्न' नाम की कहानी इस विषय पर अत्यन्त महत्त्वपूर्ण कहानी है। मन्दिर प्रवेश आन्दोलन को सीधे-सीधे इस कहानी का कथानक बनाया गया है। राधे नाम का अछूत युवक अपनी गरीब बूढ़ी माँ के मना करने के बावजूद अछूतों के जत्थे के साथ मन्दिर में प्रवेश करने का प्रयास करता है। गौरतलब है इस कहानी में माँ-बेटे का आपसी संवाद :

"इन मन्दिर वालों ने अपनी जूठन भी तुझे दी?"

"मैं क्यों लेती, उन्होंने दी भी नहीं।"

"तब भी तू कहती है कि मन्दिर में हमलोग न जाएँ। जाएँगे, सब अछूत

जाएँगे।''

''ना बेटा, किसी ने तुमको बहका दिया है। भगवान के पवित्र मन्दिर में हम लोग आज तक कभी नहीं गये। वहाँ जाने के लिए तपस्या करनी चाहिए।''

''हम लोग तो जाएँगे।''

''न ऐसा कभी न होगा।''

''होगा, फिर होगा। जाता हूँ, ताड़ीखाने, वहीं पर सबकी राय से कल क्या होगा, यह देखना।''

यह कहकर राधे चला गया और सचमुच दूसरे दिन वह सैकड़ों अछूतों के साथ मन्दिर में प्रवेश करने के लिए पहुँच जाता है। उधर अपवित्रता से भगवान की रक्षा के लिए सवर्ण भक्तों का झुंड लाठियाँ लेकर खड़ा है। राधे मन्दिर में प्रवेश करने में अछूतों का नेतृत्व करता है, परिणाम होता है—''लट्ठ चले, सिर फूटे। राधे आगे बढ़ ही रहा था कि कुंजबिहारी ने बगल से घूमकर राधे के सिर पर करारी चोट दी। वह लहू से लथपथ वहीं लोटने लगा।'' इस प्रकार यह कहानी मन्दिर-प्रवेश आन्दोलन का सवर्णों द्वारा किये जा रहे प्रतिरोध की बड़ी मार्मिक तस्वीर पेश करती है। प्रेमचन्द ने अस्पृश्यता समस्या एवं मन्दिर प्रवेश को लेकर कई लेख, कहानियाँ आदि जरूर लिखे, लेकिन ठीक मन्दिर-प्रवेश को लेकर 'विराम-चिह्न' जैसी कहानी न उनके यहाँ है, न ही किसी अन्य रचनाकार ने ऐसी कहानी लिखी। प्रसाद जी की इस कहानी की हिन्दी आलोचना में बहुत कम चर्चा हुई है, लेकिन दलित दृष्टि से यह एक सशक्त कहानी है जिस पर मन्दिर-प्रवेश आन्दोलन की सीधे-सीधे छाप है। आज के दलित विमर्श के दौर में इस कहानी का महत्त्व और बढ़ जाता है। प्रबुद्ध समीक्षक डॉ. विनोद शाही ने इस कहानी को लक्ष्य करते हुए सही कहा है—''प्रसाद की अन्य कहानियों में 'विराम चिह्न' सम्भवत: दलित चेतना की हिन्दी की पहली सशक्त कहानी है। जड़ परम्परागत कुलीन संस्कृति धर्मियों के मन्दिर की दहलीज पर एक श्रद्धालु दलित बुढ़िया अपने बेटे की लाश लेकर पहुँचती हैं और एक प्रश्न चिह्न की तरह अपने प्राण त्याग देती है। यह प्रश्न चिह्न इस तरह के मन्दिरों की धज्जियाँ उड़ाने के लिए लगाया गया बारूदी पलीता है।''[83] समीक्षक के इस कथन में जोड़ना यह है कि दलित-चेतना की ऐसी सशक्त कहानी निश्चित तौर पर गाँधीजी के मन्दिर-प्रवेश आन्दोलन के परिवेश की उपज थी, इसलिए यह उस दौर के इस पहलू का सच्चा दर्पण भी है।

गाँधीजी से कभी सहमति, तो कभी असहमति रखने के लिए निराला भी काफी प्रसिद्ध रहे है। हालाँकि निराला के काव्य में भी प्रगतिवादी समीक्षकों ने

मार्क्सवादी प्रभाव को ही ज्यादा खोजने की कोशिश की है और इस क्रम में उन्होंने निराला का गाँधी से दुराव ही अधिक दिखाया है, लेकिन निराला की 1930-40 के बीच लिखी कविताओं में जिस तरह वर्ण-विभेद के विरोध एवं निम्न जातियों के उन्नयन का स्वर मिलता है वह मार्क्सवाद के वर्ग-संघर्ष के बजाय गाँधी के अछूतोद्धार-कार्यक्रम से ज्यादा प्रभावित लगता है। मसलन, उनकी यह कविता देखी जा सकती है जो धोबी-चमार जैसी अस्पृश्य जातियों को लक्ष्य करके लिखी गयी है—

"जल्द-जल्द पैर बढ़ाओ, आओ-आओ।
आज अमीरों की हवेली
किसानों की होगी पाठशाला
धोबी पासी चमार तेली
खोलेंगे अँधेरे का ताला।"

निराला ने 'चतुरी चमार' जैसी कहानी लिखी जिसमें उन्होंने खुद अछूत लड़कों को पढ़ाने, उनके हाथ का बनाया खाना खाने का जिक्र किया है। उन्होंने अछूतोद्धारक के रूप में 'कुल्ली भाट' जैसा चरित्र गढ़ा। शूद्र कही जाने वाली जातियों की दुर्दशा को लेकर निराला की चिन्ता 'कुल्ली भाट' के इस कथन में मूर्त हो उठी है—"इनकी ओर कभी किसी ने नहीं देखा। ये पुश्त-दर-पुश्त सम्मन देकर नतमस्तक ही संसार से चले गये हैं। संसार की सभ्यता के इतिहास में इनका स्थान नहीं। ये नहीं कह सकते, हमारे पूर्वज कश्यप, भारद्धाज कपिल, कणाद थे; रामायण, महाभारत इनकी कृतियाँ हैं, अर्थशास्त्र, कामसूत्र इन्होंने लिखे हैं; अशोक, विक्रमादित्य, हर्षवर्द्धन, पृथ्वीराज इनके वंश के हैं।"

उपर्युक्त शब्दों में अछूत, निम्न जातियों को लेकर निराला लगभग वही सब व्यक्त कर रहे थे जो अस्पृश्यता-निवारण या अछूतोद्धार आन्दोलन के अन्तर्गत गाँधीजी कह रहे थे, लेकिन निराला-साहित्य के अध्येता इस बात को कहने से पता नहीं क्यों परहेज करते हैं। उदाहरणार्थ, निराला के जीवनी लेखक डॉ. रामविलास शर्मा 'कुल्लीभाट' के सम्बन्ध में लिखते हैं—"निराला ने सीधे-सरल शब्दों में, देवी, चतुरी चमार की कला को और निखारते हुए, सज्जाद जहीर, भुवनेश्वर, शिवदान सिंह चौहान को चुनौती के रूप में, काँग्रेसी देशोद्धारकों के सामने सच्ची देश सेवा का आदर्श रखने के लिए 'कुल्ली भाट' लिखा। कुल्ली ने मुसलमान महिला से विवाह किया, समाज का विरोध सहा, अछूत बालकों की पाठशाला खोली।"[84] अगर जीवनीकार ने इस प्रसंग में गाँधीजी के अछूतोद्धार कार्यक्रम का

भी मेल दिखा दिया होता, तो उसका यह कथन पूरी तरह से एक ऐतिहासिक सत्य का निर्वाह करने वाला होता।

उस दौर में मैथिलीशरण गुप्त, पांडेय बेचन शर्मा 'उग्र', वियोगी हरि, सुभद्रा कुमारी चौहान आदि भी कई ऐसे रचनाकार थे, जिन्होंने अपनी रचनाओं से इस अस्पृश्यता-विरोधी अभियान को पुष्ट किया या दूसरे शब्दों में कहें तो इस आन्दोलन ने उनकी रचनाशीलता को प्रभावित किया। अछूतों को अपने समकक्ष समझने एवं देवमूर्तियों पर उनका अधिकार प्रतिष्ठित करनेवाली कविताएँ लिखी गयीं। 'खूब लड़ी मर्दानी वह तो झाँसीवाली रानी थी, या 'वीरों का कैसा हो वसंत' जैसी देशभक्ति-पूर्ण ओजस्वी कविताएँ लिखनेवाली सुभद्रा कुमारी चौहान अस्पृश्यता विरोधी चेतना-प्रसारी कविताएँ लिखने में भी पीछे नहीं रहीं। प्रसंगवश द्रष्टव्य है, उनकी कविता 'प्रभु तुम मेरे मन की जानों की ये पंक्तियाँ :

''कह देता है किन्तु पुजारी यह तेरा भगवान नहीं है।
दूर नहीं मन्दिर अछूत का और दूर भगवान कहीं है॥
मैं सुनती हूँ जल उठती है मन में यह विद्रोही ज्वाला।
यह कठोरता ईश्वर को भी जिसने टूक-टूक कर डाला॥
यह निर्मम समाज का बन्धन और अधिक अब सह न सकूँगी।
यह झूठा विश्वास प्रतिष्ठा झूठी, इसमें रह न सकूँगी॥
ईश्वर भी दो हैं, यह मानूँ, मन मेरा तैयार नहीं है।
किन्तु देवता यह न समझना तुम पर मेरा प्यार नहीं है।''

स्पष्टः यह एक सवर्ण की शिकायत है, फरियाद है अछूतों की तरफ से ईश्वर को लक्ष्य करके। अब भले ही आज के दलित लेखक यह कहें कि दलितों की तरफ से सवर्णों को कोई फरियाद-याचना करने की जरूरत नहीं लेकिन यह तो मानना ही पड़ेगा कि गाँधीजी के अछूतोद्धार आन्दोलन ने सवर्णों की मानसिकता में गुणात्मक परिवर्तन तो ला ही दिया जिससे वे अछूतों के लिए आवाज उठाना अपना मानवीय एवं लेखकीय दायित्व समझने लगे। प्रसंगवश उल्लेखनीय है अज्ञेय के उपन्यास 'शेखर : एक जीवनी', (इसका प्रकाशन वर्ष 1940-41 के आसपास है)। हिन्दी कथा साहित्य में बहुतों ने आधुनिकतावाद के प्रवर्तन का श्रेय इसी उपन्यास को दिया है, किन्तु इस उपन्यास में भी गाँधीजी के अछूतोद्धार आन्दोलन का प्रभाव इस रूप में देखा जा सकता है कि इसका नायक विद्रोही शेखर अछूतों की बस्ती में जाकर उनके बच्चों को पढ़ाने के लिए रात्रि-पाठशाला चलाता है।

प्रसंगवश उल्लेखनीय है कि गाँधी के इस अस्पृश्यता-निवारण आन्दोलन

का प्रभाव अँग्रेजी में लेखन करने वाले भारतीय लेखक मुल्कराज आनन्द द्वारा उस समय लिखे गये उपन्यास 'अनटचेबल' (Untouchable) में स्पष्ट रूप में दिखाई देता है। ध्यातव्य है, यह उपन्यास जब 1935 में छपकर आया, उस समय मुल्कराज आनन्द लन्दन में रहते हुए वहाँ पर भारतीय युवा लेखकों का 'प्रगतिशील लेखक संघ' बनाने में प्रयासरत थे। 1935 में पेरिस में विश्व प्रसिद्ध साहित्यकारों का जो सम्मेलन विश्व में उभरते फासीवाद के खतरे से निबटने के लिए हुआ था, उससे प्रभावित-प्रेरित होकर मुल्कराज साहब भारतीय लेखकों का भी ऐसा एक मंच बनाना चाह रहे थे जिसकी परिणति 1936 में 'भारतीय प्रगतिशील लेखक संघ' की स्थापना के रूप में सामने आयी। विश्वस्तर पर जागरूक रहने वाले मुल्कराज आनन्द अपने देश-समाज के यथार्थ के प्रति भी काफी सजग थे जिसके परिणामस्वरुप उनके द्वारा 'अनटचेबल' जैसे उपन्यास की रचना हुई।

इस उपन्यास में गाँधीवाद का प्रभाव साफ तौर पर झलकता है। इसका केन्द्रीय चरित्र 'बाखा' अछूत जाति का है। वह अछूतपन की समस्या से निजात पाने के लिए जिन तीन विकल्पों पर विचार करते हैं, उनमें एक विकल्प है—गाँधीवाद को मान लेना जिसके अनुसार अछूतपन एक नैतिक और धार्मिक समस्या थी, क्योंकि गाँधी के लिए गन्दगी साफ करने का कार्य भी उतना ही सम्मानजनक था जितना एक डॉक्टर या माँ का कार्य। वैसे 'बाखा' एक विकल्प के रूप में ईसाई मिशनरी की शरण में जाने पर भी विचार करता है, लेकिन उसे अन्ततः 'फ्लश' (flush) प्रणाली वाला शौचालय पसन्द आता है क्योंकि यही वह चीज है जो उसे मैला ढोने के काम से मुक्ति दिला सकती है। जाहिर है, यह उपन्यास अछूतपन से निबटने में गाँधीवादी तरीकों को पूर्णतः प्रतिष्ठित तो नहीं करता, लेकिन इतना तो मानना ही पड़ेगा कि गाँधी का अस्पृश्यता जैसी भीषण समस्या से लगातार टकराते रहना लन्दन में रहने वाले एक युवा भारतीय लेखक को उपन्यास जैसी साहित्यिक विधा का विषय बनाने को प्रेरित तो किया ही, ध्यान देने की बात यह भी है कि मुल्कराज आनन्द तब मार्क्सवादी विचारों से ज्यादा अनुप्राणित हुआ करते थे, फिर भी गाँधीजी का अस्पृश्यता निवारण आन्दोलन अस्पृश्यता जैसी गैर मार्क्सवादी समस्या के प्रति ध्यान आकृष्ट कर सका, यह गाँधी और उनके आन्दोलन की ताकत और असर का ही सबूत है।

इसके अतिरिक्त सबसे बड़ा प्रमाण तो यह है कि जब आनन्द यह उपन्यास लिख रहे थे, वे कुछ समय के लिए भारत आये और अहमदाबाद में गाँधीजी के आश्रम में रहे और उनसे मिले। वे गाँधीजी के विचारों से प्रभावित तो थे ही पर वे विशेषकर दलितों के बारे में उनसे जानकारी हासिल करना चाहते थे। वे

जब आश्रम में रहे तो आश्रम के नियमों के अनुसार शौचालय की सफाई का काम भी करते रहे। यह 1930 के आसपास की बात है। उन्होंने गाँधीजी को अपने अधूरे उपन्यास की पांडुलिपि दिखाई और उनसे राय माँगी। गाँधीजी ने इस उपन्यास पर 'ब्लूमसबरी ग्रुप' (Bloomsbury club) की छाया देखी और कहा कि इसमें जमीनी हकीकत की कमी है। आनन्द ने गाँधीजी की समालोचना को महत्त्व देते हुए उपन्यास के कुछ अंशों में बदलाव किया।

इस पूरे प्रकरण को समाप्त करने से पूर्व निष्कर्ष के रूप में यही निवेदन करना चाहूँगा कि आज की तारीख में गाँधीजी के इस अछूतोद्धार आन्दोलन का महत्त्व भले ही वामपन्थी एवं दलितपन्थी बुद्धिजीवियों की दृष्टि में नगण्य हो, किन्तु सत्य यह है कि भारतीय समाज में जातिगत-भेद की उग्रता को कम करने, सवर्णों की अस्पृश्यता सम्बन्धी सोच में बदलाव लाने तथा अछूतों का अछूतपन मिटाते हुए उन्हें समाज में बराबरी का दर्ज दिलाने में इस आन्दोलन की बहुत बड़ी भूमिका रही। इनकी दृष्टि में गाँधीजी का सबसे बड़ा अपराध था कि उन्होंने वर्ण-व्यवस्था का विरोध नहीं किया। लेकिन हम देख चुके हैं कि ऐसा कहना कैसे अर्द्धसत्य है। 1932 के बाद जो गाँधी लगातार जातिगत-भेद के विरुद्ध बोलने लगे एवं अन्तर्जातीय विवाह एवं भोज का समर्थन करने लगे, उन्हें कैसे अन्त-अन्त तक वर्ण-व्यवस्था का समर्थक माना जा सकता है। जैसे एक समय तक राजभक्त रहे गाँधी ने 1920 के बाद राजभक्ति का चोला उतारकर राजद्रोह एवं राष्ट्रीय मुक्ति के संघर्ष पथ को अपना लिया, वैसे ही वर्ण-व्यवस्था के कायल रहे गाँधी ने वर्ण विभाजन का समर्थन करना 1932 से छोड़ दिया। हाँ, इसके खिलाफ अगर वे कोई जन आन्दोलन नहीं खड़ा कर सके, तो इसके कारणों पर हम पूर्व विवेचन में पर्याप्त चर्चा कर चुके हैं।

दूसरी कमी यह रही है गाँधीजी के मूल्यांकन में उनके राजनीतिक संघर्ष के महत्त्व को उजागर करने पर ही अधिक ध्यान केन्द्रित किया गया, तो दूसरी तरफ अछूतोद्धार को सुधारवादी कार्य मानते हुए लेखन से लेकर भाषणों तक में निरन्तर 'क्रान्ति' का जाप करनेवाले कतिपय बुद्धिजीवियों ने इसे खास महत्त्व नहीं दिया, किन्तु ध्यान देने की बात यह है कि बहुत सारे देशों में राजनीतिक क्रान्तियाँ सम्पन्न हो जाने के बाद वहाँ पर जनता के पुराने सोच एवं संस्कार में बदलाव के लिए 'समाजवादी यथार्थवाद' (स्तालिनकालीन सोवियत संघ में) या फिर सांस्कृतिक क्रान्ति (माओ-त्से-तुंग कालीन चीन में) जैसे अनुष्ठान अपनाने पड़े। इस दृष्टि से गाँधीजी की विशिष्टता इस बात में दिखाई देती है कि उन्होंने विदेशी सत्ता से मुक्ति यानी राजनीतिक परिवर्तन के साथ-साथ समाज की आन्तरिक

कुरीतियों एवं सड़ी-गली सोच की दासता से मुक्ति को भी समान महत्त्व देते हुए दोनों के लिए देशव्यापी मुहिम चलायी। उन्होंने राजनीतिक परिवर्तन के साथ-साथ सामाजिक सोच-विचार एवं आचार में भी परिवर्तन के लिए आन्दोलन चलाकर बहुत दूरदर्शिता का परिचय दिया। जो लोग केवल भौतिक व्यवस्था या परिस्थितियों में बदलाव को ही समस्त संस्कारागत मानसिक-वैचारिक प्रत्ययों में बदलाव के लिए पर्याप्त समझते रहे, उन्हें समय ने कब का गलत सिद्ध कर दिया है। गाँधी को ही समय ने सही सिद्ध किया है।

मन्दिर-प्रवेश आन्दोलन के महत्त्व को कोई नास्तिकता के तर्क से खारिज कर सकता है। लेकिन ऐसा करनेवाला 'अपनी डफली अपना राग' वाली उक्ति ही चरितार्थ करेगा। वस्तुतः अब तक समस्त वैज्ञानिक आविष्कार-अनुसन्धान तथा नास्तिकता को पुष्ट करने वाले चिन्तन के बावजूद आज भी विश्व में आस्तिकों की; मन्दिर-मस्जिद, चर्च जाने वालों की संख्या इन नास्तिकों एवं धर्म को अफीम समझने वालों की तुलना में कई गुणा ज्यादा है। सच तो यह है कि ये नास्तिक हाशिये के लोग हैं। आम आदमी से लेकर बड़े-बड़े वैज्ञानिक, डॉक्टर, इंजीनियर, बुद्धिजीवी तक आस्तिकता के कायल हैं। अतएव अछूतों को मन्दिरों में प्रवेश का अधिकार दिलाना उन्हें अपने ही समाज में धार्मिक दृष्टि से समानता के स्तर पर प्रतिष्ठित करने के लिए अत्यन्त आवश्यक था। डॉ. अम्बेडकर ने हिन्दू धर्म से विरत होकर अन्ततः बौद्ध धर्म स्वीकार कर लिया, किन्तु वास्तविकता यह है कि बहुसंख्यक दलित गाँधीजी के रास्ते पर ही चलते हुए हिन्दू धर्म में बने हुए हैं। आज आलम यह है कि उन्होंने समस्त हिन्दू देवी-देवताओं, पूजा, पर्व-त्योहारों को अपना लिया है। यह सब मैं व्यक्तिगत अनुभव के आधार पर कह रहा हूँ। भागलपुर के जिस तिलका मांझी नाम के मुहल्ले में मैं रहता हूँ उसी का एक अंग है 'डोमासी' यानी डोमों का वास स्थान। दिलचस्प बात यह है कि इन्होंने अपने वासस्थान से लेकर जाने वाली सड़क का नामकरण 'डॉ. भीमराव अम्बेडकर मार्ग' कर रखा है, लेकिन वे दुर्गापूजा, काली पूजा, सरस्वती पूजा, छठ व्रत आदि सभी हिन्दू पर्वों को हर्षोल्लास से मनाते हैं। इस मुहल्ले में ही इन्होंने हनुमान की इतनी विशाल मूर्ति प्रतिष्ठित कर रखी है कि उतनी विशाल मूर्ति भागलपुर शहर में तो नहीं ही है, अन्यत्र भी मिलना अपवादस्वरूप ही होगा। इनमें कुछेक सरकारी नौकरियों में हैं, तो कुछेक अपना पुश्तैनी कार्य ही करते हैं। इन्हें देखकर लगता है कि सच्चे गाँधीवादी ये ही हैं जो सफाई का काम भी शान से करते हैं—और सवर्णों से किसी बात में अपने को हीन भी नहीं समझते। ये सवर्णों को अब 'हुजूर' या 'मालिक' नहीं कहते बल्कि उम्र के हिसाब से 'चाचा' या

'बाबा' कहते हैं। तो यह धीरे-धीरे आता हुआ बदलाव किसका नतीजा है, यह तय करने का काम पाठकों का रहा।

इससे यह भी नहीं समझना चाहिए कि डॉ. अम्बेडकर ने दलितों के लिए जो कुछ किया, उसका मैं अवमूल्यन कर रहा हूँ। वस्तुतः डॉ. अम्बेडकर ने बहुत सही मौके पर आकर अछूतों के सवाल की तरफ ध्यान आकृष्ट किया। उन्होंने सबसे बड़ा काम यह किया कि जिन अछूतों ने धर्म-परिवर्तन को ही अपने कष्टों के निवारण का एकमात्र उपाय समझ रखा था, उन्हें इस भ्रम से मुक्त करते हुए दलित के रूप में ही अपने अधिकारों के लिए संघर्ष करने का रास्ता दिखाया। और सचमुच तब से दलित इस या उस धर्म में जाने के बजाय, जहाँ हैं वहीं से वे अपनी बेहतरी के लिए संघर्ष कर रहे हैं और इसमें वे सफल भी हो रहे हैं। लेकिन, इसके साथ ही दलित बुद्धिजीवियों को भी अपनी सोच में परिवर्तन लाते हुए गाँधीजी के प्रति अपने दृष्टिकोण में बदलाव लाने की जरूरत है। उन्हें गाँधी और अम्बेडकर को एक दूसरे का विरोधी नहीं, पूरक के रूप में देखने की जरूरत है। यही नहीं, उनकी लड़ाई में जो सवर्ण भी उनके साथ रहे हैं या आज भी हैं, उन्हें अपना विरोधी समझने के बजाय हमदर्द, हमराही समझने की आवश्यकता है। केवल जन्माधारित जाति-भेद पर दलित एवं दलित-विरोधी की श्रेणियाँ बनाना ठीक नहीं। किसी भी समस्या का समाधान हमें आपस में मिल-बैठकर, वर्णगत भेदभाव को भूलकर ही खोजना होगा। ऐसे में गाँधी से वितृष्णा समय की माँग के सरासर प्रतिकूल होगी।

सन्दर्भ

1. जनसत्ता (दैनिक समाचार पत्र), दिल्ली संस्करण, 18 मार्च, 2004
2. तद्भव (त्रैमासिक पत्रिका) अंक, फरवरी, 2005, लखनऊ से प्रकाशित।
3. तद्भव के अक्टूबर 2005 अंक में प्रकाशित।
4. सम्पूर्ण गाँधी वांङ्मय, खंड—19, पृ. 577
5. उप. पृ. 578-79
6. सत्य के प्रयोग अथवा आत्मकथा, अनुवादक-महावीर प्रसाद पोद्दार, पृ. 318-19, सस्ता साहित्य मंडल प्रकाशन, दिल्ली, संस्करण 1960
7. सं. गां. वां. खंड—14, पृ. 72
8. उप. पृ. 73
9. उप. पृ. 74
10. उप. पृ. 75
11. उप. पृ. 327
12. उप. खंड—18, पृ. 507-08
13. उप. पृ. 400

14. उप. पृ. 401
15. 16, 17, 18, उप. पृ. 340, 401-02
19. उप. पृ. 460
20. उप. खंड—19, पृ. 101-02
21. उप. पृ. 146
22. उप. पृ. 153
23. उप. पृ. 88
24. उप. खंड—21, पृ. 136
25. उप. खंड-- 25, पृ. 27
26. उप. पृ. 597
27. उप. पृ. 638
28. उप. खंड—26, पृ. 130
29. उप. खंड--50, पृ. 222
30. उप. पृ. 222-23
31. उप. पृ. 224
32. उप.
33. उप. खंड—21, पृ. 58।
34. उप. पृ. 582
35. उप. खंड—17, पृ. 493-94
36. उप. खंड—19, पृ. 86-87
37. उप. खंड—25, पृ. 27
38. उप. खंड—50, पृ. 227
39. उप. पृ. 228-29
40. उप. खंड—49, पृ. 190
41. उप. खंड—51, पृ. 214
42. उप. पृ. 364
43. सामायिक वार्ता—(हिन्दी मासिक पत्रिका) अंक : मई 2005, दिल्ली से प्रकाशित।
44. स. गां. वां. खंड—48, पृ. 38
45. उप. पृ. 177
47. उप. पृ. 230
48. उप. पृ. 247-48
49. सामायिक वार्ता, अंक : मई, 2005
50. उप. खंड—48, पृ. 286
51. उप. पृ. 323
52. ''रूसी साम्राज्य के सीमावर्ती बालकन राज्यों पर जारशाही की नीतियों के पड़ने वाले प्रभाव को दर्शाने के लिए उन्नीसवीं सदी के अन्त में जर्मन समाजवादियों द्वारा 'बालकानाइजेशन' शब्द को गढ़ा गया। बाद में इसका प्रयोग उन राज्यों पर विभाजनकारी प्रभावों को निर्दिष्ट करने के लिए किया जाने लगा। इस प्रकार इस शब्द का अर्थ हो गया एक क्षेत्र को विभिन्न छोटे-छोटे स्वायत्त राज्यों में बाँटना ताकि वे हमेशा एक दूसरे के खिलाफ रहें।'' एक डिक्शनरी ऑफ पॉलिटिकल थॉट 'लेख. रोजर स्कूटॅन, पृ. 36 मूल अँग्रेजी कथन का यह हिन्दी अनुवाद मैंने स्वयं किया है। प्रा. मैकमिलन प्रेस, दिल्ली, 1982

53. सं. गां. वां. खंड—48, पृ. 330-31
54. महात्मा गाँधी : जीवन और चिन्तन, ले. जे. बी. कृपलानी, पृ. 140, प्रकाशन विभाग, सूचना और प्रसारण मन्त्रालय, नई दिल्ली।
55. स. गां. वां. खंड—49, पृ. 182
56. महात्मा गाँधी : जीवन और चिन्तन, ले. जे. बी. कृपलानी, पृ. 151
57. उप. पृ. 152
58. सं. गां. वां. खंड—53, पृ. 408
59. उप. पृ. 408-09
60. उप. खंड—51, पृ. 214
61. उप. पृ. 224
62. उप. खंड—53, पृ. 510
63. उप. खंड—52, पृ. 435
64. उप. पृ. 440
65. उप. खंड—53, पृ. 546-47
66. महात्मा गाँधी : जीवन और चिन्तन, लेखक—कृपलानी, पृ. 158-58
67. विविध प्रसंग, भाग—2, पृ. 443-44, सं. अमृतराय, हंस प्रकाशन, इलाहाबाद, संस्करण— 1980
68. सं. गां. वां. खंड—53, पृ. 537-38
69. विविध प्रसंग, भाग—2, पृ. 449-50
70. सं. गां. वां. खंड—69, पृ. 460
71. लोकायत, ले. देवीप्रसाद चट्टोपाध्याय (हिन्दी अनुवाद) पृ. 143 मैकमिल प्र. नई दिल्ली, 1982
72. स. गां. मां. खंड—84, पृ. 240
73. उप. पृ. 296
74. उप. पृ. 320
75. उप. खंड—56, पृ. 401
76. उप. पृ. 530
77. कंवल भारतीय का लेख 'तद्भव' अंक-8 में और सुभाष गाताडे का लेख 'तद्भव' अंक—9 में छपा है।
78. महात्मा गाँधी : जीवन और चिन्तन, पृ. 153
79. विविध प्रसंग, भाग—2, पृ. 437-40
80. उप. पृ. 440-41
81. उप. पृ. 444
82. तद्भव, अंक-2, सितम्बर 1999, पृ. 96-97
83. जयशंकर प्रसाद : एक पुनर्मूल्यांकन, ले. विनोद शाही, पृ. 127 आधार प्रकाशन, पंचकूला, हरियाणा, संस्करण 2006
84. निराला की साहित्य-साधना, खंड—प्रथम, ले. रामविलास शर्मा, पृ. 305, राजकमल प्रकाशन, नई दिल्ली, संस्करण—1979.

द्वितीय अध्याय

स्त्री–जागरण अर्थात् स्त्री–सशक्तीकरण का उभार

जैसा कि पहले ही निवेदन किया जा चुका है कि मैंने अपने विवेचन में 'दलित' शब्द का अर्थ केवल अछूत जातियों तक सीमित नहीं रखा है। इस 'दलित' शब्द के दायरे में हमारे देश की आबादी का वह आधा हिस्सा भी आता है जिसे हम 'स्त्री–जाति' के रूप में जानते हैं और आज के स्त्री विमर्शवादी या नारीवादी स्त्रियों की चर्चा भी दलित समुदाय के रूप में ही करना ज्यादा पसन्द करते हैं। अपने देश के साहित्य एवं राजनीति दोनों ही क्षेत्रों में स्त्री–मुक्ति आन्दोलन के नाम पर स्त्री–विमर्श काफी प्रमुखता प्राप्त कर चुका है। किन्तु अधिकांश स्त्री–विमर्श–शास्त्रियों की टकटकी पश्चिम के नारीवादियों की ओर लगी रहती है और ये उन्हीं से प्रेरित एवं परिचालित होते दिखाई देते हैं। आधुनिक काल में हमारे अपने ही देश में जिन सुधारकों, कार्यकर्ताओं एवं बौद्धिकों ने स्त्री–मुक्ति या नर–नारी समता की दिशा में युगान्तरकारी कार्य किया उनकी तरफ तनिक भी ध्यान नहीं दिया जाता। बीसवीं सदी के भारतवर्ष में स्त्री–मुक्ति की लड़ाई लड़ने या स्त्री–पुरुष–समता का देशव्यापी जागरण लाने में महात्मा गाँधी की भी भूमिका किसी से कम महत्त्वपूर्ण नहीं रही, लेकिन आज पश्चिमी चिन्तन की बैसाखी के बिना एक कदम भी आगे न बढ़ पाने वाले या नारीवादियों को वह 'अर्द्धनग्न फकीर' अपने सवाल के लिए 'आउट ऑफ डेट' ही प्रतीत होता है।

इससे भी अधिक खेदजनक बात तो यह है कि इन दिनों गाँधीजी के स्त्री विषयक विचारों एवं कार्यों की चर्चा की जाती है तो वह सिर्फ ब्रह्मचर्य के प्रयोग में उनके द्वारा अपने साथ कुछ जवान लड़कियों को सुलाने तक सीमित रहती है। यह चर्चा इस अन्दाज में की जाती है मानो गाँधीजी ने जीवनभर जवान लड़कियों को निर्वस्त्र कर अपने साथ सुलाने के अलावा और कुछ नहीं किया। यही नहीं, उनके आन्दोलनों से जुड़ी महिलाओं के साथ भी गाँधीजी के सम्बन्धों का ऐसा रेखांकन किया जाने लगा है जिससे प्रतीत होता है कि उनके प्रति आकर्षण केवल

शरीर या यौनता के स्तर पर था। सुधीर कक्कड़ के उपन्यास 'मीरा और महात्मा' में महात्मा के प्रति मीरा बहन के लगाव को ऐसे ही नजरिये से प्रस्तुत करने का प्रयास किया गया है। साप्ताहिक पत्र 'सहारा समय' में वर्ष 2006 में प्रभा दीक्षित ने गाँधीजी के ब्रह्मचर्य सम्बन्धी प्रयोगों को लेकर ऐसी बहस की शुरुआत की जिस पढ़कर लगता था कि गाँधीजी महाभारतकालीन दु:शासन के आधुनिक संस्करण थे।

दरअसल, आज की तारीख में स्त्री-मुक्ति-आन्दोलन को सामाजिक, राजनीतिक, आर्थिक सन्दर्भों से विलग करते हुए जिस तरह केवल यौन-स्वच्छन्दता के सवाल तक सीमित कर दिया गया है, उसकी तार्किक परिणति के रूप में सामाजिक-राजनीतिक परिवर्तनों के प्रेरणा-स्त्रोत बने रहे इतिहास-पुरुषों को भी उसके प्रांगण में लाकर देखने-परखने की मनोवृत्ति प्रबल हो उठी है। इसी का परिणाम है कि आज भारतेन्दु हरिश्चन्द्र जैसे युग प्रवर्तक साहित्यकार को कोई वेश्यागामी सिद्ध कर रहा है, तो काई प्रेमचन्द्र को रखैल रखनेवाला बता रहा है। मार्क्स के सम्बन्ध में उनका दाई से शारीरिक सम्बन्ध रखने, तो माओ-त्से-तुंग के सम्बन्ध में हर रोज कपड़े बदलने की तरह हर रात औरत बदलने जैसी बातें भी सामने लायी गयी हैं। हिन्दी के मूर्धन्य आलोचक आचार्य रामचन्द्र शुक्ल के शब्द उधार लूँ, तो यही कह सकता हूँ कि आजकल 'सेक्सी रंग के चश्मे इतने सस्ते हो गये हैं' कि चरित्र-हनन को ही नवमूल्यांकन समझा जाने लगा है। बहरहाल, इस चर्चा को अब यहीं विराम देते हुए हम मूल विषय की ओर लौटते हैं यह देखने के लिए कि गाँधीजी ने सदियों से दलित-दमित रही स्त्री-जाति के उद्धार-मुक्ति के लिए अपने जीवनकाल में जो कुछ किया, वह कैसे उनके अस्पृश्यता-निवारण आन्दोलन की तरह ही न केवल आधुनिक भारत के इतिहास में, बल्कि सम्पूर्ण भारतीय इतिहास में अद्भुत है! किन्तु इस पर आने के पूर्व पृष्ठभूमि के तौर पर हमें उन हालात का लेखा-जोखा लेना होगा जिसका सामना गाँधीजी को होश सँभालते ही करना पड़ा।

उन्नीसवीं सदी के जिस उत्तरार्द्ध में गाँधीजी ने होश सँभाला वह स्त्रियों के मामले में अमानवीयता की हद तक रूढ़िवादी एवं दकियानूस था। यह सही है कि इस धरती पर एक समय स्त्री-अस्मिता एवं तेजस्विता को प्रतिष्ठित करने वाली सीता, सावित्री, शकुन्तला, दमयन्ती, द्रौपदी जैसी स्त्रियाँ पैदा हुई तो विद्वता-चिन्तन के क्षेत्र में स्त्री-प्रतिभा का प्रमाण देने वाली मैत्रेयी, गार्गी जैसी स्त्रियाँ हुईं। लेकिन शनैः शनैः पुरुष-वर्चस्व की गिरफ्त में जकड़ता हुआ भारतीय समाज सामन्तवाद के उत्कर्षकाल में स्त्रियों के लिए कारागृह बन गया। एक समय पति का स्वयं वरण करने का अधिकार रखनेवाली स्त्रियाँ सामन्ती सभ्यता के बढ़ते

चरण में कुलवधू के नाम पर घर की चारदीवारी तक सीमित कर दी गयीं। वैसे सचमुच देखा जाए तो हजारों वर्षों की पुरानी भारतीय संस्कृति में कई अन्तर्विरोधी धाराएँ रही हैं। स्त्री-दशा के सम्बन्ध में भी यही सत्य दृष्टिगत होता है। एक तरफ 'यत्र नार्यस्तु पूज्यंते रमंते तत्र देवता' कहकर स्त्री को महिमामंडित किया जाता रहा, तो दूसरी तरफ 'पिता रक्षति कौमारे भर्ता रक्षति यौवने, पुत्राश्च स्थाविरे काले नास्ति स्त्रीणां स्वतन्त्रता', अर्थात् कौमार्यावस्था में पिता उसकी रक्षा करते हैं, जवानी में वह पति के संरक्षण में रहती है और वृद्धावस्था में पुत्र उसकी देखभाल करते हैं। इस प्रकार स्त्रियों के लिए स्वतन्त्रता नहीं है, कहकर उसकी पराधीन दशा को स्थापित किया जाता रहा। एक तरफ उसे देवी, माँ, धर्मपत्नी, अर्द्धांगिनी जैसे पवित्र शब्दों से सम्बोधित किया जाता रहा, तो दूसरी तरफ सामन्ती भोग-विलास के व्याकरण ने उसे भोग्या और फिर वेश्या तक बनाकर रख दिया। उसे आध्यात्मिक साधना का सबसे बड़ा अवरोध समझा जाने लगा। नाथपन्थियों ने तो उसे हठयोग साधना के लिए सर्वथा त्याज्य ही ठहराया।

स्त्री-अस्मिता एवं स्वतन्त्रता के अपहरण का चरमोत्कर्ष तो हमें मध्यकाल में दिखाई देता है जब अपवाद स्वरूप मीराबाई को छोड़कर कोई तेजस्वी स्त्री-चरित्र नहीं दिखाई देता। स्त्रियों को गर्हित, घृणित, त्याज्य सिद्ध करनेवाली इन मान्यताओं का मध्यकाल में कितना गहरा प्रभाव था, उसका अनुमान इस बात से ही लगाया जा सकता है कि सामाजिक विद्रोह के लिए विख्यात कबीर जैसे सन्त कवि भी इनका अतिक्रमण नहीं कर सके और 'नारी को नरक का द्वार' तक कह बैठे। सूर, तुलसी जैसे भक्त कवियों ने मिथकीय कथाओं एवं चरित्रों के माध्यम से जरूर स्त्री-उन्मुक्तता या मर्यादित व्यक्तित्व को सामने रखा, लेकिन उनके समकालीन सामन्ती समाज में स्त्री मुख्य रूप से भोगने की, पुरुषों को इन्द्रिय-सुख प्रदान करने की ही सामग्री समझी जाती रही। यही नहीं, जहाँ 'साठे पर पाठा' की मसल गढ़कर वर्चस्ववादी पुरुष वर्ग ने बुढ़ापे तक षोडसी बालाओं से विवाह करने के अधिकार हस्तगत कर रखे थे, वहीं कुलीन घराने की कुलवधुएँ जवानी में भी विधवा हो जाने पर बुढ़ापे तक वैधव्य का अभिशाप झेलने को विवश थीं। सामन्ती समाज में स्त्रियाँ किस तरह पुरुषों के लिए केवल यौनसुख, मन-बहलाव, विलास आदि का साधन-मात्र रह गयी थीं, यह हिन्दी के रीतिकालीन काव्य से अच्छी तरह प्रकट हो जाता है।

उन्नीसवीं सदी का भी भारतीय समाज स्त्रियों के सम्बन्ध में ऐसी ही गर्हित मान्यताओं की गिरफ्त में था। स्त्री पत्नी के रूप में पति की दासी है, पति से पृथक उसकी कोई स्वतन्त्र इच्छा नहीं, इयत्ता नहीं, उसके जवीन की सार्थकता

पति को सदैव प्रसन्न रखने में है जैसी कितनी ही धाराणाएँ समाज में चारों तरफ फैली हुई थीं। इसके अतिरिक्त उच्च हिन्दू वर्ग में सती दाह जैसे अमानुषिक रिवाज, बाल-विवाह का चलन, विधवा-पुनर्विवाह पर प्रतिबन्ध, पैदा होते ही लड़की की हत्या कर देना, लड़कियों को शिक्षा के अधिकार से वंचित रखना जैसी कितनी ही बुराइयाँ-कुरीतियाँ थीं, जो हमारी भारतीय संस्कृति की महानता को मानों मुँह चिढ़ा रही थीं।

हमारे समाज एवं देश में स्त्री-दशा-दुर्दशा की यही पृष्ठभूमि थी जिसमें हमारे आधुनिक भारतीय नवजागरण का शंखनाद राजा राममोहन राय के द्वारा हुआ। ध्यातव्य है कि राजा साहब ने स्त्री-दुर्दशा को अपने सुधार-आन्दोलन का मुख्य एजेन्डा बनाते हुए सती-दाह के खिलाफ विरोध का झंडा उठाया। उनके प्रयासों का ही शुभ परिणाम हुआ कि सती-दाह पर ब्रिटिश सरकार ने कानून बनाकर पाबन्दी लगायी। इसमें नया आयाम जोड़ते हुए ईश्वरचन्द्र विद्यासागर ने विधवा-विवाह की पुरजोर हिमायत की। इसी तरह महाराष्ट्र में जागरण की जो लहर आयी उसमें स्त्रियों को शिक्षा देने, पुरुष-वर्चस्व से मुक्त करने आदि के प्रयास किये गये। इस दौर में स्त्री-शिक्षा की दिशा में किये गये प्रयासों की चर्चा करते हुए हिन्दी के प्रो. अमरनाथ अपने लेख 'आखिर स्त्री विमर्श है क्या' में लिखते हैं—

"इस युग में स्त्री अधीनता के विरुद्ध उठी आवाजों ने अनेक माँगों का रूप ले लिया, जैसे विधवा का पुनर्विवाह, बहुविवाह, सती व पर्दा प्रथा पर रोक तथा स्त्रियों के लिए शिक्षा व कानूनी या सांवैधानिक स्वतन्त्रता। भारत की आरम्भिक आन्दोलनकर्ताओं में प्रमुख थीं—पंडिता रमाबाई और सावित्री बाई फूले। दोनों ही उन्नीसवीं सदी के उत्तरार्द्ध में सक्रिय रहीं। पंडिता रमाबाई ने स्त्रियों के अधिकारों के लिए संघर्ष किया, हिन्दू धर्म की रूढ़िवादिता पर आघात किया तथा उन्नीसवीं शताब्दी के आठवें दशक में स्त्रियों की स्वतन्त्रता की बात की। उन्होंने स्वयं सदा स्वाधीन जीवन बिताया। सावित्री बाई फूले ने स्त्रियों की शिक्षा के लिए महत्त्वपूर्ण काम किये। उनके लिए अलग स्कूल खोला। एक तरह से हम उन्हें देश की पहली शिक्षिका कह सकते हैं।"[1]

ऐसे ही प्रयासों की श्रृंखला में स्वामी दयानन्द सरस्वती और उनके 'आर्य समाज' के स्त्री-सुधार से सम्बद्ध कार्य भी शामिल थे। विदित है कि विधवा-विवाह के समर्थन में आर्य-समाज ने जबर्दस्त मुहिम चलायी जिसके फलस्वरूप कितनी ही बाल-विधवाओं के पुनर्विवाह सम्भव हो सके। हालाँकि ये सारे सुधार-प्रयास देश के क्षेत्र या प्रदेश विशेष तक (बंगाल, महाराष्ट्र या उत्तरी भारत) सीमित थे, किन्तु इतना स्पष्ट है कि उन्नीसवीं सदी में शुरू होने वाला भारतीय नव-

जागरण भारतीय संस्कृति के अतीत कालीन गौरव से मोहाविष्ट तो था, परन्तु मोहान्ध नहीं, तभी तो वह समसामयिक यथार्थ के प्रति उदासीन न रहा, और कई सामाजिक विसंगतियों के साथ-साथ स्त्री-दशा में सुधार को भी अपने जागरण-स्वर का अंग बना सका।

गौरतलब है कि भारतीय नवजागरण की इस उठान-बेला में ही मोहनदास करमचन्द गाँधी का पदार्पण हमारे सामाजिक मंच पर हुआ। यह देखकर विस्मय होता है कि आरम्भ में मोहनदास नाम का यह व्यक्ति, जिसने इंग्लैंड में रहकर शिक्षा प्राप्त कर रखी थी, स्त्री-जाति के सम्बन्ध में नवजागरण द्वारा उभारे जा रहे सवालों से अपरिचित-सा था और उन समस्त मान्यताओं का कायल था जिसे वर्षों से पुरुष प्रधान समाज ने स्त्रियों को दोयम दर्जा देने के लिए चला रखा था। पत्नी के रूप में स्त्री का काम केवल पति की इच्छाओं, आदेशों का पालन करना है, इसी सोच के युवा मोहनदास काफी दिनों तक अनुगामी रहे। यह बोध तो उन्हें दक्षिण अफ्रीका की धरती पर हुआ कि पत्नी के साथ उनका व्यवहार मनुष्योचित नहीं, समतापरक नहीं और फिर तब उनकी सोच में ऐसा निर्णायक मोड़ आया कि वे दक्षिण अफ्रीका से लेकर भारतवर्ष तक स्त्री-पुरुष समता के ऐसे प्रचारक बनकर उभरे जिसने देश के पश्चिमी एवं पूरबी हिस्सों में पृथक-पृथक रूप से उभरे स्त्री-जागरण को राष्ट्रीय जागरण की धारा में पिरो दिया। यह कैसे सम्पन्न हो पाया, यह जानने के लिए हमें थोड़ा विस्तार में गाँधीजी की स्त्री-सम्बन्धी सोच एवं कार्यों को देखना पड़ेगा।

गाँधीजी के स्त्री-सम्बन्धी दृष्टिकोण में जो युगान्तरकारी मोड़ आया, उसके पीछे दक्षिण-अफ्रीका में घटित एक घटना का बहुत बड़ा हाथ था। घटना 1898 की है जब गाँधीजी सपत्नीक दक्षिण अफ्रीका में रहने लगे थे। घर में मल-मूत्र की सफाई वे खुद करते या उनकी पत्नी। जो अतिथि ठहरते, उनके मल-मूत्र की सफाई भी इन्हें ही करनी पड़ती। मोहनदास तो खुशी-खुशी यह काम कर लेते, किन्तु कस्तूरबा को नागवार गुजरता। यह मोहनदास को पसन्द नहीं था। सो इसे लेकर एक दिन पति-पत्नी के बीच जो विस्फोट हुआ और उसके पश्चात मोहनदास को जो ज्ञानोदय हुआ, वह सब उन्हीं के शब्दों में हम यहाँ प्रस्तुत कर रहे हैं :

"इस प्रकार सिर्फ उसके बरतन उठा ले जाने से मुझे सन्तोष नहीं हुआ। वह हँसते चेहरे से ले जाए तभी मुझे सन्तोष होता। अतः मैंने दो शब्द ऊँचे स्वर से कहा—"यह कलह मेरे घर में नहीं चल सकता। यह वचन कस्तूरबाई के कलेजे में तीर की तरह चुभ गया। वह भड़क उठीं—"तो अपना घर अपने पास रखो।

मैं जाती हूँ।" मैं तो ईश्वर को भूल गया था। दया का लेश भी मेरे दिल में न रह गया था। मैंने हाथ पकड़ा। सीढ़ी के सामने ही बाहर निकलने का दरवाजा था। मैं उस असहाय अबला को पकड़कर दरवाजे तक खींच ले गया। दरवाजा आधा खोला। कस्तूरबाई की आँखों से गंगा-जमुना बह रही थी। बोलीं—"तुमको तो शर्म नहीं है, मुझको है। जरा तो शरमाओ। मैं बाहर निकलकर कहाँ जाऊँ? यहाँ माँ-बाप भी नहीं हैं कि उनके यहाँ चली जाऊँ। मैं औरत जात ठहरी, इसलिए मुझे तुम्हारी धौंस सहनी ही होगी। शरमाओ और दरवाजा बन्द करो। कोई देखेगा तो दोनों के मुँह पर कालिख लगेगी।"

इस घटना का उल्लेख करने के बाद गाँधीजी टिप्पणी करते हैं—"उपर्युक्त घटना 1898 की है। उस समय ब्रह्मचर्य पालन के बारे में मैं कुछ भी नहीं जानता था। यह समय ऐसा था कि जब पत्नी केवल सहधर्मिणी-सहचारिणी और सुख-दुःख की साथी है, इसका मुझे स्पष्ट ज्ञान नहीं था। मैं जानता हूँ कि मैं उस वक्त यह मानकर चलता था कि वह विषय-भोग का भाजन है, पति की आज्ञा, चाहे जो हो, तो भी उसे बजा लाने को वह सिरजी गयी है। 1900 के साल से मेरे विचारों में गम्भीर परिवर्तन हुआ जिसका परिणाम 1906 में प्रकट हुआ।"[2] जाहिर है कि इस घटना ने मोहनदास की स्त्री सम्बन्धी सोच में आमूल परिवर्तन ला दिया और जैसे फर्स्ट क्लास के डब्बे से 'रंगभेद' के आधार पर अँग्रेज अधिकारी द्वारा जबर्दस्ती उतार दिये जाने की घटना ने उन्हें 'रंगभेद' के खिलाफ लड़ने को विवश कर दिया, ठीक वैसे ही पत्नी के आँसुओं ने उन्हें पूरी स्त्री-जाति की बेबसी-लाचारी, दासता के खिलाफ उठ खड़े होने को प्रेरित कर दिया। हालाँकि उन्होंने जिस 'परिणाम के 1906 में प्रकट होने की बात कही है उसका सम्बन्ध उनके ब्रह्मचर्य-पालन से है, यानी 1906 में आकर गाँधीजी ने पत्नी के साथ रहते हुए भी ब्रह्मचर्य-व्रत पालन करने का संकल्प लिया जिसका वे आजीवन निर्वाह करते रहे। किन्तु ध्यान में रखने वाली महत्त्वपूर्ण बात यह है कि यह परिवर्तन केवल व्यक्तिगत स्तर पर अपने को यौन-सुख से मुक्त करने के कार्य तक ही सीमित नहीं रहा, बल्कि इसने उन्हें स्त्रियों की भी आर्थिक, राजनीतिक, सामाजिक क्षेत्रों में मुक्ति के प्रयास में प्रवृत्त कर दिया।

प्रसंगवश उल्लखेनीय है कि उन दिनों संसदीय लोकतन्त्र की जन्मभूमि कहे जाने वलो ब्रिटेन में स्त्रियों को वयस्क मताधिकार नहीं था यानी राजनीतिक क्षेत्रों में लैंगिक आधार पर विभेद मौजूद था। इस अधिकार को हासिल करने के लिए ब्रिटेन की जागरूक महिलाओं ने संगठित होकर आन्दोलन चला रखा था। आन्दोलन राजनीतिक जीवन में स्थापित पुरुषों के वर्चस्व को अपदस्थ कर उनके समकक्ष

स्त्रियों को प्रतिष्ठित करने के उद्देश्य से परिचालित था। गाँधीजी ने भी 1906 में दक्षिण अफ्रीका की गोरी सरकार की नस्लवादी नीति के खिलाफ सत्याग्रह का आन्दोलन शुरू कर दिया था। किन्तु उनका ध्यान केवल अपने आन्दोलन की सफलता तक ही सीमित नहीं था। ब्रिटेन में राजनीतिक अधिकारों के लिए महिलाओं द्वारा चलाये जा रहे आन्दोलन पर भी उनकी नजर थी और दक्षिण अफ्रीका से निकलने वाले अपने पत्र 'इंडियन ओपिनियन' में वे लगातार महिलाओं द्वारा किये जा रहे आन्दोलन के पक्ष में लिखते रहे। ब्रिटेन के स्त्री-आन्दोलन में गाँधीजी की कितनी दिलचस्पी थी, इसे जानने के लिए उनके कुछ वक्तव्यों को देखना प्रसंगानुकूल ही होगा।

महिलाओं के आन्दोलन को उग्र होते देखकर ब्रिटेन की सरकार ने 'दमन की नीति' अपनायी और आन्दोलनकारी महिलाओं को गिरफ्तार कर जेल में रखा जाने लगा। 26.11.1906 के 'इंडियन ओपिनियन' में एक ऐसी ही घटना का गाँधीजी ने उल्लेख करते हुए जो अपनी टिप्पणी की वह उनके सरोकार की गम्भीरता प्रकट करती है। घटना 26 अक्टूबर 1906 को यह हुई थी कि आन्दोलनकारी महिलाओं का जत्था 'हाउस ऑफ कॉमंस' के पास गया मताधिकार की माँग करने के लिए और इस क्रम में उन्होंने कुछ क्षति पहुँचाने के भी काम किये। इससे उन पर मुकदमा चलाया गया और उन पर जुर्माना किया गया। लेकिन महिलाओं ने जुर्माना देने से इनकार कर दिया और इसके परिणामस्वरूप उन्हें तीन महीने के लिए जेल की सजा दी गयी। इसी का उल्लेख गाँधीजी ने 'इंडियन ओपिनियन' के उस अंक में इस प्रकार किया—"जुर्माना देने से इनकार करने पर उन्हें कैद की सजा दी गयी और अब वे जेल में हैं। अधिकांश औरतों को तीन महीने की सजा मिली है। उनमें सभी स्त्रियाँ कुलीन घराने की हैं और काफी शिक्षित हैं। उनमें एक स्वर्गीय कॉबडेन, जो जनता में काफी सम्मानित थे, की बेटी है। दूसरी स्त्री मि. लारेंस की पत्नी है। तीसरी एल. एल. बी. है। कॉबडेन की बहादुर बेटी ने साफ-साफ कह दिया—"मैं ऐसे किसी कानून का पालन हर्गिज नहीं करूँगी जिसे बनाने में मेरा कोई हाथ नहीं है, मैं इन कानूनों को लागू करवाने वाले न्यायालय की प्रभुता को भी स्वीकार नहीं करूँगी, अगर आप मुझे जेल भेजते हैं, तो मैं वहाँ जाऊँगी, लेकिन मैं किसी भी सूरत में जुर्माना अदा नहीं करूँगी।" इस कथन को उद्धृत करने के बाद गाँधीजी टिप्पणी करते हैं—"इसमें कोई आश्चर्य नहीं कि जो जाति ऐसी बेटियों एवं माताओं को जन्म दे, वह क्यों न राज्य करे? आज पूरा देश इन पर हँस रहा है, लेकिन ये निडर स्त्रियाँ अपने उद्देश्य के लिए दृढ़ता से जूझ रही हैं। उन्हें अधिकार प्राप्त होकर रहेंगे, उन्हें विजय मिलेगी, क्योंकि

कथनी से करनी भली। जब ये औरतें इतनी बहादुरी दिखा रही हैं तब इस संकट के समय ट्रांसवाल के भारतीय अपना कर्तव्य भूलकर जेल से डरेंगे या जेल को महल बनाकर खुशी-खुशी वहाँ जाएँगे? ऐसा होने पर भारत के बँधन अपने आप टूट जाएँगे। हमने अर्जियाँ दीं, भाषण दिये, किन्तु हमारी विजय तभी होगी जब इसमें ऐसा बल होगा। लोगों को भाषण या पेंचबाजी पर बहुत विश्वास नहीं रहा, वह तो सब कर सकते हैं। उनमें कोई बहादुरी नहीं प्रकट होती, क्योंकि कथनी से करनी भली होती है। इसके बिना सब झूठा है। इसलिए सर्वस्व बलिदान का संकल्प करने पड़े यही एक रास्ता है।''[3]

प्रसंगवश उल्लेखनीय है कि इंग्लैंड की महिलाओं ने श्रीमती एमलिन पैंकहर्स्ट (Mrs. Emmeline Pankhurst 1858-1928) के नेतृत्व में संसदीय मताधिकार के लिए जो आन्दोलन चला रखा था, उसमें कार्यवाही के तौर पर धरना देना, अनशन करना और जेल जाना शामिल था। इस आन्दोलन से जुड़ी महिलाओं के साहस और दृढ़ता से गाँधीजी काफी प्रभावित थे। इसलिए वे 'इंडियन ओपिनियन' में इस आन्दोलन के पक्ष में लिखकर जहाँ आन्दोलनकारियों को नैतिक समर्थन प्रदान कर रहे थे, वहीं इसके उदाहरण प्रस्तुत कर ट्रांसवाल में रहने वाले भारतीयों में अपने अधिकारों के लिए संघर्ष करने हेतु प्रेरित कर रहे थे। मिसाल के तौर पर 30 मार्च, 1907 के 'इंडियन ओपिनियन' (गुजराती) में 'विलायत की बहादुर स्त्रियाँ' शीर्षक से उनकी छपी टिप्पणी दृष्टव्य है—''ये महिलाएँ जो लड़ाई लड़ रही हैं उसके सम्बन्ध में अभी भी तार आते रहते हैं। उनमें से सभी महिलाएँ जुर्माना न देकर जेल जाती हैं। उन्हें अब तक अधिकार प्राप्त नहीं हुए, इससे वे पस्तहिम्मत नहीं हैं, बल्कि मानती हैं कि स्वयं उन्हें भले अधिकार प्राप्त न हों, उनकी मेहनत का फल उनकी बेटियों को मिलेगा।'' इतना उल्लेख करने के बाद गाँधीजी भारतीयों को सम्बोधित करते हुए लिखते हैं—''जेल के प्रस्ताव के सम्बन्ध में कोई यह न माने कि सभी भारतीय जेल जाएँगे तभी वह भी जाएगा। परन्तु, जिसे हिम्मत हो उसे जेल जाना है। उपर्युक्त महिलाओं से सबक लेना है। यद्यपि वे बहुत कम हैं, फिर भी वे जेल जाती हैं और इसके जरिये दुनिया का ध्यान इस विषय की ओर खींचती हैं। हम अपने सभी पाठकों से विनम्र निवेदन करते हैं कि उन्हें हमारे इस लेख को हृदय में अंकित कर लेना है और बहुत सोच-समझकर काम करना है।''[4]

इंग्लैंड की धरती पर राजनीतिक अधिकार प्राप्त करने की मंशा से आन्दोलन कर रही इन स्त्रियों की बहादुरी-निर्भीकता से गाँधीजी कितने अभिभूत थे, यह 29.6.1907 के 'इंडियन ओपिनियन' (गुजराती) में उनकी 'इंग्लैंड की बहादुर

स्त्रियाँ' शीर्षक से लिखी टिप्पणी में देखा जा सकता है—"इंग्लैंड की स्त्रियाँ अपने लिए मताधिकार प्राप्त करना चाहती हैं। उनकी सभा की अधिकृत रिपोर्ट प्रकाशित हुई है। उससे मालूम होता है कि वह सभी अपने काम के लिए हर सप्ताह करीब सौ पौंड खर्च करती हैं और आज तक यानी दो वर्षों के अन्दर अब स्त्रियों ने मिलकर अपनी बहनों के अधिकरों के लिए लगभग छह वर्ष की कैद भोगी है।" इंग्लैंड की आन्दोलनकारी महिलाओं के सम्बन्ध में इतना बताने के बाद वे फिर ट्रांसवाल के भारतीयों से मुखातिब होते हुए लिखते हैं—"जब अँग्रेज स्त्रियों को उनके ही समाज से हक प्राप्त करने में इतना पैसा खर्च करना और इतना दु:ख उठाना पड़ रहा है, तब भारतीय कौम को दूसरी कौम से अधिकार प्राप्त करने में कितना खर्च करना और दुख उठाना होगा? यह हिसाब प्रत्येक भारतीय समझ ले और फिर सोचे कि यदि पूरे तेरह हजार भारतीय जेल चले जाएँ और यदि वे तेरह हजार पौंड खर्च करें, तो उससे इस कार्य में कोई बड़ा खर्च नहीं होगा।"[5]

इंग्लैंड की बहादुर स्त्रियों की मिसाल पेश करते हुए गाँधीजी ने 28.12.1907 के 'इंडियन ओपिनियन' (गुजराती) में 'बहादुर स्त्रियाँ' शीर्षक से लिखा—"इंग्लैंड की स्त्रियों ने हद कर दी है। भारतीय समाज की लड़ाई जब ट्रांसवाल के खूनी कानून के खिलाफ शुरू हुई तब इंग्लैंड की स्त्रियों की मताधिकार की लड़ाई को चले कई महीने बीत चुके थे। उन स्त्रियों की लड़ाई अभी जारी है और वे जरा भी थकी नहीं हैं। उनकी बहादुरी और धीरज के सामने ट्रांसवाल के भारतीयों की लड़ाई कुछ भी नहीं है। इसके अलावा इंग्लैंड की स्त्रियों को बहुत-सी स्त्रियों के भी खिलाफ जूझना पड़ता है। मताधिकार माँगनेवाली स्त्रियों से न माँगनेवाली स्त्रियों की संख्या बहुत ज्यादा है। इतना होने पर भी वे मुट्ठी भर स्त्रियाँ हार नहीं मान रही हैं। रोज-ब-रोज वे जितनी ठोकरें खाती हैं उनकी ताकत उतनी ही अधिक बढ़ती जाती है। उनमें से बहुत-सी जेल जा चुकी हैं। घृणित और कायर पुरुषों की ठोकरों और पत्थर की मार ये स्त्रियाँ खा चुकी हैं। पिछले सप्ताह तार आया था कि उन्होंने अपनी लड़ाई को और भी व्यापक तीव्र करने का निर्णय लिया है। अब स्त्रियों ने निश्चय किया है कि 'जब तक हमें अपने अधिकार नहीं मिलते तब तक हम कर वगैरह नहीं देंगी, बल्कि अपना माल नीलाम होने देंगी और जेल जाएँगी।' इन महिलाओं के इस जुझारूपन का उल्लेख करने के बाद गाँधीजी फिर वहाँ के भारतीयों को इससे प्रेरणा लेने के लिए टिप्पणी करते हैं—"यह बहादुरी और धैर्य ट्रांसवाल के भारतीय तथा सारे भारतीय समाज के लिए आदर्श है। बिना परवान के व्यापार करने के कारण यदि

नेटाल के भारतीयों का माल नीलाम हो जाए तो उन्हें भारी मालूम होगा। किन्तु इस प्रकार सोचने वाले यह नहीं समझते कि बहुत लोगों का माल सरकार नीलाम नहीं कर सकती और नीलाम करे भी तो क्या हुआ? स्त्रियाँ मताधिकार जैसे हक के लिए अपनी जायदाद कुर्बान कर देती हैं तब हम जीविका के लिए लड़ते हुए मोह के कारण लड़ाई में इतना कष्ट भी नहीं सहन कर सकते? स्त्रियों की लड़ाई कई वर्ष चलेगी, परन्तु वे बिना हारे या बिना थके लड़ती रहेंगी। आज लड़ने वाली स्त्रियाँ इस अधिकार का उपयोग नहीं कर पाएँगी, फिर भी ऐसा मानकर कि अगर वह बाद की पीढ़ी को मिले, तब भी हमें ही मिलने जैसा हुआ, वे सत्य के आधार पर जूझ रही हैं। भारतीयों को भी इसी दृष्टि से लड़ना चाहिए।''[6]

इंग्लैंड की स्त्रियों का यह आन्दोलन लम्बे समय तक चला जिसके परिणामस्वरूप अन्ततः 1920 में ब्रिटेन की संसद को वहाँ की महिलाओं को मताधिकार प्रदान करना पड़ा। गाँधीजी सन् 1914 तक दक्षिण अफ्रीका में रहकर वहाँ की गोरी सरकार के रंगभेद, नस्लवाद के खिलाफ सत्याग्रह का संघर्ष चलाते रहे, साथ ही साथ इंग्लैंड के इस स्त्री आन्दोलन का भी वे समर्थन करते रहे। इस आन्दोलन से जुड़े उनके समस्त वक्तव्यों, टिप्पणियों को यहाँ उद्धृत करना हमारा अभीष्ट नहीं, फिर भी उनके जिन वक्तव्यों, को उद्धृत किया गया है, उनके आलोक में गाँधीजी का स्त्रियों की शक्ति और साहस में विश्वास प्रकट होता ही है, और भी कुछ बातें ध्यान आकृष्ट करती हैं। गाँधीजी ब्रिटेन की स्त्रियों द्वारा मताधिकार प्राप्त कर राजनीतिक दृष्टि से पुरुषों के समकक्ष दर्जा प्राप्त करने की इच्छा तथा उसकी पूर्ति के लिए किये जानेवाले आन्दोलन के प्रबल पक्षधर थे। दूसरी बात कि उनके लिए संख्या का महत्त्व कभी नहीं रहा, महत्त्व रहा सत्य का। इंग्लैंड में चलने वाले इस आन्दोलन के पक्ष में यद्यपि कम स्त्रियाँ थीं, जैसा कि गाँधीजी के कथन से स्पष्ट हैं, किन्तु उनका उद्देश्य सही था, इसलिए गाँधीजी ने उनका समर्थन करना अपना नैतिक एवं मनुष्योचित कर्तव्य समझा। तीसरी बात जो प्रकट होती है वह यह कि इंग्लैंड की स्त्रियों के इस आन्दोलन ने गाँधीजी को दक्षिण अफ्रीका में रंगभेद के खिलाफ भारतीय समुदाय की लड़ाई लड़ने में आत्मबल प्रदान किया ही, उन्हें भारत में भी औपनिवशिक दासता के खिलाफ लड़ने में पथ-प्रदर्शन का काम किया। जैसा कि पहले ही निवेदन किया जा चुका है कि इंग्लैंड की इन आन्दोलनकारी स्त्रियों ने धरना, अनशन और जेल जाना- इन तीन कार्यों को ही अपना मुख्य अस्त्र बनाया था, गाँधीजी ने भी ब्रिटिश दासता से भारत की मुक्ति की लड़ाई लड़ने में इन्हीं तीन अस्त्रों-धरना, अनशन, जेल जाना-का मुख्य रूप से इस्तेमाल किया। साथ ही वे भारतीय सन्दर्भ में स्त्रियों

की सामाजिक, राजनीतिक, आर्थिक स्वतन्त्रता एवं समानता के अधिकारों के प्रति जगरूक हुए और उन्हें स्त्री–शक्ति के महत्त्व का जो बोध इंग्लैंड की आन्दोलनकारी महिलाओं ने कराया, उसी का परिणाम हुआ कि उन्होंने दक्षिण अफ्रीका से लेकर भारतवर्ष तक अपने सत्याग्रह–संघर्ष में स्त्रियों की सहभागिता के लिए वैसा ही खुला रास्ता रखा जैसा पुरुषों के लिए था। हालाँकि इंग्लैंड की स्त्रियों की स्थिति उस समय भारतीय स्त्रियों की तुलना में कई दृष्टियों से अच्छी थी, फिर भी राजनीतिक दृष्टि से पुरुषों के समकक्ष–मताधिकार के मामले में—न होने की पीड़ा जब उन्हें कचोटने लगी तब वे आन्दोलन के क्षेत्र में कूद पड़ीं। और गाँधीजी ने, जो तब तक स्त्री–पुरुष समानता के कायल हो चुके थे, उनके इस आन्दोलन के समर्थन में 'इंडियन ओपिनियन' के माध्यम से एक मोर्चा–सा खोल दिया। ऐसे में स्वाभाविक था कि वह व्यक्ति अपने ही देश में समाज की स्त्रियों के बारे में, जिनकी स्थिति इंग्लैंड की स्त्रियों की तुलना में कई दृष्टियों से बदतर थी, हर्गिज मूक एवं निष्क्रिय नहीं रह सकता था? दक्षिण अफ्रीका में ही जिस भारतीय समुदाय से उनका वास्ता था, उसमें स्त्रियों की पराधीनता, पिछड़ेपन आदि की जड़ों तक पहुँचकर गाँधीजी उनके विश्लेषण एवं समाधान के कार्य में प्रवृत्त हो गये। इस दृष्टि से उनका ध्यान सबसे पहले स्त्री–शिक्षा की वांछनीयता की ओर गया और उन्हें महसूस हुआ कि लड़कियों–स्त्रियों को शिक्षा पाने की सुविधाओं से वंचित रखकर पुरुष समाज ने बहुत बड़ा गुनाह किया है और उन्होंने भारतीय सन्दर्भ में स्त्री–शिक्षा की वकालत करना शुरू कर दिया। जो भारतीय पुरुष स्त्रियों को पढ़ाना–लिखाना उचित नहीं समझते थे, उन्हें ध्यान में रखकर गाँधीजी ने दक्षिण अफ्रीका में रहते हुए कई विचारोत्तेजक लेख लिखे जिनके कुछ अंश यहाँ प्रसंगवश द्रष्टव्य हैं।

स्त्रियों के लिए शिक्षा की आवश्यकता पर प्रकाश डालते हुए गाँधीजी ने दक्षिण अफ्रीका में रहते हुए लिखा—"स्त्री–शिक्षा में भारत बहुत पिछड़ा हुआ है, यह हमें स्वीकार करना पड़ता है।" किन्तु पाठक यह न समझें कि गाँधी भी उपनिवेशवादी बौद्धिकों की तरह भारत को सदा से पिछड़ा हुआ राष्ट्र मानते हैं, इसलिए इस वाक्य के बाद वे लिखते हैं—"इस स्वीकृति से हमारा हेतु यह कहने का नहीं है कि भारतीय स्त्रियाँ अपना कर्तव्य नहीं करतीं। हमारी तो यह मान्यता है कि सम्पूर्ण बातों का विचार करते हुए जैसे भारतीय पुरुष की तुलना में दुनिया के किसी भी वर्ग का पुरुष नहीं पहुँच पाता, उसी प्रकार हमारी यह भी मान्यता है कि भारतीय नारी के स्तर को पहुँच पाने वाली नारियाँ संसार की अन्य स्त्रियों में अभी पैदा ही नहीं हुई है। परन्तु यह सब भारत की वर्तमान निर्बल,

अधम और कंगाल परिस्थितियों में ज्यादा समय निभ सके, ऐसा नहीं है। यह जमाना ऐसा है कि यदि कोई एक स्थिति में बना रहना चाहे, तो नहीं रह सकता। जो आगे बढ़ना नहीं चाहते या नहीं बढ़ते, उन्हें पिछड़ना ही होगा। यदि यह विचार सत्य है तो हम देख सकेंगे कि भारतीय पुरुषों ने भारतीय स्त्रियों को बहुत पिछड़ा हुआ रखा है। आजकल सुधार का दम्भ करने वाले अथवा खा-पीकर सुखी रहने वाले बहुतेरे भारतीय—भले ही वे हिन्दू हों या मुसलमान, पारसी हों या ईसाई-स्त्रियों को या तो खिलौने के समान रहने देते हैं, या अपने विषय-भोग के लिए मनमाने ढंग से रखते हैं। परिणाम यह होता है कि स्वयं दुर्बल होते हैं और वैसे ही रहते हैं, तथा दुर्बल प्रजोत्पत्ति में सहायक बनकर ईश्वर या खुदा को जो मंजूर होगा सो होगा, ऐसा कहकर धर्ममय जीवन बिताते हैं। यदि यों ही निरन्तर चलता रहा तो भारत को अँग्रेज सरकार से जितना मिलना चाहिए उतना पाने पर भी भारत अधम दशा में ही बना रहेगा। यदि भारत में पचास प्रतिशत मानव-प्राणी हमेशा अज्ञान की दशा में और खिलौने बनकर रहें, तो उससे भारत की पूँजी में कितना घाटा होगा, यह सहज ही समझा जा सकता है। ...दक्षिण अफ्रीका में भारतीय आबादी में लड़कियाँ तथा स्त्रियाँ बड़ी संख्या में हैं। हमारा निश्चित मत है कि इन दोनों को अच्छी शिक्षा की बड़ी ही जरूरत है। शिक्षा यद्यपि उन्हें सहज ही दी जा सकती है तथापि यह तो तब हो सकता है जब हम खिलवाड़ करना छोड़कर अपने कर्तव्य को समझें। शिक्षा देते हुए भी हमें यह सोचना चाहिए कि वह किस हेतु से दी जानी चाहिए। यदि स्वार्थ के हेतु से देंगे तो उससे कोई सार नहीं निकलेगा। वह तो केवल वेश बदलने जैसा होगा।''[7]

गाँधीजी ने आँग्ल भाषा के एक ग्रन्थकार श्री यूसुफ अली का हवाला देते हुए 'स्त्री-शिक्षा का महत्त्व' नाम से एक दूसरे लेख में लिखा—''श्री यूसुफ अली ने भारत की हालत के सम्बन्ध में एक पुस्तक लिखी है। वह बहुत ही प्रसिद्ध है। उसमें उन्होंने स्त्री-शिक्षा के बारे में जो विचार व्यक्त किये हैं वे जानने योग्य हैं। उन्होंने लिखा है कि जब तक भारत में स्त्रियों को आवश्यक शिक्षा नहीं मिलती तब तक भारत की हालत सुधर नहीं सकती। स्त्री पुरुष की अर्द्धांगिनी मानी जाती है। यदि हमारा आधा शरीर मुर्दा हो जाए, तो हम मानते हैं कि हमें लकवा मार गया है, और हम बहुत-से कामों के लिए अयोग्य हो जाते हैं। इसी प्रकार स्त्री का जो उपयोग होना चाहिए यदि वह न हो, तो सारे भारत को लकवा मार गया है, यही मानना पड़ेगा और ऐसी हालत में यदि भारत दूसरे देशों के आगे टिक न सके तो उसमें आश्चर्य की बात कौन-सी है? इस तरह का विचार हर माता-

पिता को अपनी लड़की के बारे में और सारे भारतवासियों को स्त्री-समाज के बारे में करना चाहिए। हमें ऐसी हजारों स्त्रियों की जरूरत है जो मीराबाई और राबिया की बराबरी करें।''[8]

स्पष्ट है कि दक्षिण अफ्रीका में प्रवास के दौरान ही गाँधीजी भारतीय समाज में स्त्रियों के लिए समुचित शिक्षा दिये जाने की आवश्यकता को अच्छी तरह समझ चुके थे। जनवरी 1915 में दक्षिण अफ्रीका से वापसी के बाद गाँधीजी का सामना विशाल भारतवर्ष के विभिन्न प्रदेशों एवं समुदायों की स्त्रियों की विविध समस्याओं से हुआ। दक्षिण अफ्रीका में तो एक खास किस्म के व्यापारी या मजदूरी करने वाले भारतीय समुदाय से उनका वास्ता रहा, इसलिए स्त्रियों से जुड़ी विविध समस्याओं का वहाँ पर पता चल पाना सम्भव नहीं था, जबकि भारत में स्त्री-समस्याओं की प्रचुरता का कहना ही क्या था? लेकिन स्त्री-समस्याओं में गाँधीजी की जो दिलचस्पी दक्षिण अफ्रीका में पैदा हो चुकी थी, वह भला उन्हें यहाँ पर कैसे चुपचाप बैठे रहने देती? यही कारण था कि जिस तरह वे अस्पृश्यता-उन्मूलन, शिक्षा एवं भाषा का स्वदेशीकरण एवं स्वराज्य-जागरण जैसे मुद्दों को लेकर कार्य करने लगे उससे उन्होंने स्त्री-समस्या को कभी ओझल नहीं होने दिया। उन्होंने कई वर्षों तक पूरे देश का भ्रमण करते हुए देखा कि अशिक्षा, बाल-वधू एवं बाल-विधवा, जिस्मफरोशी का धन्धा, पर्दा प्रथा, दहेज, आर्थिक पराधीनत्ता जैसी नाना कुरीतियों के जाल में हिन्दुस्तान की स्त्रियाँ अशक्त-निरीह होकर दम तोड़ रही थीं। विभिन्न प्रदेशों में, विभिन्न समुदायों की स्त्रियों के पास जाकर, उनसे सीधे-सीधे सवाल करके उनकी विविध समस्याओं की जानकारी गाँधीजी ने हासिल की और फिर उसके समाधान की दिशा में प्रवृत्त हुए। इस समाधान के अन्तर्गत उन्होंने स्त्रियों के लिए शिक्षा को आवश्यक बनाने, लोकमत को जाग्रत करने, आर्थिक स्वालम्बन का उपाय करने, पुरुषों के समकक्ष स्त्रियों को समानता दिलाने आदि कार्यों में अपने को पूरे मनोयोग से संलग्न कर दिया।

दक्षिण अफ्रीका की तरह यहाँ भी स्त्री-शिक्षा के पक्ष में जन-जागृति लाने के लिए गाँधीजी ने लेखन-भाषण का सहारा लिया। स्त्री और पुरुष दोनों के लिए किस प्रकार की शिक्षा पद्धति हो, इस पर विस्तार से विचार करते हुए गाँधीजी ने द्वितीय गुजरात शिक्षा-सम्मेलन में जो भाषण दिया था, उसके कुछ अंश दृष्टव्य हैं—''पुरुषों की शिक्षा-पद्धति जैसी दोषपूर्ण है, वैसी ही स्थिति स्त्रियों की शिक्षा पद्धति की भी है। भारत में स्त्री-पुरुषों का क्या सम्बन्ध है, स्त्री का आम समाज में क्या स्थान है, इन बातों पर विचार ही नहीं किया गया है।'' जाहिर है गाँधीजी स्त्री के लिए शिक्षा आवश्यक मान रहे थे, किन्तु साथ ही वे स्त्री एवं पुरुष में

अन्तर्निहित प्रकृति प्रदत्त भिन्नता को देखते हुए दोनों को दी जाने वाली शिक्षा में थोड़ी विभिन्नता को देखते हुए दोनों को दी जाने वाली शिक्षा में थोड़ी विभिन्नता भी रखना चाहते थे। इसलिए उस भाषण में आगे उन्होंने यह कहा—"प्रारम्भिक शिक्षा का बहुत-सा भाग दोनों वर्गों के लिए समान हो सकता है। इसके सिवा और सब बातों में बहुत असमानता है। जैसे प्रकृति ने पुरुष और स्त्री में भेद रखा है, वैसे ही शिक्षा में भेद की आवश्यकता है। ...एक खास उम्र के बाद स्त्रियों के लिए दूसरी ही तरह की शिक्षा का प्रबन्ध होना चाहिए। उन्हें गृह-व्यवस्था करने का, गर्भ काल में सावधानी रखने का, बालकों का पालन-पोषण करने का ज्ञान देने की जरूरत है। इस योजना को बनाने का काम बहुत कठिन है। शिक्षा क्रम में यह नया विषय है। इस बारे में खोज और निर्णय करने के लिए चरित्रवान और ज्ञानवान स्त्रियों तथा अनुभवी पुरुषों की समिति नियुक्त करके कोई योजना बनवाने की जरूरत है।"

इसी भाषण में उन्होंने स्त्री-शिक्षा को कन्या शिक्षा से आगे का विषय मानते हुए उन परिस्थितियों का मार्मिक चित्र प्रस्तुत किया जिनके कारण बगैर शिक्षा का ककहरा जाने ही कन्याएँ स्त्री में रूपान्तरित हो जाती थीं। उन्हीं के शब्दों में प्रस्तुत है यह चित्र—"स्त्री शिक्षा को हम केवल कन्या शिक्षा से ही पूरा नहीं कर सकेंगे। सहस्त्रों लड़कियाँ बारह साल की उम्र में ही बाल-विवाह की बलि चढ़ जाती हैं और हमारी दृष्टि से ओझल हो जाती हैं। वे गृहिणी बन जाती हैं। यह पाप पूर्ण प्रथा जब तक हमारे समाज से नहीं मिटेगी, तब तक पुरुषों को स्त्रियों का शिक्षक बनना सीखना पड़ेगा। जब तक हमारी स्त्रियाँ हमारे विषय-भोग की सामग्री और रसोई करने वाली न रहकर हमारी जीवन-सहचरी, अर्धांगिनी और सुख-दुःख की साझीदार नहीं बनतीं, तब तक हमारे सारे प्रयत्न मिथ्या जान पड़ते हैं। कोई-कोई अपनी स्त्री को जानवर के बराबर समझते हैं। इस स्थिति के लिए कुछ संस्कृत के वचन और तुलसीदास जी की यह प्रसिद्ध चौपाई भी बहुत जिम्मेवार है। तुलसीदास जी ने एक जगह लिखा है "ढोल-गँवार-शुद्र-पशु-नारी, ये सब ताड़न के अधिकारी।" तुलसीदास जी को मैं पूज्य मानता हूँ। परन्तु मेरी पूजा अन्धी पूजा नहीं है या तो उपर्युक्त चौपाई प्रक्षिप्त है, अथवा यदि वह तुलसीदास जी की ही है तो उन्होंने उसे बिना विचारे केवल प्रचलित प्रथा के अनुसार जोड़ दिया है। संस्कृत वचनों के बारे में ऐसा कुछ भ्रम व्याप्त पाया जाता है कि संस्कृत में लिखे श्लोक तो शास्त्र-वचन ही होने चाहिए। यह भ्रम मिटाकर स्त्रियों को हीन समझने की जो प्रथा पड़ी हुई, हमें उसे जड़ से उखाड़ फेंकना होगा। दूसरी तरफ हममें से कितने ही विषयान्ध होकर स्त्री की पूजा करते हैं और जैसे हम

ठाकुरजी को हर समय नये आभूषणों से सजाते हैं, वैसे ही वे स्त्री को सजाते रहते हैं। इस पूजा की बुराई से भी हमें बचना जरूरी है। अन्त में तो जैसे महादेव के लिए पार्वती, राम के लिए सीता और नल के लिए दमयन्ती थी, वैसे ही जब हमारे लिए हमारी स्त्रियाँ होंगी और वे हमारी बातचीत में भाग लेंगी; हमारे साथ वाद-विवाद करेंगी, हमारे विचारों को समझकर उनका पोषण करेंगी, हमारी बाहरी मुसीबतों को इशारे में समझकर अपनी अलौकिक शक्ति से उनको दूर करने में भाग लेंगी और हमें शान्ति देगी, तभी हमारा उद्धार हो सकेगा, उससे पहले नहीं, जब तक बाल-विवाह का फन्दा हमारे गले में पड़ा है, तब तक पुरुषों को अपनी स्त्रियों का शिक्षक बनना पड़ेगा और उनकी यह शिक्षा केवल अक्षर-ज्ञान तक ही सीमित नहीं होगी; उन्हें धीरे-धीरे राजनीति और समाज-सुधार के विषयों की शिक्षा भी दी जा सकती है। इसी तरह पुरुष को अपनी पत्नी के बारे में अपना रवैया बदलना पड़ेगा।''[७]

जाहिर है गाँधीजी स्त्रियों के लिए जिस शिक्षा को उपयुक्त, वाँछनीय समझ रहे थे, वह उन्हें निर्भीक, साहसी, तेजस्वी, घर-समाज-राष्ट्र के दायित्वों के प्रति जागरूक एवं विवेकवान बनाने वाली थी। उनकी दृष्टि में स्त्रियों को पढ़ाने-लिखाने का मकसद उन्हें व्यावसायिक बनाना या पुरुषों द्वारा किये जानेवाले कार्यों में दक्ष बनाना नहीं था। उपर्युक्त भाषण में ही उन्होंने अपना यह मंतव्य भी व्यक्त कर दिया था—''जिस समाज में स्त्रियों को तार मास्टर या टाइपिस्ट अथवा कम्पोजीटर का काम करना पड़ता हो, उसकी व्यवस्था बिगड़ी हुई है और वह जाति अपनी पूँजी में से खर्च करने लगी है, ऐसी मेरी राय है। इसलिए जिस तरह स्त्री को अँधेरे में और हीन दशा में रखना बुरा है, उसी तरह उसे पुरुष का काम सौंपना निर्बलता का सूचक है और उस पर जुल्म करने के बराबर है।''

साथ ही भारतीय सन्दर्भ में गाँधीजी स्त्रियों के लिए शिक्षा का प्रयोजन वैसा भी नहीं मानते थे जैसा पश्चिमी देशों में माना जाता था। स्त्री या पुरुष किसी को भी शिक्षित करने का मतलब उसकी दृष्टि में पश्चिमी सभ्यता के साँचे में ढालना नहीं था। शिक्षा का प्रयोजन अपनी संस्कृति से दूर होना नहीं, बल्कि उसके श्रेष्ठ मल्यों को जानने एवं आत्मसात करने से था गाँधीजी की दृष्टि में। इस बात पर जोर देते हुए उन्होंने एक बार कहा था कि ''मैं आशा करता हूँ कि आप लोगों का यह इरादा न होगा कि पश्चिमी देशों की तरह भारत की स्त्रियाँ भी पुरुषों से बिलकुल ही स्वतन्त्र होकर रहें। यह चीज भारतीय संस्कृति की नहीं है। यदि यूरोप की यह उच्छृंखलता हमारे भारत में लायी गयी तो निश्चय ही इससे बेहिसाब हानि पहुँचेगी। समाज में पुरुष और स्त्री, दोनों ही एक दूसरे के अर्द्धांग हैं। स्त्री

शारीरिक बल में पुरुष की बराबरी नहीं कर सकती, परन्तु आध्यात्मिक बल उसमें पुरुष से अधिक है। पुरुष भले ही अपने पाशविक बल पर गर्व किया करे, पर स्त्री अपनी शारीरिक निर्बलता की चिन्ता में न पड़े। सच्चा बल तो आत्मा का बल है। इतनी ही बात है न कि शरीर से कमजोर स्त्रियाँ आधी रात को बाहर कहीं अकेली न निकल सकेंगी? यदि सीता के समान उनके अन्दर सतीत्व की ज्वाला जल रही होगी तो वे कालरात्रि में भी निर्भय होकर चाहे जहाँ अकेली जा सकती हैं। यदि आप लोगों को मेरी यह बात जँच गयी है तो शरीर को शक्तिशाली बनाने की अपेक्षा आप आत्मा को अधिक बलवान बनाएँ। कटार या तमंचा चलाने का अभ्यास करने की अपेक्षा आप साहस और आत्मबल बढ़ाने का प्रयत्न करें।''[10]

गाँधीजी के उपर्युक्त विचारों को देखते हुए यह भ्रम नहीं होना चाहिए कि स्त्रियों के सन्दर्भ में शिक्षा का प्रयोजन उन्हें सीता-सावित्री जैसी नारियाँ बनाना बताकर वे प्रकारान्तर से उन्हें पतियों की अनुगामिनी बने रहने की पारम्परिक रीति का अनुमोदन कर रहे थे, क्योंकि आमतौर पर सीता-सावित्री को अन्ध पतिभक्ति का आदर्श समझा जाता है, लेकिन इन मिथकीय चरित्रों के माध्यम से स्त्री की जिस शक्ति, तेजस्विता, चारित्रिक दृढ़ता की अभिव्यक्ति हुई है वह स्त्री सशक्तीकरण की गुहार करनेवाले आधुनिक समाज के लिए काफी प्रेरक है। गाँधीजी स्त्रियों में सीता, सावित्री, द्रौपदी जैसी स्त्रियों का साहस, आत्मबल देखना चाहते थे और इन गुणों के विकास में जो भी बाधाएँ थीं उन्हें अमान्य करने, अपदस्थ करने को वे हर पल तत्पर रहे। भारतीय समाज में कई शताब्दियों से स्त्रियों की स्वतन्त्रता, खुलेपन, उन्मुक्त विचरण आदि का गला घोंटने वाली एक ऐसी ही कुरीति पर्दा प्रथा के रूप में विराजमान थी। इस पर्दा प्रथा ने स्त्री-जाति को भय एवं दासता के पिंजरे में कैद कर रखा था। स्त्री-पुरुष समता का यह ध्वजारोही भला इस अमानुषिक रिवाज को कैसे बर्दाश्त कर सकता था?

गाँधीजी के सागर जैसे विशाल कृतित्व में पर्दा प्रथा के विरोध के अनेक उदाहरण मिलते हैं। 22 जून, 1924 के 'नवजीवन' (गुजराती) में गाँधीजी ने एक घटना का हवाला देते हुए पर्दा प्रथा की अनावश्यकता, फूहड़पन पर जो टिप्पणी की थी, गौरतलब है। घटना थी, काठियावाड़ में राजपूत-परिषद के सम्मेलन के सम्पन्न होने की। इस परिषद के सम्बन्ध में गाँधीजी को जो जानकारी दी गयी थी, वह इस प्रकार थी—''परिषद में बेहद जोश था। लगभग पन्द्रह हजार राजपूत इकट्ठा हुए होंगे। स्त्रियों की संख्या भी अनुमान से बहुत ज्यादा थी। परन्तु पर्दे का इन्तजाम इतना सख्त था कि अनजान लोगों को मालूम भी नहीं हो सकता

था कि परिषद के पंडाल में स्त्रियाँ भी बैठी हुई हैं। स्त्रियाँ ठहरने के मुकामों से मंडप तक इस खूबी के साथ लायी जाती थीं कि किसी को मालूम तक नहीं हो पाता था कि स्त्रियाँ जा रही हैं।'' यह विवरण देने के बाद इस पर गाँधीजी टिप्पणी करते हैं—''परिषद के कार्यकर्ता ऐसे बढ़िया इन्तजाम के लिए धन्यवाद के पात्र हैं, परन्तु पर्दे के इस अस्तित्व पर खेद ही प्रकट करना पड़ सकता है। कह सकते हैं कि अब पर्दे की आवश्यकता का जमाना नहीं रहा। रामराज्य में पर्दा था, ऐसा प्रतीत नहीं होता है। हाँ, अभी राम-राज्य आया नहीं है, यह सच है। परन्तु अगर हम उसे लाना चाहते हों, तो हमें आज से ही वैसा आचरण प्रारम्भ कर देना चाहिए। हमें यह दिखा देना है कि हम पर्दे के न रहने पर भी मर्यादा की रक्षा कर सकते हैं। जिन लोगों में पर्दे का रिवाज नहीं है, कोई यह नहीं कह सकता कि उनमें मर्यादा का ख्याल कम है। जब हम औरतों को अपनी मिल्कियत समझते थे और उनका हरण किया जा सकता था, तब पर्दे की जरूरत भले ही रही हो। यदि पुरुषों का हरण होने लगे तो उन्हें भी पर्दे में रहना पड़े। जहाँ ऐसी हालत है कि मनुष्य देखते ही बेगार में पकड़ लिया जाता है वहाँ आज भी पुरुष पर्दे में यानी छिप कर रहते हैं। परन्तु पुरुष की कुदृष्टि से स्त्रियों को बचाने का इलाज पर्दा नहीं, बल्कि पुरुष की पवित्रता है। पुरुष को पवित्र बनाने में स्त्री बहुत सहायक हो सकती है। पर्दे में रहने वाली दबी हुई स्त्री पुरुष को भला कैसे पवित्र बना सकती है। यदि उसे शुरू से ही पुरुष से डर कर चलने की आदत डाली जाए तो वह पुरुष को कैसे सुधार सकती है। फिर स्त्रियों को पर्दे में रखना मानो उनमें एक बुराई पैदा करना है। मेरा मत है कि पर्दा सदाचार का पोषक नहीं, बल्कि घातक है। सदाचार के पोषण के लिए सदाचार की शिक्षा, सदाचार के वातावरण और बड़े-बूढ़ों के नीतियुक्त आचरण की आवश्यकता है।''[11]

गाँधीजी को देश के जिस किसी भाग में पर्दा प्रथा का चलन दिखाई देता, उसकी बर्बरता एवं अमानवीयता का विरोध करने का मौका हाथ से नहीं जाने देते। इस कुप्रथा के प्रति वे कितने संवेदनशील एवं सचेत रहते थे, इसके प्रमाणस्वरूप उन्हीं के शब्दों में एक वाकया का जिक्र अप्रासंगिक न होगा। 3 फरवरी, 1927 के 'यंग इंडिया' में गाँधीजी ने 'पर्दे को समाप्त कीजिए' का आह्वान करते हुए लिखा—''मैं जब कभी बंगाल, बिहार या संयुक्त प्रान्त में गया हूँ, मैंने देखा है कि वहाँ पर्दे की प्रथा का और प्रान्तों की अपेक्षा अधिक कड़ाई से पालन किया जाता है। मैंने दरभंगा (बिहार) में काफी रात बीते भाषण देते समय देखा कि मेरे सामने पुरुष बैठे हैं और मेरे पीछे पर्दे की आड़ में स्त्रियाँ बैठी हुई हैं। किन्तु मेरे पीछे स्त्रियाँ बैठी हैं इसका पता मुझे यह बताये जाने पर ही चला। मुझसे

पर्दे के भीतर बैठी महिलाओं के प्रति कुछ शब्द कहने के लिए कहा गया। सभा में आयी हुई बहनों की संख्या का तो मुझे अनुमान नहीं हुआ, किन्तु जिस पर्दे के पीछे वे बैठी थीं, उसे देखकर मेरा मन खिन्न हो गया। इससे मुझे बहुत दुःख और अपमान का अनुभव हुआ। मैंने सोचा कि पुरुषों के द्वारा पर्दे की बर्बर प्रथा को आग्रह के साथ कायम रखकर हिन्दुस्तान की स्त्रियों के प्रति कैसा अत्याचार किया जा रहा है। जिस जमाने में यह प्रथा शुरू की गयी थी उस समय इसका थोड़ा बहुत उपयोग भले ही रहा हो, मगर अब तो यह बिलकुल बेकार हो चुकी है और इससे देश को असीम हानि पहुँच रही है। ...जब तक वे अपने घरों की छोटी- सी चारदीवारी के भीतर या उन पिंजरों में बन्द हैं, तब तक उनसे और किसी बात की आशा कैसे की जा सकती है? ...हमारी स्त्रियों को भी वह स्वतन्त्रता क्यों नहीं प्राप्त है जो पुरुषों को प्राप्त है और वे घर के बाहर निकलने तथा शुद्ध वायु का सेवन करने से वंचित क्यों रखी जाती हैं?''

पर्दे को स्त्रियों की पवित्रता का रक्षा-कवच समझने वालों के भ्रम पर करारी चोट करते हुए गाँधीजी ने उसी लेख में आगे यह जोड़ा—''पवित्रता ऐसी चीज नहीं जिसे कृत्रिम रूप से बढ़ाया और कायम रखा जा सके, न उसे किसी के ऊपर बलात् थोपा ही जा सकता है। वह तो आन्तरिक इच्छा का ही परिणाम हो सकती है और तभी इसका महत्त्व है जबकि आकस्मिक प्रलोभनों के सामने भी वह टिक सके। किसी भी हालत में समर्पण को तैयार न होने की सीता जैसी दृढ़ता उसके लिए आवश्यक है। पुरुषों को देखते ही अगर वह काफूर हो जाए तो फिर उसका क्या मूल्य? पुरुष अगर सचमुच पुरुष हों तो उन्हें अपनी स्त्रियों पर वैसा ही विश्वास करना चाहिए जैसा कि स्त्रियों को उन पर करना पड़ता है। ऐसी स्थिति में तो हमें रहना ही नहीं चाहिए जिसमें कि हमारा एक अंग पूरी तरह या आंशिक रूप से लुंज-पुंज हो गया हो। राम की हम पूजा करते हैं, परन्तु जैसे वह स्वतन्त्र और स्वाधीन हैं वैसी ही स्वतन्त्र और स्वाधीन सीता भी न होती तो उनका वैसा महत्त्व नहीं हो सकता था। परन्तु सहज स्वाधीनता के लिए तो द्रौपदी का उदाहरण शायद अधिक उपयुक्त होगा। सीताजी तो जन्म से ही कुसुमवत सुकुमार थीं जबकि द्रौपदी विराट विशाल वृक्ष की तरह सुदृढ़। उसकी निरंकुश इच्छा के आगे महापराक्रमी भीम तक को झुकना पड़ता था। भीम से सब डरते थे, पर द्रौपदी के सामने तो मानों वह मेमने ही बन जाते थे। उसे अपनी रक्षा के लिए पांडवों में से किसी के संरक्षण की जरूरत नहीं थी। भारत की स्त्रियों के विकास में रुकावट डालने की कोशिश करके आज हम स्वतन्त्र और स्वाधीन भावना वाले मनुष्यों के विकास में ही रुकावट डाल रहे हैं। परन्तु अपनी स्त्रियों

के साथ हम जैसा व्यवहार करते हैं वही फिर सहस्त्र गुणा होकर हमें भी भुगतना पड़ता है। हमारे अन्दर जो निर्बलता, दुविधा, संकीर्णता और मजबूरी आज दिखाई पड़ती है उसकी जिम्मेदारी किसी अंश तक इसी पर है। अतः हमें प्रयत्न करके पर्दे की कुप्रथा का तो अन्त कर ही देना चाहिए।''[12]

इस प्रकार गाँधीजी स्त्रियों को पुरुषों की तुलना में हीन, भीरू, कायर, निर्बल होने का सदैव बोध करानेवाली इस बर्बर पर्दा प्रथा के विरुद्ध लोकमत को जाग्रत करते रहे। उन्होंने स्त्रियों के साथ व्यवहार में कभी दोहरे मानदंड नहीं अपनाये। वे जहाँ कहीं भी जाते, स्त्रियों से सीधे संवाद करते। उनकी इस प्रकार की कार्य शैली के सम्बन्ध में कृपलानी जी ने लिखा है—''गाँधीजी पर्दे की प्रथा के विरुद्ध थे। इसकी वजह से स्त्रियाँ न केवल मुक्त रूप से घूम-फिर ही नहीं सकतीं बल्कि उनकी प्रगति और समाजोपयोगी काम करने की उनकी शक्ति में भी रुकावट पड़ती है। मैंने गाँधीजी को पर्दे की सर्वथा उपेक्षा करते देखा है। वह जहाँ भी जाते, घर के हर भाग में, यहाँ तक कि स्त्रियों के लिए ही सुरक्षित अन्तःपुर में भी जाने का आग्रह करते थे—और इसमें उनका विरोध भला कौन कर सकता था? फिर हिन्दू स्त्रियों के लिए तो वह सचमुच महात्मा ही थी, इसलिए वे तो उनके दर्शनों से कृतार्थ हो जातीं और अपने को धन्य ही मानती थीं। मुस्लिम घरों में भी जब वह जाते, तो पर्दे के बावजूद स्त्रियों से मिलने का आग्रह करते थे। और जहाँ तक उन घरों की स्त्रियों का सवाल हे, वे भी पर्दे की ओट से उन्हें देखने के बजाय बिना पर्दे के सामने आकर ही उन्हें देखना और उनसे मिलना पसन्द करती थीं।''[13]

कृपलानी जी ने स्त्रियों के सन्दर्भ में गाँधीजी के व्यवहार का जो चित्र दिया है, वह निश्चय ही उस जमाने को देखते हुए थोड़ा असाधारण किस्म का लगता है। लेकिन गाँधीजी के लिए यह बिलकुल सामान्य किस्म की बात बन चुकी थी, कारण कि भारतीय साहित्य एवं संस्कृति का मन्थन करते हुए वे इस मान्यता के कायल हो चुके थे कि स्त्री-पुरुष की सार्थकता एक दूसरे का पूरक बनने में है, न कि किसी का विरोधी बनने में। जिस संस्कृति ने शिव के रूप में अर्द्धनारीश्वर की पकिल्पना प्रस्तुत की हो, वह भला स्त्री को गौण कैसे मान सकती? गाँधीजी भारतीय संस्कृति के इस मूलभूत तत्व को आत्मसात कर चुके थे और यही कारण था कि उनकी दृष्टि में कुछेक शारीरिक विभिन्नताओं के अलावा बौद्धिक, मानसिक एवं आध्यात्मिक स्तर पर स्त्री-पुरुष में कोई भेद या अन्तर नहीं था। यही कारण था कि वे स्त्री को पुरुष से किसी भी दृष्टि से हीन, निम्न समझने को कभी सहमत नहीं हुए। पुरुषप्रधान समाज ने भले ही स्त्रियों को दासी, गुलाम, रखैल, गणिका

आदि बनाकर उसे दोयम, पतित एवं गर्हित दशा में डाल दिया, किन्तु गाँधीजी अपने जाने यथासम्भव पुरुषों द्वारा स्त्रियों पर लगाये गये इस कलंक को मिटाने का प्रयास करते रहे। वे एक तरफ पुरुषों की स्त्रियों के सम्बन्ध में गर्हित सोच को बदलने का प्रयास करते रहे, तो दूसरी तरफ स्त्रियों के अन्दर वर्षों से कुंडली मारकर बैठी हुई हीनता की भावना को दूर करने का प्रयास करते रहे। प्रसंगवश स्त्री-पुरुष के पारस्परिक समतापूरक सम्बन्धों को लेकर उनके कुछ विचारों को यहाँ देखना विषयान्तर न होगा। मिसाल के तौर पर प्रस्तुत हैं उनके कुछ विचार :

"मेरा आदर्श यह है कि पुरुष-पुरुष रहते हुए स्त्री बने तथा स्त्री, स्त्री, रहते हुए पुरुष बने। पुरुष को स्त्री बनना चाहिए, अर्थात् उसमें स्त्रियों की नम्रता और विवेक होना चाहिए और स्त्री को पुरुष बनना चाहिए, इसका अर्थ यह है कि उसे भीरुता को छोड़ हिम्मतवाला और बहादुर बनना चाहिए।"

"ऐसा कहा जाता है कि स्त्रियों में ईर्ष्या-भाव बहुत होता है। लेकिन पुरुषों में ईर्ष्या होती ही नहीं, ऐसी बात नहीं है। उसी तरह सभी स्त्रियाँ भी ईर्ष्यालु नहीं होतीं। बात सिर्फ इतनी ही है चूँकि स्त्रियों को चौबीस घंटे घर में रहना पड़ता है, इसलिए उनकी ईर्ष्या अधिक स्पष्ट रूप से दिखाई देती है।"

"पुरुष और स्त्री दोनों निर्भय बन सकते हैं। पुरुष प्राय: ऐसा मानता है कि वह निर्भय रह सकता है, लेकिन यह बात हमेशा सच नहीं होती। इसी तरह स्त्रियाँ भी अपने को निर्बल मानकर अपने लिए 'अबला' नाम चलने देती है, यह बात भी ठीक नहीं है। स्त्रियों को भयभीत रहने की तनिक भी आवश्यकता नहीं है। मैंने अभी परसों ही मीराबाई के सम्बन्ध में एक बात सुनी है। इसे मैं तुम्हें सुनाता हूँ—मीराबाई वृन्दावन गयीं और वहाँ उन्होंने एक साधु का दरवाजा खटखटाया। साधु ने कहा कि "मैं किसी स्त्री का मुँह नहीं देखता।" मीराबाई ने पूछा कि "तुम कौन हो? मैं तो मात्र एक ही पुरुष को जानती हूँ और वह है ईश्वर।" यह सुनकर साधु ने अपना दरवाजा खोल दिया और मीराबाई को साष्टांग नमस्कार करके कहा—"आज मेरी आँखें खुल गयीं।"

"स्त्री और पुरुष जब तक विकार के वशीभूत हैं तब तक दोनों को भय है।"

"द्रौपदी बुद्धि का रूपक है और पाँच पांडव उसकी वशीभूत पाँच इन्द्रियाँ हैं। इन्द्रियाँ वशीभूत हो जाएँ यह तो एक अच्छी बात ही है। पाँच इन्द्रियाँ बुद्धि के वशीभूत हो गयी और इस तरह उनका परिष्कार हुआ, इसी बात को यों कहा जा सकता है कि बुद्धि ने उनका वरण कर लिया। द्रौपदी ने अगाध बल का परिचय दिया। भीम भी द्रौपदी से डरता था, युधिष्ठिर धर्मराज़ थे, वे भी उससे डरते थे।"

"इस पुराने विधि-विधान की रचना ऋषि-मुनियों अर्थात् पुरुषों ने ही की है। इसलिए इसमें स्त्रियों के अनुभव का अभाव है। हमें वस्तुतः स्त्री-पुरुष में से किसी को भी ऊँचा-नीचा नहीं समझना चाहिए। दोनों के स्थान और कार्य अलग-अलग हैं। दोनों की मर्यादाएँ ईश्वर ने निश्चित की है।"[14]

इन विचारों को देखने पर जाहिर है कि गाँधीजी पुरुष प्रधान समाज द्वारा गढ़े गये ऐसी किसी रीति-रिवाज, विधि-विधान, रस्म-रिवाज को मानने को तैयार नहीं थे जो स्त्रियों को पुरुषों की तुलना में हीन एवं पराधीन बनाने का काम करता हो, उसके व्यक्तित्व के विकास को अवरुद्ध करता हो। यही कारण था कि उन्होंने सदैव पर्दा-प्रथा का विरोध किया और इसी कारण से उन्होंने बाल-विवाह या कन्या-विवाह का भी विरोध किया। बाल-विवाह के कारण ही बाल-विधवाओं या वयस्क-विधवाओं (जब बाल विधवा वयस्क हो जाती थी) की उपस्थिति ने वर्षों से हमारे समाज का चेहरा कुरूप कर रखा था। इस दारुण समस्या की तरफ भी गाँधीजी जैसे संवेदनशील व्यक्ति का ध्यान जाना स्वाभाविक था और सचमुच इसके विरुद्ध भी वे लोकमत को जाग्रत करने का जीवनपर्यन्त प्रयास करते रहे। देश का दौरा करते हुए उन्होंने जगह-जगह पर इस सवाल को उठाया, साथ ही लेखों, वक्तव्यों को प्रकाशित कर वे इसके विरुद्ध जन-जागृति पैदा करने की कोशिश करते रहे।

वस्तुतः बाल-विवाह और बाल-विधवा परस्पर जुड़ी हुई समस्याएँ थीं। पाँच से दस साल की उम्र में ब्याह दी गयी लड़कियाँ बदकिस्मती से दो-तीन साल के अन्दर विधवा हो जाती थीं, तो वे ही बाल-विधवा के रूप में जानी जाती थीं और उम्र बढ़ने के साथ-साथ वे ही फिर वयस्क विधवा हो जाती थीं। हालाँकि हिन्दू समाज के निचले तबके में ऐसी विधवाओं का पुनर्विवाह हो जाता था, लेकिन उच्च वर्ग या जिसे फिर सवर्ण वर्ग कहते हैं, उसमें ऐसी बाल-विधवाओं को आजीवन विधवा बनकर रहना पड़ता था और इस वर्ग ने इसे पुण्य एवं धर्म का श्रेष्ठ रूप दे रखा था। अतएव गाँधीजी ने जब इस तरह की विधवाओं के पुनर्विवाह की हिमायत करनी शुरू की तो उस मुद्दे पर भी उन्हें कई एक की आपत्तियों का सामना करना पड़ा। हालाँकि बंगाल में ईश्वरचन्द्र विद्यासागर एवं उत्तरी भारत में आर्य समाज के आन्दोलन ने उन्नीसवीं सदी के उत्तरार्द्ध से ही विधवा-विवाह के समर्थन में मुहिम चला रखी थी, फिर भी सवर्ण तबके के गले के नीचे यह चीज पूरी तरह नहीं उतर सकी थी और यही कारण कि गाँधीजी को भी इस वर्ग से प्रतिवाद का सामना करना पड़ा। मसलन, बंगाल से एक विधवा बहन ने गाँधीजी को एक पत्र में लिखा था कि "मेरी समझ में यह बात नहीं

आती कि आप बाल विधवाओं के पुनर्विवाह की स्वतन्त्रता की हिमायत क्यों करते हैं, क्योंकि परम्परा से उनके लिए जिस प्रकार के संयमी जीवन का विधान है, उससे उन्हें वासनाओं के दमन में सहायता मिलती है और इसलिए वह उनके लिए आत्मोत्थानकारी है।''

इस महिला के पत्र की बातों का उल्लेख करते हुए गाँधीजी ने 21 दिसम्बर, 1926 के 'नवजीवन' (गुजराती) में लिखा—''लेखिका बहन को यह पत्र शोभा देता है। पर इससे विधवा-बहनों के प्रश्न का निपटारा नहीं हो सकता। जब बाल-विधवा को 'धर्म' जैसी वस्तु का ज्ञान नहीं हो सकता तब 'विधवा धर्म' की हम बात ही कैसे कर सकते हैं? धर्म के पालन में धर्म का ज्ञान निहित है। क्या हम कह सकते हैं कि एक बालक, जिसे झूठ-सत्य का कोई ज्ञान नहीं है, असत्य के दोष का दोषी है? नौ साल की बालिका यह नहीं जानती कि विवाह क्या वस्तु है, वह यह नहीं जानती कि 'वैधव्य' क्या चीज है? उसके विषय में तो यही कहना होगा कि उसका विवाह ही नहीं हुआ। तब वह विधवा किस तरह मानी जा सकती है? उसके विवाह की क्रिया तो माता-पिता ने की थी और उन्होंने ही मान लिया है कि वह विधवा हो गयी। इसलिए यदि वैधव्य का पुण्य किसी को मिलता हो तो कहना होगा कि वह उसके माता-पिता को ही मिलता है। पर क्या वे नौ साल की बालिका का बलिदान करके इस पुण्य के यशोभागी हो सकते हैं? और यदि हो भी सकते हैं तो भी हमारे सामने इस बालिका का सवाल तो ज्यों का त्यों ही रह जाता है। मान लें कि अब वह बीस बरस की हो गयी। ज्यों-ज्यों वह समझदार होती गयी, उसने अपने आस-पास की परिस्थितियों से यह जाना कि वह विधवा मानी जाती है। पर इस धर्म को तो वह नहीं समझती। यह भी हम मान लें कि बीस वर्ष की अवस्था को पहुँचते-पहुँचते धीरे-धीरे उसमें स्वाभाविक विकार पैदा हो गये और बढ़े भी। अब उस बाला को क्या करना चाहिए? वह अपने माता-पिता के सम्मुख तो अपने मनोभावों को प्रकट कर नहीं सकती, क्योंकि उन्होंने यह संकल्प कर लिया है कि उनकी युवती लड़की विधवा है और उन्हें अब उसका विवाह नहीं करना है। यह तो तो एक कल्पित दृष्टान्त है। पर भारत में ऐसी विधवाएँ एक नहीं हजारों हैं। हम यह तो देख ही चुके हैं कि उन्हें वैधव्य का कोई पुण्य-फल नहीं मिलता। ये युवतियाँ अपने विकारों को तृप्त करने के लिए अनेक पापों में फँसती हैं। इसके लिए कौन जिम्मेवार है? मेरे ख्याल से उनके माता-पिता तो अवश्य ही उनके इन पापों में हिस्सेदार होते हैं। पर इससे हिन्दू-धर्म कलंकित होता है, दिन-प्रतिदिन क्षीण होता जाता है और धर्म के नाम पर अनीति बढ़ती जाती है। इसलिए यद्यपि इन बहन जैसे ही विचार

पहले स्वयं मेरे भी थे, पर अब विशेष अनुभव से, मैं इस निश्चय पर पहुँचा हूँ कि जो बाल विधवाएँ युवावस्था को प्राप्त करने पर पुनर्विवाह करने की इच्छा करें, उन्हें उसके लिए पूरी स्वतन्त्रता और प्रेरणा भी मिलनी चाहिए। इतना ही नहीं, बल्कि माता-पिताओं को उचित रीति से इन बालाओं का विवाह कर देना चाहिए। इस समय तो पुण्य के नाम पर पाप का प्रचार हो रहा है।''[15]

गाँधीजी बाल विधवाओं को लेकर जो कुछ कह रहे थे वह शत-प्रतिशत समाज की वस्तुस्थिति की जानकारी पर आधारित था। सन् 1921 में जो जनगणना हुई थी, उसके आधार पर सर गंगाराम ने हिन्दू विधवाओं की संख्या के जो आँकड़े दिये थे, वे इस प्रकार थे:—

5 वर्ष तक की विधवाएँ	—	11,892
5 से 10 वर्ष तक की विधवाएँ	—	85,037
10 से 15 वर्ष तक की विधवाएँ	—	2,32,147
कुल	—	3,29,076

इस आँकड़े के आलोक में साफ है कि उस समय का हमारा समाज, विशेषकर हिन्दू समाज कितना विवेकहीन एवं संवेदनहीन हो चुका था जो एक तरफ तो पाँच वर्ष की उम्र से ही कन्याओं का विवाह सम्पन्न करवा देता था और अगर वह उसी बाल्यावस्था में विधवा हो गयी तो फिर उम्र भर उसे वैधव्य की आग में दहकने के लिए रख देता था। यह सचमुच स्त्री जाति के प्रति हमारे पुरुष-प्रधान समाज की निष्ठुरता की पराकाष्ठा ही थी। गाँधीजी भला ऐसी अमानवीयता को कैसे सह सकते थे? उन्होंने 5 अगस्त, 1926 के 'यंग इंडिया' में सर गंगाराम द्वारा विधवाओं के सम्बन्ध में दिये गये आँकड़ों को प्रस्तुत करते हुए हिन्दू धर्म के ठेकेदारों से जो गुहार लगायी वह बड़ी ही मार्मिक, हृदय विदारक है। दृष्टव्य है, उसका एक अंश—''उन्होंने (सर गंगाराम ने) पिछली दो जनगणनाओं के आँकड़े भी दिये हैं। दूसरे सम्प्रदायों की विधवाओं की भी संख्या दी गयी है। उससे तो इसका और भी अधिक पता चलता है कि हिन्दू बाल-विधवाओं पर कितना अत्याचार किया गया है। धर्म के नाम पर गोरक्षा के लिए तो हम शोर मचाते हैं, परन्तु बाल-विधवा रूपी मानव-गाय की रक्षा करने से इनकार करते हैं। धर्म में जोर-जबर्दस्ती का तो हम विरोध करते हैं, परन्तु धर्म के नाम पर अपने देश की तीन लाख से अधिक ऐसी बाल-विधवाओं के ऊपर हमने वैधव्य का बोझ लाद रखा है जो बेचारी विवाह-संस्कार का अभिप्राय तक नहीं समझ सकतीं। बालिकाओं पर वैधव्य लादना तो पाशविक अ राध है जिसका दंड हम हिन्दू प्रतिदिन बुरी तरह भुगत ही रहे हैं। हमारी अन्तरात्मा यदि सचमुच जाग्रत

हो तो वैधव्य की तो बात ही क्या, पन्द्रह वर्ष की आयु से पहले किसी कन्या का हम विवाह करें ही नहीं और इन तीन लाख बालिकाओं के बारे में स्पष्ट घोषणा कर दें कि वस्तुतः तो इनका विवाह हुआ ही नहीं, क्योंकि ऐसे वैधव्य का कोई भी शास्त्र समर्थन नहीं करता। जब तक हमारे समाज में हजारों विधवाएँ मौजूद हैं, तब तक हम ऐसी सुरंग के मुहाने पर खड़े हैं जिसमें किसी भी समय विस्फोट हो सकता हैं। हमें आत्म-शुद्धि करनी हो, हिन्दू धर्म को विनाश से बचाना हो, तो 'बलात् वैधव्य यानी थोपे हुए वैधव्य' की महाव्याधि से हमें पीछा छुड़ा ही लेना चाहिए। इसकी शुरुआत उन्हीं को करनी होगी जिनके घर में बाल-विधवाएँ हों। उन्हें साहस करके अपने संरक्षण वाली बाल-विधवाओं का उपयुक्त वर ढूँढ़कर विधिवत विवाह कराना चाहिए। पुनर्विवाह मैं इसलिए नहीं कहता। क्योंकि वस्तुतः तो उनका विवाह कभी हुआ ही नहीं, ऐसा मैं मानता हूँ।''[16]

बड़ा विचित्र लगता है कि विधवाओं के पुनर्विवाह के सवाल को लेकर गाँधीजी जितने ही गम्भीर एवं लड़ाकू थे, आज स्त्री-विमर्श के सन्दर्भ में उनकी उतनी ही कम चर्चा की जाती है। दूसरी तरफ आज अस्पृश्य जातिवालों ने 'दलित' शब्द पर एकाधिकार कर लिया है या मानो 'पेटेंट' करा लिया है, लेकिन गाँधीजी ने, जो अस्पृश्यता के विरुद्ध राष्ट्रव्यापी आन्दोलन चलाते रहे, विधवाओं को भी अस्पृश्यों जैसी ही दलित श्रेणी में रखकर देखा, विचार किया। उन्होंने 'यंग इंडिया' में विधवाओं को ध्यान में रखते हुए 'दलित मानवता' (Suppressed Humanity) नाम से एक लेख ही लिख डाला। यह लेख लिखने का कारण बना एक बंगाली सज्जन का गाँधीजी को लिखा पत्र। 19.8.1926 के 'यंग इंडिया' में इस पत्र में उठाये गये सवालों की चर्चा करते हुए गाँधीजी ने 'दलित मानवता' शीर्षक से लिखा—''दलित मनुष्यों में केवल अस्पृश्य ही ऐसे नहीं है जिन पर अत्याचार होता है। हिन्दू समाज में अल्पवयस्क विधवा पर भी कुछ कम अत्याचार नहीं होता है। बंगाल के एक सज्जन लिखते हैं—''मुसलमानों में विधवा-विवाह पर कोई रोक नहीं है, किन्तु पुरुषों को चार-चार स्त्रियों तक से विवाह करने का अधिकार है। इस प्रकार एक भी मुसलमान मर्द अविवाहित नहीं रहता। तो क्या यह सत्य नहीं कि जहाँ विधवा विवाह पर रोक नहीं होती, वहाँ पुरुषों से स्त्रियों की संख्या अधिक होती है? यदि हिन्दुओं में विधवा-विवाह का प्रचार हो जाए तो नवयुवती विधवाएँ क्या युवकों को लुभाकर उनसे विवाह न कर लेंगी और तब फिर कुमारियों के लिए वर ढूँढ़ना कठिन क्या असम्भव ही नहीं हो जाएगा?'' इन सवालों के जवाब में गाँधीजी ने आगे लिखा—''विधवा विवाह रोकने के उत्साह में पत्र-लेखक ने अनेक बातों की उपेक्षा कर दी है। मुसलमानों को

एकाधिक पत्नी रखने का अधिकार है सही, परन्तु अधिकांश मुसलमानों के यहाँ एक ही पत्नी होती है। मालूम होता है कि पत्र लेखक को शायद इसका पता नहीं कि दुर्भाग्यवश हिन्दुओं में बहुपत्नीत्व की मनाही नहीं है। सभी जानते हैं कि ऊँची श्रेणी के हिन्दू एकाधिक स्त्रियों से विवाह करते हैं। पत्र-लेखक यह बात भी भूल गये हैं कि केवल ऊँची श्रेणी के हिन्दुओं में ही विधवा-विवाह की मनाही है। सबसे नीची श्रेणी के, चतुर्थ वर्ण के बहुसंख्यक लोगों में विधवाएँ आमतौर पर पुनर्विवाह करती हैं। ...विधवाएँ सभी युवकों पर कब्जा कर लेंगी और कुमारियों के लिए वर नहीं मिलेंगे, इस विचार से लगता है कि पत्र-लेखक में विवेक का नितान्त अभाव है। पुनर्विवाह करने वाली चन्द विधवाएँ कभी भी कुमारियों की विशाल संख्या को अविवाहित रहने पर विवश नहीं कर पाएँगी।''

यहाँ एक बात विशेष रूप से गौरतलब है कि गाँधीजी सच्चे मन से, दृढ़ता के साथ विधवा-विवाह के पक्ष में थे; किन्तु इसका मतलब यह नहीं कि वे प्रौढ़ावस्था की विधवाओं के पुनर्विवाह के भी हिमायती थे जैसा कि आजकल कुछेक मर्द एवं औरत पुनर्विवाह के लिए वय की कोई सीमा अपेक्षित नहीं समझते। उसी लेख में गाँधीजी ने इस सम्बन्ध में अपना मन्तव्य स्पष्ट करते हुए लिखा था—''पत्र-लेखक ने मेरी बात बिलकुल ही नहीं समझा है। मैंने सभी विधवाओं के विवाह का समर्थन कभी नहीं किया। सर गंगाराम के संकलित आँकड़े, जिनका इस पत्र में सारांश दिया गया है, 15 वर्ष से कम उम्र की विधवाओं के हैं। यह गरीब दुखिया पतिव्रत क्या जाने? प्रेम उनके लिए अज्ञात वस्तु है। सही बात तो यह है कि उनका विवाह कभी हुआ ही नहीं माना जा सकता। विवाह को यदि सचमुच ही धार्मिक संस्कार बनाना है, इसके द्वारा व्यक्ति को एक नये जीवन में प्रवेश कराना है, तो जिनका विवाह होता है उन लड़कियों को पूर्ण विकसित, परिपक्व होना चाहिए। जीवन भर का साथी चुनने में उनका भी कुछ हाथ होना चाहिए, और वे जो काम करने जा रही हैं, उसका फलाफल भी उन्हें समझना चाहिए। हम बच्चों के ऐसे संयोग को विवाह का नाम देकर और उस तथाकथित पति के मर जाने पर उस बालिका को आजीवन वैधव्य भोगने पर मजबूर करके ईश्वर और मनुष्य के प्रति पाप करते हैं।'' ...मेरा विश्वास है कि सच्ची हिन्दू विधवा एक रत्न है। वह मनुष्य जाति को हिन्दू धर्म की एक अमूल्य भेंट है। रमाबाई रानाडे ऐसी ही थीं। परन्तु बाल विधवाओं का अस्तित्व हिन्दू धर्म के माथे पर एक ऐसा कलंक है जिसकी कालिमा को हिन्दू समाज में रमाबाई जैसी बहनों का अस्तित्व भी किसी तरह कम नहीं कर सकता।''[17]

जाहिर है गाँधीजी एक खास किस्म की विधवाओं-बाल विवाह के कारण

बनी विधवाओं के पुनर्विवाह के पक्ष में थे, लेकिन अधिक उम्र में किसी स्त्री के विधवा हो जाने पर और स्त्री द्वारा स्वेच्छा से वैधव्य-धर्म का पालन करने पर उसकी प्रशंसा करने में भी वे पीछे नहीं थे। 21 फरवरी, 1926 के 'नवजीवन' वाले लेख में ही उन्होंने यह भी लिखा था—"जहाँ आत्मिक विवाह ही नहीं हुआ, वहाँ आत्मिक विवाह के लिए अवकाश का आरोप करना अनीति है। बाल-विवाह में आत्मिक विवाह के लिए अवकाश ही नहीं। आत्मिक विवाह तो सावित्री ने किया, सीता ने किया, दमयन्ती ने किया। उनके विषय में हम यह कल्पना भी नहीं कर सकते कि वैधव्य प्राप्त होने पर पुनर्विवाह करतीं।" इसीलिए उन्होंने रमाबाई रानाडे या वासंती देवी के वैधव्य की चर्चा करते हुए कहा—"ऐसा वैधव्य हिन्दू समाज का अलंकार है, वह इस वैधव्य से पुनीत होता है। बाल-विधवाओं के कल्पित वैधव्य से हिन्दू समाज पतित होता जाता है। प्रौढ़ विधवाओं का कर्तव्य है कि वे अपने वैधव्य को सुशोभित करते हुए बाल विधवाओं का विवाह कराने के लिए कटिबद्ध हों और हिन्दू समाज में इस प्रथा का प्रचार करें।"

गाँधीजी के इन विचारों में अन्तर्विरोध प्रतीत हो सकता है, एक तरफ वे विधवाओं के विवाह का समर्थन कर रहे थे, तो दूसरी तरफ वैधव्य का प्रशस्ति-गान भी कर रहे थे। किन्तु ध्यान से देखा जाए तो यह अन्तर्विरोध कतई नहीं था, उनका यह दृष्टिकोण तो 'ठाँव जगह काजल, तो ठाँव जगह कालिख' वाली पुरानी मसल के ही अनुरूप था। यह शीशे की तरह साफ है कि वे बाल विधवा को विधवा बनाये रखने के पक्ष में हर्गिज नहीं थे। किन्तु वैसी स्त्रियाँ भी होती हैं जिनके जीवन में दाम्पत्य-रति या मातृत्व सुख के बाद वैधव्य आता है और वह स्वेच्छा से पूर्व पति की याद में, अपने प्रेम की अनन्यता के निर्वाह में विधवा बने रहना चाहती हैं, तो ऐसी स्त्रियों का भी पक्षपोषण होना ही चाहिए और गाँधीजी ने यही काम किया। विधवा-विवाह के सम्बन्ध में गाँधीजी के विचारों को समझने के लिए कृपलानी जी का यह कथन भी बड़ा सहायक है—विधवा-विवाह पर लगे सभी धार्मिक और सामाजिक प्रतिबन्धों के वह खिलाफ थे। अलबत्ता प्रौढ़ और उनमें भी खासकर बाल-बच्चे वाली विधवाओं के बारे में वह यह पसन्द करते थे कि पुनर्विवाह करने के बजाय विवाह के समय की गयी अपनी प्रतिज्ञा पर दृढ़ रहते हुए अपने पहले पति के प्रति ही वे वफादार रहें तो ज्यादा अच्छा हो। परन्तु उनके मतानुसार यह बात पुरुषों पर भी इसी तरह लागू होनी चाहिए, लेकिर यदि कोई विधवा अकेली रह ही न सके, अथवा अकेली रहना न चाहे, तो उसे पुनर्विवाह करने का पूर्ण अधिकार है और समाज को ऐसे विवाह को हीनदृष्टि से नहीं देखना चाहिए। रूढ़ि अथवा बुद्धि और मानवता के विरुद्ध शास्त्र

प्रमाणों से भ्रमित लोकमत के भय से पुनर्विवाह की वाजिब इच्छा को दबाने के बजाय पुनर्विवाह कर लेना हर हालत में अच्छा है। गाँधीजी का कहना है 'जिसे अपने पति से प्रेम मिला और सच्चे मन से उसके प्रति अनुरक्त हो वह विधवा होने पर स्वेच्छा से और जानबूझ कर वैधव्य को स्वीकार कर ले तो उससे वैधव्य जीवन को माधुर्य और गाम्भीर्य प्राप्त होता है, घर पवित्र होता है और धर्मोन्नति भी होती है। परन्तु धर्म अथवा रूढ़ि के डर से बलात् लादा हुआ वैधव्य तो असहज भार हो जाता है, जिससे गुप्त पापाचार द्वारा घर भ्रष्ट होता है और धर्म की अधोगति होती है।''[19]

बाल-विधवाओं के पुनर्विवाह का गाँधीजी ने पुरजोर समर्थन किया ही, साथ ही इस समस्या की जड़ बनी हुई बाल-विवाह-प्रथा का भी उन्होंने बहुत तीखे शब्दों में प्रतिवाद किया। बाल विवाह के कारण बाल विधवाओं की उपस्थिति से समाज की दारुण स्थिति थी, इसलिए गाँधीजी लगातार इसके विरुद्ध भी लोकमत को जाग्रत करते रहे। 26 अगस्त, 1926 के 'यंग इंडिया' में 'बाल-विवाह का अभिशाप' शीर्षक से उनका लिखा वक्तव्य दृष्टव्य है—''श्रीमती मारग्रेट ई. काजिंस ने मेरे पास एक दुर्घटना का समाचार भेजा है। यह दुर्घटना बाल-विवाह के कारण अभी हाल में मद्रास में हुई है। विवाह के समय वर की आयु 26 वर्ष की तथा कन्या की 13 वर्ष की थी। दोनों मुश्किल से तेरह दिनों तक साथ रहे होंगे कि लड़की जीवित जल गयी और मर गयी। जूरी ने फैसला दिया कि उसने अपने कथित पति के असहनीय और निर्दय बलात्कार के कारण आत्महत्या की है। लड़की के मरते समय के बयान से मालूम होता है कि उसके पति ने उसके कपड़ों में आग लगा दी थी। कामान्ध मनुष्य में विवेक और दया नहीं रहती।''

इस दुर्घटना का उल्लेख करने के बाद गाँधीजी ने टिप्पणी की—''एक पाशविक प्रथा की धर्म से पुष्टि करना धर्म नहीं अधर्म है। स्मृतियों में परस्पर विरोधी-वाक्य भरे पड़े हैं। इन विरोधों से तो इत्मीनान के काबिल यही एक नतीजा निकल सकता है कि उन वाक्यों को, जो प्रचलित और सर्वमान्य नीति के और खासकर स्मृतियों में ही लिखित आदेशों के विपरीत हैं, क्षेपक समझकर छोड़ दिया जाए। एक ही पुरुष, एक ही समय आत्मसंयम का उपदेश देनेवाले और पशुवृत्ति को उत्तेजित करनेवाले श्लोक नहीं लिख सकता। जिसे आत्मसंयम से कुछ भी सरोकार न हो और जो पाप में डूबा हो, वही यह कह सकता है कि कन्या के रजस्वला होने के पूर्व ही उसका विवाह कर देना चाहिए और ऐसा न करना पाप है। ...बाल-विवाह की यह प्रथा नैतिक और शारीरिक, दोनों दृष्टियों से हानिकर

है। इससे हमारी नैतिकता की जड़ें खोखली होती हैं और हममें शारीरिक निर्बलता आती है। ऐसी प्रथाओं को रहने देकर हम स्वराज्य और ईश्वर दोनों से दूर रहते हैं। ...अधकचरे पुरुषों में न तो स्वराज्य के लिए लड़ने की शक्ति होती है, और न पा लेने पर उसे कायम रखने की। स्वराज्य की लड़ाई का अर्थ केवल राजनीतिक जागृति ही नहीं है, बल्कि सामाजिक, शैक्षिक, नैतिक, आर्थिक और राजनीतिक सभी प्रकार की जागृति है।'' फिर कानून से अधिक लोकमत को जाग्रत करने की आवश्यकता पर बल देते हुए लिखा—''सहवास की आयु कानून से बढ़ाने की कोशिश की जा रही है। परन्तु कानून से ऐसी कोई सामाजिक कुप्रथा नहीं रोकी जा सकती। इसे तो केवल जाग्रत लोकमत ही रोक सकता है। मैं ऐसे विषयों में कानून बनाने का विरोध नहीं करता, परन्तु मैं तो कानून से अधिक जोर लोकमत तैयार करने पर देता हूँ। यदि मद्रास में बाल-विवाह के विरुद्ध लोकमत जाग्रत होता तो वहाँ ऐसी दुर्घटना का होना असम्भव हो जाता।''[20]

गाँधीजी बाल-विवाह जैसी कुत्सित प्रथा को मिटाने के लिए भी लोकमत को जगाने की देशव्यापी मुहिम चलाते रहे। देश में जहाँ से भी उन्हें ऐसी वारदातों की खबरें मिलतीं, वे उसे 'यंग इंडिया' या 'नवजीवन' जैसे पत्रों में छापते या फिर अपने भाषणों में उनका उल्लेख करते ताकि समाज में इसके विरुद्ध जागरूकता पैदा हो। इस कार्य में वे स्त्रियों को भी आगे आने की गुहार लगाते रहे। नाना दमनकारी रूढ़ियों से मुक्ति के लिए स्त्रियाँ केवल पुरुषों की मोहताज न रहकर खुद उसके लिए आगे बढ़ें, इसका प्रयास गाँधीजी हमेशा करते रहे। मसलन, 7 अक्टूबर 1926 के 'यंग इंडिया' में उन्होंने 'बाल पत्नियों के आँसू' शीर्षक से छोटी, कमसिन उम्र की लड़कियों के साथ साठ-साठ वर्ष की आयु वाले पुरुषों द्वारा विवाह करने के उदाहरण पेश करते हुए लिखा—''हमारे संवाददाता का कहना सही है कि हिन्दुस्तान की स्त्रियों में किसी भी कुप्रथा के विरुद्ध युद्ध करने की शक्ति शेष नहीं रह गयी हैं। इसमें शक नहीं कि समाज की ऐसी स्थिति के लिए मुख्यतः पुरुष जिम्मेवार हैं। लेकिन क्या स्त्रियाँ सारा दोष पुरुषों के माथे मढ़कर अपनी आत्मा को हल्का रख सकती हैं? क्या पढ़ी-लिखी स्त्रियों का स्त्री-वर्ग के प्रति तथा पुरुषों के प्रति भी, क्योंकि वे उनकी जननी हैं—यह कर्तव्य नहीं है कि वे सुधार का काम अपने हाथ में लें? अगर विवाह के उपरान्त वे अपने पतियों के हाथों में कठपुतलियाँ बन जाएँ और कम उम्र में ही हीन निकलने वाले बच्चे पैदा करने लग जाएँ तो वह शिक्षा जिसे वह पा रही हैं किस काम की? वे मताधिकार प्राप्त करने के लिए अवश्य लड़ती हैं, लेकिन ऐसी स्त्रियाँ कहाँ है जो विवाहिता और विधवा बालिकाओं के बीच काम करें और जो तब तक

न स्वयं चैन लें और न पुरुषों को लेने दें जब तक बाल विवाह असम्भव न हो जाए और जब तक प्रत्येक बालिका में इतना साहस न आ जाए कि वह परिपक्व अवस्था में अपनी ही पसन्दगी के वर के साथ विवाह करने के सिवा शेष दशाओं में विवाह करने से इनकार कर सकें।''[21]

इस प्रकार हम देखते हैं कि गाँधीजी ने स्त्री-शिक्षा, बाल-विवाह, विधवा-विवाह जैसे मुद्दों पर काफी ध्यान दिया। वैसे इन विषयों को लेकर उन्नीसवीं सदी में ही बंगाल-महाराष्ट्र में कार्य शुरू हो चुके थे जिसे गाँधीजी ने और व्यापक एवं प्रभावशाली बनाया। किन्तु स्त्रियों से जुड़ा सवाल जो अब तक उपेक्षित रह गया था, वह था जिस्मफरोशी का धन्धा करके यानी देह-व्यापार से जीविका चलाने वाली औरतों के उद्धार का। समाज में पतिता समझी जाने वाली इन स्त्रियों को उत्पीड़न, यातना भरी जिन्दगी से मुक्त कराने की तरफ किसी समाज सुधारक ने ध्यान नहीं दिया था। वैसे साहित्य में यह समस्या चर्चा का विषय उन्नीसवीं सदी के उत्तरार्द्ध तक बन चुकी थी। इस दौर में हिन्दी में किशोरी लाल गोस्वामी द्वारा लिखा 'कुसुमकुमारी' और उर्दू में मिर्जा हादी रूसवा द्वारा लिखा 'उमराव जान' ऐसे दो उपन्यास हैं जिनमें वेश्या-जीवन की समस्या को उठाया गया। इस सम्बन्ध में हिन्दी के वरिष्ठ आलोचक डॉ. मैनेजर पांडेय लिखते हैं—''1889 में लिखा गया किशोरीलाल गोस्वामी का उपन्यास 'कुसुमकुमारी' ही ऐसा है जिसमें समाज-व्यवस्था और धर्म के भीतर स्त्री की पराधीनता और यातना का चित्रण ही नहीं, उससे मुक्ति की चेतना भी है। यह हिन्दी का पहला उपन्यास है जिसमें वेश्या जीवन की त्रासदी को व्यक्त किया गया है और साथ ही देवदासी प्रथा के विरुद्ध आवाज उठायी गयी है। उपन्यास ने प्राय: समाज के उन लोगों पर अधिक ध्यान दिया है जो मुख्यधारा से बहिष्कृत रहे हैं, लेकिन उसके शोषण का शिकार भी होते रहे हैं। ऐसे लोगों में वेश्याएँ भी आती हैं। किशोरी लाल गोस्वामी के 'कुसुमकुमारी' और मिर्जा हादी रूसबा के 'उमराव जान' से वेश्या-जीवन की त्रासदी की जो आख्यान-परम्परा शुरू होती है, वह प्रेमचन्द के 'सेवा सदन' में विकसित होती दिखाई देती है।''[22]

जाहिर है कि हमारे देश का साहित्य वेश्या जीवन की त्रासदी को सामने लाने का काम उन्नीसवीं सदी के अन्त तक शुरू कर चुका था, जबकि बंगाल-महाराष्ट्र-पंजाब आदि में शुरू हुए समाज-सुधार आन्दोलनों में इस समस्या को कोई स्थान नहीं मिल पाया था। इस अछूते पहलू को समाज सुधार की धारा का अंग बनाने वाले प्रथम महत्त्वपूर्ण व्यक्ति हुए महात्मा गाँधी। वेश्याओं की मुक्ति के सवाल को अपने स्त्री-सरोकार का अंग बना कर गाँधीजी ने पूरे सुधार आन्दोलन

के साथ-साथ स्त्री-विमर्श को भी एक नया आयाम दिया और जो काम छूट गया था उसे कर दिखाया। इस प्रसंग में उनके विचारों एवं कार्यों का थोड़ा उल्लेख आवश्यक है।

समाज में इन स्त्रियों को पतित बनाने वाली परिस्थितियों का बड़ा ही मार्मिक चित्र गाँधीजी ने 14 सितम्बर, 1919 के 'नवजीवन' (गुजराती) में छपे अपने लेख में प्रस्तुत किया था जो द्रष्टव्य है—"मुझे दाहोद से एक पत्र मिला है, उसमें जो बात लिखी है वह सब के लिए लज्जाजनक है। संवाददाता कहता है कि ढेढ जाति की स्त्रियाँ, जिन्हें घरों में कोई काम नहीं मिलता, बाहर नौकरी करने जाती हैं और वहाँ उन स्त्रियों का शील भंग किया जाता है। इस बात को इन बहनों के दीन-हीन पुरुष और सगे-सम्बन्धी जानते हैं, लेकिन सह रहे हैं। इस जाति के लिए मैंने 'ढेढ' शब्द का प्रयोग किया है, लेकिन वे बुनकर हैं। ...जिस तरह स्त्रियाँ दूसरे धन्धे के अभाव में मजूरी करने जाती हैं उसी तरह पुरुष भी करते हैं। इसे जब उन्होंने देखा कि मैं उन्हें सूत देने के लिए तैयार हूँ तब उन्होंने ऐसी प्रतिज्ञा की कि यदि नियमपूर्वक रोज एक मन सूत मिल सके तो बुनने के धन्धे के अलावा कोई दूसरा धन्धा ही नहीं करेंगे। संवाददाता आगे कहता है कि बुनकरों द्वारा उपर्युक्त प्रतिज्ञा लेने का मुख्य कारण उस अनीति की प्रतीति ही है जिसकी ऊपर मैंने चर्चा की है। ...ऊपर जिस अनीति की बात कही गयी है वह अपनी किस्म का अकेला उदाहरण नहीं है। जब मैं मेरठ में था तब मुझे बताया गया था कि बहुत सी स्त्रियाँ दाल बीनकर अपनी आजीविका के साधनों में वृद्धि करती हैं। उन्हें व्यापारियों के यहाँ दाल लेने और देने जाना पड़ता है और वहाँ अनेक प्रकार के उपहासास्पद वाक्यों तथा अपशब्दों को सुनना पड़ता है। मैं चार वर्षों से भारत-यात्रा के दौरान अनेक स्थलों पर ऐसी शिकायतें सुनता रहा हूँ। मुझे ऐसा महसूस होता है कि सौ वर्ष पूर्व जब हमारी माताएँ करोड़ों की संख्या में सूत कातती थीं तब ऐसा नहीं होता होगा। इसलिए मैं धनिक और शिक्षित बहनों से प्रार्थना करता हूँ कि यदि आप अपनी गरीब बहनों के शील की रक्षा करना चाहती हैं तो हाथ से सूत कातने और कपड़े बुनने की प्रवृत्ति में आगे बढ़कर भाग लें। इस स्थल पर अन्य धन्धों के बदले इसी धन्धे को प्रारम्भ करने का क्यों आग्रह कर रहा हूँ, इस सम्बन्ध में मैं बहुत सी दलीलें न देकर इतना ही कहना पर्याप्त समझता हूँ कि सूत कातना हमारा प्राचीन और परम्परागत धन्धा माना गया है और इसमें रानियाँ तक जुटी रहती थीं। कातने का काम सीखना अत्यन्त सरल है। ...पाठक बहन। बड़े घर की महिला होने पर भी अपनी गरीब बहनों के सतीत्व की रक्षा करने की जिम्मेदारी आपकी है।"[23]

ऐसी पतिता स्त्रियों के सम्बन्ध में गाँधीजी का रवैया सिर्फ सहानुभूति तक सीमित नहीं था, बल्कि वे अपने स्वदेश के अभियान के तहत चरखे के जरिये उनको हमेशा-हमेशा के लिए इस जिन्दगी से मुक्ति दिलाने का भी उपाय प्रस्तुत कर रहे थे। उपर्युक्त लेख का ही दूसरा अंश 'नवजीवन' के 21 सितम्बर, 1919 के अंक में छपा, जिसमें उन्हें आर्थिक रूप से स्वावलम्बी बनाने की दृष्टि से चरखा के विकल्प पर प्रकाश डालते हुए उन्होंने लिखा—"हमारी गलती, आलस्य अथवा लापरवाही के कारण अनेक गरीब बहनें धन्धे के अभाव में अत्याचार का शिकार होती हैं। यहाँ से हजारों मील दूर फीजी में सैकड़ों स्त्रियों पर जो अत्याचार हो रहे हैं, उन्हें जानकर कँपकँपी छूटना स्वाभाविक है। उसके लिए हम फीजी सरकार को दोषी ठहराते हैं और भारत सरकार से अनुरोध करते हैं कि वह फीजी में होने वाले इन अत्याचारों को बन्द करवाने का प्रयत्न करे। लेकिन हमारी आँखों के सामने ही फीजी की अपेक्षा बहुत अधिक संख्या में हमारी जो बहनें कष्ट भोग रही हैं उनके बारे में हम क्या कर रहे हैं? उनके लिए प्रस्ताव पास करके हमें सरकार से न्याय नहीं प्राप्त होगा। उसके लिए हमें स्वयं ही यथाशक्ति कार्य करना होगा। ...यदि मुझसे सच पूछा जाए तो चरखा सभी बहनों के शील का सर्वोतम रक्षक है। आप शायद कहेंगे 'गरीब बहनों की बात तो समझ में आती है, लेकिन अन्य बहनों का चरखे के साथ क्या सम्बन्ध है? प्रसिद्ध कहावत है 'खाली दिमाग शैतान का घर'। मैं निजी अनुभव से कह सकता हूँ कि आलस्य करने या निठल्ले बैठने से विषयवृत्ति बढ़ती ही है। हमारी सम्पन्न बहने अपना समय बातचीत अथवा गप्पें मारने में गँवा देती हैं। इसके विपरीत यदि वे अपना समय कुछ उपयोगी धन्धे में लगाएँ, तो उनका मन तथा हाथ-पैर अच्छी तरह से व्यस्त रहे और यदि चरखा कातने का काम करें तो उससे दूना लाभ हो। ...लेकिन हमें तो इस बात पर विचार करना है कि यदि गरीब बहनें परवश हो अपना शील खो बैठें तो कैसे उनकी मदद की जाए? यदि आप सब बहनें अपना सारा समय इसी कार्य में लगा सकें तब तो आपकों गाँव-गाँव जाकर यह मालूम करना चाहिए कि आपकी गरीब बहनें क्या करती हैं? यदि उन्हें कातना न आता हो तो कातना सिखाएँ, उन्हें रुई की काफी पूनियाँ दें तथा उनसे सूत लेकर उनकी मजूरी चुका दें।...अतएव मैं आशा करता हूँ कि लोक जीवन का उन्नयन करनेवाली, गरीबों की मदद करनेवाली, हजारों स्त्रियों के शील की रक्षा करनेवाली, हिन्दुस्तान को आसानी से आर्थिक स्वतन्त्रता दिलानेवाली इस महान प्रवृत्ति में आप अपने सामर्थ्य के अनुसार भाग लेंगी।"[24]

ध्यान देने की बात है कि गाँधीजी जिस्मफरोशी के धन्धे के लिए लाचार

स्त्रियों की दशा पर केवल लिखने, आँसू बहाने तक नहीं सीमित रहे, अपितु इसका उन्होंने चरखे के रूप में ठोस विकल्प प्रस्तुत किया। चरखे के जरिये सूत कात-बुनकर ये औरतें आर्थिक दृष्टि से स्वावलम्बी बन सकती थीं। दूसरी बात कि गाँधीजी ने उन स्त्रियों को, जो सतवन्ती-पतिव्रता की लक्ष्मण-रेखा में रहकर इन स्त्रियों को घृणा की दृष्टि से देखती थीं, इनका मददगार बनाने की गुहार लगाकर शुचिता और पतिता की कथित दीवार को भी ध्वस्त करने की तरकीब पेश की जो वाकई सामाजिक दृष्टि से बड़ी क्रान्तिकारी बात थी। गाँधीजी ने स्त्रियों को स्त्रियों के उद्धार कार्य में प्रवृत्त करने का नैतिक माहौल बनाया जो इस देश के इतिहास में कदाचित पहला प्रयास था।

एक अन्य बात जो महत्त्वपूर्ण है वह यह कि इन 'पतित बहनों' के सम्बन्ध में गाँधीजी जो कुछ कह रहे थे वह किसी पुस्तकालय में बैठकर पुस्तकीय ज्ञान प्राप्त करने के आधार पर नहीं था, अपितु कई वर्षों तक देश का भ्रमण करते हुए, विभिन्न समुदायों-समूहों से मिलते, संवाद करते हुए, उनकी समस्याओं से रूबरू होते हुए जो अनुभव प्राप्त किया था, उसके आधार पर वे अपने विचार एवं कार्य को रूप दे रहे थे। उदाहरण के लिए उन्हीं के शब्दों में 'पतित बहनों' से हुए संवाद का एक मार्मिक चित्र प्रस्तुत है। बारीसाल में हुए अनेक अनुभवों में एक प्रसंग का जिक्र करते गाँधीजी ने 11 सितम्बर, 1921 के 'नवजीवन' (गुजराती) में लिखा—''ज्यों ही मैं रात की सभा से आया, मैंने कोई सौ बहनों को एक कोने में खड़े देखा। मुझे ध्यान आ गया और मैं बड़े आदर के साथ उन्हें छत पर ले गया। एक दुभाषिये को साथ रखकर शेष पुरुषों को विदा कर दिया। मैंने उनसे कहा कि तुम दिल खोलकर अपनी बात मुझसे कहो। उनमें चार-पाँच दस वर्ष की लड़कियाँ भी थीं। कुछ प्रौढ़ा और बाकी बीस से तीस वर्ष के अन्दर की होंगी। उनके साथ मेरी जो बातचीत हुई, मैं उसका सार-संवाद के रूप में यहाँ दे रहा हूँ:—

सवाल : बहनो, तुम यहाँ आयीं, यह बहुत अच्छा हुआ। मैं तुम्हें बहन और बेटियों के समान समझता हूँ। मैं तुम्हारे दुःख में हाथ बँटाना चाहता हूँ, लेकिन यदि तुम मुझसे कुछ छिपाकर रखोगी तो मैं तुम्हें सहायता देने में असमर्थ हो जाऊँगा।

जवाब : आप जो कुछ पूछेंगे हम उसका उत्तर बिल्कुल सही-सही देंगी।

सवाल : तुममें से कुछ की उम्र ज्यादा मालूम होती है। क्या वे भी अब तक तुम्हारे इस पेशे में अटकी हुई हैं?

जवाब : नहीं जिनकी उम्र ज्यादा हो गयी है,वे भीख माँगकर अपना पेट

भरती हैं।

सवाल : ऐसा करना शोभा देता है क्या?

जवाब : यह पेट सब कुछ कराता है।

सवाल : ये लड़कियाँ तो छोटी-छोटी हैं। क्या इनका भी यही हाल है?

जवाब : हम तो यह आशा करके आपके पास आयी हैं कि आप कोई रास्ता बताएँगे। हममें से कोई भी इस पेशे को नहीं करना चाहती।

सवाल : अच्छा, जो जवान हैं उनका क्या विचार है? इस पेशे की भोग-सामग्री पर उनका मन ललचाता तो नहीं?

जवाब : जी हाँ, कुछ ऐसा अवश्य हैं।

सवाल : तुम लोगों के बाल-बच्चे भी होते होंगे?

जवाब : जी, किसी-किसी को होते हैं।

सवाल : यहाँ तुम्हारी कुल संख्या कितनी होगी?

जवाब : तीन सौ पचास।

सवाल : इसमें बाल-बच्चे कितने हैं?

जवाब : कोई दस।

सवाल : लड़के या लड़कियाँ?

जवाब : छह लड़कियाँ और बाकी लड़के।

सवाल : लड़कों का क्या करती हो?

जबवब : एक लड़का बड़ा है। उसकी शादी हममें से ही एक के साथ कर दी गयी है।

सवाल : तुम अपनी लड़कियाँ मुझे दोगी?

जवाब : अगर आप परवरिश करें तो हम दे देंगी।

सवाल : कितनी बहनें इस पेशे को छोड़ना चाहती हैं?

जवाब : हम सभी।

सवाल : जो काम मैं बताऊँ उसे करोगी?

जवाब : हम जानती हैं, आप क्या काम बताएँगे। हममें से कुछ ने तो सूत कातना शुरू भी कर दिया है।

सवाल : यह सुनकर तो मुझे बड़ा सन्तोष हुआ। पर जिन बहनों ने कातना शुरू किया, उन्होंने अपना पेशा छोड़ दिया है या नहीं?

जवाब : पेशा तो हमारे लिए आवश्यक बना हुआ है। केवल सूत कातकर हम अपना पेट कैसे पाल सकती हैं?

सवाल : आजकल तुम कितना कमा लेती हो? तुम जवाब देने में शरमाती

हो। तुम्हारी शर्म का मतलब मैं समझ सकता हूँ। मैं तुम्हारे साथ बात तो कर रहा हूँ, पर मेरे दिल में आग लग रही है। इसलिए मुझे तो यह बता ही दो कि अभी तुम लोग कितना कमा लेती हो?

जवाब : बहुत-सी साठ रुपया महीना कमा लेती हैं। दो रुपये रोज पड़ते हैं।

सवाल : यह तो मैं जानता हूँ कि इतनी आमदनी सूत कातकर तुम नहीं कर सकतीं। परन्तु तुम जो अनेक प्रकार के मनमोहक शृंगार विलास करती हो, इन्हें तो अब छोड़ ही देना होगा। मैं अकेले तुम्हीं से बात कहता हूँ, सो नहीं। मेरी धर्मपत्नी ने भी शृंगारों का त्याग कर दिया है। मेरे यहाँ कम उम्र की लड़कियाँ हैं। उनके माँ-बाप उन्हें बढ़िया कपड़े-गहने दे सकते हैं, फिर भी वे खादी की धोतियाँ पहनती हैं और गहना तो किसी तरह का नहीं पहनतीं। इस कारण तुम से बनाव-शृंगार छोड़ देने का अनुरोध करते हुए मुझे भी दुःख नहीं होता।

जवाब : हम अपना जीवन सादा बनाने के लिए कोशिश करेंगी—कोई तुरन्त, कोई धीरे-धीरे। हममें से इस बहन ने तो अपना सब कुछ रामकृष्ण मठ को अर्पण कर दिया है और खुद अब भिक्षा माँगकर रहती है।

सवाल : इस बहन की मैं वन्दना करता हूँ। अच्छा किया जो उसने सर्वस्व त्याग दिया। परन्तु मैं देखता हूँ कि (उसकी ओर रुख करके) तुम्हारे हाथ-पैर अच्छे हैं। अगर तुम सूत कातती हुई सादगी से रहो तो और भी पुण्य हो। मैं तो यह चाहता हूँ कि हिन्दुस्तान का ऐसा एक भाई या बहन, जिसके हाथ-पैर दुरुस्त हों, भीख न माँगे—भीख माँगना शर्म की बात है। ऐसा कहने का समय आ गया है कि चरखे के रूप में कामधेनु हमारे हाथ लग गयी है। तुम बहनों के महज सूत कातने से मुझे सन्तोष नहीं हो सकता, तुम्हें बुनना और धुनना भी सीखना चाहिए।

जवाब : आप हमें रास्ता बताइये। हम जरूर उसके मुताबिक चलेंगी।

सवाल : तुम कितनी बहनें कल ही से अपना पेशा छोड़ देने को तैयार हो?

इसके जवाब में ग्यारह बहनें उसी वक्त खड़ी हो गयी। मैंने तो उनसे कहा कि खूब विचार कर लो। उन्होंने कहा कि हम अपने निश्चय पर कायम रहेंगी।

विचार तो पहले ही से हमने कर रखा था। अब उसके अनुसार काम किस तरह करें, इसी उलझन में थीं। इसलिए मैंने कहा—

"अब तुम शादी का तो ख्याल ही छोड़ दो। अगर तुम सचमुच शुद्ध हो जाओ तो भूतकाल में तुमने जो कुछ किया है, संसार उसे भूल जाएगा। गृहस्थाश्रम से अलग होकर संन्यासिनी हो सकती है और भारतवर्ष की सेवा कर सकती हो। अगर तुममें से बहुत सी बहनें रोज बारह घंटे तक, ईश्वर का भजन करती हुई काता-बुना करें तो प्रायः सारे बारीसाल को अकेली तुम ही कपड़ा दे सकती हो। तुम्हारी श्रेणी की हिन्दुस्तान की सारी बहनें अगर यह गन्दा काम छोड़कर कातने का पुण्य कार्य करने लगें तो सहज ही भारतवर्ष का उद्धार हो जाए। इसलिए मैं उम्मीद करता हूँ कि तुम ग्यारह बहनें अपने निश्चय पर दृढ़ रहोगी। मैं तो मुसाफिर हूँ। पर यहाँ के अगुओं से जोर देकर सिफारिश कर जाऊँगा और मुझे यकीन है कि यहाँ की काँग्रेस कमेटी तुमको पूरी-पूरी मदद देगी। ईश्वर तुम्हारा कल्याण करे।"

"पाठको, आप चाहे पुरुष हों या स्त्री, मैं नहीं कह सकता कि इसे पढ़कर आपके दिलोदिमाग पर क्या असर होगा? मैंने आपके सामने पूरा वर्णन नहीं दिया है। चीज की असलियत तो प्रत्यक्ष देखने से ही मालूम होती है। मैं तो स्त्रियों के प्रति किये गये पुरुषों के अपराध की नाप-तौल करता हुआ मारे शर्म के मरा जा रहा था। ये बहनें जानबूझ कर इस पाप में नहीं पड़ीं। पुरुषों ने उन्हें इसमें गिराया है। अपने विषय-भोग के लिए उसने स्त्री-जाति के ऊपर घोर अत्याचार किया है। जिनको इस बात पर दर्द होता है उन्हें चाहिए कि वे प्रायश्चित के रूप में इन पतित बहनों को हाथ बढ़ाकर सहारा दें। जब-जब इन बहनों का चित्र मेरी आँखों के सामने आता है तब-तब मुझे ख्याल होता है कि अगर ये मेरी ही बहनें या बेटियाँ होतीं तो? और 'होती तो क्यों'? वे हैं ही। उनको उठाना मेरा काम है, प्रत्येक पुरुष का काम हे। इसी से चरखा का स्वर मुझे बड़ा प्यारा लगता है। यह स्त्रियों की सुरक्षा करने वाला किला है। हिन्दुस्तान में रहने वाली ऐसी बहनों को सहारा देनेवाली दूसरी कोई चीज मुझे नहीं दिखाई देती। परन्तु जब तक हर एक शहर के रहने वाले साधु-पुरुष यह काम उठा न लें तब तक यह हो नहीं सकता। बारीसाल में इन बहनों तक पहुँचने-वाले साधु चरित शरत कुमार घोष और उनके साथ असहयोग आन्दोलन में वकालत छोड़कर आने वाले सहयोगी भूपति बाबू हैं। उनहोंने जो कुछ किया है, उसी का लाभ मैंने लिया है।"

"बहनो, अब यह सब मालूम हो जाने के बाद तो तुमको भी इस पर विचार

करना है। पतित बहनों के हृदय-मन्दिर में तो तुम्हीं प्रवेश कर सकती हो। जब तक ऐसी पतित बहनों के उद्धार के लिए स्वयं तुम सामने नहीं आओगी तब तक मुझे जैसे लोगों के प्रयत्न भी निष्फल होंगे। ...स्वराज्य का अर्थ है पतितों का उद्धार।''[25]

ध्यातव्य है कि यह वही समय था जब गाँधीजी स्वराज्य के लिए पूरे देश में असहयोग-आन्दोलन चला रहे थे। पूर्व विवेचन में हम देख चुके हैं कि इसी आन्दोलन के दौरान गाँधीजी ने अस्पृश्यों के सवाल को राष्ट्रव्यापी जागरण का अंग बनाया ही, इन्हीं की तरह दलित जीवन जीनेवाली, पतिता समझी जानेवाली इन वेश्याओं के उद्धार को भी इसी दौरान अपने रचनात्मक कार्यक्रम का अंग बनाया। असहयोग आन्दोलन स्थगित हो जाने के बाद भी गाँधीजी अस्पृश्यता-उन्मूलन का अभियान चलाते रहे, वैसे ही वे 'पतित बहनों' के उद्धार के लिए भी प्रयास करते रहे। दक्षिण भारत में धर्म के नाम पर वर्षों से देवदासियों के रूप में एक अत्यन्त गर्हित प्रथा चली आ रही थी। जिस तरह धर्म के नाम पर कतिपय सनातनी छुआछूत को उचित ठहरा रहे थे, उसी तरह धर्मभीरू जन इन देवदासियों के बने रहने को भी सही ठहरा रहे थे। किन्तु जिस तरह गाँधीजी ने हिन्दू धर्म की सही-सही व्याख्या करके अस्पृश्यता को गलत, अनुचित सिद्ध किया, उसी तरह उन्होंने धर्म के ठेकेदारों को फटकारते हुए इन देवदासियों को भी गर्हित जीवन से मुक्त कराने का आह्वान किया।

देवदासियों के सम्बन्ध में अपने अनुभव और विचारों को गाँधीजी ने 'अभागी बहनें' शीर्षक लेख में बहुत ही मार्मिक शब्दों में यों व्यक्त किया था—''दक्षिण यात्रा में मुझे जितने अभिनन्दन-पत्र मिले उन सबमें अत्यन्त हृदयस्पर्शी वह था जो देवदासियों की ओर से दिया गया था। देवदासी को 'वेश्या' शब्द का सौम्य पर्याय ही समझिए। वह अभिनन्दन-पत्र उस जाति के लोगों ने तैयार और समर्पित किया था जिसमें से हमारी ये अभागी बहनें देवदासी बनाई जाती हैं। जो शिष्टमंडल मुझे अभिनन्दन-पत्र देने आया था, उससे मुझे मालूम हुआ कि उन लोगों में सुधार तो हो रहा है, पर उनकी गति मन्द है। सबसे पहला आघात मुझे कोकोनाडा में पहुँचा और मैंने उस विषय पर वहाँ के लोगों के सामने साफ-साफ शब्दों में अपने विचार प्रकट किये। दूसरी चोट मुझे बारीसाल में लगी। वहाँ भी इन बदकिस्मत बहनों का एक दल मुझसे मिलने आया था। उन्हें चाहे देवदासी कहें, और चाहे कुछ और-समस्या एक ही है। यह अत्यन्त लज्जा, परिताप और ग्लानि की बात है कि पुरुषों की विषय-तृप्ति के लिए कितनी ही बहनों को अपना सतीत्व बेच देना पड़ता है। पुरुष ने, विधि-विधान के इस विधाता ने, अबला कही जाने वाली

जाति को बरबस जो पतन की राह पर चलाया है, उसके लिए उसे भीषण दंड का भागी होना पड़ेगा। जब स्त्री हम पुरुषों के जाल से मुक्त होकर अपनी आवाज बुलन्द करेगी और जब वह अपने लिए बनाये पुरुषकृत विधि-विधानों के खिलाफ बगावत का झंडा खड़ा करेगी, तब उसका वह बलवा-शान्तिमय होने पर भी—किसी तरह कम कारगर न होगा। भारत के पुरुष, जिनके पापपूर्ण और अनैतिक भोग-विलास के लिए ये बहनें ऐसी शर्मनाक जिन्दगी बसर कर रही हैं, अपनी इन हजारों बहनों की जिन्दगी पर विचार करें। सबसे बढ़कर दयनीय बात तो यह है कि इन घातक और संक्रामक पापागारों पर मंडराने वाले अधिकांश लोग विवाहित होते हैं और इसलिए वे दुहरे पाप के भागी होते हैं। वे अपनी धर्मपत्नियों के प्रति भी पापाचार करते हैं, क्योंकि उनके प्रति एकनिष्ठ होने के लिए वे प्रतिज्ञाबद्ध हैं और अपनी इन बहनों के प्रति भी वे पाप करते हैं क्योंकि उनके सतीत्व की रक्षा करने के लिए वे उतने ही बाध्य हैं जितने कि अपने सगी बहनों के। ...क्या पुरुष अपनी धूर्तता और अनैतिक तरीके से पहले महिलाओं की उच्च सद्वृत्ति को नष्ट करके फिर उसे अपने पाप की भागी नहीं बनाता है? या क्या पंचमों की तरह कुछ स्त्रियाँ पतित जीवन व्यतीत करने के लिए ही पैदा हुई हैं? मैं हर युवक से, वह विवाहित हो या अविवाहित, जो कुछ मैंने लिखा है, उसके तात्पर्य पर विचार करने का अनुरोध करता हूँ। इस सामाजिक रोग, इस नैतिक कोढ़ के सम्बन्ध में मैंने जो कुछ सुना है, वह सब मैं नहीं लिख सकता। ...विषय बड़ा नाजुक है। पर इसी कारण इस बात की ज्यादा आवश्यकता हैं कि सभी विचारशील लोग इसकी ओर ध्यान दें। इन अभागी बहनों के सुधार का काम केवल वही लोग करें जो इसके लिए विशेष रूप से योग्य हों। मेरा यह सुझाव है कि उन लोगों के बीच काम किया जाए जो इन पापागारों में जाते हैं।''[26]

इन उपर्युक्त तथ्यों के आलोक में स्वीकार करना पड़ेगा कि भारतीय समाज में पतिता समझी जानेवाली स्त्रियों के उद्धार का जो कार्य अब तक भारतीय नवजागरण एवं समाज-सुधार आन्दोलन का अंग नहीं बन पाया था, उसे गाँधीजी ने समाज सुधार एवं राष्ट्रीय जागरण की धारा में शामिल करने का साहस किया। सचमुच उन्हें, जिन्हें समाज में सदियों से पतिता, गणिका, भ्रष्टा समझकर लांछित किया जाता रहा; बेटी एवं बहन का दर्जा देना, उन्हें इस रूप में अपने सम्मान एवं स्नेह का पात्र बनाने की गाँधीजी द्वारा निरन्तर अपील करते रहना बहुत साहस एवं मानवीय उच्चता का परिचय देना था। आज भी हममें कितने ऐसे क्रान्तिकारी, विद्रोही हैं जो इन स्त्रियों को बेटी-बहन का दर्जा दे सकें? लेकिन गाँधीजी ने यह काम किया जिसे उनके पूर्व किसी समाज या धर्म सुधारक ने नहीं किया था।

इस प्रसंग में मेरी अपनी समझ में गाँधीजी भक्ति साहित्य की उस धारा का भी निर्वाह करते हुए दिखाई देते हैं जिसमें पतितों, अधमों को ईश्वर का कृपा-पात्र बनते हुए दिखाया गया है और इसलिए ईश्वर को बार-बार 'पतित-पावन' की संज्ञा से भी अभिहित किया गया है। भक्ति काल में एक तरफ कबीर जैसे सन्त कवि थे जो ईश्वर-अनुग्रह के लिए 'जस की तस धर दीन्हीं चदरिया' कहकर शुद्धता-पवित्रता के महत्त्व को उजागर कर रहे थे; 'सतवन्ती को गजी नहीं मिले, वेश्या पहने खासा है' या 'जन-जन का मन रखती वेश्या रह गयी बाँझ' जैसी व्यंग्योक्तियों से इन पतिताओं की औकात बता रहे थे, तो दूसरी तरफ उसी भक्तिधारा में तुलसीदास जैसे कवि थे जो ईश्वर को 'पतित पावन' मानते हुए उसे गणिका तक का उद्धार करने वाला बता रहे थे। ध्यातव्य है अपनी काव्यकृति 'विनय पत्रिका' में तुलसीदास अनेक स्थलों पर ईश्वर के इन गुणों का बखान करते हैं, मसलन, एक पद में वे कहते हैं:—

मैं हरि पतित-पावन सुने।
मैं पतित तुम पतित-पावन दोउ बानक बने॥
ब्याध गनिका गज, अजामिल साखि निगम निभने।
और अधम, अनेक तारे जात कापै गने॥

ऐसे एक नहीं अनेक पद हैं 'विनय पत्रिका' में जिनमें तुलसीदास ने राम या कृष्ण के रूप में अवतरित ईश्वर को बार-बार व्याध, गणिका, गज, शबरी, अजामिल जैसे दीन-हीन-अधम-पतित समझे जानेवाले प्राणियों का उद्धारक बताया। गाँधीजी के चिन्तन में तुलसी की इस भक्तिधारा का प्रभाव ही था जिसने वेश्याओं की यातनाभरी जिन्दगी की ओर उनका ध्यान आकृष्ट किया। वैसे गाँधीजी भारत के तमाम कवियों में सर्वाधिक प्रभावित तुलसीदास से रहे।[27] भक्तिधारा की इस सीख को ही गाँधीजी ने 'पतित बहनों' के उद्धार कार्य को अपनाकर मूर्त्त रूप दिया और देश के कथित सम्भ्रान्त स्त्री-पुरुष को 'पतित-पावन' बनने के कार्य में प्रवृत्त करने का एक नैतिक माहौल तो बनाया ही, 'स्वराज्य का अर्थ पतितों का उद्धार है' कहकर स्वराज्य की परिकल्पना में एक नया आयाम भी जोड़ दिया।

इस प्रकार हम देखते हैं कि गाँधीजी हमारे समाज में स्त्रियों को पराधीन, निर्बल, पीड़ित, शोषित, पतित आदि बनानेवाली जितनी परिस्थितियाँ, प्रथाएँ रीतियाँ, मान्यताएँ थीं, उन सबको न सिर्फ शब्दों के जरिये बल्कि आचरण एवं ठोस विकल्प प्रस्तुत करके विस्थापित करते हुए सभी वर्ग की स्त्रियों के लिए नवजीवन का मार्ग दिखाया, पूरे देश में स्त्रियों के सम्बन्ध में पुरुषों की सोच में बदलाव लाने

का जागरण-अभियान चलाया। उन्होंने अपने जीवन में स्त्री और पुरुष को हमेशा एक दूसरे के समकक्ष एवं पूरक के रूप में देखा। यही नहीं, शक्ति, साहस एवं धैर्य की दृष्टि से तो वे स्त्रियों को पुरुषों की तुलना में ज्यादा महत्त्व देते थे। यही कारण था कि दक्षिण अफ्रीका से लेकर भारत तक अपने सत्याग्रह संग्राम में उन्होंने स्त्रियों की सहभागिता को काफी प्रोत्साहित किया और पुरुषों एवं स्त्रियों को कन्धे से कन्धा मिलाकर लड़नेवाले सत्याग्रह-सेनानी बना दिया। इस सम्बन्ध में कृपलानी जी लिखते हैं—"गाँधीजी ने भारत की स्त्रियों को स्वतन्त्रता-संग्राम में भाग लेने के लिए आमन्त्रित किया था। ऐसा उन्होंने सिर्फ इसीलिए नहीं किया कि वह उन्हें पुरुषों के समान मानते थे, बल्कि इसका कारण यह भी था कि सत्याग्रह जैसे संग्राम में अपार धीरज और शिकायत किये बगैर मूक कष्ट सहन की शक्ति आवश्यक होती है और ये ऐसे गुण हैं जो पुरुषों से स्त्रियों में ही ज्यादा होते हैं। गाँधीजी का कहना था—"स्त्री अहिंसा का अवतार है। अहिंसा का अर्थ है—अनन्त प्रेम, यानी कष्ट सहन करने की असीम शक्ति। स्त्री को छोड़कर, जो मनुष्य की माता है, भला किसमें यह शक्ति सबसे अधिक मात्रा में हो सकती है? अपने शिशु को नौ महीने तक गर्भ में रखकर तथा उसका पोषण करके और इस कष्ट सहन में आनन्द अनुभव करके वह अपनी इस शक्ति का परिचय देती है। प्रसव-वेदना से बढ़कर और कौन-सा कष्ट हो सकता है? पर सृजन की खुशी में वह इस कष्ट को भुला देती है। अपने शिशु के विकास के लिए और कौन प्रतिदिन इतना कष्ट उठाता है? उसे अपने इस प्रेम को समस्त मानवता में विस्तृत कर इस बात को भुला देना चाहिए कि वह कभी पुरुष के भोग-विलास की वस्तु थी या हो सकती है। तभी उसे पुरुष की माता, जननी तथा मौन-पथ-प्रदर्शिका के रूप में पुरुष के बराबर गौरवमय स्थान प्राप्त होगा। जो संघर्षशील विश्व शान्ति रूपी अमृत के लिए तड़प रहा है उसे शान्ति की कला सीखाकर उस सुधामृत का पान कराना उसी का कार्यक्षेत्र है। और उस सत्याग्रह में तो वह नेतृत्व प्रदान कर ही सकती है जिसके लिए पुस्तकीय ज्ञान की उतनी आवश्यकता नहीं जितना कि कष्ट सहन और श्रद्धा में उत्पन्न दृढ़ हृदय आवश्यक है।"[28]

हमने देखा कि गाँधीजी ने भारतीय स्त्रियों के समक्ष हमेशा सीता, सावित्री, द्रौपदी, मीरा जैसी स्त्रियों का आदर्श रखा, क्योंकि ये स्त्रियाँ अपने तेजस्वी, निर्भीक, साहसी व्यक्तित्व के कारण उस धारणा का खंडन करती हैं जिसके अनुसार स्त्री को मात्र भोग्या की छवि बनाकर रख दी गयी थी और पत्नी के रूप में सज-धज कर कामुक चेष्टाओं से पति की भोग-लिप्सा को तृप्त करने में ही उनके जीवन की सार्थकता समझी जाती थी। आज भी पढ़ी-लिखी होने के बावजूद ऐसी

स्त्रियों की संख्या काफी है जो घंटों अपना समय 'ब्यूटी पार्लर' को सुपुर्द कर अपने को आकर्षक दिखाने के लिए तमाम कृत्रिम प्रसाधनों का इस्तेमाल करने में ही अपनी सच्ची स्वाधीनता समझती हैं। उन्हें सीता-सावित्री का आदर्श पिछड़ेपन का प्रतीक लगता है। लेकिन गाँधीजी ने स्त्री-शक्ति का स्रोत उसकी सादगी और मन की दृढ़ता में देखा और इस स्रोत के प्रति उन्हें वे निरन्तर जागरूक करते रहे। गाँधीजी के लिए स्त्री का सच्चा सौन्दर्य उसके चरित्रबल और शील में था। वे नहीं चाहते थे कि स्त्रियाँ पुरुष के केवल मन बहलाव के साधन बनकर रहें। इसलिए वे कीमती कपड़ों, आभूषणों एवं कामोत्तेजक शृंगार-प्रसाधनों से उनके सजने-धजने के खिलाफ रहे। एक अवसर पर स्त्रियों को सम्बोधित करते हुए उन्होंने दो टूक शब्दों में कहा—"यदि मैं स्त्री के रूप में जन्मा होता तो पुरुष के इस दम्भ के विरुद्ध कि स्त्री, पुरुष के मनोरंजन की वस्तु है, विद्रोह कर देता। मैं तो मानसिक रूप से स्त्री बना गया हूँ जिससे कि मैं उसके हृदय में प्रवेश कर सकूँ। मैंने अपनी पत्नी का हृदय बदल देने का निश्चय कर लिया, तो इसके लिए मैंने उन सब तथाकथित अधिकारों को त्याग दिया जो मुझे पति होने के नाते प्राप्त थे और साथ ही पत्नी को उसके सारे अधिकार लौटा दिये। इसका नतीजा आप देखती हैं कि वह आज मेरे जैसी ही सादगी से रहती है। उसके शरीर पर न गहने हैं और न बढ़िया कपड़े। मैं चाहता हूँ कि आप भी ऐसी बनें। अपने शौक और मन की वासना की गुलाम आप न बनें। इसी तरह पुरुषों की भी दासी बनने की कोई जरूरत नहीं। अपने इत्र-फुलेल, क्रीम-पाउडर, लवेंडर और अन्य सौंदर्य-प्रसाधनों को धता बताओ। आप अपनी सुगन्ध फैलाना चाहती हो तो वह आपके हृदय-कुसुम से ही निकलनी चाहिए। आपका हृदय-कुसुम खिलेगा तो आप अमुक पुरुष का मन मोहने के बजाय सारी मानव-जाति को ही अपनी सुगन्ध से मुग्ध कर देंगी। यही आपका जन्म सिद्ध अधिकार है।"[29]

सचमुच देखा जाए तो स्त्रियों को पराधीन, शोषित, दमित, पतित बनानेवाली एवं उनके व्यक्तित्व के विकास को अवरुद्ध करनेवाले तमाम पुरुष समाज कृत विधानों, रिवाजों, रूढ़ियों का विरोध करने, उनके विरुद्ध लोकमत को जाग्रत करने तथा स्त्रियों को हर दृष्टि से पुरुषों के समकक्ष अधिकार दिलाने का काम जिस तरह गाँधीजी ने किया, उस तरह उनके पूर्व भारतीय इतिहास में किसी सुधारक या धर्म-प्रवर्तक द्वारा नहीं किया गया था। जो बौद्ध धर्म अपने बहुत सारे समता एवं प्रेममूलक मूल्यों के लिए विख्यात रहा, उसने भी स्त्रियों के सवाल को लेकर बहुत खुला दृष्टिकोण नहीं अपनाया। सबसे पहले तो 'बुद्ध' बनने के लिए सिद्धार्थ को खुद पत्नी-परिवार का त्याग करना पड़ा, वर्ण-विभेद एवं वैदिकी हिंसा से

त्रस्त समाज के लिए बुद्ध ने जरूर 'संघं सरणं गच्छामि' का विकल्प प्रस्तुत किया, लेकिन आरम्भ में संघ में स्त्रियों का प्रवेश निषिद्ध ही रहा। इतिहास या किंवदन्तियों के माध्यम से हमें यही ज्ञात होता है कि वैशाली की नगरवधू आम्रपाली ने जब बुद्ध से संघ में प्रवेश पाने यानी प्रकारान्तर से स्त्रियों के प्रवेश की अनुमति माँगी तो बुद्ध ने बहुत सहमते-सकुचाते यह अनुमति प्रदान तो की थी, लेकिन अपने प्रिय शिष्य आनन्द से उन्होंने अपनी यह आशंका कह ही दी कि 'जिस धर्म को मैंने चलाया था, वह पाँच हजार वर्षों तक चलता, लेकिन संघ में स्त्रियों के प्रवेश के कारण अब वह मात्र पाँच सौ वर्षों तक चल पाएगा।' और सचमुच बुद्ध की आशंका सही सिद्ध हुई। पाँच सौ वर्षों के बीतते-बीतते अधिकांश बौद्ध मठ या विहार उन्मुक्त यौनाचार के अड्डे बन गये जो भारत में बौद्ध धर्म के पतन के प्रमुख कारण बने। ईसा मसीह या हजरत मुहम्मद साहब के सन्दर्भ में भी ऐसी मिसाल नहीं मिलती कि उन्होंने अन्याय-उत्पीड़न के विरुद्ध किये जाने वाले संघर्ष में पुरुष एवं स्त्रियों का समान रूप से सहयोग लिया। ईसा के बारह शिष्यों में एक भी औरत नहीं थी।

आधुनिकता, ज्ञान-विज्ञान, लोकतान्त्रिक व्यवस्था आदि का जनक होने का दावा करनेवाले यूरोप एवं अमेरिका में भी स्त्रियाँ को अपने अधिकारों के लिए अलग से आन्दोलन करने पड़े जिसका एक लम्बा इतिहास है। आरम्भ में ही हमने देखा कि किस तरह इंग्लैंड में महिलाओं ने वयस्क मताधिकार का आन्दोलन बीसवीं सदी के आरम्भिक चरण में छेड़ रखा था जिसके परिणाम-स्वरूप उन्हें 1920 ई. में मत देने का अधिकार प्राप्त हुआ। इससे भी पहले फ्रांस अमेरिका आदि में महिलाओं ने अलग से अपने लिए आन्दोलन किये थे। विश्व प्रसिद्ध फ्रांसीसी राज्य क्रान्ति के दौरान भी जैसा कि डॉ. अमरनाथ अपने लेख में बताते हैं, "महिला रिपब्लिकन क्लबों ने माँग की थी, स्वतन्त्रता, समानता और भ्रातृत्व का व्यवहार बिना किसी लिंग-भेद के लागू होना चाहिए। लेकिन यह आन्दोलन उस समय नेपोलियन की संहिता आ जाने पर ठंडा पड़ गया। उत्तरी अमेरिका में यद्यपि अबीजेक ऐडम्स और मेरी औस्टीस वारेन ने जार्ज वाशिंगटन और टामस जैफरसन पर दबाव डाला था कि नारी मुक्ति के मसले को संविधान में शामिल किया जाए, फिर भी नारीवादी आन्दोलन वास्तव में 1848 में ही शुरू हुआ जब एलिजाबेथ कैंडी स्टैंडन, लुक्रेसिया कफिन मोर और कुछ अन्य ने न्यूयार्क में एक महिला सम्मेलन करके नारी स्वतन्त्रता पर एक घोषणापत्र जारी किया जिसमें पूर्ण कानूनी समानता, पूर्ण शैक्षिक और व्यावसायिक अवसर, समान मुआवजा और मजूदरी कमाने का अधिकार तथा वोट देने के अधिकार की माँग की गयी थी।

यह आन्दोलन तीव्र गति से फैला और शीघ्र ही पूरे यूरोप में पसर गया। धीरे-धीरे उच्च शिक्षा, सभी व्यापार और पेशों में प्रवेश, विवाहिता स्त्री की सम्पत्ति और अन्य अधिकारों की माँग उठायी जाने लगी और इसमें वोट देने के अधिकार को भी शमिल कर लिया गया।''[30]

इन गैर प्रासंगिक लगने वाले विवरणों को प्रस्तुत करने का मकसद सिर्फ यह है कि हम गाँधी के उस सत्याग्रह-संग्राम की व्यापकता को समझ सकें जिसने स्त्री-पुरुष को समान रूप से अपने अन्दर इस तरह समायोजित किया कि यहाँ पर स्त्रियों को अपने अधिकारों के लिए अलग से आन्दोलन चलाने की जरूरत ही नहीं पड़ी। यही नहीं, गाँधीजी के उद्यमों का ही फल था कि उन्हें दक्षिण अफ्रीका से लेकर भारतवर्ष तक कई महिलाओं का सत्याग्रह-संग्राम में उल्लेखनीय सहयोग मिला, तो दूसरी तरफ उनके इस सत्याग्रह-संग्राम के गर्भ से कई तेजस्वी, साहसी स्त्रियाँ सामने आयीं जिन्होंने पुरुष द्वारा गढ़े गये इस मिथ को छिन्न-भिन्न करके रख दिया कि स्त्रियाँ अबला होती हैं। आजादी के लिए संघर्ष करने में, जेल जाने में, यातनाएँ सहने में कितनी स्त्रियों ने अपने पतियों को भी पीछे छोड़ दिया। गाँधीजी के सत्याग्रह-संग्राम ने सरोजनी नायडू, उनकी बेटी पद्मजा नायडू, सुचेता कृपलानी, राजकुमारी अमृता कौर, सुभद्रा कुमारी चौहान, महादेवी वर्मा जैसी कई स्त्री-सशक्तीकरण का उत्कृष्ट उदाहरण प्रस्तुत करने वाली स्त्रियों को पैदा किया ही, इसके अतिरिक्त, जैसा कि हम पूर्व विवेचन में देख चुके हैं, पतिता समझी जानेवाली स्त्रियों तक ने गाँधीवादी मार्ग को अपनाकर इस संग्राम में अपना योगदान किया। गाँधीजी के इन कार्यों का मूल्यांकन करते हुए कृपलानीजी ने सही कहा है कि "आधुनिक काल में स्त्रियों के उद्धार का जितना काम गाँधीजी ने किया उतना अन्य किसी ने नहीं किया। अहिंसा पर आधारभूत स्वतन्त्रता की लड़ाई में उनके भाग लेने के कारण उन्हें नागरिक रूप में अपने कर्तव्य-पालन का अवसर प्राप्त हुआ। चूँकि अधिकार कर्तव्य-पालन के फलस्वरूप ही प्राप्त होते हैं, इसलिए स्वतन्त्रता के बाद भारत की स्त्रियों को राष्ट्रीय जीवन के प्रत्येक क्षेत्र में पुरुषों के समान ही सब सुविधाएँ उपलब्ध हो गयीं। स्मरणीय है कि इस विषय में पुरुषों की ओर से कभी कोई विरोध नहीं हुआ। इसलिए यूरोप तथा अन्य देशों की स्त्रियों की तरह भारत की स्त्रियों को अपने अधिकारों की प्राप्ति के लिए अलग से कोई लड़ाई लड़ने की जरूरत नहीं पड़ी।''[31]

वस्तुतः गाँधीजी ने स्त्रियों से जुड़े तमाम सवालों को नैतिक, मानवीय, सांस्कृतिक के साथ-साथ आर्थिक स्तर पर भी हल करने का मार्ग दिखाया और कितनी ही स्त्रियाँ कताई, बुनाई या अन्य घरेलू उत्पादक कार्यों को अपनाकर

स्वतन्त्रता के मार्ग पर चल पड़ीं। इस सन्दर्भ में 'स्वाश्रयी महिला संघ' (Self employed women's Association) जिसे संक्षेप में 'सेवा' भी कहा जाता है, वाकई स्त्रियों को कुटीर उद्योग के ढंग का रोजगार उपलब्ध करा कर उनकी सेवा कर रहा है। भारतीय स्त्रियों की बहुआयामी मुक्ति के सन्दर्भ में गाँधीजी की इस भूमिका को रेखांकित करते हुए 'सेवा' संस्था की अध्यक्ष इला आर. भट्ट ने लिखा है कि "जनसामान्य के बीच स्त्रियों को बहुत ही प्रकृत रूप से शामिल कर गाँधीजी ने भारतीय नेताओं के बीच अनोखा उदाहरण प्रस्तुत किया। उनके द्वारा नेतृत्व किये गये जन आन्दोलनों में स्त्रियों ने बहुत ही स्वाभाविक ढंग से हिस्सा लिया और इससे भारतीय स्त्रियों के जीवन में हमेशा-हमेशा के लिए युगान्तरकारी परिवर्तन आया। मैं बहुत ही विनम्रतापूर्वक स्वीकार करती हूँ कि अगर गाँधीजी ने स्त्रियों के लिए इतना बड़ा काम न किया होता, उनके जीवन को नयी दिशा न दी होती, तो आज मैं जो कुछ बन पायी हूँ, वह कभी सम्भव नहीं हो पाता। यह सत्य आज भारत की हर स्त्री के साथ लागू होता है।"[32]

श्रीमती इला भट्ट का यह कथन इसलिए अधिक महत्त्वपूर्ण हो जाता है कि एक स्त्री होने के नाते उनसे गाँधीजी के स्त्रियों सम्बन्धी कार्यों के वस्तुनिष्ठ मूल्यांकन की ज्यादा गुँजाइश है। महिला-कल्याण के लिए समर्पित और अपनी सेवाओं के कारण देश-विदेश में जाने जानी वाली, मैगसेसे पुरस्कार से सम्मानित इला भट्टजी स्त्रियों के सम्बन्ध में गाँधीजी के कार्यों को जिस तरह देखती हैं, उससे शायद ही कोई समझदार व्यक्ति असहमत हो। इस क्रम में ही मैं एक अन्य तथ्य का उल्लेख करना चाहूँगा कि जिस तरह गाँधीजी के अस्पृश्यता-निवारण-आन्दोलन ने समाज-राजनीति के साथ-साथ अपने समय की साहित्यिक सृजनशीलता को भी प्रभावित किया, ठीक उसी तरह उनके द्वारा स्त्रियों के उद्धार के लिए किये गये कार्यों ने भी देश में एक ऐसा वातावरण तैयाार किया जिससे साहित्यकारों ने स्त्री-शक्ति एवं तेजस्विता की नयी-नयी छवियाँ निर्मित कीं। वैसे वेश्याओं को लेकर सहानुभूतिपरक साहित्य तो गाँधीजी के पहले से लिखा जा रहा था, लेकिन गाँधीजी ने जिस तरह स्त्रियों की खुद्दारी को ललकारते हुए, उनकी शक्ति और अपराजेय संघर्षशीलता को जगाते हुए उनसे खुद अपनी लड़ाई लड़ने का आह्वान किया, उसका प्रभाव साहित्यकारों पर भी पड़ा और उन्होंने भी स्त्री-सशक्तीकरण के कई चरित्र प्रस्तुत किये।

गौरतलब है कि इस गाँधीवादी दौर में प्रेमचन्द जैसे बड़े साहित्यकार 'सेवा-सदन' से लेकर 'गोदान' तक सुमन, सोफिया, निर्मला, धनिया, झुनिया, सीलिया, मालती जैसी स्त्री-चरित्रों के माध्यम से स्त्री-जीवन की नाना छवियों को प्रस्तुत

करते हुए उनमें विद्रोह, संयम, साहस, दृढ़ता का सम्यक निर्वाह करते हैं, किसी स्त्री-चरित्र में उन्होंने छिछोरापन नहीं दिखाया। छायावादी कवियों ने भी स्त्री-मुक्ति के सवाल को बड़ी प्रखरता से उठाया। जयशंकर प्रसाद ने अपने नाट्य 'ध्रुवस्वामिनी' में ध्रुवस्वामिनी के रूप में ऐसी स्त्री-चरित्र को प्रस्तुत किया जो अनुचित के विद्रोह की मूर्ति है। वह अपने कायर बुजदिल पति रामगुप्त का परित्याग कर जिस मार्ग का अवलम्बन करती है, वह गाँधीजी के इस कथन को मानो मूर्त्त कर देती है जिसे उन्होंने एक बार पति-पत्नी के सम्बन्धों के विषय में व्यक्त किया था—"पति तो अपने को निरंकुश समझता है। वह अपने को अपनी जीवन-सहचरी से सलाह लेने के लिए बँधा नहीं मानता। वह उसे अपनी मिल्कियत मानता है और वह बेचारी जो उसकी इस मान्यता में विश्वास करती है, प्रायः अपनी आत्मा को दबाकर रही है। मैं समझता हूँ कि इस स्थिति से उभरने का रास्ता है। मीराबाई ने मार्ग दिखा दिया है। जब पत्नी अपने को गलती पर न समझे और जब उसका उद्देश्य अधिक ऊँचा हो, तब उसे पूरा अधिकार है कि वह अपने मन का रास्ता अख्तियार कर ले और नम्रता से परिणाम का सामना करे।"[33] कितना साम्य है गाँधीजी के इस कथन और ध्रुवस्वामिनी के इस कथन में—"मैं केवल यही कहना चाहती हूँ कि पुरुषों ने स्त्रियों को अपनी पशु-सम्पत्ति समझकर उन पर अत्याचार करने का जो अभ्यास बना लिया है, वह मेरे साथ नहीं चल सकता। यदि तुम मेरी रक्षा नहीं कर सकते, अपने कुल की मर्यादा-नारी का गौरव नहीं बचा सकते तो मुझे बेच भी नहीं सकते। हाँ, तुम लोगों को आपत्ति से बचाने के लिए मैं स्वयं यहाँ से चली जाऊँगी।"

ध्यान रहे ध्रुवस्वामिनी यह बात अपने पति राजा रामगुप्त से कहती है जो अपने शत्रु शकराज को उसे उपहारस्वरूप देकर अपनी जान बचाना चाहता है। पूरा नाटक यही दिखाता है कि कैसे वह अपने कायर पति के इस अनुचित कार्य का प्रतिरोध करती हुई अपनी पसन्द का रास्ता अख्तियार करती है—ऐसे नालायक पति से सम्बन्ध-विच्छेद कर वह अपने लायक साथी का चुनाव करती है। पुरुषों के दमन, दलन, उत्पीड़न से मुक्ति के लिए स्त्रियों को स्वयं पहल करने की गुहार गाँधीजी लगाते रहे, उसी के अनुरूप महाकवि सूर्यकान्त त्रिपाठी 'निराला' अपनी प्रसिद्ध कविता 'तोड़ती पत्थर' में एक मजदूरन के रूप में स्त्री-शक्ति एवं जुझारूपन की छवि रचते दिखाई पड़ते हैं। हालाँकि 1937 ई. में लिखी इस कविता के सम्बन्ध में निराला पर मार्क्सवादी प्रभाव की चर्चा प्रगतिवादी-मार्क्सवादी समीक्षकों ने खूब की है, लेकिन मेरी समझ में यह सीधे-सीधे गाँधी द्वारा पूरे भारतीय परिवेश में स्त्री-शक्ति की फैलायी जागृति का ही प्रभाव मानना चाहिए। हम यह भी

देख चुके हैं कि गाँधीजी पाउडर-क्रीम जैसे सौन्दर्य—प्रसाधनों का तिरस्कार करते हुए स्त्रियों के आत्मबल के विकास पर बल दे रहे थे। इस कविता में निराला ने एक ऐसी ही युवा स्त्री को प्रस्तुत किया है जिसकी कलाइयों में न चूड़ियाँ हैं, न हाथों में मेंहदी रची है, न बालों में गजरा है, है तो सिर्फ "गुरु हथौड़ा हाथ, करती बार-बार प्रहार।" यानी उसके हाथ में भारी-भरकम हथौड़ा है जिससे वह पत्थर तोड़ रही है जो सांकेतिक है उसके द्वारा अपने प्रति यानी स्त्री के प्रति निर्मम-पाषाण बने पुरुष-समाज पर चोट करने का। यहाँ अपनी मुक्ति की लड़ाई एक औरत खुद लड़ रही है और यही तेवर गाँधीजी भारतीय स्त्रियों में देखना चाहते थे। निस्सन्देह इस कविता में एक स्त्री द्वारा खुद पत्थर जैसे निष्ठुर बने समाज पर प्रहार कर अपनी मुक्ति का प्रयास करने का जो बिम्ब है वह गाँधीजी द्वारा निरन्तर स्त्रियों में आत्मबल, आत्म सजगता को उभारने की काव्यात्मक अभिव्यक्ति है।

एक अन्य उल्लेखनीय बात जो हमारा ध्यान आकृष्ट करती है, वह यह है कि आभूषणों, श्रृंगार-प्रसाधनों से परहेज करते हुए सादगीपूर्ण जीवन जीने एवं सूत कातने-बुनने के जरिये आर्थिक दृष्टि से अपने को आत्मनिर्भर बनाने के जो आग्रह गाँधीजी कर रहे थे उनके अनुरूप उस दौर में लिखे जा रहे साहित्य में कई ऐसी स्त्री-छवियाँ गढ़ी जाती हुई दिखाई देती हैं। मसलन, प्रेमचन्द के 1936 में प्रकाशित अत्यन्त महत्त्वपूर्ण एवं लगभग अन्तिम उपन्यास 'गोदान' भी इन गाँधीवादी मूल्यों की प्रतिच्छाया से मुक्त नहीं है। हालाँकि दशकों से आलोचकों के एक गिरोह ने 'गोदान' को मार्क्सवादी साँचे की रचना सिद्ध करने का हठयोग चला रखा है, लेकिन इस उपन्यास की एक महत्त्वपूर्ण स्त्री-चरित्र मिस मालती की जीवन-शैली में जो परिवर्तन आता है वह स्पष्टतः गाँधीजी के स्त्री-सम्बन्धी आग्रहों का प्रभाव है। इंग्लैंड से डॉक्टरी पढ़कर आयी जिस मिस मालती को लेखक उपन्यास के आरम्भ में तड़क-भड़क, फैशनपरस्त, तितली की तरह रंगीन बताता है, वही कथा के उत्तरार्द्ध में सारी साज-सजावट के प्रति वीतरागी हो जाती है। उसकी मनोदशा लेखक इन शब्दों में प्रस्तुत करता है—"मालती इन्हीं विषयों पर महिलाओं से बातें करती रही। उनकी श्रद्धा देख-देखकर उसके मन में सेवा की प्रेरणा और भी प्रबल हो रही थी। इस त्यागमय जीवन के सामने वह विलासी जीवन कितना तुच्छ और बनावटी था। आज उसके वह रेशमी कपड़े, जिन पर जरी का काम था और वह गन्ध से महकता हुआ शरीर, और वह पाउडर से अलंकृत मुखमंडल, उसे लज्जित करने लगा। उसकी कलाई पर बँधी सोने की घड़ी जैसे अपने अपलक नेत्रों से उसे घूर रही थी। उसके गले में चमकता हुआ जड़ाऊ नेकलेस मानो गला घोंट रहा था।" इस एहसास का नतीजा होता है कि मालती

कीमती परिधानों एवं आभूषणों का परित्याग कर, खादी की साड़ी में गाँव-गाँव जाकर गरीबों का मुफ्त इलाज करने लगती है। इस उपन्यास की सर्वाधिक महत्त्वपूर्ण स्त्री-चरित्र धनिया भी अन्त में सुतली बनाने का कार्य करते दिखाई देती है। द्रष्टव्य है, इस उपन्यास का अन्तिम शब्द-चित्र—"धनिया यन्त्र की भाँति उठी, आज जो सुतली बेची थी, उसके बीस आने पैसे लायी और पति के ठंडे हाथ में रखकर सामने खड़े दातादीन से बोली—"महाराज घर में गाय है न बछिया, न पैसा। यही पैसे हैं, इनका गोदान है।" मालती का सादगीपूर्ण जीवन धारण करना और गरीब की सेवा करना, धनिया का सुतली बनाना जैसे कार्यों का गाँधीवादी मूल्यों-आग्रहों का ही प्रभाव माना जा सकता है, न कि वर्ग-संघर्ष के सिद्धान्त का।

गाँधीजी ने चरखा को यानी सूत कातने-बुनने जैसे कार्य को स्वराज्य प्राप्ति के साथ-साथ स्त्रियों की आर्थिक मुक्ति के लिए भी अमोघ अस्त्र माना था जिसका प्रभाव कई काव्य कृतियों पर दिखाई पड़ता है। उदाहरणार्थ, जयशंकर प्रसाद की कालजयी काव्यकृति 'कामायनी' पौराणिक आख्यान से सम्बद्ध होने के बावजूद कातने-बुनने जैसे कार्यों का महत्त्व स्थापित करती है। इसकी नायिका श्रद्धा अपने खाली समय का सदुपयोग कैसे करती है, इसका जिक्र करते हुए ईर्ष्या सर्ग में मन से कहती है—

"तुम दूर चले जाते हो जब
तब लेकर तकली यहाँ बैठ;
मैं उसे फिराती रहती हूँ
अपनी निर्जनता बीच पैठ।
मैं बैठी गाती हूँ तकली के
प्रतिवर्तन में स्वर विभोर—
चल रही तकली धीरे-धीरे
प्रिय गये खेलने को अहेर।"

इसी तरह मैथिलीशरण गुप्त की काव्यकृति 'साकेत' में सीता भी जिस कुटिया में राजभवन का सुख अनुभव करती है वह भी कातने-बुननें के गीत से गुंजित है। 'अष्टम सर्ग' में सीता का यह कथन द्रष्टव्य है—

"सब ओर लाभ ही लाभ बोध-विनिमय में,
उत्साह मुझे है विविध वृत्त संचय में।
तुम अर्द्धनग्न क्यों अशेष समय में

आओ, हम कातें-बुनें गान की लय में।
निकले फूलों का रंग, ढंग से ताया।
मेरी कुटिया में राजभवन मन भाया।''

वस्तुतः इस गाँधीवादी दौर में लिखे गये साहित्य में जो भी महत्त्वपूर्ण स्त्री-छवियाँ गढ़ी गयी हैं वे भोग एवं विलास से नहीं, अपितु जीवन-कर्म में प्रवृत्त करनेवाली शक्ति एवं कर्मठता से ओत-प्रोत हैं। निस्सन्देह इस तरह की स्त्री-छवियाँ उस समय के अन्य भारतीय भाषाओं में लिखे जा रहे साहित्य में भी गढ़ी गयी होंगी। उनकी पर्याप्त जानकारी के अभाव में उनका उल्लेख करने में मैं असमर्थ हूँ। वैसे हिन्दी साहित्य में ही गाँधीवादी मूल्य इतने व्यापक पैमाने पर विन्यस्त हुए हैं कि उन सबका लेखा-जोखा प्रस्तुत करने के लिए एक ग्रन्थ ही लिखा जा सकता है।

साहित्य में गाँधीजी की स्त्री-सम्बन्धी सोच एवं कार्यों को लेकर स्त्री-चरित्रों की तो रचना हुई ही, वास्तविक जीवन में भी ऐसी स्त्रियाँ सामने आयीं जिन्होंने लेखन एवं कर्म दोनों ही स्तरों पर गाँधीजी की सोच को मूर्त्त किया। इनमें अँग्रेजी में कविता लिखने वाली सरोजनी नायडू तो थी हीं, हिन्दी की कवयित्री सुभद्रा कुमारी चौहान भी बहुत अग्रणी एवं उल्लेखनीय भूमिका में रहीं। उन्होंने राष्ट्रीय भावना को उद्दीप्त करनेवाली झाँसी की रानी लक्ष्मीबाई को लेकर ''खूब लड़ी मर्दानी वह तो झाँसी वाली रानी थी'' जैसी कविता लिखकर स्त्री-शक्ति के महत्त्व का अहसास कराया, तो पत्नी, माँ, बहन आदि रिश्तों का सम्यक निर्वाह करते हुए स्वराज्य के लिए अनेक बार जेल यात्राएँ भी कीं। सचमुच उस जमाने में गाँधी के प्रभाव का चमत्कार था कि सम्भ्रान्त घर की पर्दे में रहनेवाली कितनी ही स्त्रियाँ अपनी बेड़ियों को झटकते हुए आजादी की लड़ाई लड़ने सड़कों पर उतर पडीं—जेल गयीं, लाठियाँ खायीं, विदेशी सामानों की होली जलाई, आभूषणों एवं कीमती वस्त्रों का परित्याग कर खादी की साड़ियों को अपनाया, पिकेटिंग जैसे साहसी कार्यक्रम में डटकर भाग लिया। 1931 में ही प्रेमचन्द ने 'होली का उपहार' और 'आखिरी तोहफा' जैसी कहानियाँ लिखीं जिनमें सुखदा एवं देवी जैसी स्त्रियाँ पिकेटिंग में भाग लेते हुए विदेशी सामान खरीदने वाले मर्द एवं औरतों के मार्ग में चट्टान की तरह अवरोध बनकर खड़ी हो जाती हैं।

दिलचस्प तथ्य है कि काल्पनिक उड़ान के लिए बदनाम छायावाद से जुड़ी कवयित्री महादेवी वर्मा भी गाँधी के आह्वान को अनसुना न कर सकीं। इस छायावादी कवयित्री ने अपनी मृत्यु (1987 ई.) से कुछ समय पूर्व एक साक्षात्कार

में कहा था कि "उनकी जैसी स्त्रियाँ जब सड़कों पर पिकेटिंग के लिए उतरती थीं, तो उसके प्रभावस्वरूप शराब पीने वाले युवक भी शराब पीना छोड़ देते थे जबकि आजकल की औरतें यह काम करने चलें, तो जो नहीं शराब पीता है, पीने लगेगा।" तो यह था स्त्री-शक्ति के जागरण का असर उस दौर में। तभी तो उस समय हरिवंश राय 'बच्चन' की 'मधुशाला की लोकप्रियता भी ऐसी तेजस्विनी स्त्रियों के प्रयासों के कारण शराबियों को भी शराब की पिकेटिंग का विरोध करने को प्रेरित न कर सकी।

इन समस्त तथ्यों के आलोक में स्पष्ट है कि गाँधीजी ने सदियों से बाल-विवाह, वैधव्य, पर्दा-प्रथा, जिस्मफरोशी, निरक्षरता, पराधीनता आदि के जुए तले दबी-कुचली स्त्रियों का जैसा व्यापक एवं सशक्त अभियान चलाया, वैसा न सिर्फ भारतीय इतिहास में बल्कि मानव-इतिहास में अद्वितीय है। 'मीरा और महात्मा' नामक उपन्यास में लेखक सुधीर कक्कड़ ने एक स्थल पर सही लिखा है कि "जहाँ तक उनकी (गाँधी की) बात थी, उनके लिए अहिंसा और सत्य के उच्चतम आदर्शों का पालन करने और अपने भीतर महानतम आध्यात्मिक क्षमता का विकास करने के लिए संघर्षरत स्त्रियों और पुरुषों के एक समुदाय का विकास देश के लिए राजनीतिक आजादी हासिल करने के समान ही महत्त्वपूर्ण था।" किन्तु स्त्रियों का आध्यात्मिक के अतिरिक्त भौतिक, लौकिक स्तरों पर भी विकास किसी दृष्टि से पुरुषों से कम न रहे इसका ध्यान गाँधीजी ने हमेशा रखा। गाँधीजी के इन सारे कार्यों एवं विचारों को देखते हुए विचित्र लगता है कि आज की तारीख में जिस स्त्री-विमर्श की आँधी हमारे साहित्य एवं राजनीति में चल पड़ी है, उसमें गाँधीजी के इन कार्यों का कहीं कोई उल्लेख नहीं करता। उल्टे गाँधीजी की जो छवि प्रस्तुत की जाती है, वह उन्हें स्त्री-विकास के लिए अवरोध ही सिद्ध करती है।

वैसे गाँधीजी ने अपने नेतृत्व में चलने वाले स्वाधीनता-आन्दोलन-सत्याग्रह-संग्राम में जिस तरह स्त्रियों-पुरुषों को समान रूप से शामिल किया, उससे यहाँ पर यूरोप एवं अमेरिका की तरह स्त्रियों को अपने लिए अलग से आन्दोलन करने की आवश्यकता नहीं पड़ी। किन्तु स्वाधीनता-प्राप्ति के बाद जिस तरह राजनेताओं से लेकर बुद्धिजीवियों तक में पश्चिमोन्मुखी होने, उनकी नकल करने की प्रवृत्ति बढ़ी, उसी की एक कड़ी के रूप में हमारे यहाँ भी स्त्री-मुक्ति आन्दोलन की अलग से चर्चा चल पड़ी। लेकिन यह स्त्री-मुक्ति आन्दोलन पश्चिम के उस स्त्री-आन्दोलन से प्रेरित नहीं था जो स्त्रियों के सामाजिक, राजनीतिक, आर्थिक समानता-स्वतन्त्रता के अधिकारों को लेकर चला था। इस स्वातन्त्र्योत्तर भारतीय स्त्री-

आन्दोलन का प्रेरणास्रोत बना पश्चिम में द्वितीय विश्वयुद्ध के बाद नये अन्दाज में उभरा स्त्री-मुक्ति आन्दोलन जिसके केन्द्र में स्त्रियों की सामाजिक, राजनीतिक, आर्थिक आदि क्षेत्रों में व्याप्त असमानताओं से मुक्ति का नहीं, अपितु सिर्फ यौन मुक्ति या यौन स्वच्छन्दता का सवाल महत्त्वपूर्ण हो गया है। जाहिर है यौन स्वच्छन्दता को सर्वोपरि महत्त्व देने वाली या देने वाले, यौन को ही सभी प्रकार की मुक्ति का पर्याय समझने वाले या वाली को गाँधीजी द्वारा स्त्रियों की मुक्ति के लिए किये गये प्रयासों एवं व्यक्त किये गये विचारों से उबकाई ही आएगी।

हम देख चुके हैं कि गाँधीजी स्त्री-पुरुष, पति-पत्नी के सम्बन्धों में परस्पर निष्ठा, विश्वास, सेवा, त्याग के महत्त्व पर सदैव बल देते रहे जबकि आज के यौनतावादियों के लिए ये सारे मूल्य बकवास हैं। इन्हें कपड़े बदलने की तरह अपने साथी बदलने की छूट होनी चाहिए। इन्हें पति-पत्नी नहीं, सेक्स-पार्टनर जैसे शब्द अच्छे लगते हैं। गाँधीजी ने 'पतित बहनों' के उद्धार के लिए चरखे को सुरक्षा का किला बतलाया था, किन्तु आज की यौनतावादिनियों को चरखे, कुटीर उद्योग जैसे श्रम-साध्य साधन आजीविका के लिए नहीं चाहिए। इन्हें चाहिए बीयर बार में नाचने-गाने, मटकने, कामोत्तेजक अदाओं से पुरुषों को रिझाकर खूब पैसा कमाने की अन्तहीन छूट। पत्नी, माँ, बहन जैसे पारिवारिक रिश्तों एवं दायित्वों को स्त्री-दासता का कारण समझने वाली ऐसे नारीवादिनियों के लिए जाहिर है गाँधीजी खलनायक ही प्रतीत होंगे। गाँधीजी का सारा बल इस बात पर था कि स्त्री-पुरुष समानता के स्तर पर एक दूसरे के सच्चे पूरक बनें, अर्द्धांग होने की सार्थकता सिद्ध करें जबकि आज यौन विमर्श का रूप ले चुका स्त्री-विमर्श बेशर्मी से स्त्रियों की अस्मिता पुरुषों से अलग सिद्ध करने की मुहिम में लगा हुआ है और इस क्रम में यह तमाम न केवल नैतिक मर्यादाओं, अपितु, प्राकृतिक दायरे का भी अतिक्रमण करते हुए 'लेस्बियनिज्म' तक की वकालत करने लगा है जो निश्चय ही एक प्रकृति विरोधी विकृति है, जघन्य अपराध है।

वस्तुतः हमारी समझ में स्त्री एवं पुरुष होने की सार्थकता पारस्परिक प्रेम एवं विश्वास में बँधकर समरसतापूर्ण जीवन जीते हुए पारिवारिक एवं सामाजिक मंगल के कार्यों के निष्पादन में ही है। स्पष्टतः इस तरह के जीवन जीने के मार्ग में स्त्रियों को दबाकर रखने वाली जितनी भी कुप्रथाएँ, कुरीतियाँ, अवरोध के रूप में कायम थीं; उन्हें सामाजिक जीवन से दूर करने में गाँधीजी ने कोई कोताही नहीं की। स्त्री-पुरुष के बीच सौहार्दपूर्ण सम्बन्धों के लिए गाँधीजी ने जिस तरह प्रेम, विश्वास, निष्ठा, आदि मूल्यों पर जोर देते हुए दोनों के बीच पारदर्शिता के बने रहने को अपेक्षित बताया, उसी को अपना कर आज का भी स्त्री-पुरुष सच्चे

दाम्पत्य-सुख के साथ-साथ सामाजिक मंगल करने का भी सुख प्राप्त कर सकता है। गाँधीजी ने स्त्री-पुरुष को लेकर अपने जीवन में किसी प्रकार का भेद-भाव तो नहीं ही किया, साथ ही उन्होंने जिस तरह स्त्री एवं पुरुष दोनों रूपों में हर एक इनसान को एकात्मक होने की सोच रखी, उसे ध्यान में रखा जाए तो उन्होंने अपने सम्पर्क में रहनेवाली स्त्रियों से जो स्नेह एवं आत्मीयता का व्यवहार किया, जिसमें उनका ब्रह्मचर्य सम्बन्धी प्रयोग भी था, तो उनके व्यवहार में कोई आपत्तिजनक बात दिखाई नहीं पड़ेगी। किन्तु यह जरूर है कि बहुत सारे कार्य उन्हीं की सामर्थ्य के थे, वे सामान्य व्यक्ति के लिए अनुकरणीय नहीं हो सकते, लेकिन वैसे प्रयोगों के लिए गाँधीजी को किसी प्रकार का अनुचित काम करने के लिए दोषी भी नहीं ठहराया जा सकता।

हमारे समाज में बेटे को ही बुढ़ापे का सहारा माना जाता रहा है। लेकिन गाँधीजी ने जीवन के अन्तिम दिनों में चलने के लिए आभा और मनु के कन्धों का सहारा लेकर इस स्त्री-विरोधी समाज को मानो यही सन्देश दिया कि लड़कियाँ भी लड़कों की तरह ही बुढ़ापे का सशक्त सहारा हो सकती हैं और जो राष्ट्रपिता को सहारा दे सके, ऐसी शक्ति भला राष्ट्र के निर्माण में कैसे उपेक्षित की जा सकती है। गाँधीजी ने कहा था कि उनका जीवन ही विचार है, अतएव स्त्रियों के साथ उन्होंने जो जीवन जिया, उसे समग्रता में ध्यान रखते हुए यही कहा जा सकता है कि स्त्री-सशक्तीकरण के सन्दर्भ में गाँधीजी के विचार आज भी अनुकरणीय एवं वरेण्य हैं। जाहिर है कि इसके लिए 'सेक्सी रंग' के चश्मों से हमें मुक्त होना होगा।

सन्दर्भ

1. नया ज्ञानोदय (मासिक पत्रिका) अंक—नवम्बर 2006 में प्रकाशित, सं. रवीन्द्र कालिया, भारतीय ज्ञानपीठ, नई दिल्ली से प्रकाशित।
2. आत्मकथा (सत्य के प्रयोग) महात्मा गाँधी, पृ. 319-20
3. सं. गां. वां. खंड— 6, पृ. 31-32
4. उप. पृ. 402
5. उप. खंड—7, पृ. 65
6. उप. पृ. 449
7. स्त्री शिक्षा क्यों? शीर्षक यह लेख 'इंडियन ओपिनियन' (गुजराती) के 19.1.1907 अंक में छपा था। इसमें गाँधीजी ने स्वीकार किया है कि उनके अन्दर ये विचार फ्रांस के शिक्षाशास्त्री श्री लाविस द्वारा बालिकाओं को दिये गये प्रवचन को पढ़कर उत्पन्न हुए थे। यहाँ पर यह उद्धृत है 'शिक्षण और संस्कृति' नामक पुस्तक से, सं. रामनाथ सुमन, पृ. 197-99, प्र. उत्तर प्रदेश गाँधी स्मारक निधि, वाराणसी, संस्करण, 1968

8. उप. पृ. 199, यह लेख 22.6.1907 के 'इंडियन ओपिनयन' (गुजराती) में छपा था।
9. उप. पृ. 27-29, यह भाषण गाँधीजी ने 20.10.1917 को 'द्वितीय गुजरात शिक्षा सम्मेलन' में दिया था।
10. उप. पृ. 668-69, यह 13.7.1934 को अहमदाबाद में गाँधीजी द्वारा दिये भाषण का अंश है।
11. स. गां. वां. खंड—24, पृ. 284
12. उप. खंड— 33, पृ. 49-50
13. महात्मा गाँधी : जीवन और चिन्तन, ले. जे. बी. कृपलानी, पृ. 426
14. सं. गां. वां. खंड-32, पृ. 482-84, गाँधीजी ने 1926 में साबरमती आश्रम की स्त्रियों की प्रातः सात बजे की प्रार्थना-सभाओं में प्रवचन दिये थे, ये उसी के कुछ अंश हैं।
15. उप. खंड—30, पृ. 38-39
16. उप. खंड— 31, पृ. 274
17. उप. पृ. 325-26
18. उप. खंड—30, पृ. 40
19. महात्मा गाँधी : जीवन और चिन्तन, पृ. 425-26
20. स. गां. वां. खंड—31, पृ. 341-42
21. उप. पृ. 500
22. आलोचना की सामाजिकता, ले. मैनेजर पांडेय, पृ. 253-54, वाणी प्रकाशन, नई दिल्ली, संस्करण 2005
23. स. गां. वां. खंड—16, पृ. 135-36
24. उप. पृ. 136-38
25. उप. खंड-21, पृ. 93-96
26. उप. खंड—26, पृ. 508-10, यह लेख 'यंग इंडिया' के 16.4.1925 के अंक में छपा था।
27. इस बात को मैंने विस्तार से अपने लेख—'महात्मा गाँधी के चिन्तन में तुलसीदास' में विवेचित किया है। यह लेख 'महात्मा गाँधी अन्तर्राष्ट्रीय हिन्दी विश्वविद्यालय' की पत्रिका 'बहुवचन' के अंक-7 में छपा है। साथ ही यह मेरी पुस्तक 'गाँधी और हिन्दी राष्ट्रीय जागरण' (भारती प्रकाशन, दिल्ली) में भी संकलित है।
28. महात्मा गाँधी : जीवन और चिन्तन, पृ. 429
29. उप. पृ. 430
30. नया ज्ञानोदय, अंक नवम्बर 2006 में प्रकाशित।
31. महात्मा गाँधी : जीवन और चिन्तन, पृ. 430
32. पुष्पा जोशी द्वारा सम्पादित पुस्तक 'गाँधी ऑन वूमैन' का इला भट्ट द्वारा अँग्रेजी में लिखे गये प्राक्कलन के एक अंश का यह हिन्दी अनुवाद है। अनुवाद मैंने स्वयं किया है। पुस्तक प्रकाशित है 'नवजीवन पब्लिशिंग हाउस, अहमदाबाद, वर्ष 1988।
33. स. गां. वां. खंड—31, पृ. 534, पत्नी के कर्तव्य के सम्बन्ध में एक लेख गाँधीजी ने 21.10.1926 के 'यंग इंडिया' में लिखा था, यह उद्धरण उसी का अंश है।

तृतीय अध्याय

मातृभाषा एवं राष्ट्रभाषा–जागरण

हमारे राष्ट्रीय जागरण का एक पक्ष यहाँ की मातृभाषाओं, जो विभिन्न प्रान्तों से सम्बद्ध हैं तथा पूरे देश के लिए एक सामान्य राष्ट्रभाषा के महत्त्व को स्थापित करने में व्यक्त हुआ। हमारे भारतीय नवजागरण के आदि पुरुष राजा राममोहन राय का अन्तर्विरोध इस बात में प्रकट हुआ कि उन्होंने पूरे देश की सम्पर्क भाषा की आवश्यकता महसूस करते हुए हिन्दी की वांछनीयता को तो स्वीकार किया था, किन्तु देश में नये ज्ञान-विज्ञान की शिक्षा के लिए उन्होंने अँग्रेजी भाषा को ही उपयुक्त माना था जिसे लार्ड मैकाले ने अमली जामा पहना दिया, लेकिन राजा साहब के बाद कई बौद्धिकों ने अँग्रेजी भाषा एवं शिक्षा पर प्रश्न चिह्न उठाते हुए मातृभाषाओं में शिक्षा दिए जाने की वकालत की। जहाँ तक भारत के लिए सम्पर्क भाषा के रूप में एक राष्ट्रभाषा की आवश्यकता का प्रश्न था, इस सम्बन्ध में सभी हिन्दी के पक्ष में रहे। किन्तु मातृभाषा एवं राष्ट्रभाषा के महत्त्व को पूरे देश में फैलाने का काम, इसके प्रति जनता को जाग्रत करने का कोई राष्ट्रव्यापी काम तब नहीं हो पाया था। वस्तुतः भाषा एवं शिक्षा के क्षेत्र में अँग्रेजों ने अँग्रेजी भाषा को थोप कर इस दृष्टि से भी भारत को एक दलित राष्ट्र बना रखा था। अतएव इस गुलाम एवं दलित राष्ट्र की पूरी मुक्ति के लिए भाषा की दासता से भी मुक्ति आवश्यक थी। इस तथ्य को महसूस करते हुए गाँधीजी ने अपने स्वराज्य जागरण के एक अभिन्न एवं अनिवार्य अंग के रूप में मातृभाषाओं एवं राष्ट्रभाषा के सवाल को भी रखा और इस मुद्दे को लेकर राष्ट्रव्यापी जागृति फैलाने की कोशिश की। इस अध्याय में हम उनके इन्हीं कार्यों का एक छोटा-सा विवेचन प्रस्तुत करेंगे।

विधेयवादी, मार्क्सवादी एवं समाजशास्त्रीय चिन्तन प्रणालियों ने इस बात को बहुत महत्त्व दिया कि सामाजिक विकास की अवस्थाएँ भाषा के विकास को भी निर्धारित करती है। बात भी बहुत हद तक सही है। लेकिन भाषा को सामाजिक आधार से पूर्णतः प्रभावित या पूर्णतः उसके अधीन मानने पर आम सहमति मार्क्सवादी

विचारकों में नहीं हो पायी और भाषा को सामाजिक परिस्थितियों से प्रभावित होने के साथ-साथ उसे सामाजिक विकास को प्रभावित करने वाला भी एक महत्त्वपूर्ण कारक माना गया। भाषा की समाज-सापेक्ष एवं ऐतिहासिक विकास प्रक्रिया को दरकिनार कर शासक वर्ग द्वारा अपनी सुविधाओं के अनुरूप शासित जन पर भाषा थोपने के उदाहरण से उपनिवेश रह चुके देशों के इतिहास भरे पड़े हैं। भारत का ही उदाहरण लें, तो हमें जहाँ एक तरफ संस्कृत, प्राकृत, अपभ्रंश से होते हुए आधुनिक भारतीय भाषाओं का विकास दिखाई देता है, तो दूसरी तरफ मध्यकाल में अफगान-तुर्क शासकों द्वारा शासन की भाषा के रूप में फारसी को एवं ब्रिटिश काल में अँग्रेजी को भारतीय जनता पर बलात् थोपने के प्रयास नजर आते हैं।

मतलब कि शासक वर्ग द्वारा हस्तक्षेप भी भाषा के विकास में महत्त्वपूर्ण कारक रहा है, तो दूसरी तरफ समाज की आवश्यकताओं के अनुरूप भाषा को सँवारने, सुधारने, बदलने का काम चिन्तकों एवं मनीषियों द्वारा भी समय-समय पर होता रहा है। आज से लगभग ढाई हजार वर्ष पूर्व चीन के महान दार्शनिक कनफ्यूनिशयस ने समाज को सही ढंग से संचालित करने में भाषा की नियामक भूमिका को इन शब्दों में स्वीकार किया था—"समाज की गलतियों या खराबियों को सिर्फ समाज की भाषा को ठीक करके ही खत्म किया जा सकता है क्योंकि भाषा अगर गलत हो जाए तो गलत बोला जाएगा, गलत बोला जाए तो गलत सुना जाएगा, और गलत कहकर जो गलत सुनाया गया है, उस पर जो अमल किया जाएगा वह गलत ही होगा और गलत अमल का परिणाम हमेशा गलत ही हुआ करता है। इसलिए गलत समाज की गलत बुनियाद हमेशा गलत भाषा ही डालती है।" कनफ्यूशियस के इस विचार से कदाचित वे भाषाविद् सहमत न हों जिनकी दृष्टि में सामाजिक अवस्था में सही बदलाव या सुधार ही भाषा में सही सुधार की गारंटी होती है, लेकिन इस कथन में जो सच्चाई है उससे इनकार नहीं किया जा सकता। बहुत सारे चिन्तकों ने खराब सामाजिक अवस्था में बदलाव आने की प्रतीक्षा में भाषा में बदलाव के सवाल को स्थगित नहीं रखा, अपितु सामाजिक बदलाव के साथ-साथ वे भाषा में भी परिवर्तन-विकास के लिए कार्य करते रहे। महात्मा गाँधी भी ऐसे ही कर्मयोगी चिन्तकों में थे जिन्होंने दक्षिण अफ्रीका में रंगभेद के विरुद्ध लड़ने से लेकर भारतवर्ष में साम्राज्यवाद विरोधी संग्राम का नेतृत्व करते हुए भाषा के सवाल को भी सदैव महत्त्वपूर्ण माना और हर कौम, हर राष्ट्र अपनी-अपनी भाषा के जरिये ज्ञान, विज्ञान, शिक्षा, साहित्य, संस्कृति के क्षेत्र में उन्नति करे, इसकी वे जोरदार हिमायत करते रहे। उनकी दृष्टि में किसी भी कौम के लिए पराई या विदेशी भाषा में काम करना, कनफ्यूशियस

के शब्दों में, गलत भाषा का व्यवहार करना था। पता नहीं गाँधीजी कनफ्यूशियस के इस विचार से अवगत थे या नहीं, किन्तु उन्होंने समाज को दुरुस्त करने के लिए भाषा के प्रति वही दृष्टिकोण एवं आचरण अपनाया जो कनफ्यूशियस ने सदियों पूर्व बताया था।

भाषा के सवाल पर गाँधीजी दक्षिण अफ्रीका में रहते हुए (1893 ई. से 1914 ई. तक की अवधि) काफी जागरूक हो चुके थे और यह उनके सम्पूर्ण जीवन-दर्शन का एक अभिन्न अंग बन चुका था। यह जागरूकता उनकी जनवरी 1910 में छपी पुस्तक 'हिन्द स्वराज्य'[1] तथा वहीं से प्रकाशित होने वाले पत्र 'इंडियन ओपिनियन' में उनके छपे लेखों में स्पष्टतः दिखाई देती है। भारतवर्ष की दुर्दशा के सम्बन्ध में यह बात उन दिनों, जैसा कि दादाभाई नौरोजी ने 'ड्रेनथियरी' का प्रतिपादन करते हुए खुलासा किया था, काफी कही जा रही थी कि हमारे देश के धन का विदेश में चले जाना हमारी आर्थिक बदहाली का बहुत बड़ा कारण था। लेकिन आर्थिक शोषण के साथ-साथ औपनिवेशिक शासन अपनी भाषा एवं शिक्षा का जुआ लादकर किस तरह सांस्कृतिक दृष्टि से भी हमें खोखला कर रहा था, नये 'ज्ञान-विज्ञान के आलोक' से अभिभूत शिक्षित भारतीय नहीं देख पा रहे थे। राजा राममोहन राय ने जिस बंगाल नवजागरण का सूत्रपात किया था, उसका सबसे दुर्भाग्यपूर्ण पक्ष यह था कि भारतीय भाषाओं एवं शिक्षण-परम्पराओं को दरकिनार करते हुए यूरोपीय ज्ञान, शिक्षा एवं उसे हासिल करने के माध्यम के रूप में अँग्रेजी भाषा की अनिवार्यता को जिस तरह प्रतिष्ठित किया गया, वह 'ज्ञानोदय' का लगभग पर्याय-सा बनकर आधुनिकता के लिए लालायित भारतीयों के सोच का अभिन्न अंग बनता गया और भारतीय भाषाएँ अपनी ही धरती पर दो कौड़ी की भी नहीं समझी जाने लगीं। हालाँकि उन्नीसवीं सदी के उत्तरार्द्ध में बंगाल के ही एक अन्य उल्लेखनीय बुद्धिजीवी बंकिमचन्द्र चट्टोपाध्याय एवं गुजरात के स्वामी दयानन्द सरस्वती ने अपने-अपने ढंग से अँग्रेजी भाषा एवं शिक्षण का प्रतिवाद प्रस्तुत किया जो 'ज्ञानोदय की एक अन्तर्धारा के रूप में अस्तित्वमान रहा जिसकी सशक्त एवं व्यापक अभिव्यक्ति बीसवीं सदी में गाँधीजी के चिन्तन के रूप में सामने आयी।

प्रसंगवश उल्लेखनीय है कि बंकिमचन्द्र ने 1878 ई. में 'बंगदर्शन' के लिए 'लोकशिक्षा' शीर्षक से जो प्रसिद्ध लेख लिखा था, उसमें उन्होंने अँग्रेजी भाषा एवं शिक्षण के नाम पर बतायी जाने वाली वैज्ञानिक या आधुनिक शिक्षा को अपर्याप्त बताते हुए इस तथ्य की ओर ध्यान आकृष्ट किया कि "हमारा विश्वास है कि व्याकरण और रेखागणित का ज्ञान मानसिक उन्नति के लिए जरूरी होते हुए भी

इन व्यावहारिक जीवन के मसलों से जूझने में सम्पूर्ण रूप से सहायक नहीं है। हमें लगता है कि इन तथ्यों और मसलों से राममोहन राय से लेकर श्रीमान फटिकचन्द तक पाश्चात्य रंग में रंगे हुए सभी प्रतिष्ठित लोग अवगत नहीं हैं या इसकी उपेक्षा करते आये हैं।"[2] दरअसल बंकिम बाबू भारत के लिए यहाँ की पारम्परिक लोक शिक्षा की व्यवस्था एवं यहाँ की भाषाओं को अपनाना ज्यादा हितकर समझते थे, क्योंकि अँग्रेजी भाषा में जो शिक्षा दी जा रही थी वह यहाँ के शिक्षित और अनपढ़ समाज के बीच एक बड़ी खाई भी पैदा करती जा रही थी। इसे लक्ष्य करते हुए इसी लेख में बंकिमचन्द्र ने दो टूक शब्दों मे कहा कि "अँग्रेजी शिक्षा के कारण शिक्षितों और अशिक्षितों के बीच कोई सहानुभूति, कोई संवाद नहीं है। शिक्षित समुदाय अशिक्षित समुदाय के दिल की धड़कन को महसूस करने में असमर्थ है। यही नहीं, शिक्षित-अशिक्षित की तरफ नजर उठाकर भी नहीं देखते। कृषकराम की अगर खेत जोतते-जोतते थककर मौत भी हो जाती है तो हमें क्या? जब तक मुर्ग मुसल्लम और मच्छी का स्वादिष्ट झाल सुलभ है, हमें फिकर क्यों? कृषकराम कैसे जीवनयापन करता है, उसकी रुचि क्या है, अँग्रेजियत के रंग में रंगे बंगाली युवकों को इन सवालों से कोई मतलब नहीं। उनकी चिन्ता है तो यह कि इंगलिस्तान के साहब सर ओसले इंडन उनके भाषणों से खुश हैं कि नहीं, और नहीं तो कैसे उन्हें खुश किया जाए। कृषकराम भाड़ में जाए, हमें इससे क्या मतलब?"[3]

अँग्रेजी भाषा एवं अँग्रेजी शिक्षा का चलन कैसे शिक्षित भारतीयों को खुदगर्ज बनाने एवं सामान्य जनता से अलग-थलग करने का काम कर रहा था, यह बंकिमचन्द्र के शब्दों में बहुत ही बेबाक ढंग से व्यक्त हुआ है। बावजूद ऐसी चेतावनी के देश के विभिन्न शहरों में अँग्रेजी ढंग से खुलते जा रहे स्कूलों-कॉलेजों में अँग्रेजी में शिक्षा प्राप्त कर बड़े हाकिम-अफसर से लेकर किरानी तक बनने की लालसा बहुतों को अन्धा बनाने लगी और कतिपय सम्पन्न घरानों के लोग अपने लड़कों को इस शिक्षा को प्राप्त करने के लिए विलायत तक भेजने लगे। विलायत जाकर शिक्षा प्राप्त करने वाले ऐसे ही भारतीय युवकों में एक थे—मोहनदास करमचन्द गाँधी जिन्होंने तीन वर्ष (1888-1891) इंग्लैंड में रहकर पढ़ाई कर बैरिस्टरी की डिग्री प्राप्त की थी। किन्तु अँग्रेजी शिक्षा का यह प्रभामंडल गाँधी को अपने देश के सन्दर्भ में उसकी अनिष्टकारी भूमिका पहचानने से रोक न सका और दक्षिण अफ्रीका में रहते हुए वे अच्छी तरह समझ गये कि भारत का कल्याण उसकी अपनी भाषाओं में दी जाने वाली शिक्षा से ही सम्भव है। भाषा एवं शिक्षा को लेकर जो सोच बंकिमचन्द्र ने अपने पूर्वोक्त लेख में व्यक्त

की थी, ठीक उसी दिशा में हम बीसवीं शताब्दी में गाँधीजी को चलते हुए देखते हैं। प्रसिद्ध समाजशास्त्री डॉ. पूरनचन्द जोशी ने अपने लेख 'नैतिक शून्य, राजनैतिक गतिरोध और वर्चस्व का संकट : एक पुनर्विचार' में गाँधीजी की इस भूमिका का आकलन करते हुए लिखा है—''भारतीय सन्दर्भ में 'वर्चस्व' हासिल करने के सबसे मौलिक तथा सबसे प्रभावकारी चिन्तन तथा सबसे सशक्त और एकदम और नये मार्गदर्शी प्रयोग के लिए हमें महात्मा गाँधी की भूमिका और अवदान पर विचार करना होगा, जिन्होंने यूरोपीय नगर प्रधान औद्योगिक समाज और सभ्यता के सन्दर्भ से भिन्न एक ग्राम और किसान प्रधान देश के लिए नये राजनीतिक दर्शन और व्यवहार को ईजाद किया। जहाँ लिखित और मुद्रित कथन तथा यान्त्रिक सम्प्रेषण की नहीं, वाणी की प्रधानता रही हो, वहाँ मौखिक और अनौपचारिक सम्प्रेषण पर आधारित लोकशिक्षा की परम्परा को जन के नवजागरण की प्रेरक शक्ति के रूप में महात्मा गाँधी ने पुनर्जीवित किया और शिक्षित वर्ग और अशिक्षित जन के बीच खाई को मिटाने और उनके बीच सेतु कायम करने के महत् प्रयास द्वारा ब्रिटिश साम्राज्यवाद के सर्वव्यापी प्रभुत्व के आधार, उसके 'वर्चस्व' के सभी सांस्कृतिक सन्दर्भों की नींव हिला दी थी। लोकशिक्षा के सभी पारम्परिक प्रतीकों और मिथकों, प्रणालियों और विधियों तथा सम्प्रेषण-प्रक्रियाओं की व्यवस्था के स्थायीकरण का नहीं, व्यवस्था-परिवर्तन और व्यवस्था-पुनर्निर्माण की प्रेरक शक्ति में बदलने की पहल गाँधी द्वारा ही हुई थी। उन्होंने स्वाधीनता-संघर्ष की नयी राजनीति और नवजागरण की नयी संस्कृति के बीच सेतु के रूप में 'वर्चस्व' की अवधारणा और उसकी कार्य-नीति को ही बिना 'वर्चस्व' नाम दिये राष्ट्रव्यापी प्रयोग का आधार बनाया था। राजनीति के नैतिकीकरण के महत् प्रयोग के रूप में उन्होंने 'वर्चस्व' के विचार और व्यवहार का भौतिक रूप में वास्तव में बीजारोपण किया। राष्ट्रीय राजनीति में नैतिक-सांस्कृतिक मूल्यों का समावेश और संस्कृति में राजनीतिक चेतना और दायित्व के समावेश का महात्मा गाँधी जैसा महत् और मौलिक प्रयोग बीसवीं सदी में, विशेषकर एशियाई सन्दर्भ में, अनूठा और बेमिसाल था।''[4]

डॉ. जोशी के इस विश्लेषण के आलोक में स्पष्ट है कि अँग्रेजी शिक्षा में दीक्षित होने के बावजूद गाँधीजी ने यह भाँप लिया था कि अपने देश की लोकशिक्षा की परम्पराओं का विकास कर ही जहाँ ब्रिटिश साम्राज्यवाद के 'वर्चस्व' के प्रतिरोध का मार्ग प्रशस्त किया जा सकता है, वहीं अपनी खोई राष्ट्रीय स्वाधीनता एवं अस्मिता को प्राप्त किया जा सकता है। निस्सन्देह गाँधीजी की यह सोच राजा राममोहन राय की उस सोच से एकदम अलग थी जिसने पाश्चात्य शिक्षा एवं भाषा

को अंगीकार करने में ही आधुनिक भारत का उदय समझ रखा था। वस्तुतः गाँधीजी ने राममोहन राय के बजाय बंकिमचन्द्र की उस सोच के समरूप भारतोत्थान एवं ब्रिटिश वर्चस्व के विरोध का अभियान खड़ा किया जिसमें भारत की लोक शिक्षण परम्परा को महत्त्वपूर्ण माना गया था। ध्यातव्य है, उसी 'लोकशिक्षा' वाले लेख में बंकिमचन्द्र ने कहा था : "हर गाँव में, हर शहर में ऊँचे मंच पर स्थित लकड़ी की चौकियों पर बैठे, मस्तक को सुगन्धित मालती पुष्प की माला से सुशोभित कर कथावाचक सुरीले और प्रभावशाली स्वरों में तथा मनोहारी पदों द्वारा एकत्र जन मण्डली को अनेक विषयों पर पौराणिक तथा अन्य कथाएँ सुनाते थे। इन विषयों में शामिल थे ऐसे विषय, जैसे सीता की पवित्रता, अर्जुन की वीरता, लक्ष्मण की सत्यनिष्ठा, भीष्म की इन्द्रियों और वासनाओं पर विजय, दधीचि के कठोर आत्म-त्याग की चर्चा। जो खेतों में हल चलाते हैं, जो कपास और रुई धुनते हैं, जो लकड़ी काटते हैं, वे भूखे हों या आधे पेट, इन कथावाचकों के माध्यम से जानते हैं कि धर्म शाश्वत है, स्वार्थपरता बुरी चीज है कि सच्चा मनुष्य दूसरों के लिए जीता है कि ईश्वर सत्य के रूप में सभी जगह विद्यमान है, व जन्म भी देता है, पोषण भी करता है और विनाश भी करता है, अहिंसा परम धर्म है, पाप दंडित होता है और पुण्य का सुफल प्राप्त होता है और परहित के बराबर और कोई श्रेष्ठ धर्म नहीं है। लेकिन अर्धशिक्षित अँग्रेजियत के रंग में रंगे हुए लोगों का ही प्रभाव है कि सामुदायिक और सामूहिक कथावाचन की प्रथा एकदम लुप्त हो गयी। यह पाश्चात्य शिक्षा का ही प्रभाव है कि लोकशिक्षा के माध्यमों का विकास होने के बजाय ह्रास ही होता चला गया।"[5]

बंकिमचन्द्र के कथन को इतने विस्तार से उद्धृत करने के पीछे मकसद यह दिखाना है कि कैसे गाँधीजी ने अँग्रेजी शिक्षा एवं भाषा के प्रभाव से विनष्ट हो रही भारत की लोकशिक्षा एवं लोकभाषा की परम्परा को पुनर्जीवित करने का काम किया। गाँधीजी के भाषा एवं शिक्षा सम्बन्धी चिन्तन एवं कार्यों पर गौर करने पर पता चलता है कि उन्होंने आधुनिक युग में भारत को उत्कर्षोन्मुख बनाने के लिए पाश्चात्य शिक्षा के बजाय भारत की लोकशिक्षा परम्पराओं को अपनाना ज्यादा कारगर समझा। चूँकि, लोकशिक्षा का माध्यम लोकभाषाएँ होती थीं, इसलिए गाँधीजी ने शिक्षा के लिए लोकभाषाओं, भारत की समस्त प्रान्तीय भाषाओं को महत्त्व देते हुए–हर प्रान्त की भाषा को वहाँ की मातृभाषा स्वीकार करते हुए उसी के माध्यम से शिक्षा देने का पुरजोर समर्थन किया। यहाँ पर यह निवेदन कर देना अपेक्षित समझता हूँ कि गाँधीजी के भाषा सम्बन्धी चिन्तन पर विचार करते हुए दो बातों को ध्यान में रखना चाहिए—पहला कि वे स्थानीय या प्रान्तीय स्तर पर

शिक्षा के माध्यम के रूप में सम्बद्ध प्रान्त की भाषा के समर्थक थे। दूसरा यह कि समग्र निष्पादन के लिए आपसी सम्पर्क एवं राजनीतिक तथा प्रशासनिक कार्यों के निष्पादन के माध्यम रूप में एक राष्ट्रभाषा (हिन्दी) के ये प्रबल समर्थक रहे। इसी प्रकरण में पहले हम प्रान्तीय स्तर पर शिक्षा एवं उसके माध्यम के रूप में मातृभाषा के सम्बन्ध में विचारों को देखेंगे।

दक्षिण अफ्रीका प्रवास के दौरान ही गाँधीजी इस निष्कर्ष पर पहुँच चुके थे कि बहुभाषा-भाषी भारत में भाषओं का विकास होना चाहिए। उनके ऐसे मन्तव्य की स्पष्ट झलक उनकी पुस्तक 'हिन्द स्वराज्य' से मिलनी शुरू हो जाती है। अँग्रेजी शिक्षा की चकाचौंध के पीछे पलने वाली औपनिवेशिक मंशा का खुलासा करते हुए उन्होंने इस पुस्तक में लिखा : "करोड़ों लोगों को अँग्रेजी शिक्षण देना उन्हें गुलामी में डालने जैसा है। मैकाले ने जिस शिक्षण की नींव डाली, वह सचमुच गुलामी की नींव थी। उसने इसी इरादे से वह योजना बनायी, यह मैं नहीं कहना चाहता। किन्तु इसके कार्य का परिणाम यही हुआ है। हम स्वराज्य की बात भी पराई भाषा में करते हैं, यह कैसी बड़ी दरिद्रता है। ...यह भी जानने लायक है कि जिस पद्धति को अँग्रेजों ने उतार फेंका है, वही हमारा शृंगार बनी हुई है। वहाँ शिक्षा की पद्धतियाँ बदलती रही हैं। जिसे उन्होंने भुला दिया है, उसे हम मूर्खतावश चिपटाये रहते हैं। वे अपनी भाषा की उन्नति करने का प्रयत्न कर रहे हैं। वेल्स इंग्लैंड का एक छोटा-सा परगना है। उसकी भाषा धूल के समान नगण्य है। अब उसका जीर्णोद्धार किया जा रहा है। ...अँग्रेजी शिक्षण स्वीकार करके हमने जनता को गुलाम बनाया है। अँग्रेजी शिक्षण से दम्भ, द्वेष, अत्याचार आदि बढ़े हैं। अंग्रेजी शिक्षा प्राप्त लोगों ने जनता को ठगने और परेशान करने में कोई कसर नहीं रखी। भारत को गुलाम बनाने वाले तो हम अँग्रेजी जानने वाले लोग ही हैं। जनता की हाय अँग्रेजों को नहीं हमको लगेगी।"[6]

गाँधीजी के इस कथन में अँग्रेजी शिक्षा की ठीक वैसी ही निर्मम आलोचना व्यक्त हुई है जैसी बंकिम बाबू के 'लोकशिक्षा' वाले लेख में हुई थी। गौर करें, गाँधीजी के मतानुसार जब अँग्रेज अपने देश की आवश्यकता के अनुरूप शिक्षा की पद्धतियाँ बदल सकते हैं, तो फिर भारत ही क्यों उनकी परित्यक्त शिक्षा पद्धति का अनुसरण करें? यानी भारत की शिक्षा पद्धति भी यहाँ की आवश्यकता के अनुरूप होनी चाहिए। दूसरी बात कि जब वेल्स जैसी उपेक्षित भाषा के उद्धार के लिए वहाँ के लोग प्रयत्न कर सकते हैं, तब भारतवासी भी क्यों नहीं अपनी भाषाओं के विकास के लिए प्रयत्नशील हों। "अँग्रेजी शिक्षण को स्वीकार करके हमने जनता को गुलाम बनाया है", कहकर गाँधीजी ने अँग्रेजी शिक्षा को आधुनिकता

एवं ज्ञानोदय का संवाहक समझने और समझाने वाले चन्द भारतीय अभिजनों के दावे के खोखलेपन को बेनकाब कर दिया। उनके अनुसार भारत की शिक्षा पद्धति इसकी अपनी जलवायु के अनुरूप अपनी भाषा में होनी चाहिए। उन्होंने बेलाग शब्दों में उसी पुस्तक में अपना अभिमत रखा : ''हमें अपनी सभी भाषाओं को चमकाना चाहिए। ...जो अँग्रेजी पुस्तकें काम की हैं, हमें उनका अनुवाद करना होगा। बहुत शास्त्र सीखने का दम्भ और भ्रम हमें छोड़ना होगा। सबसे पहले धर्म नीति की ही शिक्षा दी जानी चाहिए।''[7]

'हिन्द स्वराज्य' के अतिरिक्त 'इंडियन ओपिनियन' नामक अँग्रेजी पत्र में भी गाँधीजी के ऐसे लेख छपते रहे जिनमें शिक्षा एवं भाषा के सवाल पर उन्होंने गम्भीरतापूर्वक विचार प्रस्तुत किये। मसलन, 28.5.1910 के इस पत्र के अंक में छपे उनके 'शिक्षा में मातृभाषा का स्थान' नामक लेख का यह अंश देखा जा सकता है। ''भारतीय युवक संस्कार सम्पन्न भारतीय की भाँति अपनी मातृभाषा पढ़ या बोल नहीं सकता तो उसे शर्म आनी चाहिए। भारतीय बच्चों और उनके माता-पिताओं में अपनी भाषाएँ पढ़ने के बारे में जो लापरवाही देखी जाती है, वह अक्षम्य है। इससे तो उनके मन में अपने राष्ट्र के प्रति रत्ती-भर भी अभिमान नहीं रहेगा।''[8] 'इंडियन ओपिनियन' के 19.8.1911 के अंक में गाँधीजी का 'शिक्षा का माध्यम क्या हो?' शीर्षक लेख छपा। इसमें मातृभाषा के महत्त्व को उजागर करते हुए उन्होंने लिखा—''हम लोगों में बच्चों को अँग्रेज बनाने की प्रवृत्ति पायी जाती है। मानो उन्हें शिक्षित करने का और साम्राज्य की सच्ची सेवा के योग्य बनाने का वही सबसे उत्तम तरीका है। हमारा ख्याल है कि समझदार से समझदार अँग्रेज भी यह नहीं चाहेगा कि हम अपनी राष्ट्रीय विशेषता अर्थात् परम्परागत प्राप्त शिक्षा और संस्कृति को छोड़ दें अथवा यह कि हम उनकी नकल किया करें। ...इसलिए जो अपनी मातृभाषा के प्रति-चाहे वह कितनी ही साधारण क्यों न हो-इतने लापरवाह हैं, वे एक विश्वव्यापी धार्मिक सिद्धान्त को भूल जाने का खतरा मोल ले रहे हैं?''

स्पष्ट है कि गाँधीजी की दृष्टि में भारत जैसे धर्मप्रधान देश के लिए ऐसी शिक्षण पद्धति वांछनीय थी जिसमें धर्म एवं नीति की शिक्षा की प्रधानता हो और यह शिक्षा अनिवार्य रूप से मातृभाषा के जरिये दी जाए तभी उनके अन्दर राष्ट्रीय स्वाभिमान का भाव जाग्रत हो सकता है। अँग्रेजी भाषा एवं शिक्षा के मोह में अपनी मातृभाषा का तिरस्कार करना उनकी दृष्टि में अक्षम्य अपराध था। मातृभाषा में भारतीय परम्पराओं के अनुरूप शिक्षा पद्धति का प्रचार करने का गाँधीजी का अभियान जनवरी 1915 में भारत आने के बाद और तीव्रता से आगे बढ़ता गया।

भारत आने के बाद भाषा के सवाल को लेकर गाँधीजी ने पहला धमाका किया 4 फरवरी 1916 को काशी हिन्दू विश्वविद्यालय के उद्घाटन समारोह में दिये अपने भाषण से। उस समारोह में देश के बड़े-बड़े राजा-महाराजाओं से लेकर कई गण्यमान्य व्यक्ति तक मौजूद थे। सभी अपने भाषण अँग्रेजी में दे रहे थे। उस समारोह में गाँधीजी एकमात्र व्यक्ति थे जिन्होंने अपना भाषण हिन्दी में किया, और कदाचित् भारत में किसी सार्वजनिक समारोह में उनका यह पहला हिन्दी भाषण था। उन्होंने इस अवसर पर बोलते हुए कहा—"इस महान विद्यापीठ के प्रांगण में अपने ही देशवासियों से अँग्रेजी में बोलना पड़े, यह अत्यन्त अप्रतिष्ठा और लज्जा की बात है। ...मुझे आशा है कि इस विश्वविद्यालय में विद्यार्थियों को उनकी मातृभाषा के माध्यम से शिक्षा देने का प्रबन्ध किया जाएगा। हमारी भाषा हमारा ही प्रतिबिम्ब है और इसलिए यदि आप मुझसे यह कहें कि हमारी भाषाओं में उत्तम विचार अभिव्यक्त किये ही नहीं जा सकते तब तो हमारा संसार से उठ जाना ही अच्छा है। क्या कोई व्यक्ति स्वप्न में भी यह सोचा सकता है कि अँग्रेजी भविष्य में किसी भी दिन भारत की राष्ट्रभाषा हो सकती है। ('नहीं, नहीं' की आवाजें) फिर राष्ट्र के पाँवों में यह बेड़ी किसलिए? ...यदि हमें पिछले पचास वर्षों में देशी भाषाओं द्वारा शिक्षा दी गयी होती, तो आज हम किस स्थिति में होते। हमारे पास एक आजाद भारत होता, हमारे पास अपने शिक्षित आदमी होते जो अपनी ही भूमि में विदेशी जैसे न रहे होते, बल्कि जिनका बोलना जनता के हृदय पर प्रभाव डालता।"[10]

गाँधीजी के इस भाषण से, जैसा कि कहा जाता है, समारोह में उपस्थित अनेक अँग्रेजी-भक्त भारतीयों को काफी मानसिक क्लेश हुआ था, लेकिन 'हिन्द स्वराज्य' में मातृभाषा के पक्ष में कही गयी बातों की भारत की धरती पर और जोरदार ढंग से गाँधीजी कहने लगे। भारतवर्ष में विभिन्न भाषाओं की उपस्थिति को ध्यान में रखते हुए वे हर प्रान्त में शिक्षा के माध्यम रूप में वहीं की भाषा को, जो वहाँ के लोगों की मातृभाषा थी, अपनाने की पुरजोर वकालत करने लगे। 15 अक्टूबर, 1917 को बिहार के भागलपुर शहर में छात्रों के एक सम्मेलन में अध्यक्ष पद से बोलते हुए उन्होंने मातृभाषा के महत्त्व को इस प्रकार उजागर किया, "मातृभाषा का अनादर माँ के अनादर के बराबर है। जो मातृभाषा का अपमान करता है, वह स्वदेश भक्त कहलाने लायक नहीं है। बहुत-से लोग ऐसा कहते सुने जाते हैं कि 'हमारी भाषा में ऐसे शब्द नहीं, जिनमें हमारे ऊँचे विचार प्रकट किये जा सकते।' किन्तु यह कोई भाषा का दोष नहीं। भाषा को बनाना और बढ़ाना हमारा अपना ही कर्तव्य है। एक समय ऐसा था अँग्रेज भाषा की भी यही हालत

थी। अँग्रेजी का विकास इसलिए हुआ कि अँग्रेज आगे बढ़े और उन्होंने भाषा की उन्नति की। यदि हम मातृभाषा की उन्नति नहीं कर सके और हमारा यह सिद्धान्त रहे कि अँग्रेजी के जरिये ही हम अपने ऊँचे विचार प्रकट कर सकते है और उनका विकास कर सकते हैं, तो इसमें जरा भी शक नहीं कि हम सदा के लिए गुलाम बने रहेंगे। जब तक हमारी मातृभाषा में हमारे सारे विचार प्रकट करने की शक्ति नहीं आ जाती और जब तक वैज्ञानिक विषय मातृभाषा में नहीं समझाये जा सकते, तब तक राष्ट्र को नया ज्ञान नहीं हो सकेगा। यह तो स्वयंसिद्ध है कि :

1. सारी जनता को नये ज्ञान की जरूरत है;

2. सारी जनता कभी अँग्रेजी नहीं समझ सकती;

3. यदि अँग्रेजी पढ़ने वाला ही नया ज्ञान प्राप्त कर सकता है, तो सारी जनता को नया ज्ञान मिलना असम्भव है।''[11]

जाहिर है कि गाँधीजी सारे राष्ट्र के लिए, सारी जनता के लिए ज्ञान की प्राप्ति आवश्यक मानते थे जबकि कतिपय आधुनिकता प्रेमी नये ज्ञान की प्राप्ति के लिए अँग्रेजी शिक्षा एवं भाषा को अपरिहार्य समझ रहे थे। इन आधुनिकता प्रेमियों के लिए सारी जनता का शिक्षित होना कतई आवश्यक नहीं था, कुछेक लोग ही अँग्रेजी शिक्षा से लाभान्वित हो जाएँ; इसी से ये लोग सन्तुष्ट रहने वाले थे। लेकिन गाँधीजी के लिए शिक्षा का सवाल पूरी जनता से जुड़ा हुआ था और पूरी जनता को शिक्षा उसकी अपनी भाषा में ही दी जा सकती थी। इसीलिए वे बराबर मातृभाषा का महत्त्व उजागर करते हुए चेताते रहे कि अँग्रेजी का मोहपाश गुलामी के बँधनों को और मजबूत करने वाला होगा यानी उनके अनुसार दासता से छुटकारे के लिए औपरिवेशिक शासन की भाषा से भी मुक्ति की आवश्यकता थी। आत्मनिर्भरता के लिए आर्थिक स्वावलम्बन के अन्तर्गत जहाँ देशी उद्योगों का विकास गाँधीजी की दृष्टि में जरूरी था; वहीं देशी भाषाओं का अवलम्बन भी उसका पूरक अंग था। भागलपुर वाले भाषण में ही शिक्षा के लिए मातृभाषा के महत्त्व को उन्होंने इन शब्दों में रेखांकित किया—''मुझे अँग्रेजी भाषा से बैर नहीं है। इस भाषा का भंडार अटूट है। यह राजभाषा है और ज्ञान की निधि से भरी-पूरी है। फिर भी मेरी राय है कि हिन्दुस्तान के सब लोगों को इसे सीखने की जरुरत नहीं है। किन्तु इस बारे में मैं ज्यादा नहीं कहना चाहता। जो विद्यार्थी अँग्रेजी पढ़ रहे हैं, और जब तक दूसरी योजना प्रचलित नहीं होती और राज्य की शालाओं में परिवर्तन नहीं होता, तब तक विद्यार्थियों के लिए दूसरा कोई उपाय नहीं। इसलिए मैं मातृभाषा के इस बड़े विषय को यहीं समाप्त कर देता हूँ। मैं

इतनी ही प्रार्थना करूँगा कि आपस के व्यवहार में और जहाँ-जहाँ हो सके वहाँ सब लोग मातृभाषा का ही उपयोग करें, और विद्यार्थियों के सिवा जो महाशय यहाँ आये हैं, वे मातृभाषा को शिक्षा का माध्यम बनाने का भगीरथ प्रयत्न करें।''[12]

यहाँ पर गाँधीजी द्वारा प्रयुक्त 'मातृभाषा' से उनके आशय को सुस्पष्ट कर लेना अप्रासंगिक न होगा। ध्यान रहे गाँधीजी जिस भागलपुर में मातृभाषा के जरिये शिक्षा प्राप्त करने का महत्त्व बता रहे थे, वह बिहार प्रान्त का शहर है और इस प्रान्त में कई बोलियाँ—भोजपुरी, मैथिली, मगही, वज्जिका के साथ-साथ अंगिका जो भागलपुर के आसपास की बोली है—प्रचलित हैं। अतएव गाँधीजी द्वारा प्रयुक्त 'मातृभाषा' पद का आशय वर्तमान सन्दर्भ में यह समझा जा सकता है कि उन्होंने भोजपुरी, मैथिली, मगही आदि से सम्बद्ध लोगों के लिए इन्हीं बोलियों को मातृभाषा मानते हुए इनके माध्यम से इनसे जुड़े क्षेत्रों में शिक्षा प्राप्त करने की बात कही। इस बात का जिक्र करना इसलिए जरूरी है कि इधर कई वर्षों से बिहार में इन बोलियों के बोलने वाले इनके लिए आन्दोलन चला रहे हैं—स्कूल-कॉलेजों, विश्वविद्यालयों के पाठ्यक्रम से लेकर संविधान की आठवीं अनुसूची में इन बोलियों को शामिल कराने के लिए पुरजोर कोशिश कर रहे हैं। भाजपा नेतृत्व वाली केन्द्रीय सरकार ने तो मैथिली को संविधान की आठवीं अनुसूची में शामिल भी कर दिया जिससे प्रेरित होकर अन्य बोलियों वाले भी अपनी बोलियों के लिए यह माँग जोर-शोर से करने लगे हैं। किन्त ध्यान में रखने की बात यह है कि 1917 में जब गाँधीजी भागलपुर में मातृभाषा के माध्यम से शिक्षा प्राप्त करने की हिमायत कर रहे थे तो उनका मन्तव्य हिन्दी से ही था। यही नहीं, बिहार, उत्तर प्रदेश, मध्य प्रदेश आदि प्रान्तों में भी, जिन्हें हिन्दी प्रदेश या हिन्दी पट्टी या 'हिन्दी हार्टलैंड' कहा जाता है, मातृभाषा से उनका आशय हिन्दी से ही रहा जबकि अहिन्दी प्रदेशों में मातृभाषा से उनका मतलब वहाँ की भाषाओं से होता था। भागलपुर वाले भाषण के आरम्भ में ही उनके कहे इन शब्दों पर ध्यान दें तो मातृभाषा से उनका मतलब एकदम साफ हो जाता है—''आज मुझे अध्यक्ष का पद देकर और हिन्दी में व्याख्यान देने और सम्मेलन का काम हिन्दी में चलाने की अनुमति देकर आप विद्यार्थियों ने मेरे प्रति अपने प्रेम का परिचय दिया है। ...इस सम्मेलन का काम इस प्रान्त की भाषा में ही—और वही राष्ट्रभाषा भी है—करने का निश्चय करके आपने दूरन्देशी से काम लिया है। इसके लिए मैं आपको बधाई देता हूँ। मुझे आशा है कि आप लोग यह प्रथा जारी रखोंगे।''[13]

गौरतलब है कि ''सम्मेलन का काम इस प्रान्त की भाषा में ही—और वही राष्ट्रभाषा भी है—करने का निश्चय करके आपने दूरन्देशी से काम लिया है'',

कहकर गाँधीजी ने यह अच्छी तरह प्रकट कर दिया था कि बिहार प्रान्त की भाषा, मातृभाषा भी राष्ट्रभाषा हिन्दी ही है, न कि कोई अन्य बोली या भाषा। अब ऐसा सोचना कि गाँधीजी को बिहार की अन्य बोलियों के सम्बन्ध में जानकारी नहीं रही होगी, इसलिए वे ऐसा कह गये, सरासर निराधार होगा, सच यह है कि भागलपुर आने के पहले गाँधीजी चम्पारण में रहकर किसानों का आन्दोलन शुरू कर चुके थे और तय है कि वहाँ के किसानों द्वारा बोली जाने वाली भोजपुरी से वे जरूर अवगत हो चुके होंगे। बिहार के कई क्षेत्रों का दौरा करते हुए उन्हें यहाँ की अन्य बोलियों के सम्बन्ध में भी अवश्य पता चला होगा। अतएव यही मानना सही लगता है कि गाँधीजी बिहार या उत्तर प्रदेश जैसे प्रान्तों में प्रचलित बोलियों को हिन्दी के अन्तर्गत मानते हुए हिन्दी को ही इन प्रान्तों की मातृभाषा मानते थे और इसे ही इन प्रान्तों में शिक्षा के माध्यम के रूप में कार्यरत देखना चाहते थे। आगे के विवेचन में हम देखेंगे कि कैसे गाँधीजी सदैव अहिन्दी प्रान्तों में मातृभाषा के लिए वहाँ की भाषाओं तथा हिन्दी प्रदेशों में हिन्दी को मातृभाषा के रूप में मानते रहे। आज जो लोग हिन्दी प्रदेशों में बोलियों का झंडा उठाकर हिन्दी के समानान्तर उन्हें स्थापित करने का प्रयास कर रहे हैं, वे गाँधीजी या अन्य राष्ट्रभाषा हिन्दीसेवियों के मार्ग से जुदा मार्ग का ही अनुसरण कर रहे हैं।

भागलपुर में शिक्षा एवं उसके माध्यम के रूप में मातृभाषा के महत्त्व की जो चर्चा गाँधीजी ने की, ठीक उसके पाँच दिनों के बाद 20 अक्टूबर, 1917 को गुजरात के भड़ौच नामक स्थान पर 'द्वितीय गुजरात शिक्षा सम्मेलन' में उसे और विस्तारपूर्वक रखा। उनका वह भाषण काफी लम्बा है। वास्तव में वह भाषण एक ऐतिहासिक दस्तावेज है जो गाँधीजी के शिक्षा, भाषा एवं राष्ट्रभाषा हिन्दी सम्बन्धी विचारों को समझने के लिए अत्यन्त महत्त्वपूर्ण है। यहाँ हम उस भाषण की कुछ महत्त्वपूर्ण बातों को लेकर गाँधीजी के शिक्षा एवं भाषा सम्बन्धी दृष्टिकोण को समझने का प्रयास करेंगे। सम्मेलन का ध्यान सबसे पहले शिक्षा के माध्यम की तरफ आकृष्ट करते हुए गाँधीजी ने कहा—"यह बात सबको अच्छी तरह समझ लेनी चाहिए कि इस दिशा में हमारा पहला काम है विचारपूर्वक शिक्षा का माध्यम निश्चित करना। इसके बिना और सब कोशिशें लगभग बेकार साबित हो सकती हैं। शिक्षा के माध्यम का विचार किये बिना शिक्षा देने का परिणाम नींव के बिना इमारत खड़ी करने की कोशिश जैसी बात होगी। इस बारे में दो राय पायी जाती हैं। एक पक्ष कहता है कि शिक्षा मातृभाषा (गुजराती) के जरिये दी जानी चाहिए, और दूसरा पक्ष कहता है कि वह अँग्रेजी के माध्यम से दी जानी चाहिए। दोनों पक्षों के हेतु पवित्र हैं। दोनों देश का भला चाहते हैं। लेकिन पवित्र

हेतु ही कार्य की सिद्धि के लिए काफी नहीं है। देखा गया है कि लोग पवित्र हेतु रखते हुए कई बार अपवित्र गड्ढों में जा गिरे हैं। इसलिए हमें दोनों मतों के गुण-दोषों की जाँच करके सम्भव हो तो एकमत होकर, इस बड़े प्रश्न को हल करना चाहिए।''[14] जाहिर है कि शिक्षा के माध्यम को लेकर उस समय गुजरात के शिक्षावद् एकमत नहीं थे—कुछ गुजराती के पक्ष में थे, तो कुछ अँग्रेजी के पक्ष मे। गाँधीजी इस मसले को हल्के ढंग से देखने के पक्ष में नहीं थे। दक्षिण अफ्रीका में रहते हुए उन्होंने शिक्षा के प्रयोजन एवं उसके माध्यम के सम्बन्ध में जो दृष्टिकोण विकसित कर लिया था, उसी को वे भारत के हर प्रान्त में क्रियात्मक रूप देना चाहते थे। चूँकि वे खुद लोकतान्त्रिक मूल्यों के कायल थे, इसलिए विरोधी पक्ष के मत को आँख मूँदकर खारिज कर देना उनके स्वभाव एवं आचरण का अंग नहीं था। इसके बजाय वे तथ्यसंगत एवं तर्कसंगत पद्धति का अवलम्बन करते हुए असहमत पक्ष को अपनी बातों से सहमत कराने का प्रयास करते थे। इस सम्मेलन में भी इस पद्धति का अनुसरण करते हुए उन्होंने दोनों पक्षों के मतों में निहित गुण-दोषों पर विचार करते हुए मातृभाषा को शिक्षा का माध्यम बनाने के पक्ष में अपने मत प्रस्तुत किये। उसी भाषण में उन्होंने आगे यह कहा—''वैसे तो यह प्रश्न सारे भारत का है, किन्तु हर एक क्षेत्र अथवा प्रान्त इस पर अपनी हद तक स्वतन्त्र रूप से विचार कर सकता है। फिर भी ऐसा नहीं है कि जब तक भारत के सारे भाग एकमत न हो जाएँ, तब तक अकेला गुजरात आगे कदम बढ़ा ही नहीं सकता।''[15]

ध्यान रहे, गाँधीजी केवल आत्मगत चिन्तन के कायल नहीं थे। वे वस्तुगत यथार्थ यानी व्यवहार में क्या हो रहा है, इसके आधार पर ही अपने मन्तव्यों को स्थिर करते थे। इसलिए, वे देश के अन्य भागों में शिक्षा के क्षेत्र में मातृभाषा के प्रयोग को लेकर क्या हो रहा था, उसकी विस्तृत जानकारी देते हुए उन्होंने कहा—''बंग-भंग के समय (1905)[16] जब स्वदेशी का जोश उमड़ रहा था, तब बंगाल में बंगला के जरिये शिक्षा देने का प्रयत्न किया गया। राष्ट्रीय पाठशाला की स्थापना भी हुई। रुपयों की वर्षा हुई। पर यह प्रयोग बेकार गया। मेरी यह नम्र राय है कि व्यवस्थापकों की अपने प्रयोग में आस्था नहीं थी। वैसी ही करुणाजनक स्थिति शिक्षकों की भी रही। बंगाल में शिक्षित वर्ग को अँग्रेजी से बड़ा मोह है। यह कहा गया है कि बंगला साहित्य ने जो प्रगति की है उसका कारण बंगालियों का अँग्रेजी भाषा और साहित्य पर अधिकार है। लेकिन तथ्य इस तर्क के विरुद्ध हैं। रवीन्द्रनाथ ठाकुर की चमत्कारिक बंगला अंग्रेजी की ऋणी नहीं है। उनके भाषा-चमत्कार के पीछे उनका स्वभाषा विषयक अभिमान है। 'गीतांजलि' पहले

बंगला भाषा में ही लिखी गयी थी। महाकवि ठाकुर बंगाल में बंगला का ही प्रयोग करते हैं। ...उन्होंने अपने विचार अँग्रेजी साहित्य से नहीं लिये। वे कहते हैं कि उन्होंने ये विचार इस देश के वातावरण से लिये हैं, उपनिषदों से निचोड़े हैं। उन पर इन विचारों की वर्षा भारत के आकाश से हुई है। ...हिमालय की तरह गम्भीर और भव्यदर्शी मुंशीराम जी (स्वामी श्रद्धानन्द जी हरिद्वार में गुरुकुल कांगड़ी के संस्थापक थे) जब हिन्दी में भाषण देते हैं, तब बच्चे और बड़े, स्त्री और पुरुष सभी उनका सुन्दर भाषण सुनते और समझते हैं। उन्होंने अपनी अँग्रेजी अपने अँग्रेज मित्रों के लिए ही सुरक्षित रख छोड़ी है। ...कहा जाता है कि गृहस्थ होते हुए भी देश के लिए आत्मापर्ण करने वाले महामना पं. मदनमोहन मालवीय[17] की अँग्रेजी चाँदी की तरह शुभ्र होती है। वे जो कुछ कहते हैं उस पर वायसराय को सोचना पड़ता है। अगर उनके अँग्रेजी भाषण का प्रवाह चाँदी जैसा चमकता है, तो उनके हिन्दी भाषण का प्रवाह शुद्ध तरल सोने जैसा दमकता है। मानसरोवर से उतरते समय सूर्य की किरणों से जैसे गंगा दमकती है वैसी ही शोभा उनकी हिन्दी की होती है।''[18]

इसी प्रकार मराठी भाषा को समृद्ध करने में संत तुकाराम, रामदास का; तो गुजराती भाषा को समृद्ध करने में प्रेमानन्द शामल भट्ट, दलपतराम आदि के अवदानों की चर्चा करते हुए गाँधीजी ने इस सम्मेलन में अपने इस तर्क को पुष्ट किया कि मातृभाषा के जरिये ही सही शिक्षा दी जा सकती है और मातृभाषा के विकास के लिए उसके प्रति उत्कट प्रेम, सच्ची श्रद्धा की आवश्यकता है। शिक्षा के लिए मातृभाषा का महत्त्व गाँधीजी की दृष्टि में इस कारण भी था कि ''भाषाएँ उनके बोलने वाले लोगों के चरित्र का प्रतिबिम्ब होती हैं। दक्षिण अफ्रीका के हब्शियों की भाषा जानने से हम उनके रीति-रिवाज वगैरह जान सकते हैं। भाषा जातियों के गुण-कर्म के अनुरूप बनती है। यह बात हम नि:संकोच कह सकते हैं कि जिस भाषा में वीरता, सच्चाई, दया आदि लक्षण नहीं होते उस भाषा को बोलने वाली जातियों में वीर, सत्यशील, दयालु लोग नहीं होते।''[19] चूँकि हर भाषा, जैसा कि गाँधीजी का मन्तव्य है, सम्बद्ध जाति की जातीय विशेषताओं का प्रतिबिम्ब होती है, इसलिए उनका यह कहना बहुत ही व्यावहारिक एवं वैज्ञानिक सोच का था कि अपनी भाषा में ही हर जाति को शिक्षा प्राप्त करने के अवसर होने चाहिए।

विदेशी भाषा में शिक्षा दिए जाने के प्रश्न पर गाँधीजी ने बहुत गहराई से उसके विभिन्न पक्षों की जाँच-पड़ताल की थी। इस सम्बन्ध में उनका एक अनुभवजन्य विचार यह भी था कि ''विदेशी भाषा द्वारा शिक्षा पाने में दिमाग पर जो बोझ पड़ता है वह असह्य है। यह बोझ हमारे बच्चे उठा तो सकते हैं, लेकिन

उसकी कीमत उन्हें चुकानी पड़ती है। वे दूसरा बोझ उठाने के लायक नहीं रह जाते। इससे हमारे स्नातक अधिकतर निकम्मे, कमजोर, निरुत्साही रोगी और कोरे नकलची बन जाते हैं। उनमें खोज करने की शक्ति, साहस, धीरज, वीरता, निर्भरता और अन्य गुण बहुत क्षीण हो जाते हैं। इससे हम नयी योजनाएँ नहीं बना सकते और यदि बनाते हैं तो उन्हें पूरा नहीं कर पाते। कुछ लोग, जिनमें उपर्युक्त गुण दिखाई देते हैं, अकाल ही काल के गाल में चले जाते हैं। ...हम जगदीशचन्द्र बसु (वैज्ञानिक, 1858-1937) और प्रफुल्लचन्द्र राय (वैज्ञानिक, 1861-1944) को देखकर मोहान्ध हो जाते हैं। मुझे विश्वास है कि हमने पचास वर्ष तक मातृभाषा द्वारा शिक्षा पायी होती, तो हममें इतने बसु और राय होते कि उन्हें देखकर हमें अचम्भा न होता।''[20]

भारतीयों के बीच एक नया वर्ग उत्पन्न करने एवं उसे आम जनता से अलग-थलग करने में अँग्रेजी शिक्षा की भूमिका को जैसे बंकिमचन्द्र ने पहचाना था, ठीक वैसे ही गाँधीजी ने भी उसे पहचाना। इसी भाषण में उनके कहे ये शब्द द्रष्टव्य हैं—''माँ के दूध के साथ जो संस्कार और मीठे शब्द मिलते हैं, उनके और पाठशाला के बीच जो मेल होना चाहिए, वह विदेशी भाषा के माध्यम से शिक्षा देने में टूट जाता है। हम ऐसी शिक्षा के वशीभूत होकर मातृद्रोह करते हैं। इसके अतिरिक्त विदेशी भाषा द्वारा शिक्षा देने से अन्य हानियाँ भी होती हैं। शिक्षित वर्ग और सामान्य जनता के बीच में अन्तर पड़ गया है। हम जनसाधारण को नहीं पहचानते। जनसाधारण हमें नहीं जानता। वे हमें साहब समझते हैं और हमसे डरते हैं। वे हम पर भरोसा नहीं करते। यदि यही स्थिति अधिक समय तक कायम रही तो एक दिन लार्ड कर्जन (जो 1899-1905 तक भारत के वायसराय थे) का यह आरोप सही हो जाएगा कि शिक्षित वर्ग जनसाधारण का प्रतिनिधि नहीं है।''[21]

गुजरात के इस शिक्षा सम्मेलन में दिये भाषण के उद्धृत अंशों को देखते हुए शिक्षा एवं भाषा के सम्बन्ध में गाँधीजी के दृष्टिकोण की इन विशेषताओं को हम लक्ष्य कर सकते हैं। सबसे पहले कि गाँधीजी भारतीय नवोत्थान की उस धारा से बिलकुल हटकर शिक्षा एवं भाषा का सवाल हल करते हैं जो अँग्रेजी भाषा एवं शिक्षा को नये भारत के निर्माण के लिए आवश्यक समझ रही थी। वे देशी भाषाओं, शिक्षण परम्पराओं एवं नैतिक तथा आध्यात्मिक मूल्यों पर आधारित शिक्षा पद्धति चलाना चाहते थे। साथ ही वे भारतीयों के मन से अपनी भाषा एवं साहित्य के प्रति हीनता का भाव दूर कर उनमें राष्ट्रीय स्वाभिमान पैदा करना चाहते थे। रवीन्द्रनाथ ठाकुर के साहित्य के सम्बन्ध में उनके व्यक्त विचार एवं मालवीय

जी के सम्बन्ध में यह कहना कि उनके अँग्रेजी भाषण का प्रवाह चाँदी जैसा शुभ्र होता है जबकि उनके हिन्दी भाषण का प्रवाह शुद्ध तरल सोने जैसा होता है; से यही सिद्ध होता है कि वे देश की प्रान्तीय मातृभाषाओं का महत्त्व किसी भी अत्यन्त समृद्ध समझी जाने वाली विदेशी भाषा की तुलना में अधिक मानते हैं। ध्यान में रखने की बात यह भी है कि मालवीय जी उस उत्तर प्रदेश के थे जहाँ अवधी, ब्रजभाषा, बुंदेलखंडी जैसी कई साहित्यिक भाषाएँ विद्यमान थीं। लेकिन उनके लिए भी हिन्दी को ही मातृभाषा सिद्ध कर गाँधीजी ने यही स्वीकार किया कि इन समस्त बोलियों के बावजूद हिन्दी प्रदेशों की मातृभाषा हिन्दी ही है जैसा कि भागलपुर वाले भाषणों में उन्होंने बिहार के सन्दर्भ में हिन्दी को मातृभाषा माना था। अतएव आज जो लोग गुजरात, कर्नाटक तमिलनाडु आदि की तर्ज पर हिन्दी प्रदेशों में क्षेत्रीय बोलियों को मातृभाषा मानते हुए उन्हें शिक्षा का माध्यम बनाने की दलील देते हैं वे वस्तुतः हिन्दी का विखंडन कर भाषाई अराजकता पैदा करने की जाने-अनजाने साजिश कर रहे हैं। हिन्दी भाषी प्रदेशों के माध्यम को लेकर आज भी गाँधीजी के विचार अनुकरणीय हैं।

शिक्षा का माध्यम मातृभाषा हो, इसके लिए गाँधीजी स्वाधीनता-संग्राम में पिल पड़ने के बावजूद प्रयासरत रहे। अपने भाषणों एवं पत्र-पत्रिकाओं में लेखों के जरिये इस बात का प्रचार करते रहे और अपने पक्ष में सहमना शिक्षाविदों के विचारों को भी उद्धृत करते रहे। 21.4.1920 के 'यंग इंडिया' में गाँधीजी ने 'देशी भाषाओं का हित' शीर्षक से एक लेख लिखा। इस लेख में उन्होंने देशी भाषाओं को शिक्षा का माध्यम बनाने के पक्ष में कुछेक शिक्षाविदों के मन्तव्य प्रस्तुत करते हुए लिखा—"सेंट पॉल्स कैथिड्रल कॉलेज, कलकत्ता के प्रिंसिपल रेवरेंड डब्ल्यू.ई.एस. हालैंड अपनी गवाही में लिखते हैं कि "जापान ने अपनी भाषा के प्रयोग से एक ऐसी शिक्षा प्रणाली खड़ी कर दी है जिसका पाश्चात्य जगत् सम्मान करता है।" 'मॉडर्न रिव्यू' के सम्पादक बाबू रामानन्द चटर्जी की गवाही और भी अधिक विश्वासोत्पादक है। वे कहते हैं—"विश्वविद्यालय की शिक्षा के सभी स्तरों पर देशी भाषाओं का प्रयोग अपरिहार्य है। इसके विरुद्ध जितनी भी आपत्तियाँ हैं उनका महत्त्व अस्थायी ही है, क्योंकि अत्यन्त विकसित आधुनिक भाषाएँ और साहित्य अपने प्रारम्भिक चरण में बंगला से किसी भी तरह बेहतर नहीं थे। सतत प्रयोग से ही वे विकसित हुई हैं और हम उसी प्रयोग से ही अपनी भाषा का विकास कर सकेंगे।"[22]

गाँधीजी के शिक्षा एवं भाषा सम्बन्धी इन विचारों के आलोक से स्पष्ट है कि औपनिवेशिक शासन का उनके द्वारा विरोध केवल राजनीतिक दृष्टि से ही

नहीं था। वे उसे भाषा एवं शिक्षा की दृष्टि से भी भारतीयों को पराधीन बनानेवाली व्यवस्था के रूप में देख रहे थे, इसलिए राजनीतिक स्वाधीनता की प्राप्ति से पहले उन्होंने शिक्षा एवं भाषा के क्षेत्र में स्थापित विदेशी प्रभुत्व को हटाना आवश्यक समझा। दूसरी बात कि अँग्रेजी शिक्षा का मॉडल कुछ इस ढंग का गढ़ा गया था जिससे कुछेक भारतीय ही पढ़-लिखकर साम्राज्यवादी हितों की दृष्टि से काबिल बन सके। आम जनता शिक्षित हो, यह कतई अँग्रेजी मॉडल का उद्देश्य नहीं था। गाँधीजी ने इस हदबन्दी को तोड़ते हुए शिक्षा के जनवादीकरण की दिशा में पहल शुरू की। सारी जनता के लिए शिक्षा सुलभ हो, यह उनकी शिक्षण योजना की प्राथमिकता बनी। जाहिर है जनता को शिक्षित करने का काम जनता की भाषा में ही हो सकता है, इसलिए उन्होंने मातृभाषा का खुलकर समर्थन किया। ध्यान में रखने की बात है कि शिक्षा के ऐसे जनवादीकरण की माँग राष्ट्रीय स्तर पर इसके पूर्व किसी ने नहीं की थी। जो प्रयास हुए थे बंगाल, महाराष्ट्र जैसे कुछेक प्रान्तों तक सीमित थे। गाँधीजी पहले व्यक्ति थे जिन्होंने प्रान्तीयता की सीमाओं का अतिक्रमण करते हुए शिक्षा मातृभाषा में दी जाए और वह अमीर-गरीब, मजदूर-किसान, स्त्री-पुरुष सबको सुलभ हो, का राष्ट्रव्यापी अभियान चलाया। निस्सन्देह शिक्षा के क्षेत्र में गाँधीजी का यह एक क्रान्तिकारी जनवादी कदम था, भले ही कथित जनवादियों ने 'जनवाद' के 'विश्वकोश' में गाँधीजी को शामिल करना जरूरी न समझा हो।

विदेशी भाषा में शिक्षा देने के जो नुकसान गाँधीजी ने बीसवीं सदी के आरम्भिक दशकों में बताये, उनसे इक्कीसवीं सदी के आरम्भिक दशक में भी असहमत होना असम्भव है। विडम्बना यह रही कि अँग्रेजों के औपनिवेशिक शासन से मुक्त होने वाला हिन्दुस्तान न प्रशासनिक क्षेत्र में, न ही शिक्षा के माध्यम के रूप में अँग्रेजी भाषा के वर्चस्व से मुक्त हो सका। सच तो यह है कि आजादी मिलने के आधी सदी से भी अधिक वक्त के गुजर जाने के बाद भी हमारा मुल्क उसकी गिरफ्त में और जकड़ता चला गया है। देश के न केवल बड़े शहरों, बल्कि छोटे शहरों-कस्बों और गाँवों तक अँग्रजी माध्यम से शिक्षा देने वाले स्कूल एवं प्रशिक्षण-संस्थान धड़ल्ले से खुलते जा रहे हैं। नर्सरी की शिक्षा से ही बच्चों को अंग्रेजी के लम्बे-लम्बे वाक्य रटाये जा रहे हैं। वे तोतारटन्त बच्चे अँग्रेजी बोलने में जरूर थोड़ी कुशलता हासिल कर लेते हैं, किन्तु इसका सबसे बड़ा दुष्परिणाम यह है कि इनकी प्रतिभा का जैसा सृजनात्मक विकास होना चाहिए, वह नहीं हो पाता। नतीजतन ये फर्राटेदार अँग्रेजी बोलने वाले भारतीय युवक बड़े-बड़े होटलों में वेटर या सैल्समैन या फिर टेक्नीशियन-ब्यूरोक्रेट आदि बनने में,

जरूर सफल हो जाते हैं, लेकिन विज्ञान-साहित्य आदि के क्षेत्र में बहुत कम प्रतिभाएँ 'बसु, टैगोर या राय' की ऊँचाई तक पहुँच पा रही हैं। बहुत खेद के साथ कहना पड़ता है कि आज कोई सरकार शिक्षा के भगवाकरण के अभियान में अपनी सारी दिलचस्पी उलीच देती है, तो कोई सरकार भगत्राकरण के विरोध की मुहिम में अपनी ऊर्जा खपा देती है। लेकिन कोई भी प्रान्तीय या केन्द्रीय सरकार शिक्षा को अँग्रेजी की गिरफ्त से मुक्त कर एवं सरल पाठ्यक्रम बनाकर बच्चों के लिए पढ़ाई को यातनादायक के बजाय आनन्ददायक बनाने पर ध्यान नहीं दे पाती। वस्तुतः सरकार बनाने एवं चलाने वाले नेताओं एवं नौकरशाहों को केवल पाठ्यक्रमों में सतही फेर-बदल करने से ज्यादा शिक्षा के मूलभुत चरित्र एवं सरोकार में परिवर्तन करने पर ध्यान देना चाहिए, यह गाँधीजी के शिक्षा सम्बन्धी विचारों की बहुत बड़ी सीख है।

इस प्रकार देखा जाए तो गाँधीजी द्वारा बार-बार शिक्षा के स्वदेशीकरण एवं मातृभाषा की वांछनीयता को रेखांकित करना वस्तुतः भारतीय नवजागरण के अन्तर्गत एक क्षीण अन्तर्धारा के रूप में उभरी उस आकांक्षा की सशक्त एवं राष्ट्रव्यापी अभिव्यक्ति थी जिसकी झलक हमें बंकिम बाबू के पूर्वोक्त लेख में दिखाई देती है। ध्यान रहे ऐसा ही स्वर 19 वीं सदी के उत्तरार्द्ध में हिन्दी नवजागरण के अग्रधावक माने जानेवाले भारतेन्दु हरिश्चन्द्र ने भी व्यक्त किया था यह कहकर कि "निज भाषा उन्नति अहै, सब उन्नति के मूल, बिन निज भाषा ज्ञान के मिटत न हिय के शूल।" गाँधीजी के शिक्षा एवं भाषा सम्बन्धी चिन्तन एवं प्रयोग में इसी स्वर ने राष्ट्रीय व्यापकता प्राप्त की। गाँधीजी ने शिक्षा एवं भाषा को लेकर जो विचार व्यक्त किये उन पर वे जीवन पर्यन्त अमल भी करते रहे। उनका हर विचार उनके प्रयोग से जुड़ा रहा। दक्षिण अफ्रीका से लेकर भारत के विभिन्न भागों में अपने प्रभाव से जहाँ तक सम्भव हो सका, उन्होंने अपनी सोच के अनुरूप शिक्षण प्रणाली को मूर्त रूप देने का प्रयास किया। असहयोग आन्दोलन के दौरान उन्होंने सरकारी शिक्षण संस्थाओं के बहिष्कार का आह्वान किया तो देश के विभिन्न स्थानों पर अपनी योजना के मुताबिक विद्यापीठों की स्थापना करायी। उनकी कथनी और करनी की एकरूपता का सबसे बड़ा प्रमाण तो यही है कि उन्होंने अपने चारों पुत्रों में किसी को भी पश्चिमी शिक्षा पद्धति में शिक्षित नहीं होने दिया। दुर्भाग्यवश आजादी के बाद गैर तो गैर, गाँधीजी के नाम पर देश का शासन करने वाले नेताओं ने भी उनकी कथनी और करनी की एकरूपता का सूत्र छोड़ दिया और शिक्षा के साथ भी यही हुआ।

यह तो हुआ गाँधीजी द्वारा देश में विभिन्न भागों में फैली मातृभाषाओं के

महत्त्व को उजागर करते हुए उनके जरिये शिक्षा दिये जाने की जागृति फैलाने का काम। इसके बाद अब हम यह देखेंगे कि कैसे उन्होंने प्रान्तीय सीमाओं का अतिक्रमण करते हुए पूरे देश के लिए एक राष्ट्रभाषा के रूप में हिन्दी को स्वीकार कराने की मुहिम चलायी और जो हिन्दी नवजागरण उत्तरी भारत में 19वीं सदी में शुरू हो चुका था उसे कैसे उन्होंने राष्ट्रीय जागरण में परिणत कर दिया।

राष्ट्रभाषा-जागरण

उन्नीसवीं सदी के उत्तरार्द्ध में बनारस से भारतेन्दु हरिश्चन्द्र ने 'कवि वचन-सुधा' (1867 ई.) 'हरिश्चन्द्र चन्द्रिका' (1874 ई.) एवं 'बाल बोधिनी' (1876) जैसी महत्त्वपूर्ण पत्रिकाओं का प्रकाशन कर हिन्दी के विकास को एक नयी त्वरा प्रदान की और उनके समकालीनों में पं. बालकृष्ण भट्ट ने प्रयाग से 'हिन्दी प्रदीप', पं. प्रताप नारायण मिश्र ने कानपुर से 'ब्राह्मण', मिर्जापुर से चौधरी बद्रीनारायण प्रेमधन ने 'आनन्द कादम्बिनी' जैसी पत्रिकाओं को प्रकाशित कर इस कार्य को सम्पुष्ट किया। हिन्दी पत्रकारिता एवं साहित्य के क्षेत्र में उत्थान की ऐसी व्यापक धारा को देखते हुए ही डॉ. रामविलास शर्मा ने इसे 'हिन्दी नवजागरण' की संज्ञा से अभिहित किया। बीसवीं सदी के आरम्भिक दो दशकों में इस हिन्दी नवजागरण के ध्वजारोही बने पं. महावीर प्रसाद द्विवेदी जिन्होंने 'सरस्वती' पत्रिका के माध्यम से हिन्दी में भाषा एवं साहित्य के स्तर पर कई महत्त्वपूर्ण कार्यों को सम्पन्न किया। इस प्रकार डॉ. शर्मा जिस हिन्दी नवजागरण की बात करते हैं उसके केन्द्र में भारतेन्दु से लेकर महावीर प्रसाद द्विवेदी तक के कार्य हैं जिसका मुख्य क्षेत्र बनारस-इलाहाबाद के बीच का है।

निस्सन्देह भारतेन्दु युग से लेकर बीसवीं सदी के आरम्भिक दो दशकों तक हिन्दी के उत्थान की जो जबर्दस्त धारा उमड़ी उसका मुख्य केन्द्र हिन्दी पट्टी ही था। हिन्दी के लिए नागरी लिपि का प्रचार हो या अदालतों में हिन्दी के प्रयोग से सम्बद्ध आन्दोलन हों, या फिर काशी नागरी प्रचारिणी सभा या प्रयाग हिन्दी साहित्य सम्मेलन जैसी हिन्दी सेवी संस्थाएँ हो, सबका केन्द्र हिन्दी प्रदेश—विशेषत: उत्तर प्रदेश ही था। वैसे हिन्दी का विकास देश के विभिन्न भागों में भक्तिकाल से ही होता आ रहा था, उन्नीसवीं सदी में बंगाल नवजागरण के बौद्धिकों ने देश की सम्पर्क-भाषा के रूप में हिन्दी के महत्त्व को स्वीकार किया था और बंगाल के केशवचन्द्र सेन बंकिमचन्द्र चट्टोपाध्याय जैसे बौद्धिकों से ही प्रेरित होकर गुजराती भाषी स्वामी दयानन्द सरस्वती ने हिन्दी सीखकर अपने ग्रन्थ 'सत्यार्थ प्रकाश' की रचना हिन्दी में की थी, लेकिन जो काम बाकी था, वह

था समस्त भारतवर्ष में हिन्दी को राष्ट्रभाषा–सामान्य सम्पर्क–भाषा के रूप में स्वीकार करने की मानसिकता तैयार करना और यह काम किया महात्मा गाँधी ने।

भारतीय राजनीति में गाँधीजी का सशक्त हस्तक्षेप 1920 में असहयोग आन्दोलन के प्रयोगकर्ता के रूप में हुआ, लेकिन राष्ट्रभाषा के रूप में हिन्दी के प्रचार में वे इसके बहुत पहले से लग गये थे। दक्षिण अफ्रीका में रहते हुए ही उन्हें यह महसूस हो गया था कि गुजराती, मराठी, तेलगु, तमिल, पंजाबी आदि विभिन्न भाषाओं को बोलने वाले भारतीयों के बीच आपसी संवाद की कोई एक समान्य भाषा हो सकती है, तो वह हिन्दी ही है। यही कारण था कि जब उन्होंने 'हिन्द स्वराज्य' पुस्तक लिखी (जो जनवरी 1910 में प्रकाशित हुई थी) तो उसमें उन्होंने समस्त देश के लिए सम्पर्क भाषा के रूप में हिन्दी को स्वीकार करते हुए दो टूक शब्दों में कहा—"भारत की भाषा अँग्रेजी नहीं है, हिन्दी है। वह आपको सीखनी पड़ेगी।"[23]

विदित है कि कई वर्षों तक दक्षिण अफ्रीका में रंगभेद के विरुद्ध आन्दोलन चलाने के बाद गाँधीजी 9 फरवरी 1915 को भारत आ गये और तत्पश्चात वे देश की स्वाधीनता एवं अन्य सामाजिक सवालों को लेकर जीवन–पर्यन्त कार्य करते रहे। इनमें एक महत्त्वपूर्ण कार्य रहा हिन्दी का पूरे देश में राष्ट्रभाषा के रूप में प्रचार करना। 'हिन्द स्वराज्य' में उन्होंने हिन्दी को लेकर जो विचार प्रकट किये थे, उसे देश के कोने–कोने में फैलाने में जी–जान से जुट गये। इस दृष्टि से 20 अक्टूबर 1917 को गुजरात के द्वितीय शिक्षा सम्मेलन में उनका दिया भाषण बहुत महत्त्वपूर्ण है। इस भाषण में उन्होंने हिन्दी को राष्ट्रभाषा मानने और मनवाने के पक्ष में बहुत ही तार्किक ढंग से अपनी बातों को प्रस्तुत किया। पहले तो उन्होंने राष्ट्रभाषा होने के लिए पाँच लक्षणों की चर्चा की—(1) वह भाषा सरकारी नौकरों के लिए आसान होनी चाहिए, (2) उस भाषा को ज्यादातर लोग बोलते हों, (3) उस भाषा के द्वारा भारत का आपसी धार्मिक, आर्थिक और राजनीतिक कामकाज शक्य होना चाहिए, (4) वह भाषा राष्ट्र के लिए आसान होनी चाहिए, (5) उस भाषा का विचार करते समय क्षणिक या अस्थायी स्थिति पर जोर न दिया जाए।" इन पाँच लक्षणों की कसौटी पर उन्होंने अँग्रेजी को अयोग्य ठहराते हुए स्पष्ट शब्दों में कहा—"यह माने बिना काम चल ही नहीं सकता कि हिन्दी भाषा में ये सारे लक्षण मौजूद हैं। हिन्दी भाषा मैं उसे कहता हूँ, जिसे उत्तर में हिन्दू और मुसलमान बोलते हैं और देवनागरी या फारसी लिपि में लिखते हैं।"[24]

जिस उत्साह से गाँधीजी ने गुजरातियों के बीच राष्ट्रभाषा के रूप में हिन्दी के महत्त्व का प्रतिपादन किया, उसी उत्साह एवं निष्ठा के साथ वे देश

के विभिन्न भागों में हिन्दी के प्रचार में लग गये। 20 अक्टूबर के बाद 11 नवम्बर 1917 को बिहार के मुजफ्फरपुर शहर में भाषण करते हुए उन्होंने कहा—"मैं कहता आया हूँ कि राष्ट्रीय भाषा एक होनी चाहिए और वह हिन्दी होनी चाहिए। हमारा कर्तव्य यह है कि हम अपना राष्ट्रीय कार्य हिन्दी भाषा में करें। हमारे बीच हमें अपने कानों में हिन्दी के ही शब्द सुनाई दें, अँग्रेजी के नहीं। इतना ही नहीं, हमारी धारा सभाओं में जो वाद-विवाद होता है, वह भी हिन्दी में होना चाहिए। ऐसी स्थिति लाने के लिए मै जीवनभर प्रयत्न करूँगा।"[25] बिहार के बाद हिन्दी के राष्ट्रीय ध्वजारोही बने गाँधीजी बंगीय प्रदेश में दाखिल हुए और 31 दिसम्बर 1917 को कोलकाता विश्वविद्यालय भवन में 'बाम्बे एंड बंगाल ह्यमेनिटेरियन फंड्स' के तत्वावधान में आयोजित सभा की अध्यक्षता करते हुए उन्होंने राष्ट्रभाषा के सवाल पर बंग-बन्धुओं को झकझोरते हुए से कहा—"देशसेवा करने के लिए उत्सुक सब हैं, परन्तु राष्ट्रसेवा तक तब सम्भव नहीं है जब तक कोई राष्ट्रभाषा न हो। दु:ख की बात है कि हमारे बंगाली भाई राष्ट्रभाषा का प्रयोग न करके राष्ट्रीय हत्या कर रहे हैं। इसके बिना देश की आम जनता के हृदयों तक नहीं पहुँचा जा सकता। इस अर्थ में बहुत लोगों के द्वारा हिन्दी को काम में लाया जाना मानवतावाद के क्षेत्र की बात हो जाती है।"[26]

यह सही है कि बंगीय भूमि से ही हिन्दी पत्रकारिता का आरम्भ हुआ, भारत में कोलकाता विश्वविद्यालय पहला था जहाँ विश्वविद्यालय स्तर पर हिन्दी का अध्यापन हुआ, बंगाल नवजागरण के केशवचन्द्र सेन, बंकिमचन्द्र जैसे बौद्धिकों ने राष्ट्रभाषा के रूप में हिन्दी का समर्थन किया, किन्तु इस नवजागरण का यह एक बहुत बड़ा अन्तर्विरोध था कि बंगाल का 'भद्रलोक' अँग्रेजी भाषा के मोहपाश में बँधा हुआ था और शहरी मध्यवर्ग सरकारी नौकरियों में जगह पाने को एकमात्र साधन अँग्रेजी को समझते हुए हिन्दी के प्रति उदासीन था। इसलिए गाँधीजी का बंगाली भाइयों से यह कहना कि 'वे राष्ट्रभाषा का प्रयोग न कर राष्ट्रीय हत्या कर रहे हैं, बहुत साहसपूर्ण कार्य था। राष्ट्रभाषा के साथ-साथ शिक्षा के माध्यम के रूप में प्रान्तीय भाषाओं के महत्त्व की ओर बंगभाषियों का ध्यान आकृष्ट करते हुए उसी दिन कोलकाता के 'अखिल भारतीय समाज-सेवा-सम्मेलन' में अध्यक्षीय भाषण करते हुए गाँधीजी ने कहा—"पहली और सबसे बड़ी समाज-सेवा जो हम कर सकते हैं वह यह है कि हम इस स्थिति से पीछे हटें, देशी भाषओं को अपनायें, हिन्दी को राष्ट्रभाषा के रूप में उसके स्वाभाविक पद पर प्रतिष्ठित करें और सभी प्रान्त अपना-अपना समस्त कार्य अपनी देशी भाषाओं में तथा राष्ट्र का कार्य हिन्दी में प्रारम्भ कर दें।"[27] ध्यातव्य है कि इस बात को लेकर गाँधीजी

का नजरिया एकदम साफ था कि विभिन्न प्रान्तों में शिक्षा तथा धारा सभाओं में कार्यवाही का माध्यम वहाँ की सम्बद्ध भाषा हो, किन्तु राष्ट्रीय स्तर पर समस्त कार्यों के निष्पादन की भाषा हिन्दी हो।

हिन्दी को राष्ट्रभाषा के रूप में कैसे देश के सभी लोग स्वीकार करें, यह चिन्ता गाँधीजी के उस पत्र में देखी जा सकती है जो उन्होंने 21 जनवरी 1918 को गुरुदेव रवीन्द्रनाथ ठाकुर को लिखा था। इस पत्र में उन्होंने लिखा था कि वे मार्च माह में इन्दौर में होने वाले हिन्दी साहित्य सम्मेलन के अधिवेशन में अपने भाषण के लिए कुछ प्रश्नों पर विचारवान नेताओं के मत एकत्र करना चाहते हैं। वे प्रश्न थे—"(1) क्या हिन्दी अन्तःप्रान्तीय व्यवहार तथा अन्य राष्ट्रीय कार्रवाई के लिए उपयुक्त एकमात्र सम्भव राष्ट्रीय भाषा नहीं हैं, (2) क्या हिन्दी काँग्रेस के आगामी अधिवेशन में मुख्यत उपयोग में लाई जाने वाली भाषा न होनी चाहिए, (3) क्या हमारे विद्यालयों और महाविद्यालयों में ऊँची शिक्षा देशी भाषाओं के माध्यम से देना वांछनीय और सम्भव नहीं है? और क्या हमें प्रारम्भिक शिक्षा के बाद अपने विद्यालयों में हिन्दी को अनिवार्य द्वितीय भाषा नहीं बना देना चाहिए? मैं महसूस करता हूँ, कि यदि हमें जनसाधारण तक पहुँचना है और यदि राष्ट्रीय सेवकों को सारे भारतवर्ष के जन साधारण से सम्पर्क करना है, तो उपर्युक्त प्रश्न तुरन्त हल किये जाने चाहिए।"[28]

इस पत्र में उठाये गये सवालों से स्पष्ट है कि गाँधीजी स्वराज्य की लड़ाई में शामिल होने से पहले राष्ट्रभाषा के सवाल को हल कर लेना चाहते थे। भारतीय राष्ट्रीय काँग्रेस, जो समस्त भारतवासियों की प्रतिनिधि संस्था होने का दावा करती थी, तब तक राष्ट्रभाषा एवं शिक्षा के माध्यम के रूप में प्रान्तीय भाषाओं के प्रति लगभग खामोश थी। काँग्रेस के हर वार्षिक अधिवेशन की कार्यवाही अँग्रेजी भाषा में सम्पन्न होती थी। समस्त राष्ट्रीय ख्याति के नेताओं के पारस्परिक संवाद अँग्रेजी में होते थे। गाँधीजी पहले व्यक्ति थे जिन्होंने काँग्रेस के अन्दर राष्ट्रभाषा हिन्दी को अपनी कार्रवाईयों का माध्यम बनाने की पहल की। उन्होंने लोकमान्य तिलक से हिन्दी सीखने का अनुरोध किया। रवीन्द्रनाथ ठाकुर से भी उनकी यही अपील थी, क्योंकि गाँधीजी के लिए ऐसे महान व्यक्तियों का राष्ट्रभाषा के रूप में हिन्दी के पक्ष में बोलने से काफी अनुकूल प्रभाव पड़ता। गाँधीजी की इस गुहार के शुभ परिणाम भी सामने आये। लोकमान्य तिलक हिन्दी सीखने लगे, हालाँकि आकस्मिक निधन ने उन्हें पूरा अवसर नहीं दिया। गाँधीजी के अनुरोध का ही परिणाम था कि गुरुदेव ने भी हिन्दी का अभ्यास शुरू कर दिया ओर अप्रैल 1920 में उन्होंने काठियावाड़ा में अपना पहला हिन्दी भाषण दिया। हिन्दी नवजागरण

को राष्ट्रीय जागरण बनाने का गाँधीजी का यह आरम्भिक प्रयास था जो उत्तरोत्तर व्यापक एवं तीव्र होता गया।

गाँधीजी प्रथम राजनीतिक व्यक्ति थे जिन्होंने प्रान्तीय भाषाओं के साथ-साथ राष्ट्रभाषा के रूप में हिन्दी के महत्त्व एवं अपरिहार्यता को राष्ट्रीय स्तर पर उजागर करने का योजनाबद्ध तरीके से अभियान चलाया। गुजरात हो या बिहार, मध्य प्रदेश हो या द्रविड़ प्रदेश, जनसभा हो या काँग्रेस का अधिवेशन, छात्र-सम्मेलन हो या हिन्दी साहित्य सम्मेलन, हर जगह, हर अवसर पर वे राष्ट्रभाषा के रूप में हिन्दी की वांछनीयता का अहसास कराने का प्रयास करते रहे। उत्तरी भारत में हिन्दी नवजागरण की उभरी धारा गाँधीजी की वाणी से देश के चप्पे-चप्पे में फैलने लगी। हिन्दी के हित को ध्यान में रखते हुए वे प्रयाग-हिन्दी साहित्य सम्मेलन के सदस्य बने और मार्च 1918 में इन्दौर में सम्पन्न हुए हिन्दी साहित्य सम्मेलन के अधिवेशन के सभापति बनाये गये। सभापति के रूप में उन्होंने अपने भाषण में जोरदार शब्दों में कहा—"जैसे अँग्रेज अपनी मादरी जबान अँग्रेजी में ही बोलते ओर सर्वथा उसे ही व्यवहार में लाते हैं, वैसे ही मैं आपसे प्रार्थना करता हूँ कि आप हिन्दी को भारत की राष्ट्रभाषा बनने का गौरव प्रदान करें। हिन्दी सब समझते हैं। इसे राष्ट्रभाषा बनाकर हमें अपने कर्तव्य का पालन करना चाहिए।" इसी भाषण में उन्होंने हिन्दी के क्षेत्र-विस्तार की आवश्यकता की ओर ध्यान आकृष्ट करते हुए कहा—"साहित्य का प्रदेश भाषा की भूमि जानने पर ही निश्चित हो सकता है। यदि हिन्दी भाषा की भूमि सिर्फ उत्तर प्रान्त की होगी, तो साहित्य का प्रदेश संकुचित रहेगा। यदि हिन्दी भाषा राष्ट्रीय भाषा होगी, तो साहित्य का विस्तार भी राष्ट्रीय होगा। जैसे भाषक वैसी भाषा। भाषा-सागर में स्नान करने के लिए पूर्व-पश्चिम, दक्षिण-उत्तर से पुनीत महात्मा आएँगे, तो सागर का महत्त्व स्नान करने वालों के अनुरूप होना चाहिए।"[29]

उपर्युक्त वक्तव्य से जाहिर है कि उत्तरी प्रान्त में हिन्दी भाषा एवं साहित्य का जो उत्थान हो रहा था, उससे गाँधीजी अवगत थे, लेकिन सन्तुष्ट नहीं, क्योंकि उनकी समझ में हिन्दी का विस्तार उत्तर से दक्षिण तक, पूर्व से पश्चिम तक सबके लिए होना चाहिए,—उसे एक सागर की तरह व्यापक होना चाहिए, न कि नदी की तरह संकुचित। इसी बात को बाद में उनके परम शिष्य विनोबा भावे ने इस प्रकार कहा—"हिन्दी को नदी नहीं, समुद्र बनना होगा।" अर्थात् उत्तरी प्रान्त में उभरा हिन्दी नवजागरण एक उफनती नदी जैसा था, तो उसे राष्ट्रव्यापी सागर में परिणत करने का प्रयास गाँधीजी के द्वारा हुआ, यह मानने में कोई अतिवाद नहीं है। इस तथ्य को ध्यान में रखने में हिन्दी भाषी प्रदेशों के आधार पर 'हिन्दी जाति'

की बात करना असंगत प्रतीत होता है। वस्तुतः गुजराती या बंगला या मराठी की तर्ज पर हिन्दी को किसी प्रदेश विशेष की जाति की भाषा कहना, उसके कद को छोटा करना होगा।

इन्दौर साहित्य-सम्मेलन के अवसर पर गाँधीजी ने हिन्दी के प्रचार के लिए एक बहुत ही महत्त्वपूर्ण कार्य का आरम्भ कराया जिसका सम्बन्ध दक्षिण भारत में हिन्दी के प्रचार से था। उन्होंने अपने उसी भाषण में यह कहा कि—"सबसे कष्टदायी मामला द्रविड़ भाषाओं के लिए है। वहाँ तो कुछ प्रयत्न भी नहीं हुआ है। हिन्दी भाषा सिखाने वाले शिक्षकों को तैयार करना चाहिए। ऐसे शिक्षकों की बड़ी ही कमी है।" इस कथन से स्पष्ट है कि दक्षिण भारत में हिन्दी के प्रचार को लेकर तब तक कोई विशेष कार्य नहीं हुआ था। दक्षिण भारतीयों के बीच हिन्दी का कैसे प्रचार हो, यह गाँधीजी के लिए अत्यन्त महत्त्वपूर्ण समस्या थी। भारतीय राजनेताओं में गाँधीजी पहले व्यक्ति थे जिन्होंने द्रविड़ प्रदेश में राष्ट्रीय एकता को सुदृढ़ करने के लिए हिन्दी को विधिवत सिखाया जाना आवश्यक समझा और उसके लिए उन्होंने ठोस योजना प्रस्तुत की जिसके अन्तर्गत पुरुषोत्तम दास टंडन, वेंकटेश नारायण तिवारी, शिव प्रसाद गुप्त सरीखे हिन्दीसेवियों को लेकर दक्षिण भारत हिन्द प्रचार सभा का गठन किया। इस सभा द्वारा दक्षिण भारत में हिन्दी के प्रचार के लिए किये गये कार्यों का एक शानदार इतिहास है जिसका विस्तार से जिक्र करने का यहाँ अवकाश नहीं है। इन्दौर साहित्य-सम्मेलन के समापन के तुरन्त बाद गाँधीजी ने अखबारों के लिए एक पत्र जारी किया जिसमें उन्होंने दक्षिण वालों को हिन्दी सीखने के लिए उत्साहित करते हुए कहा था—"यदि हमें स्वराज्य का आदर्श पूरा करना है, तो हमें एक ऐसी भाषा की जरूरत पड़ेगी ही, जिसे देश की विशाल जनता आसानी से समझ और सीख सके। ऐसी भाषा तो सदा से हिन्दी ही रही है। मुझे मद्रास प्रान्त की जनता की देशभक्ति, आत्मत्याग और बुद्धिमत्ता पर काफी भरोसा है। मैं जानता हूँ कि जो भी लोग राष्ट्र की सेवा करना चाहेंगे, या अन्य प्रान्तों के साथ सम्पर्क चाहेंगे, उनको त्याग करना ही पड़ेगा, यदि हिन्दी सीखने को त्याग ही माना जाए।"[30]

इन्दौर हिन्दी सम्मेलन के अवसर पर गाँधीजी द्वारा व्यक्त विचारों पर गौर करें, तो मानना पड़ेगा कि हिन्दी के सम्बन्ध में कुछ विशिष्ट बातें पहली बार राष्ट्र के सामने आयीं। हिन्दी समस्त भारतवर्ष की सम्पर्क-भाषा बने, यह भारतीय नवजागरण के कई बौद्धिकों द्वारा प्रतिपादित किया जा चुका था, लेकिन यह कैसे सम्भव हो सके, इस सम्बन्ध में कोई सुनिश्चित योजना उनके द्वारा नहीं प्रस्तुत की जा सकी थी। इस दृष्टि से गाँधीजी पहले व्यक्ति थे, जिन्होंने हिन्दी के

राष्ट्रव्यापी प्रचार-प्रसार के लिए सुविचारित योजना प्रस्तुत की और हिन्दी प्रचार के कार्य को 'मिशनरी' स्वरूप प्रदान किया। धर्म के प्रचार को लेकर तो मानव-इतिहास में बहुतेरे मिशनरी, आत्मत्यागी महात्मा लोग होते आये हैं, लेकिन किसी भाषा के प्रचार के लिए मिशन की तरह, आत्मत्याग के रूप में काम करने का आह्वान करने वाले गाँधीजी कदाचित प्रथम व्यक्ति थे, जिन्होंने यह आह्वान हिन्दी को राष्ट्रभाषा बनाने के लिए किया। उन्होंने राष्ट्रभाषा के प्रश्न को स्वराज्य का अभिन्न अंग बनाते हुए स्वराज्य के लिए किये जानेवाले त्याग के समकक्ष हिन्दी सीखने के कार्य को रखा—विशेषकर द्रविड़ प्रदेश वालों के सन्दर्भ में। हिन्दी सीखने के काम को 'त्याग' का दर्जा देकर गाँधीजी ने उसे देशभक्ति या देश-सेवा को पर्याय-सा बना दिया। निस्सन्देह हिन्दी के सम्बन्ध में ऐसी सोच इनके पूर्व किसी ने नहीं प्रकट की थी। एक बात और गौरतलब है और वह यह कि कि गाँधीजी ने देश के लिए पूर्ण स्वाधीनता का लक्ष्य बहुत बाद में (1929 की लाहौर काँग्रेस में) स्वीकार किया जबकि वे हिन्दी को समस्त देश की राष्ट्रभाषा के रूप में बहुत पहले स्वीकार कर चुके थे।

गाँधीजी लगातार देशवासियों को विशेषकर द्रविड़ प्रदेश वालों को यह समझाते रहे कि हिन्दी ही वह भाषा है जिसके जरिये आपसी दूरियाँ मिट सकती है। 25 मई 1918 को हनुमन्त राव को लिखे पत्र में उन्होंने कहा—"तुम हिन्दी का अध्ययन कर लोगे तो अपने काम का क्षेत्र व्यापक कर सकोगे। ...मैं नहीं जानता कि तुम्हारा इस ओर ध्यान गया है या नहीं, मेरा तो गया ही है। द्रविड़ों और अन्य भारतीयों के बीच लगभग न पटने वाली खाई पड़ गयी है। निश्चय ही हिन्दी भाषा उसे पाटने वाला छोटे-से-छोटा और कारगर सेतु है। अँग्रेजी कभी उसका स्थान नहीं ले सकती। हिन्दी में कोई ऐसी अवर्णनीय वस्तु है, जिससे वह सीखने में आसान होती है। हिन्दी व्याकरण के साथ जितनी छूट ली जा सकती है, उतनी मैंने और किसी भाषा के व्याकरण के साथ ली जाती नहीं देखी। इसीलिए मैं कहता हूँ कि राष्ट्रीय काम करने के लिए हिन्दी का ज्ञान नितान्त आवश्यक है।"[31] इस पत्र में जो सन्देश गाँधीजी ने हनुमन्त राव को दिया था, वह सन्देश एक तरह से पूरे राष्ट्र के लिए था। 'द्रविड़ों और अन्य भारतीयों के बीच लगभग न पटने वाली खाई' की बात करते हुए गाँधीजी द्वारा 'हिन्दी भाषा को उसे पाटने वाला कारगर हेतु' बताना प्रकारान्तर से हिन्दी को राष्ट्रीय अखंडता के लिए आवश्यक समझने-समझाने का प्रमाण है।

हिन्दी को भारतवासियों के बीच 'कारगर सेतु' के रूप में प्रचारित करने का काम गाँधीजी ने असहयोग आन्दोलन के दौरान काफी जबर्दस्त ढंग से किया।

1920 में ब्रिटिश शासन के विरुद्ध गाँधीजी ने असहयोग आन्दोलन पूरे देश में चलाया और उस दौरान समस्त देश में वे घूम-घूमकर राजनीतिक स्वाधीनता की चेतना के साथ-साथ अस्पृश्यता विरोधी जागरूकता, साम्प्रदायिक एकता तथा राष्ट्रभाषा हिन्दी की वांछनीयता का भी जी-जान से प्रचार करते रहे। सचमुच देखा जाए तो असहयोग आन्दोलन के दौरान गाँधीजी ने 'स्वदेशी' के साथ-साथ राष्ट्रभाषा हिन्दी के सवाल को भी राष्ट्रीय जागरण का अंग बना दिया। इस काम के लिए उन्होंने भाषणों, वक्तव्यों, पत्र-लेखन से लेकर दक्षिण भारत में हिन्दी प्रचार सभा के कार्यों में अपने को झोंक दिया। जब भी मौका मिलता, वे दक्षिण भारतीयों से राष्ट्रीय एकता की दृष्टि से हिन्दी सीखने की अपील करते। 16 जून, 1920 के 'यंग इंडिया' में उन्होंने लिखा—"मुझे पक्का विश्वास है कि किसी दिन हमारे द्रविड़ भाई-बहन गम्भीर भाव से हिन्दी का अध्ययन करने लगेंगे। आज अँग्रेजी भाषा पर अधिकार प्राप्त करने के लिए वे जितनी मेहनत करते हैं, उसका आठवाँ हिस्सा भी हिन्दी सीखने में करें, तो बाकी हिन्दुस्तान जो आज उनके लिए बन्द किताब की तरह है, उससे वे परिचित होंगे और हमारे साथ उनका ऐसा तादात्म्य स्थापित हो जाएगा जैसा पहले कभी न था।"[32]

हिन्दी के प्रचार को लेकर गाँधीजी का ध्यान देश के दक्षिणी छोर की तरफ जितना था, उतना ही पूर्वी छोर की तरफ भी था। 13 दिसम्बर, 1920 को कोलकाता में भाषण करते हुए गाँधीजी ने कहा—"यह निश्चित है कि सारे देश में जहाँ-कहीं देश के विभिन्न हिस्सों, के लोगों की मिली-जुली सभाएँ और बैठकें होंगी, उनमें अभिव्यक्ति का राष्ट्रीय माध्यम हिन्दी ही होगी।"[33] 22 जनवरी, 1921 को जारी किये अपने वक्तव्य में उन्होंने कहा—"जो बात मैं जोर देकर आपसे कहना चाहता हूँ वह यह कि आप सबकी एक सामान्य भाषा होनी चाहिए, सभी भारतीयों की एक सामान्य भाषा होनी चाहिए, ताकि वे भारत के जिस हिस्से में भी जाएँ, वहाँ के लोगों से बातचीत कर सकें। इसके लिए आपको हिन्दी को अपनाना चाहिए।"[34] 23 मार्च 1921 को विजयनगरम में राष्ट्रभाषा हिन्दी के महत्त्व को बताते हुए उन्होंने कहा—"हिन्दी पढ़ना इसलिए जरूरी है कि उससे देश में भाईचारे की भावना पनपती है। हिन्दी को देश की राष्ट्रभाषा बना देना चाहिए। हिन्दी आम जनता की भाषा होनी चाहिए। आप चाहते हैं कि हमारा राष्ट्र एक ओर संगठित हो, इसलिए आपको प्रान्तीयता के अभियान को छोड़ देना चाहिए। हिन्दी तीन ही महीनों में सीखी जा सकती है।"[35]

एक और बात ध्यान में रखने की है कि हिन्दी के सवाल को गाँधीजी केवल भावनात्मक दृष्टि से ही महत्त्वपूर्ण नहीं मानते थे, अपितु उसे एक राष्ट्रीय आवश्यकता

के रूप में भी देखने पर जोर देते थे। 10 नवम्बर, 1921 के 'यंग इंडिया' में उन्होंने लिखा—"हिन्दी के भावनात्मक अथवा राष्ट्रीय महत्त्व की बात छोड़ दें, तो भी यह दिन-प्रतिदिन अधिकाधिक आवश्यक मालूम होता जा रहा है कि तमाम राष्ट्रीय कार्यकर्ताओं को हिन्दी सीख लेनी चाहिए और राष्ट्र की तमाम कार्यवाही हिन्दी में ही की जानी चाहिए।"[36] इस प्रकार असहयोग आन्दोलन के दौरान गाँधीजी ने पूरे देश में हिन्दी का राष्ट्रभाषा के रूप में प्रचार काफी जोरदार ढंग से किया और उसे राष्ट्रीय एकता, अखंडता, स्वाभिमान का पर्याय-सा बना दिया।

मार्च 1922 में गाँधीजी ने असहयोग आन्दोलन को जरूर स्थगित कर दिया, लेकिन राष्ट्रभाषा के रूप में हिन्दी के प्रचार का उनका कार्य जारी रहा। 24 मार्च 1925 को हिन्दी प्रचार कार्यालय, मद्रास में बोलते हुए गाँधीजी ने कहा—"मेरी राय में भारत में सच्ची राष्ट्रीयता के विकास के लिए हिन्दी का प्रचार एक जरूरी बात है; विशेष रूप से इसलिए कि हमें उस राष्ट्रीयता को आम जनता के अनुरूप साँचे में ढालना है।"[37] और सचमुच सच्ची राष्ट्रीयता के विकास के लिए गाँधीजी जीवनपर्यन्त हिन्दी के प्रचार-कार्य में लगे रहे। राष्ट्रभाषा के दायरे से मेहनतकश वर्ग बाहर न रहे, इसका भी गाँधीजी ने पूरा ध्यान रखा। 21 दिसम्बर, 1933 को पैराम्बूर की मजदूर-सभा में बालेते हुए गाँधीजी ने कहा—"साथी मजदूरो, यदि आप सारे भारत के मजदूरों के दुःख-सुख को बाँटना चाहते हैं, उनके साथ तादात्म्य स्थापित करना चाहते हैं, तो आपको हिन्दी सीख लेनी चाहिए, जब तक आप ऐसा नहीं करते, तब तक उत्तर और दक्षिण में कोई मेल नहीं हो सकता।"[38]

भारत के समस्त मजदूरों में भाईचारा हो, उत्तर और दक्षिण में मेल हो, इसके लिए एक भाषा के रूप में हिन्दी की अपरिहार्यता को गाँधीजी ने निर्भीक स्वर में रखा। यह बात सिर्फ आर्थिक आधार पर विश्व के मजदूरों को एक होने की बात करनेवाली मार्क्सवादी अवधारणा के आलोक में अटपटी लग सकती है, किन्तु हर देश की कुछ अपनी विशिष्ट समस्याएँ होती हैं। बहुभाषा-भाषी भारत जैसे देश में जहाँ जनता, चाहे श्रमजीवी हो या बुद्धिजीवी, विभिन्न भाषा-समूहों में बँटी हुई हो, वहाँ किसी भी सामान्य लक्ष्य के लिए किये जानेवाले संघर्ष में एक भाषा के सूत्र में उन्हें संगठित करना एक फौरी तकाजा तो था ही, भविष्य के लिए भी राष्ट्रीय एकता और अखंडता के लिए आवश्यक था। इसलिए भी गाँधीजी उत्तर और दक्षिण के बीच मेल के लिए लगातार हिन्दी सीखने पर जोर देते रहे। यही कारण था कि जब 1937 में उनके बहुत बड़े सहयोगी राजगोपालाचारी ने मुख्यमन्त्री के रूप में मद्रास प्रान्त के स्कूलों में हिन्दी की पढ़ाई अनिवार्य कर दी और जब उसका 'मातृभाषा खतरे में' के नाम पर कुछेक तमिल भाषियों द्वारा

विरोध किया गया, तब गाँधीजी ने राजाजी का पक्ष लेते हुए 10.9.1938 के 'हरिजन' में लिखा—"हमने बार-बार घोषणा की है कि हिन्दी हमारी राष्ट्रभाषा या प्रान्तों के आपसी व्यवहार की सामान्य भाषा है या होनी है। यदि हमारी इस घोषणा के पीछे ईमानदारी है, तो हिन्दी के ज्ञान को अनिवार्य बनाने में बुराई कहाँ है? 'मातृभाषा खतरे में है' यह नारा या तो अज्ञान रूप है या एक पाखंड है और जहाँ इसके पीछे ईमानदारी है वहाँ भी उन लोगों की देशभक्ति के लिए अपवादमय चीज है। ...यदि हमें अखिल भारतीय राष्ट्रीयता के धर्म तक पहुँचना है, तो प्रान्तीयता के आवरण को भेदना होगा। भारत एक देश और एक राष्ट्र है अथवा अनेक देश और अनेक राष्ट्र है? जो मानते हों कि यह एक देश है उन्हें राजाजी को अपना पूरा समर्थन देना चाहिए।"[39]

इससे ऐसा नहीं समझना चाहिए कि गाँधीजी प्रान्तीय भाषाओं के विरोधी थे। वे तो सभी प्रान्तों में शिक्षा का माध्यम वहीं की भाषाओं को बनाने के पक्ष में शुरू से रहे, लेकिन जहाँ तक भारत को एक देश, एक राष्ट्र के रूप में सुदृढ़ करने का सवाल था, उसके लिए वे राष्ट्रभाषा के बतौर हिन्दी के पक्ष में सभी को प्रान्तीयता के मोह से ऊपर उठना आवश्यक मानते एवं बताते रहे। यही कारण था कि उन्होंने राजा जी द्वारा मद्रास प्रान्त में हिन्दी की पढ़ाई आनिवार्य करने का खुलकर समर्थन किया और सभी से 'प्रान्तीयता के आवरण को भेदने' की अपील की। गाँधीजी भारत के लिए जिस स्वराज्य को आवश्यक समझते थे, वह तभी सम्भव था जब राष्ट्रीयता का पूर्ण विकास हो और यह काम एक राष्ट्रभाषा को अपनाये बगैर हो नहीं सकता था। इस प्रकार गाँधीजी स्वराज्य, राष्ट्रीयता और राष्ट्रभाषा तीनों को अन्तर्ग्रन्थित करने वाले प्रथम शिल्पी थे।

यों तो गाँधीजी द्वारा हिन्दी प्रचार के कार्यों का इतना लम्बा अध्याय है कि उसे यहाँ पर समेट पाना सम्भव नहीं है, फिर भी यहाँ प्रस्तुत तथ्यों के आधार पर यह बात निर्विवाद रूप से कही जा सकती है कि हिन्दी नवजागरण को उन्होंने पूरे देश में फैलाया-राष्ट्रभाषा हिन्दी के लिए उन्होंने सम्प्रेषक की शानदार, बेमिसाल भूमिका का निर्वाह किया। एक वक्ता, प्रचारक, लेखक, पत्रकार, सामाजिक कार्यकर्ता एवं राष्ट्रनेता आदि के समस्त रूपों में वे राष्ट्रभाषा के रूप में हिन्दी के राष्ट्रव्यापी प्रचार में लगे रहे। हिन्दी के लिए वे अपने जीवनकाल में एक महासंस्था स्वरूप हो गये। उनकी प्रेरणा से कितने लोगों ने हिन्दी के प्रचार को अपने जीवन का 'मिशन' बना लिया। प्रसंगवश यह उल्लेखनीय है कि उनका हिन्दी के लिए प्रचार-अभियान नाना विरोधों-विवादों, से आक्रान्त भी होता रहा। विस्तार में जाने का यहाँ अवकाश नहीं है, भारत में उन्हें उर्दू एवं फारसी लिपि-प्रेमियों के विरोध का सामना करना पड़ा,

तो मद्रास प्रान्त में अहिन्दी भाषियों के विरोध का। 1936 के बाद मजबूर होकर गाँधीजी को हिन्दी की बजाय 'हिन्दुस्तानी' शब्द को राष्ट्रभाषा के लिए अपनाना पड़ा और इस विषय पर 'प्रयाग हिन्दी साहित्य सम्मेलन' से उनके मतभेद इतने बढ़े कि उन्होंने जुलाई 1945 में सम्मेलन की सदस्यता से त्यागपत्र दे दिया और फिर 'हिन्दुस्तानी प्रचार-सभा' का गठन कर उसके तहत काम किया, लेकिन इससे पूर्व सत्ताईस वर्षों तक 'हिन्दी साहित्य सम्मेलन' का सदस्य रहकर, दक्षिण भारत हिन्दी प्रचार सभा के संस्थापक-संचालक रहकर उन्होंने हिन्दी-प्रचार को राष्ट्रव्यापी विस्तार देने में अग्रणी भूमिका निभायी। राष्ट्रभाषा के रूप में हिन्दी के पक्ष में राष्ट्रीय स्तर पर जनमत बनाने, मानसिकता तैयार करने में उनकी अतुलनीय भूमिका रही। उत्तरी भारत में उभरे हिन्दी नवजागरण को राष्ट्रीय जागरण में परिणत करने का श्रेय गाँधीजी को ही देना होगा। इस तथ्य को ध्यान में रखते हुए हमें 'हिन्दी नवजागरण' से आगे बढ़कर 'हिन्दी के राष्ट्रीय जागरण' की बात करनी चाहिए, तभी हम हिन्दी के लिए गाँधीजी द्वारा किये गये कार्यों के साथ न्याय कर सकेंगे।

एक और बात की तरफ ध्यान देना वाजिब है जो हिन्दी पहले कुरू जनपद (दिल्ली से मेरठ के बीच का क्षेत्र) की बोली थी और जिसके अन्तर्गत बाद में उत्तर प्रदेश, बिहार आदि के क्षेत्र समझे जाने लगे, जिसके आधार पर एक 'हिन्दी जाति' की बात की जाने लगी है, उस हिन्दी का पूरे देश में प्रचार कर गाँधीजी एवं उनके सहयोगियों ने उसे प्रान्तीय भाषा के दर्जा से ऊपर उठाया, उसमें राष्ट्रीयता की अन्तर्वस्तु का समावेश किया। अतएव 'हिन्दी जाति' की बात करना राष्ट्रीय परिप्रेक्ष्य में सही नहीं लगता। हिन्दी की कोई जाति है तो सम्पूर्ण भारतीयता ही उसकी जाति है, क्योंकि उस पर 'राष्ट्रवाणी' होने का दायित्व सौंपा जा चुका है। गुजराती, मराठी, बंगाली जाति की बात करना उन प्रान्तीय भाषाओं की दृष्टि से सही हो सकता है, लेकिन गाँधीजी जैसे हिन्दीसेवियों के कार्यों को देखते हुए 'हिन्दी भाषा प्रदेश' जैसी कथित धारणा के आधार 'हिन्दी जाति' की अवधारणा प्रस्तुत करना हिन्दी के दायरे से उन सभी हिन्दीसेवियों को अलग करना, विजातीय बनाना होगा, जिन्होंने गुजरात, महाराष्ट्र आन्ध्र प्रदेश, तमिलनाडु आदि प्रदेशों के होते हुए हिन्दी के प्रचार-प्रसार में बहुमूल्य अवदान दिया और अब भी दे रहे हैं। 'हिन्दी जाति' की बात कहने से राष्ट्रव्यापी हिन्दी का दायरा संकुचित होता है, एक समुद्र को नदी जैसा बनना होता है और इसके परिणामस्वरूप अन्य भाषा-भाषियों में हिन्दी के प्रति परायेपन का बोध होता है, इस बात को हमें ध्यान में रखना चाहिए।

सन्दर्भ

1. 'हिन्द स्वराज्य' गाँधीजी ने 1909 में चार महीनों तक इंग्लैंड में रहने के बाद दक्षिण अफ्रीका लौटते वक्त 'किल्डौनन कैसिल' नामक जहाज पर गुजराती में लिखा। इसके बारह अध्याय दक्षिण अफ्रीका से निकलने वाले पत्र 'इंडियन ओपिनियन' के 11.12.1909 के अंक में और शेष 18.12.1909 के अंक में छपे। पुस्तक रूप में पहली बार वह जनवरी 1910 में प्रकाशित हुआ और भारत में 24 मार्च 1910 बम्बई सरकार द्वारा उस पर प्रतिबन्ध लगा दिया गया (सम्पूर्ण गाँधी वांड्मय, खंड—10)।
2. बंकिमचन्द्र के इस लेख का हवाला डॉ. पूरनचन्द्र जोशी ने अपने लेख ''नैतिक शून्य, राजनीतिक गतिरोध और वर्चस्व का संकट'' में दिया है। यह लेख छपा है पटना से प्रकाशित हुआ 'कसौटी' पत्रिका के अंक 6 में।
3. उप.
4. उप.
5. उप.
6. स. गां. वां. खंड—10, पृ. 55
7. उपा. पृ. 56
8. 'शिक्षण और संस्कृति', सं. रामनाथ सुमन, पृ. 164
9. उप.
10. उप., पृ. 165-66
11. स. गां. वां., खंड—14, पृ. 6
12. उप. पृ. 7
13. उप. पृ. 5
14. उप. पृ. 16
15. उप.
16. 1905 में प्रशासनिक सुविधा के बहाने बंगाल का विभाजन कर दिया गया था। इस विभाजन से बंगाल में विरोध का एक तूफान उठ खड़ा हुआ जिसके फलस्वरूप अँग्रेजी माल के बहिष्कार का आन्दोलन शुरू हुआ। अन्ततः 1911 में यह विभाजन रद्द कर दिया गया (उप. पृ. 17)।
17. पं. मदनमोहन मालवीय (1861-1946) काशी हिन्दू विश्वविद्यालय के संस्थापक, 1909 और 1918 और 1918 में भारतीय राष्ट्रीय कांग्रेस के अध्यक्ष निर्वाचित (उप. पृ. 17)।
18. उप.
19. उप. पृ. 20
20. उप.
21. उप. पृ. 22
22. उप. खंड—17, पृ. 37
23. उप. खंड—10, पृ. 56
24. उप. खंड—14, पृ. 29
25. उप. पृ. 79
26. उप. पृ. 119
27. उप. पृ. 121
28. उप. पृ. 149

29. उप. पृ. 78
30. उप. पृ. 285
31. उप. पृ. 386
32. उप. खंड—17, पृ. 534
33. उप. खंड—19 पृ. 104
34. उप. पृ. 265
35. उप. पृ. 500
36. उप. खंड—21, पृ. 425
37. उप. खंड—26, पृ. 390
38. उप. खंड—56, पृ. 382
39. उप. खंड—67, पृ. 362

चतुर्थ अध्याय

स्वराज्य–जागरण

भारतवर्ष के राजनीतिक परिवेश में "स्वराज्य हमारा जन्म-सिद्ध अधिकार है और हम उसे लेकर रहेंगे" जैसी निर्भीकता एवं दृढ़ता से परिपूर्ण उद्घोषणा करके लोकमान्य बाल गंगाधर तिलक ने धर्म एवं समाज-सुधार तथा संवैधानिक माँगों तक सीमित भारतीय नवजागरण को साम्राज्यवाद-विरोध की दिशा में मोड़ने का एक ऐतिहासिक कार्य सम्पन्न कर दिया था; किन्तु इस साम्राज्यवाद-विरोधी स्वर का, राष्ट्रीय स्वराज्य की आकांक्षा का प्रसार देश के कोने-कोने में होना बाकी रह गया था और यह काम पूरा हुआ भारतीय राजनीति में महात्मा गाँधी के प्रवेश से। स्वराज्य की आकांक्षा या राष्ट्रीय स्वाधीनता की चेतना और उसके लिए संघर्षशीलता की भावना को बड़े से लेकर छोटे तक, शहरों से लेकर गाँवों तक, मध्यवर्ग से लेकर कृषक-मजदूर तक पहुँचाने का काम गाँधीजी ने किया और उसे अखिल भारतीय राष्ट्रीय जागरण के रूप में परिणत कर दिया, जिसके परिणामस्वरूप विशाल एवं शक्तिशाली ब्रिटिश साम्राज्य को बोरिया-बिस्तर समेटकर यहाँ से कूच करना पड़ा। यह सब देखना ही इस अध्याय का प्रयोजन है। किन्तु आरम्भ में ही यह निवेदन कर देना अपेक्षित समझता हूँ कि मेरा प्रयोजन गाँधीजी के नेतृत्व में चलनेवाले दीर्घकालीन स्वाधीनता-संग्राम का तिथिवार ब्यौरा प्रस्तुत करना नहीं है, अपितु इस संग्राम को व्यापक, जनोन्मुख एवं प्रभावशाली बनाने में उनके नेतृत्व की विशिष्टताओं को उजागर करना है।

अब तक के विवेचन में हम देख चुके हैं कि दक्षिण अफ्रीका में रहते हुए ही गाँधीजी स्त्री-समस्या, छुआछूत की समस्या, भाषा एवं शिक्षा की समस्या आदि के प्रति काफी जागरूक हो चुके थे और इस दिशा में कार्य एवं विचार के स्तर पर आगे बढ़ चुके थे। लेकिन अभी तक वे ब्रिटिश साम्राज्य के विरोधी नहीं हुए थे। दक्षिण अफ्रीका में रहते हुए उन्होंने रंगभेद-नस्लवाद के खिलाफ जो सत्याग्रह-संग्राम चलाया उसका मकसद वहाँ पर रहने वाले भारतीयों को, जिनकी पहचान

'काले एवं गिरमिटिया' के रूप में थी, गोरों के समकक्ष नागरिक अधिकार दिलाना था, उन्हें अन्यायमूलक उत्पीड़न से मुक्त कराना था। यह जरूर हुआ कि यह लड़ाई गाँधीजी ने जिस अहिंसा के जरिये लड़ी, उसने उन्हें विश्व में आकर्षण का केन्द्र बना दिया, अन्याय-जुल्म के खिलाफ लड़ने वाले एक अनोखे योद्धा की छवि उनकी बन गयी, किन्तु वहाँ से ब्रिटिश शासन को उखाड़ फेंकना या उसकी जगह पर किसी दूसरी राजनीतिक व्यवस्था की स्थापना करना सत्याग्रह-संग्राम का उद्देश्य नहीं था। ध्यातव्य है कि दक्षिण अफ्रीका में रहकर वहाँ की गोरी सरकार के रंगभेद के खिलाफ लड़ने वाले गाँधीजी की उस समय भारत के गण्यमान्य उल्लेखनीय राजनेताओं में सबसे अधिक निकटता थी गोपाल कृष्ण गोखले के साथ। गोखले उन दिनों भारतीय राष्ट्रीय काँग्रेस में उस धारा के प्रमुख अग्रणी नेता थे जो 'मॉडरेट' या 'लिबरल' के नाम से जानी जाती थी। इस धारा के नेताओं का मानना था कि ब्रिटिश साम्राज्य का बने रहना भारत के हित में है। अतएव उसकी न्यायप्रियता में विश्वास करते हुए ये नेतागण सिर्फ अनुनय-विनय के जरिये कुछेक संवैधानिक सुविधाओं को प्राप्त कर लेना ही पर्याप्त समझते थे। ध्यान रहे, इन्हीं गोखले को गाँधीजी ने बार-बार 'अपना राजनीतिक गुरु' होने की बात कही है।

स्मरणीय है कि इस 'लिबरल' या 'मॉडरेट' सोच के विरोध में जो दूसरी धारा काँग्रेस के अन्दर चल रही थी वह 'गरमपन्थी' या 'उग्रपन्थी' के नाम से जानी जाती थी। इस धारा के प्रमुख नेता थे—लोकमान्य तिलक, विपिनचन्द्र पाल एव लाला लाजपत राय। बाद में कुछ समय के लिए इस गुट के साथ युवा क्रान्तिकारी अरविन्द घोष भी जुड़े थे। इस धारा के नेता ब्रिटिश सरकार से कुछ संवैधानिक रियायतें प्राप्त करने के बजाय सीधे-सीधे 'स्वराज्य' प्राप्त करने में विश्वास करते थे और इसके लिए वे सरकार से टकराव तक के रास्ते पर जाने को तैयार थे। इन दोनों गुटों के बीच वैचारिक मतभेद इतने गहराये कि 1907 की सूरत काँग्रेस में उनमें जबर्दस्त टकराव हुआ और काँग्रेस दो धड़ों में बँट गयी। उसके एक साल बाद ही हुकूमत ने लोकमान्य तिलक को राजद्रोह के विरोध में छह वर्षों के कारावास की सजा देकर बर्मा की मांडले जेल में भेज दिया। उस समय के लिखे साहित्य एवं कतिपय ऐतिहासिक तथ्यों से मालूम होता है कि राष्ट्रीयता की भावना से ओत-प्रोत युवकों का तिलक हृदय-सम्राट बन चुके थे। गाँधीजी के राजनीतिक उत्तराधिकारी समझे जानेवाले पं. जवाहर लाल नेहरू भी उस समय, जैसा कि उन्होंने अपनी 'आत्मकथा' में लिखा है, लन्दन में पढ़ाई करते हुए तिलक के विचारों से ही प्रभावित थे। यही नहीं, जो लोग 1920 के

बाद गाँधीजी के सहयोगी या अनुयायी बन गये, उनमें भी बहुत सारे तिलक के विचारों के ही समर्थक रहे थे। इस तथ्य की पुष्टि कृपलानीजी के इस कथन से ही हो जाती है कि "मैंने उनसे यह भी कहा कि यदि वे भारत में सविनय अवज्ञा आन्दोलन चलाएँगे तो उन्हें रंगरूट गोखले के अनुयायियों में से नहीं बल्कि तिलक के अनुयायियों में से मिलेंगे"। यह बात कृपलानी जी ने गाँधीजी से तब कही थी जब वे फरवरी 1915 में गाँधीजी से पहली बार शान्ति निकेतन में मिले थे।

इन बातों के उल्लेख का मतलब यह देखना है कि कैसे गाँधीजी शनैः शनैः राजभक्त से देशभक्त एवं साम्राज्य विरोधी के रूप में बढ़ते गये। दक्षिण अफ्रीका में सत्याग्रह संग्राम के कारण प्रसिद्ध हुए गाँधीजी भारतीय राजनीति में नरमपन्थियों के साथ थे और वे भी साम्राज्य की छत्रछाया में ही भारतीयों के लिए समतापरक अधिकारों एवं सुविधाओं को उपलब्ध करना चाहते थे। जनवरी 1915 में भारत वापसी के बाद भी साम्राज्य को अपदस्थ कर स्वराज्य प्राप्त करना उनके चिन्तन का अंग नहीं बन पाया था। हालाँकि बड़ी विचित्र और विरोधाभासी बात लगती है कि जो व्यक्ति 1909 में ही 'हिन्द स्वराज्य' जैसी पुस्तक लिखकर औपनिवेशिक शासन एवं सभ्यता की कटु आलोचना कर चुका था, वह जब-जब इस साम्राज्यवादी शासन पर खतरे आये, उसके साथ सहयोग करता रहा। दक्षिण अफ्रीका में जब बोअर युद्ध हुआ, गाँधीजी ने ग्यारह सौ भारतीयों का स्वयंसेवी संगठन बनाकर वहाँ की ब्रिटिश हुकूमत की सेवाएँ कीं। भारत में भी प्रथम विश्वयुद्ध के दौरान उन्होंने बड़ी तत्परता से ब्रिटिश फौज में भारतीय रंगरूटों को भर्ती कराने के लिए काम किये। उनकी इन सेवाओं से खुश होकर ही सरकार ने उन्हें 'कैसरे हिन्द' का तगमा दिया थ।

दक्षिण अफ्रीका से महान सत्याग्रही की छवि लेकर आये इस गाँधी की सोच एवं रवैये से यहाँ के नौजवानों को आरम्भ में बड़ी निराशा हुई। ये नौजवान लोकमान्य तिलक के विचारों से उद्वेलित-प्रेरित हो स्वराज्य का सपना देखने लगे थे। अतएव जब वे गाँधीजी से मिलते और उनका ब्रिटिश शासन के प्रति नरम रुख देखते, तो उन्हें बड़ी मायूसी होती थी। मसलन, जे. बी. कृपलानी जो इस समय एक तरुण बौद्धिक थे और मुजफ्फरपुर (बिहार) के लंगट सिंह कॉलेज में प्राध्यापक थे, जब पहली बार फरवरी 1915 में गाँधीजी से शान्ति निकेतन में मिले, तो उन्हें गाँधीजी के विचारों से कोई खास उत्साह नहीं हुआ। गाँधीजी से पहली मुलाकात के प्रभाव का वर्णन करते हुए कृपलानी जी लिखते हैं—"उनके सभी राजनीतिक विचार मुझे गलत मालूम दिये। जैसा कि मैंने पहले कहा है, वे 'मॉडरेटों' (नरमपन्थी) के जादू से प्रभावित थे। भारत में उन दिनों उदार दल

वालों को उनके विरोधियों द्वारा यही नाम दिया गया था। वे गोखले के व्यक्तित्व से बहुत प्रभावित थे, जो उनके मित्र हो गये थे। हम देख चुके हैं कि दक्षिण अफ्रीका में इनके काम में गोखले ने सहायता की थी। गाँधीजी उनको अपना राजनीतिक गुरु कहते थे। यह स्वाभाविक था। अन्याय के प्रतिरोध के लिए गाँधीजी के नये राजनीतिक तरीके के बावजूद इन दिनों भारत में ब्रिटिश सरकार के प्रति गाँधीजी का रुख सार रूप में वैसा ही था जैसा कि मॉडरेटों का। वे इतनी दूर तक नहीं गये थे, जितना कि कुछ मॉडरेट लोग कि भारत में अँग्रेजी शासन विधि का विधान है, परन्तु जैसा कि हम लोगों ने देखा कि उनका यह विश्वास था कि सब मिलाकर भारत में अँग्रेजों के क्रिया-कलाप देश की भलाई के लिए हैं और वे चाहते थे कि चाहे जो भी कठिनाईयाँ हों, भारतीयों को साम्राज्य के अच्छे नागरिकों की तरह काम करना चाहिए। मुझे इस विचार का औचित्य न तो इतिहास में और न सामाजिक घटनाओं में दिखाई पड़ा।''[2]

तो ऐसे थे 1915 में दक्षिण अफ्रीका से भारत लौटे गाँधीजी जो ब्रिटिश सरकार के साथ सहकार के रास्ते पर चलते हुए भारतीयों के हालात में कुछ सुधार की उम्मीद रखते थे। उस पर तुर्रा यह कि उनके राजनीतिक गुरु गोखले ने उन्हे एक साल तक देश की राजनीति से दूर रहकर देश को घूम-घूमकर जानने का परामर्श दे डाला। गाँधीजी ने गोखले की इस सलाह पर अमल करते हुए देश के विभिन्न भागों का भ्रमण किया। इस क्रम में उन्होंने देश की विविध भौगोलिक-प्राकृतिक परिस्थितियों के साथ अमीर से लेकर गरीब तक के जीवन का बड़ी गहराई से अध्ययन किया, खुद देखकर एवं उनकी व्यथाओं को सुनकर। गरीब, फटेहाल, भूख से बेहाल, बेरोजगार जनता को, मेहनत करने के बावजूद भूखे एवं फटेहाल रहने को अभिशप्त कृषकों को देखते-देखते उनके अन्दर हमदर्दी का ऐसा बवंडर उठा, जिसने उन्हें कम से कम देशी शासकों के प्रति 'मॉडरेट' नहीं रहने दिया और उसका पहला विस्फोट फरवरी 1916 में काशी हिन्दू विश्वविद्यालय के शिलान्यास समारोह में हुआ। इसके पूर्व प्रकरण में हम गाँधीजी के इस समारोह में दिये भाषण के उस अंश की चर्चा कर चुके हैं जिसका सम्बन्ध देशी एवं राष्ट्रभाषा हिन्दी के महत्त्व को लेकर था, कि कैसे विदेशी भाषा में बोलने की विवशता को लज्जाजनक बताते हुए उन्होंने सभी भारतीय श्रोताओं से राष्ट्रभाषा हिन्दी को अपनाने की गुहार लगाई थी।

वास्तव में देखा जाए तो उस समारोह में, जहाँ शिलान्यास करने वाले मुख्य अतिथि थे, वाइसराय लार्ड हार्डिंग तथा समारोह की अध्यक्षता करनेवाले थे दरभंगा महाराज सर रामेश्वर सिंह गाँधीजी का अपनी राष्ट्रभाषा में बोलने का आग्रह

प्रकारान्तर से स्वदेशाभिमान को ही जाग्रत करने वाला था। अतएव यह कहने में तनिक भी असंगति नहीं कि 'मॉडरेट' गाँधी ने भाषा के मामले में स्वदेशाभिमान का सवाल उठाकर या फिर विदेशी भाषा की दासता से मुक्ति की अहमियत का अहसास कराकर अपने राष्ट्रीय मुक्ति अभियान का भी उस समारोह में शिलान्यास कर दिया। इससे भी बड़ी उल्लेखनीय बात उस समारोह में यह हुई कि गाँधीजी अपने भाषण में भाषा की दासता की चर्चा तक ही नहीं रुके, उससे भी आगे बढ़कर उन्होंने देश की गरीबी के लिए जिम्मेवार देशी शक्तियों को भी झकझोर डाला। श्रोतागण बेचैन हो गये जब गाँधीजी ने यह कहा—"हिज हाइनेस महाराजा ने, जिन्होंने कल हमारी इस सभा की अध्यक्षता की थी, भारत की दरिद्रता की चर्चा की थी। दूसरे वक्ताओं ने भी इसकी चर्चा बड़ी गम्भीरता से की। परन्तु हम लोगों ने कल इस विशाल मंडप में जिसमें वाइसराय द्वारा शिलान्यास समारोह सम्पन्न हुआ, क्या देखा। निश्चय ही एक बड़ा शानदार तमाशा, रत्नों और आभूषणों का ऐसा प्रदर्शन कि यदि पेरिस का बड़े-से-बड़ा जौहरी आता तो उसकी आँखें चौंधिया जातीं। मैं आभूषणों से लदे धनी अभिजातवंशीय-पुरुषों की तुलना करता हूँ, करोड़ों गरीबों से। इन राजा-महाराजाओं से मेरी यह कहने की इच्छा होती है—"भारत का तब तक उद्धार नहीं हो सकता जब तक आप लोग इन आभूषणों को नहीं उतार देते और उन्हें गरीबों की धरोहर मानकर नहीं चलते। मुझे यकीन है कि सम्राट अथवा लार्ड हार्डिंग सम्राट के प्रति वास्तविक राजभक्ति दिखाने के लिए किसी का गहनों के सन्दूक उलटकर सिर से पाँव तक सजकर आना जरूरी नहीं समझते। भाइयों, जब कभी मैं यह सुनता हूँ कि कहीं, फिर वह ब्रिटिश भारत में हो चाहे हमारे बड़े-बड़े राजाओं और नवाबों द्वारा शासित रजवाड़ों में, कोई बड़ा भवन उठाया जा रहा है, तो मेरा मन दु:खी हो जाता है और मैं सोचने लगता हूँ 'यह पैसा तो किसानों के पास से इकट्ठा किया गया पैसा है।' हमारे 75 प्रतिशत से भी अधिक लोग किसान हैं; कल श्री हिगिन बॉटम ने अपनी प्रवाहमयी वाणी में कहा—"ये ही वे लोग हैं जो एक के दो दाने करते हैं।" यदि हम इनके परिश्रम की सारी कमाई दूसरों को उठा कर ले जाने दें तो कैसे कहा जा सकता है कि स्वराज्य की कोई भी भावना हमारे मन में है। हमें आजादी किसानों के बिना नहीं मिल सकती। आजादी वकील, डॉक्टर या सम्पन्न जमींदारों के वश की बात नहीं है।"

इस भाषण में गाँधीजी वाइसराय पर भी कटाक्ष करने से नहीं चूके—"वाइसराय के अगमन के कारण ऐसा लगता है कि जैसे बनारस पर घेरा डाल दिया हो। वाइसराय की सुरक्षा के लिए हर जगह पुलिस बैठा दी गयी है, शासक

होते हुए भी वह हमेशा भयग्रस्त रहते हैं।'' इन बातों को सुनकर सभा के अध्यक्ष समेत कई राजभक्त अभिजनों के पेट में दर्द होने लगा। हद तब पहुँची जब गाँधीजी ने क्रान्तिकारियों की हिंसात्मक कार्रवाईयों की चर्चा करते हुए जहाँ उनके तरीके की निन्दा की, तो वहीं पर उनकी देशभक्ति की प्रशंसा भी कर डाली—''मुझ से कहा गया है कि यदि कुछ लोगों ने बमों का प्रयोग न किया होता, तो हम लोगों को बंग-भंग के सिलसिले में जो मिला, वह नहीं मिलता।'' उनकी इन बातों से सभा के कुछेक विशिष्ट जन कुपित हो रहे थे, किन्तु उसकी परवाह न करते हुए गाँधीजी ने अपने भाषण का समापन इस कथन के साथ किया—''यदि किसी दिन हमें स्वराज्य मिलेगा तो वह अपने ही पुरुषार्थ से मिलेगा। वह दान के रूप में कदापि नहीं मिलने का। ब्रिटिश साम्राज्य के इतिहास पर दृष्टिपात कीजिए। ब्रिटिश साम्राज्य चाहे जितना स्वतन्त्रता-प्रेमी हो, फिर भी स्वतन्त्रता-प्राप्ति के लिए स्वयं उद्योग न करने वालों को वह कभी स्वतन्त्रता देने वाला नहीं है। आप चाहें तो बोअर-युद्ध से कुछ शिक्षा ले सकते हैं। कुछ ही वर्ष पहले जो बोअर लोग साम्राज्य के शत्रु थे, वही अब उसके मित्र हैं।''[3]

उस समय के 'मॉडरेट' गाँधी का यह भाषण विडम्बनापूर्ण ढंग से कितना उग्र, विस्फोटक, बेधक था; इसका अनुमान इसी से किया जा सकता है कि सभा में उपस्थित एनी बेसेंट चिल्ला पड़ीं ''कृपया इसे बन्द कीजिए'' इस पर भी गाँधीजी नहीं रुके, तो बेसेंट, सभा के अध्यक्ष और कई राजा सभा से चले गये। इस घटना के सम्बन्ध में खुद गाँधीजी ने एक बार अपने एक मित्र को बताया था—''मैंने श्रोताओं को ऊब कर जाते हुए देखा है; मैंने वक्ताओं को बैठ जाने के लिए मजबूर किये जाते देखा है, परन्तु मैंने स्वयं अध्यक्ष को अपनी सभा छोड़कर जाते हुए कभी नहीं देखा है।'' यही नहीं, देश का यह शासक-वर्ग गाँधीजी की बातों से आत्मनिरीक्षण करने को प्रेरित होने के बजाय इतना आहत-क्षुब्ध और क्रुद्ध हुआ कि रात को पुलिस कमिश्नर ने एक हुक्म जारी कर गाँधीजी को तुरन्त बनारस से चले जाने का आदेश दिया मालवीय जी के कहने से वह मान गया और हुक्म तामील नहीं हुआ। लेकिन गाँधीजी दूसरे दिन प्रातः बनारस से चले गये।''[4]

गाँधीजी बनारस से चले आये, किन्तु उनके भाषण को लेकर सभा के अध्यक्ष से लेकर श्रीमती बेसेंट जैसे विशिष्ट जनों ने जिस तरह आपत्तियाँ प्रकट की थीं, उसने उन्हें चैन से नहीं बैठने दिया और वे अपने विचारों को और अधिक स्पष्टता के साथ रखने को दृढ़ हो गये। उन्होंने तुरन्त यानी सात फरवरी 1916 को ही सभा की अध्यक्षता करने वाले दरभंगा महाराज सर रामेश्वर सिंह (1860-1929)

को पत्र लिखते हुए दो-टूक शब्दों में अपने दृष्टिकोण को रखा—"मुझे तथा हममें से और भी बहुत लोगों को इस बात पर बहुत ही लज्जा मालूम हुई कि एक अत्यन्त शरीफ वाइसराय की जान की हिफाजत के लिए, उस समय जबकि वे इस पवित्र नगरी में हमारे विशिष्ट और सम्मानित अतिथि थे, असाधारण सतर्कता से काम लेना जरूरी समझा गया था। मेरे जीवन का लक्ष्य अपने देश के अधिक-से-अधिक स्वतन्त्रता-प्राप्ति के विचार प्रचारित करना और इसकी प्राप्ति के निमित्त किये जानेवाले कामों में मदद पहुँचाना जरूर है, परन्तु किसी भी मनुष्य के प्रति, भले ही उस व्यक्ति की ओर से हमारे उत्तेजित होने के अनन्त कारण उपस्थित किये गये हों, हिंसा का प्रयोग करके कदापि नहीं।"[5]

इन घटनाओं के आलोक में दिन के उजाले की तरह साफ है कि 'मॉडरेट' होते हुए भी गाँधीजी ने उस शिलान्यास-समारोह में जो कुछ कहा था, वह न केवल उन्हें अब तक के समस्त पूर्ववर्ती एवं समकालीन 'मॉडरेटों' से भिन्न तेवर एवं अन्दाज का व्यक्ति सिद्ध कर रहा था, अपितु उनके द्वारा 'नरमपन्थ' की सीमाओं के अतिक्रमण करने की तैयारी का भी संकेत दे रहा था। साथ ही गाँधीजी का यह भाषण मानो भारतीय सामन्तवाद पर दागा गया पहला हथगोला था। दरभंगा महाराजा को लिखे पत्र में उन्होंने भारत की स्वतन्त्रता-प्राप्ति के विचार प्रचारित करने का इरादा प्रकट कर भारत के महान भावी स्वतन्त्रता सेनानी होने का संकेत कर दिया, तो सभा में भाषण करते हुए किसानों की गरीबी, बदहाली का सवाल उठाकर उन्होंने किसानों के लिए अपनी छटपटाहट को भी व्यक्त कर दिया था। देशदशा विशेषकर किसानों की दयनीय दशा के शर से बिंधे गाँधी के मन में जो छटपटाहट पैदा हुई मानो उसे ही क्रियात्मक रूप देने के लिए वे राजकुमार शुक्ल के अनुरोध पर किसानों पर होने वाले अत्याचार के विरुद्ध लड़ने के लिए 1917 में चम्पारण में दाखिल हुए। समारोह में गाँधीजी ने जो विचार प्रकट किये, उसे कम-से-कम किसानों के सन्दर्भ में आचरण में उतारने के लिए ही उन्होंने चम्पारण में सत्याग्रह संग्राम चलाया। ध्यान रहे इस देश की धरती पर गाँधीजी ने सत्याग्रह-अस्त्र का पहला प्रयोग चम्पारण में ही किया। उनके इस सत्याग्रह-संग्राम के महत्त्व को समझने के लिए चम्पारण के किसानों की दारुण समस्याओं का सिंहावलोकन यहाँ अपेक्षित है।

उस समय बिहार बंगाल राज्य का हिस्सा था, अतएव बंगाल की तरह वहाँ पर भी जमींदारी प्रथा थी। जमींदार ही भूमि का वास्तविक मालिक होता था। गवर्नर-जनरल कार्नवालिस के शासन-काल में (1786-1793 ई.) लागू किये गये स्थायी बन्दोबस्त के अनुसार जमींदार एक नियत राजस्व सरकार को दिया

करता था। चम्पारण की भूमि का अधिक भाग बेतिया के राजा का था। कई चालाक अँग्रेजों ने बेतिया के राजा को फुसला कर बहुत कम लगान पर लम्बी अवधि के लिए जमीन ले ली थी। ये अँग्रेज नील की खेती कराना चाहते थे। इससे बहुत लाभ था क्योंकि यूरोप में नील की बहुत माँग थी। गोरे निलहों ने एक नियत लगान पर इस शर्त के साथ किसानों को जमीन दे दी थी कि वे एक बीघे (बीस कट्ठा) में तीन कट्ठे में नील की खेती करेंगे। नील की खेती में बहुत मेहनत करनी पड़ती थी। इससे जमीन की ऊर्वरा शक्ति भी क्षीण होती जाती थी। किसानों को यह नील नाममात्र के दाम पर गोरे निलहों को बेचना पड़ता था। इसके अलावा किसानों को एक खास अवधि तक उस जमीन पर भी काम करना पड़ता था, जो उन्हें नहीं दी गयी थी। किसानों को विभिन्न अवसरों पर 'अबवाब' कर (मालगुजारी पर लगनेवाला अधिक कर या किसान, व्यापारी आदि से जमींदार को मिलनेवाला अधिक कर) देना पड़ता था। जब किसान की मृत्यु हो जाती तो उसके उत्तराधिकारी को एक तरह का मृत्यु कर देना पड़ता था। यदि कभी किसी गोरे निलहे को घोड़ा या हाथी खरीदना होता तो उसके लिए भी हर किसान को चन्दा देना पड़ता था। यदि वे गर्मी में पहाड़ों पर जाते तो उसके खर्च का एक भाग भी किसानों को पूरा करना पड़ता था। किसी-न-किसी बहाने गोरे निलहे किसानों से नाजायज वसूली करते रहते। जब किसान निलहों की जमीन पर काम करते तो तीन पैसे प्रतिदिन मजदूरी मिलती। दो बैलों की एक गाड़ी और गाड़ीवान का किराया उन्हें केवल चार आना प्रतिदिन के हिसाब से मिलता। जब कभी निलहों के कारिन्दे किसी बात पर गुस्सा होते तो किसानों के गाँवों को लूट लेते। वे इनके मकानों में घुस जाते, औरतों से दुर्व्यवहार करते और कभी-कभी खड़ी फसल भी नष्ट कर देते। कोई भारतीय, चाहे उसकी जो भी हैसियत हो, किसी निलहे के सामने न घोड़े पर चढ़ सकता था और न छाता लगाकर खड़ा रह सकता था। उच्च शिक्षा प्राप्त भारतीयों को भी निलहों के अहातों में घंटों प्रतीक्षा करनी पड़ती थी। निलहों के बैठकखाने में भारतीयों को जाने की इजाजत नहीं थी। सरकारी कर्मचारी किसी प्रकार की राहत नहीं दे सकते थे। बड़े अफसर सभी अँग्रेज थे। इनकी अपनी जो सहानुभूति देशवासियों के साथ थी, सो तो थी ही, इसके अलावा इन्हें यह भी मालूम था कि निलहों का पालिर्यामेंट के सदस्यों पर काफी प्रभाव है क्योंकि इनमें से कई का नील के व्यापार में अपना स्वार्थ था। यद्यपि जर्मनी द्वारा कृत्रिम रंगों का अविष्कार कर लेने के कारण नील का व्यापार मन्द पड़ गया था, फिर भी निलहें गोरों ने तीन कठिया प्रणाली (बीस कट्ठे में तीन कट्ठे में उनके हुक्म के अनुसार खेती) चालू रखी थी।''[6]

तो यह चित्र था बीसवीं सदी के आरम्भिक दशकों में चम्पारण के किसानों द्वारा झेली जा रही यातनाओं एवं मुसीबतों का जिसकी जड़ में था अँग्रेजी द्वारा नील की खेती करने के लिए किसानों को बाध्य किया जाना। इन किसानों को, जो लगभग दलित स्थिति में थे, इन मुसीबतों से छुटकारे का कोई रास्ता नजर नहीं आ रहा था। ऐसे में ही इसके प्रवक्ता बनकर राजकुमार शुक्ल गाँधीजी से मिलने 1916 ई. में लखनऊ पहुँचे जहाँ काँग्रेस का वार्षिक अधिवेशन हो रहा था। राजकुमार शुक्ल गाँधीजी द्वारा दक्षिण अफ्रीका में किये गये सत्याग्रह-संग्राम से अवगत थे, अतएव उन्हें उम्मीद थी कि किसानों को निलहे गोरों के अत्याचार, दमन से मुक्त कराने की लड़ाई वे ही लड़ सकते थे। लखनऊ में गाँधीजी से मिलकर उन्होंने सारी दुख-दर्द-कथा सुनायी और उनसे चम्पारण चलने का अनुरोध किया। 1917 के अप्रैल महीने में गाँधीजी राजकुमार शुक्ल के साथ कलकत्ता से पटना होते हुए चम्पारण पहुँचे। वहाँ पर उन्होंने किसानों के बयान सुने और फिर उनकी शिकायतों को दर्ज करते हुए अँग्रेज अधिकारियों से इस अन्यायमूलक कानून को बदलने की मुहिम चलायी जिसे 'चम्पारण का सत्याग्रह' नाम से जाना जाता है। इस चम्पारण-सत्याग्रह का न केलव गाँधीजी के सत्याग्रही अतिहास में, बल्कि आधुनिक भारत के राजनीतिक इतिहास में खास महत्त्व है। इस पर अनेक पुस्तकें लिखी जा चुकी हैं। इस सत्याग्रह संग्राम में उस समय बिहार के कई जाने-माने बैरिस्टर शामिल हुए, प्रो. जे. बी. कृपलानी शामिल हुए। इन बैरिस्टरों में ब्रजकिशोर प्रसाद, राजेन्द्र प्रसाद, अनुग्रह नारायण सिंह आदि प्रमुख थे, जो बाद में प्रान्तीय एवं राष्ट्रीय ख्याति के नेता बने। यहाँ पर इस सत्याग्रह का विस्तृत इतिहास प्रस्तुत करना मेरे विवेचन का अभीष्ट नहीं है। यहाँ सिर्फ उन बातों को उजागर करना है जिनके कारण चम्पारण का सत्याग्रह आधुनिक भारत के राजनीतिक इतिहास में एक मील का पत्थर बन गया।

उल्लेखनीय है कि गाँधीजी ने चम्पारण के जिला मुख्यालय मोतीहारी पहुँचने के बाद स्वयं गाँवों में जाकर स्थिति देखने के लिए भ्रमण करना शुरू किया, तो उन्हें जिलाधिकारी की तरफ से चौबीस घंटों के भीतर चम्पारण छोड़ने की नोटिस दे दिया गया, लेकिन उन्होंने पत्र लिखकर जिला मैजिस्ट्रेट को सूचित कर दिया कि वे जिस काम के लिए आये हैं उसे पूरा किये बगैर वे चम्पारण नहीं छोड़ सकते। जिला मैजिस्ट्रेट के आदेश का उल्लंघन करने के जुर्म में उन पर एक सम्मन जारी किया गया कि वे दूसरे दिन जिला मैजिस्ट्रेट की अदालत में उपस्थित हों। गाँधीजी का भारत में सविनय अवज्ञा का यह पहला प्रदर्शन था। उन्होंने अवज्ञा का अपराध स्वीकार करते हुए 18 अप्रैल 1917 को मोतीहारी के

जिला मैजिस्ट्रेट की अदालत में जो बयान दिया वह अभूतपूर्व था। सरकारी वकील का अनुमान था कि गाँधीजी अपने बचाव के पक्ष में दलीलें देंगे, लेकिन उन्होंने उसके तथा समस्त भारतीय वकीलों, अपने सहायकों के अनुमान के विपरीत अपना अपराध स्वीकार करते हुए निर्भीकतापूर्वक कहा—"अदालत की इजाजत से मैं एक संक्षिप्त बयान देना चाहता हूँ और उसके द्वारा यह स्पष्ट करना चाहता हूँ कि मैंने जाब्ता फौजदारी की 144 धारा के अन्तर्गत जारी किये गये हुक्म की जाहिरा उदूली करने का यह संगीन काम क्यों किया है? मेरी विनम्र सम्मति में सवाल मेरे और स्थानीय अधिकारियों के बीच मतभेद का है। मैं इस प्रान्त में मानव-जाति और राष्ट्र की सेवा करने के इरादे से प्रविष्ट हुआ हूँ, मुझे यहाँ आने और रैयत की सहायता करने का जो आग्रहपूर्ण आमन्त्रण भेजा गया था उसी को स्वीकार करके मैं यहाँ आया हूँ। मैं समस्या का अध्ययन किये बिना कोई सहायता नहीं कर सकता था। ...एक कानून पालन करनेवाले नागरिक की हैसियत से मुझे दी गयी आज्ञा का पालन करना मेरी पहली प्रवृत्ति होती। परन्तु ऐसा मैं उनके प्रति अपने कर्तव्य की हिंसा किये बिना नहीं कर सकता था जिनके लिए मैं यहाँ आया हूँ। यह वक्तव्य मैं इसलिए नहीं दे रहा हूँ कि मुझे दंड कम मिले, बल्कि यह जताने के लिए कि जो हुक्म मुझे दिया गया है उसे न मानने का कारण सरकार के प्रति आदर भाव में कमी नहीं, अपितु अपने जीवन के उच्चतर विधान, अन्तरात्मा के आदेश का पालन था।"[7]

मोतीहारी की अदालत में गाँधीजी ने जो वक्तव्य दिया वह तब तक के अदालती इतिहास में अनोखा था। उनकी इस निर्भीकता ने चम्पारण से लेकर पूरे देश में भयमुक्तता का संचार कर दिया। गाँधीजी के इस वक्तव्य का उस समय के परिवेश पर कैसा प्रभाव पड़ा, इसका जिक्र करते हुए कृपलानीजी, जो इस चम्पारण सत्याग्रह के एक प्रमुख सहयोगी रहे, लिखते हैं—"गाँधीजी ने अधिकारियों की पूर्व निश्चित धारणा को उलट दिया। उन पर जारी किया गया हुक्म, उसकी अवज्ञा, अदालत में उनकी उपस्थिति और उनके असाधारण वक्तव्य का न केवल चम्पारण में ही, बल्कि देश भर में प्रचार हुआ। आस-पास के अँचलों से हजारों की संख्या में किसान शहर में एकत्र होने लगे। इन्हें अब निलहों और पुलिस का भय नहीं रहा। ये अदालत का निर्णय जानना और इस अद्वितीय व्यक्ति के प्रति अपनी श्रद्धा प्रकट करना चाहते थे—ऐसे व्यक्ति के प्रति जो स्वेच्छा से और जानबूझ कर जेल जाने को तैयार था केवल इसलिए कि उनकी शिकायतें दूर हों और उनकी दशा में सुधार हो।"[8]

वस्तुत: गाँधीजी ने जो अवज्ञा की थी, वह नयी बात नहीं थी, नयी बात

यह थी कि जहाँ अब तक अवज्ञा करनेवाले जेल जाने से बचने के लिए अपने अपराधों को अस्वीकार करते आये थे, वहाँ गाँधीजी पहले ऐसे व्यक्ति के रूप में प्रकट हुए जिन्होंने अवज्ञा का अपराध स्वीकार करते अपने को दंड के लिए जेल जाने के लिए सहर्ष तत्पर दिखाया। उनकी इस निर्भीक स्वीकारोक्ति का ही परिणाम हुआ कि उनपर से मुकदमा वापस लेते हुए उन्हें अपने ढंग से किसानों की समस्याओं की जाँच करने की अनुमति प्रदान की गयी। मोतीहारी की जिला-अदालत के कठघरे में गाँधी के रूप में भारत के राजनीतिक मंच पर एक ऐसी शख्सियत का प्रादुर्भाव हुआ जिसकी तरफ पूरे गुलाम भारत की टकटकी लग गयी। कृपलानी जी ने इसके महत्त्व को इन शब्दों में व्यक्त किया है—"यहाँ यह बताना अप्रासंगिक न होगा कि जिस तरह से गाँधीजी ने कानून भंग किया, वक्तव्य दिया और बाद में उनके विरुद्ध मुकदमा वापस ले लिया गया उससे जनता में कितना उत्साह पैदा हुआ। इस तरह से भारतीय क्षितिज पर एक नर-नाहर का उदय देखने में आया जिसने ब्रिटिश साम्राज्य की विराट शक्ति की अवहेलना की और जो जेल जाने और वहाँ की यातनाएँ सहने को सहर्ष तैयार था। भारत के लिए यह एक अभूतपूर्व घटना थी। इससे पूर्व जब कभी कोई राष्ट्रीय नेता या कार्यकर्ता किसी राजनीतिक अपराध के लिए गिरफ्तार हुआ तो अपने बचाव के लिए वह एक वकील कर लेता था। हम लोगों को लोकमान्य तिलक के मुकदमों की बात मालूम है कि कैसे उन्होंने पैरवी की, परन्तु होना तो वही जो होना था यदि वे अपना बचाव नहीं भी करते।"[9]

वास्तव में देखा जाए तो गाँधीजी अभी तक गरमपन्थियों की तरह साम्राज्य विरोधी नहीं हुए थे, किन्तु चम्पारण में उन्होंने कानून की अवज्ञा करते हुए जिस तरह अपने को जेल जाने के लिए प्रस्तुत कर दिया, उसने उन्हें गरमपन्थियों से भी आगे का योद्धा सिद्ध कर दिया। गाँधीजी द्वारा कानून की अवज्ञा करने से चम्पारण की जनता को ऐसे लगा जैसे कि किसी ने बाबा आदम के जमाने से चले आ रहे उनके बँधन को काट दिया और वे आजाद हो गये हैं। चम्पारण के इस सत्याग्रह का जो उद्देश्य था, वह काफी जद्दोजहद के उपरान्त हासिल हुआ और इस प्रकार, जैसा कि गाँधीजी ने अपनी 'आत्मकथा' में लिखा है, "तिनकठिया का कानून, जो सौ साल से चला आ रहा था, टूटा और उसके साथ निलहों का राज्य अस्त हुआ। रैयत जो दबी हुई रहती थी, उसे अपनी शक्ति का कुछ ज्ञान हुआ और नील का दाग धोये नहीं धुलता-यह वहम दूर हो गया।"

हालाँकि जिस तरह दक्षिण अफ्रीका में गाँधीजी के सत्याग्रह-संग्राम का उद्देश्य ब्रिटिश शासन को अपदस्थ कर देना नहीं था, उसी तरह चम्पारण में भी

उनके सत्याग्रह का उद्देश्य किसानों पर होनेवाले अत्याचारों को रोकने तक ही सीमित था, न कि ब्रिटिश शासन को अपदस्थ करना था। फिर भी इस सत्याग्रह संग्राम ने देश की राजनीति में कई नयी प्रवृत्तियों की शुरुआत की। सबसे पहले तो यहीं से स्वराज्य के लिए या अँग्रेजों के अन्याय का विरोध करने के लिए स्वेच्छा से जेल जाने की परम्परा का आरम्भ हुआ जो गाँधीजी के नेतृत्व में चलने वाले स्वाधीनता-संग्राम का एक प्रमुख अस्त्र बना। दूसरी चीज कि गाँधीजी पहले व्यक्ति थे जिन्होंने प्रान्तीय सीमाओं का अतिक्रमण करते हुए यानी गुजरात के होते हुए बिहार में जाकर अँग्रेजों के अन्याय का सीधे-सीधे प्रतिरोध किया। उनके इस कार्य ने पूरे देश को एक नेतृत्व में संगठित होने को प्रेरित किया यानी दूसरे शब्दों में कह सकते हैं कि चम्पारण सत्याग्रह के गर्भ से ही एक राष्ट्रीय नेता, एक महात्मा, बापू एवं फिर राष्ट्रपिता के रूप में गाँधीजी का जन्म एवं विकास हुआ। समाजवादी क्रान्तियों के इतिहास लिखने वालों को भले ही चम्पारण के सत्याग्रह की सफलता मामूली लगे, किन्तु इस सत्य से इंकार नहीं किया जा सकता कि ''चम्पारण के सत्याग्रह की सफलता ने'', जैसा कि कृपलानीजी ने बताया है, ''सारे देश में यह बात स्पष्ट कर दी कि सत्याग्रह कितना शक्तिशाली अस्त्र है। भारतीय जनता का अति निस्सहाय और डरपोक वर्ग अपना भय झाड़ कर और मानव के रूप में अपने स्वाभिमान के प्रति जागरूक होकर चमत्कारिक ढंग से उठ खड़ा हुआ। हमने देखा है कि जब गाँधीजी अन्याय दूर करने के लिए संघर्ष करते थे तब परस्पर सहयोग और सहायता के द्वारा सामाजिक जीवन में सुधार के लिए भी प्रयास करते थे। चम्पारण में ही पहली बार वे 'महात्मा' कहलाये।''[10]

इस प्रकार हम देखते हैं कि चम्पारण के सत्याग्रह ने औपनिवेशिक भारत की राजनीति में संघर्ष के एक नये अध्याय का आरम्भ किया, किन्तु इसके बावजूद उस समय के सत्याग्रही गाँधी का जबर्दस्त अन्तर्विरोधी चरित्र इस बात में प्रकट होता है कि अभी तक वे ब्रिटिश साम्राज्य के विद्रोही नहीं, हितैषी ही थे। एक तरफ वे चम्पारण में जरूर निलहे अँग्रेजों के खिलाफ सत्याग्रह-संग्राम चला रहे थे, किन्तु दूसरी तरफ वे अँग्रेजों की सहृदयता एवं साम्राज्य की न्यायप्रियता के भी कायल थे। उनके इस अन्तर्विरोध से चम्पारण में उनके साथ काम करनेवाले कृपलानीजी जैसे बौद्धिक भी कितने परेशान हो उठते थे, उन्हीं के शब्दों में देखा जा सकता है—''गाँधीजी और मैं सूर्यास्त के पूर्व अपना भोजन समाप्त कर दूर तक टहलने निकल जाते थे। घूमने के साथ हम लोग राजनीतिक मामलों पर विवाद करते थे। ब्रिटिश साम्राज्य पर उनकी आस्था मेरी समझ में नहीं आती और न मैं यही समझ पाता कि किस तरह देश की स्वतन्त्रता अहिंसा से प्राप्त की जा सकती

है। मैं उनसे तर्क करता कि दक्षिण अफ्रीका में उनका अनुभव चाहे जो रहा हो, परन्तु भारत की स्वतन्त्रता अहिंसा से प्राप्त करना असम्भव होगा। मैंने कहा कि इंग्लैंड और दक्षिण अफ्रीका में उनका अँग्रजों से जो भी अनुभव हुआ हो, वे यहाँ दूसरा ही रूप देखेंगे। यहाँ वे भूमि और जनता के मालिक हैं। यहाँ उन्हें 'धोखेबाज अँग्रेज' कहा गया है। नेपोलियन ने सत्य ही उन्हें दुकानदारों का राष्ट्र कहा था। वे न्याय की अपेक्षा अपने मुनाफे के बारे में ज्यादा सोचते हैं। उनका साम्राज्य उतना शस्त्रास्त्रों की शक्ति पर नहीं बना है, जितना कि धूर्त कूटनीतिज्ञता और कपट पर। उस समय अँग्रेजों की सहृदयता पर से गाँधीजी का विश्वास डिगाना असम्भव था। अहिंसा पर से भी उनका विश्वास डिगाने का कोई प्रश्न ही नहीं था।''[11]

अँग्रेजों की सहृदयता एवं साम्राज्य की न्यायशीलता में अटूट आस्था का ही परिणाम था कि गाँधीजी चम्पारण के सत्याग्रह-संग्राम से छुटकारा पाते ही गुजरात पहुँचकर जवानों से फौज में भर्ती होने की गुहार करने लगे। उस समय प्रथम विश्वयुद्ध चल रहा था और उसमें ब्रिटिश साम्राज्य को सहयोग देना गाँधीजी ने अपना एवं देश का फर्ज समझा। जाहिर है यह सब वे देश के लिए अच्छे परिणाम की आशा में कर रहे थे, लेकिन युद्ध के समाप्त होते ही जिसमें इंग्लैंड विजयी हुआ था, साम्राज्य का रवैया भारतीयों के प्रति जिस तरह प्रतिकूल हुआ, उसे देखकर अब तक के राजभक्त गाँधी को जबर्दस्त सदमा लगा। साम्राज्य को सहयोग देने के एवज में कहाँ तो गाँधीजी देशवासियों के लिए संवैधनिक रियायतों की आशा कर रहे थे, लेकिन इसके बदले देशवासियों को 'रौलेट बिल' के रूप में उन पर तरह-तरह की कानूनी पाबन्दियाँ लगाने वाला कानून दिया गया। यह ऐसी चीज थी जिसने समस्त देशवासियों को हतप्रभ किया है, राजभक्त गाँधी का भी साम्राज्य की न्यायशीलता से मोह भंग हुआ। इस क्रम में कुछ और भी घटनाएँ घटीं जिसने गाँधीजी का पूरी तरह से ब्रिटिश शासन से मोहभंग कर दिया।

विदित है कि रौलेट बिल के विरोध में गाँधीजी अस्वस्थ होने के बावजूद संग्राम में उतर पड़े। पूरे देश में इस बिल के विरोध में आवाजें उठने लगीं। इस विरोध को दबाने के लिए ही ब्रिटिश हुकूमत ने 13 अप्रैल 1919 को अमृतसर के जालियाँवाला बाग में भीषण नरसंहार कराया जिसमें बच्चे, औरत, जवान समेत करीब साढ़े चार सौ लोग मारे गये। इस पाशविक कृत्य के विरोध में कवीन्द्र ने 'सर' की उपाधि का त्याग कर दिया, पूरा देश दहल गया था और जब गाँधी के पास साम्राज्य के पक्ष में बोलने के लिए कुछ नहीं रह गया; रह गया तो अब केवल उसका विरोध करने का विकल्प। इसी क्रम में एक और घटना ने गाँधीजी

को आहत किया और यह घटना थी ब्रिटिश सरकार द्वारा तुर्की के खलीफा के साथ वादाखिलाफी करते हुए नाइंसाफी करना। इन घटनाओं ने ब्रिटिश शासन की न्यायशीलता में गाँधीजी की आस्था की चूलें हिला कर रख दीं और वे इस निष्कर्ष पर पहुँचे कि यह ब्रिटिश शासन न्याय-धर्म से इस कदर स्खलित, पथभ्रष्ट हो चुका है कि अब इसे हटाकर स्वराज्य कायम करने में ही देशवासियों का भला है। इसी अहसास ने उन्हें ब्रिटिश शासन का खुलकर विरोध करने की प्रेरणा दी और अन्ततः राजभक्ति का चोला उतार कर गाँधीजी ने काँग्रेस की बागडोर हाथों में लेते हुए अगस्त 1920 से ब्रिटिश शासन के विरुद्ध असहयोग की राष्ट्रव्यापी मुहिम छेड़ दी।

प्रसंगवश उल्लेखनीय है कि गाँधीजी ने औपनिवेशिक शासन के खिलाफ जो मुहिम छेड़ी, उसकी उन्होंने पहले से तैयारी भी कर ली थी। जिस काँग्रेस के जरिये उन्हें यह लड़ाई लड़नी थी, सबसे पहले उन्होंने उसके स्वरूप में परिवर्तन किया। स्मरणीय है कि 1885 ई. में जिस भारतीय राष्ट्रीय काँग्रेस की स्थापना हुई थी, वह मुख्यतः देश के कुछेक पढ़े-लिखे बुद्धिजीवियों के आपस में सालाना विचार-विनिमय का एक मंच रहती आयी थी। ब्रिटिश शासन से इसके निबटने का तरीका अब तक मुख्यतः संवैधानिक एवं अनुरोध का था। काँग्रेस के इस तरीके से जो असहमत थे, उन्हें अन्ततः 1907 में इससे अलग होना पड़ा। शासन के विरुद्ध काँग्रेस के नेतृत्व में कोई आन्दोलन नहीं हुआ था। 1905 में हुआ बंग-भंग आन्दोलन कई राष्ट्रवादी शक्तियों के प्रयास का परिणाम था। अतएव गाँधीजी ने सबसे पहले काँग्रेस के मूलभूत ढाँचे में बदलाव किया। चवन्नी सदस्यता यानी चार आने देकर काँग्रेस का सदस्य बनने का नियम बनाकर गाँधीजी ने उसका दरवाजा सर्वसाधारण के लिए खोल दिया जिसके परिणामस्वरूप काँग्रेस जनव्यापी संगठन बन सकी-गाँव-गाँव तक इसकी पहुँच हो सकी। ऐसा करने के बाद ही गाँधीजी ने पूरे देश में औपनिवेशिक शासन के विरुद्ध असहयोग का आह्वान किया। ध्यान में रखने की बात यह है कि ब्रिटिश हुकूमत के खिलाफ असहयोग आन्दोलन पहला राष्ट्रव्यापी आन्दोलन था जिससे उत्तर से लेकर दक्षिण तक तथा पश्चिम से लेकर पूरब तक समस्त भारतवर्ष आन्दोलित हो उठा था और ऐसा करने का श्रेय एकमात्र गाँधीजी के नेतृत्व को था।

गौरतलब है कि अगस्त 1920 से मार्च 1922 तक चले असहयोग आन्दोलन के दौरान गाँधीजी ने राष्ट्रव्यापी दौरा करते हुए जनसभाओं में भाषणों द्वारा ब्रिटिश राज के दमनकारी-शोषणकारी चरित्र के विरुद्ध जागृति फैलाने एवं जनता को लामबन्द करने का काम किया। इस दौरान उन्होंने देश के विभिन्न भागों में जो

भाषण किये एवं 'यंग इंडिया', 'नवजीवन' जैसे पत्रों में जो लेख लिखे, उन सबका उद्देश्य देश के शिक्षित-निरक्षर, धनी-गरीब, जमींदार-किसान, पूँजीपति-मजदूर सबको स्वराज्य प्राप्ति के लिए एक साथ एक संगठन, एक नेतृत्व के अन्तर्गत संगठित करना था। इस दौरान उनके किये गये कुछ भाषणों की झलकियों को देखना अप्रासंगिक नहीं होगा।

प्रसंगवश उल्लेखनीय है कि जब गाँधीजी ने असहयोग आन्दोलन शुरू किया तब उस समय देश में ऐसे भी बुद्धिजीवी थे जो असहयोग की धारणा से सहमत नहीं थे। गाँधीजी ने असहयोग के औचित्य को सिद्ध करने के लिए जहाँ देशव्यापी दौरा किया, वहीं उन्होंने उसकी गौरवशाली परम्परा से उसके विरोधियों को अवगत कराने के लिए लेख भी लिखे। कुछ भारतीय बुद्धिजीवियों द्वारा असहयोग को भारतीय परम्परा एवं मानव-जाति के हित के प्रतिकूल बताये जाने पर गाँधीजी ने 4 अगस्त, 1920 के 'यंग इंडिया' में उसका समाधान करते हुए लिखा—"मैं कहूँगा कि 'भगवद्‌गीता' अँधकार और प्रकाश की शक्तियों के बीच असहयोग के सिद्धान्त का ही प्रतिपादन है।" तुलसीदास ने सन्तों को असन्तों से दूर रहने की सलाह दी है। 'जेन्देवेस्ता' में अहुरमज्द (प्रकाश और नेकी की शक्ति) और 'अहुरमन' (अँधकार और बुराई की शक्ति) के बीच सतत संघर्ष का चित्रण किया गया है। 'बाइबिल' के विषय में यह कहना कि उसमें असहयोग का निषेध किया गया है, ईसा मसीह के प्रति अपने अज्ञान का पचिय देना है। वास्तव में वे अनाक्रामक प्रतिरोधियों के सरताज थे। ...और इस्लाम के रसूल ने क्या किया? जब तक उनकी जान पर खतरा नहीं आ पड़ा, तब तक वे मक्का में बहुत ही सक्रिय ढंग से असहयोग करते रहे।"[12]

असहयोग के पक्ष में गाँधीजी लगातार लिखते रहे। उपरोक्त लेख के महज चार दिनों के बाद ही 8 अगस्त, 1920 को उन्होंने 'नवजीवन' में लिखा—"प्रह्लाद ने अपने राक्षसी पिता, मीराबाई ने अपने पति तथा नरसी मेहता ने अपनी जात-बिरादरी के साथ असहकार किया। इन तीनों की आज हम पूजा करते हैं। हिन्दू धर्म की तो यही शिक्षा है कि न्याय-अन्याय के बीच परस्पर मेल सर्वथा त्याज्य है। 'अवेस्ता' में अहुरमज्द तथा अहुरमन में सदैव द्वन्द्व युद्ध होता रहता है। 'बाइबिल' में खुदा और शैतान में संघर्ष होता है। ईसा मसीह तो सत्याग्रही शूरवीर थे। रोम के विशाल साम्राज्य का उन्होंने अकेले ही विरोध किया था। अब रहा 'कुरान शरीफ', लोग इसके सम्बन्ध में जिस तरह लिखते हैं, उससे जान पड़ता है कि वे पैगम्बर के जवीन से नितान्त अपरिचित हैं। पैगम्बर जब तक मक्का में रहे, तब तक वे अन्यायियों के साथ असहकार करते रहे। ...सहकार और

असहकार अनादि काल से चली आने वाली नीतियाँ है। हिन्द सरकार तथा ब्रिटिश सरकार दोनों ही इस समय लगातार अन्याय कर रही है। उनके साथ सहकार करना पाप है, असहकार धर्म है, कर्तव्य है।''[13] लेखन के साथ-साथ गाँधीजी का भाषण भी जगह-जगह पर असहयोग के पक्ष में होता रहा। 27 अक्टूबर, 1920 को डाकोर में दिये अपने भाषण में गाँधीजी ने असहयोग की महिमा बताते हुए कहा— ''असहयोग सोने जैसा शस्त्र है, दिव्य अस्त्र है। हिन्दुओं को वह श्रीकृष्ण से मिला है, मुसलमानों को मुहम्मद पैगम्बर ने दिया है, पारसियों को 'जेन्देवेस्ता' से मिला है। जहाँ तुम अन्याय देखो, किसी मनुष्य में अन्याय को मूर्तिमान देखो, तो उस मनुष्य का त्याग कर दो।''

गाँधीजी ब्रिटिश सरकार से असहयोग करने को समस्त देशवासियों का कर्तव्य, धर्म बताने लगे, तो इसलिए कि वह न्याय-धर्म से पथभ्रष्ट होकर 'लगातार अन्याय' करने लगी थी। उसके द्वारा किये जा रहे अन्यायों को जनता के सामने रखने में उन्होंने कोई संकोच भी नहीं किया। मसलन अहमदाबाद में। नवम्बर 1920 को उन्होंने अपने एक भाषण में यह कहा—''इस देश में जो राज्य चल रहा है, वह राक्षसी राज्य है, रावण राज्य है, उसमें शैतानियत भरी है। इसके हमारे पास दो उदाहरण हैं—पंजाब और (खलाफत) खिलाफत के मामले में दिये हुए वचन पाले नहीं गये, धोखा दिया गया। पंजाब में हत्याएँ की गयीं। जिसका स्वभाव राक्षसी हो, शैतानी हो, वही ऐसे काम कर सकता है। ऐसे राज्य को तुलसीदासजी ने राक्षसी राज्य कहा है, उसके साथ सहयोग नहीं किया जा सकता। ऐसी सरकार से हम सहायता लें या उसकी कृपा स्वीकार करें तो हम उसके किये हुए पाप और अन्याय में शरीक होते हैं। जब तक उसके पाप में हमारा हिस्सा रहेगा, तब तक जनता सुखी नहीं हो सकती।'' फिर असहयोग कैसे हो सकता है, इस पर प्रकाश डालते हुए उन्होंने उसी भाषण में यह कहा—''असहयोग कैसे हो सकता है? एक रास्ता तो यह है कि हम सब में आपस में सहयोग होना चाहिए। देश के तमाम लोगों में हिन्दू, मुसलमान, पारसी, ईसाई, सब में पूरी तरह सहयोग होना चाहिए। राक्षस दूसरों को आपस में लड़ाकर ही राज्य कर सकता है। हमारी सरकार ने यही किया है। उसने हिन्दू-मुसलमानों को लड़ाया। मद्रास प्रान्त में ब्राह्मण-अब्राह्मणों को लड़ाया। उससे हो सके तो यहाँ भी ऐसी लड़ाई कराए। इसलिए कहता हूँ कि जब तक हम एक दिल न हो जाएँ, तब तक असहयोग असम्भव है। एक दिल हम पाखंड से नहीं हो सकते। हम एक दूसरे के साथ न्याय करें, तभी एक दिल होना सम्भव है। इसके लिए हममें कुर्बानी करने की ताकत चाहिए, स्वार्थ-त्याग करने की शक्ति होनी चाहिए, हमें मरना आना चाहिए।''[14]

अँग्रेजी राज्य को राक्षसी-राज्य-रावण-राज्य सिद्ध करने का सिलसिला जारी रखते हुए गाँधीजी ने 4 नवम्बर 1920 को नासिक में दिये भाषण में कहा—"आजकल जो हुकूमत हम पर शासन कर रही है, वह केवल राक्षसी है। मैं उसे रावण-राज्य कहता हूँ। ... ऐसी राक्षसी हुकूमत में रहने वाली रैयत क्या करे? तुलसीदास ने कहा है कि जो असन्त हैं, जो बुरे हैं, उनकी असंगति की जाए—उनका संग छोड़ा जाए, यह एक यज्ञ है, उसमें जब हम अपना बलिदान देंगे तभी खुद शुद्ध होंगे और रावण राज्य को मिटाकर रामराज्य की स्थापना कर सकेंगे। यह रामराज्य ही स्वराज्य है। स्वराज्य स्थापित किये बिना हम इस राक्षसी राज्य से छुटकारा नहीं पा सकते।"[15]

ध्यातव्य है कि जो व्यक्ति 1918 तक अँग्रेजों की सहृदयता एवं न्यायप्रियता में आस्था रखने वाला था, उनका हितैषी था एवं सेना में रंगरूटों को भर्ती कराने का काम कर चुका था, वह साम्राज्य द्वारा किये जाने वाले अत्याचार, अन्याय से इस कदर क्षुब्ध हुआ कि 1920 तक आते-आते उसे वह राक्षसी राज्य, रावण राज्य कहने लगा। इसे हम गाँधीजी जैसे अहिंसक एवं शान्तिप्रिय व्यक्ति के सात्विक क्रोध की पराकाष्ठा ही मान सकते हैं। वैसे ब्रिटिश शासन के अन्याय-लूट आदि के सम्बन्ध में कई लोगों ने आँकड़े-तथ्य प्रस्तुत कर उसका पर्दाफाश जरूर किया था, लेकिन जनता के बीच इसका कोई खास प्रचार नहीं हो पाया था, इसलिए उसका कोई असर भी देखने में नहीं आया था। गाँधीजी के पास भी आँकड़ों एवं तथ्यों की कमी नहीं थी, लेकिन उन्होंने उन्हें प्रस्तुत करने के बजाय, जनता को ब्रिटिश राज की समस्त बुराइयों का अहसास कराने के लिए राक्षसी राज्य-रावण राज्य के रूपक का सहारा लिया। चूँकि पूरे भारतीय जनमानस में सदियों से अत्याचार-अन्याय के निकृष्टतम रूप के प्रतीक के रूप में रावण-राज्य का चित्र रचा-बसा है, अतएव उन्हें गाँधीजी का आशय समझने में कोई दिक्कत नहीं हुई और नतीजा हुआ कि पूरा देश उनके आह्वान पर ब्रिटिश राज के खिलाफ असहयोग करने को उतर पड़ा। असहयोग आन्दोलन के इस युगान्तरकारी प्रभाव की चर्चा करते हुए कृपलानी जी लिखते हैं—"इससे काँग्रेस और राष्ट्र के इतिहास में एक नया अध्याय खुल गया। अनुनय-विनय, निवेदन-प्रार्थना और विरोध के दिन खत्म हुए। अब जनता की आँखें बड़ी उत्सुकता से विदेशी सरकार के विरुद्ध की जानेवाली प्रत्यक्ष निर्भय संयुक्त कार्रवाई की ओर देख रही थी। गाँधीजी ने पहले ही स्पष्ट कर दिया था कि असहयोग आन्दोलन कौंसिलों, अदालतों और शिक्षा संस्थानों के बहिष्कार से प्रारम्भ होगा लेकिन उसका विकास होगा देश के असैनिक और सैनिक प्रशासन से असहयोग में और उसकी परिणति

होगी कर देने से इन्कार करने में। उन्होंने यह भी स्पष्ट कर दिया था उनके स्वराज्य का अर्थ केवल राजनीतिक स्वतन्त्रता नहीं है। बिना आर्थिक स्वतन्त्रता और सामाजिक न्याय के ऐसी आजादी बिल्कुल निरर्थक होगी। असहयोग कार्यक्रम के साथ-साथ रचनात्मक कार्य भी होना चाहिए जिसमें अन्य बातों के अलावा साम्प्रदायिक एकता, अछूतोद्धार, खादी, स्वदेशी, ग्रामोद्योग, ग्रामीण विकास, राष्ट्रीय शिक्षा, मद्य निषेध और ग्राम पंचायतों का संघटन शामिल होगा।''[16]

गाँधीजी ने असहयोग के लिए जो कार्यक्रम तय किये उसका देश के बहुसंख्यक लोगों ने पालन किया। छात्रों ने सरकारी स्कूलों-कॉलेजों का बहिष्कार कर दिया। कितनों ने सरकारी नौकरियों से इस्तीफा दे दिया। गौरतलब है हिन्दी के महान साहित्यकार प्रेमचन्द मार्च 1921 में गोरखपुर में गाँधीजी का भाषण सुनने के बाद इतने उद्वेलित हुए कि उन्होंने भी सरकारी नौकरी से इस्तीफा दे दिया। उस समय पूरे देश में अपनी वकालत के लिए प्रसिद्धि पाये हुए चितरंजन दास, मोतीलाल नेहरू, बल्लभभाई पटेल, एवं उनके बड़े भाई विट्ठलभाई पटेल, राजेन्द्र प्रसाद, जवाहरलाल नेहरू आदि कितने ही बैरिस्टरों ने वकालत छोड़ दी। सरकारी शिक्षण-संस्थानों के विकल्प स्वरूप विभिन्न शहरों में विद्यापीठों की स्थापना हुई। अक्टूबर 1920 में ही गुजरात विद्यापीठ की स्थापना हो गयी। पूरे देश में शहरों से लेकर गाँवों तक विदेशी कपड़ों, सामानों का बहिष्कार होने लगा, वातावरण में चरखे का संगीत सुनाई देने लगा। आर्थिक स्वावलम्बन की दृष्टि से सूत कातने एवं बुनने का काम धड़ल्ले से होने लगा। फिर भी देश में ऐसी सोच वाले थे जिनकी दृष्टि में असहयोग अनुचित था, साथ ही राष्ट्रीय संकीर्णता का परिचायक था। ऐसी सोचवालों के सिरमौर थे, विश्वकवि के रूप में विख्यात कवीन्द्र रवीन्द्रनाथ ठाकुर। स्वदेशी के उन्माद में पश्चिम की शिक्षा एवं अन्य बहुत सारी उपयोगी चीजों का बहिष्कार कवीन्द्र को नागवार गुजरा और उन्हें लगा कि इस तरह के सम्बन्ध विच्छेद से भारत का भावी विकास रुक जाएगा। अपनी इन्हीं चिन्ताओं को उन्होंने शब्दों के माध्यम से रखा जो 'सत्य की पुकार' (The Call of Truth) नाम से लेख के रूप में 'मॉडर्न रिव्यू' (The Modern Review) पत्रिका के अक्टूबर 1921 अंक में छपकर सामने आया जिसमें गाँधीजी को असहयोग के सवाल पर एक तरह से पुनर्विचार करने का सुझाव देते हुए उसे वापस ले लेने की अपेक्षा प्रकट की गयी थी।

निस्सन्देह पूरे विश्व में प्रथम एशियाई लेखक के रूप में नोबेल पुरस्कार प्राप्त करने के कारण चर्चित हो चुके रवीन्द्रनाथ ठाकुर की आपत्तियाँ गाधीजी के समक्ष कठिनाइयाँ पैदा करने वाली थी। लेकिन गजब का विश्वास था गाँधीजी

को भी अपने असहयोग के निर्णय पर और विश्वकवि की आपत्तियों से तनिक भी आतंकित हुए बगैर उन्होंने जो उत्तर दिया, वह उनके पूरे असहयोग आन्दोलन का एक दार्शनिक घोषणापत्र है। 'महान प्रहरी' (The great sentinel) नाम से गाँधीजी का लेख 13.10.1921 के 'यंग इंडिया' में छपा। वह लेख श्री ठाकुर की आपत्ति का तर्कसंगत ढंग से प्रत्याख्यान करता ही है, साथ ही गाँधीजी की उत्कृष्ट गद्य लेखन-कला का भी बेहतरीन नमूना पेश करता है। यहाँ पर उस लेख की कुछ बातों का उल्लेख करना कतई अप्रासंगिक नहीं होगा।

सबसे पहले तो असहयोग का समर्थन करनेवालों पर विवेकहीन होने का कवीन्द्र रवीन्द्र द्वारा लगाये आक्षेप का निराकरण करते हुए गाँधीजी ने उस लेख में लिखा—"अगर हम अपने विवेक को दूसरे के हवाले कर देते हैं तो इसमें कोई शक नहीं कि हमारी परवर्ती स्थिति पूर्ववर्ती स्थिति से भी बुरी होगी और यह देखकर मुझे बड़ा दुःख होगा कि देश ने बिना सोचे-विचारे, आँख मूँदकर मैंने जो-कुछ कहा या किया, उसका अनुसरण किया। मैं यह अच्छी तरह जानता हूँ कि प्रेम के आगे आँख मूँदकर आत्म-समर्पण कर देना अक्सर अत्याचारी के अत्याचार को लाचार होकर स्वीकार करने से भी अधिक अनिष्टकर सिद्ध होता है। जो अत्याचारी का गुलाम है, उसकी मुक्ति की आशा तो फिर भी है, किन्तु प्रेम के गुलाम के लिए कोई आशा नहीं है। ...किसी मन्त्र का महत्त्व जाने बिना उसका जप करना पुरुषोचित नहीं कहा जा सकता। इसलिए कविवर ने, जो लोग चरखे की पुकार पर बिना सोचे-समझे अँधे भाव से चल रहे हैं, उन सबसे विद्रोह करने को कह कर ठीक ही किया है। मैं कविवर को एक प्रहरी मानता हूँ, जो हमें हठधर्मी, बौद्धिक आलस्य, असहिष्णुता, अज्ञान, जड़ता और इसी तरह के अन्य शत्रुओं के आगमन के खिलाफ आगाह कर रहा है। ...लेकिन इसका मतलब यह नहीं कि मैं उनकी इस धारण को भी सही मानता हूँ कि देश में बड़े पैमाने पर लोग आँख मूँदकर किसी की बात पर चल रहे हैं। मैंने बार-बार लोगों से अपनी विवेक-बुद्धि से काम लेने को कहा है और मैं कविवर को भरोसा दिलाता हूँ कि आज अगर सौभाग्य से यह देश चरखे को खुशहाली का स्रोत मानने लगा है, तो उसने बहुत सोचने-विचारने और संकोच-विकोच के बाद ही ऐसा किया है। हाँ, यह मैं नहीं कह सकता कि भारत के शिक्षित लोग अब भी चरखे के सत्य को ग्रहण कर पाये हैं या नहीं। उन्हें सच्चाई की तह में पैठ कर स्वयं यह देखना चाहिए कि लोगों ने चरखे को अँध आस्था के कारण स्वीकार किया है या इस कारण कि उनकी बुद्धि को यह चीज आवश्यक जान पड़ी। मैं तो कवि से लेकर किंकर तक सभी से यज्ञ के रूप में चरखा चलाने को कहता हूँ।"

भारत को बेरोजगारी एवं भुखमरी से छुटकारा दिलाने में चरखे की कारगर भूमिका पर प्रकाश डालते हुए गाँधीजी ने आगे लिखा—"भूख ही वह कारण है जो भारत को चरखे की ओर लिये जा रहा है। चरखे की पुकार सबसे उदात्त, सबसे मीठी है, कारण यह प्रेम की पुकार है और प्रेम ही स्वराज्य है। अगर यह कहा जा सकता हो कि आवश्यक शारीरिक श्रम से बुद्धि मन्द पड़ जाती है तो ही यह कहा जा सकता है कि चरखा लोगों की 'बुद्धि को मन्द' कर देगा। हमें उन करोड़ों लोगों के बारे में सोचना है जो आज पशुओं से भी गयी-बीती स्थिति में हैं, लगभग मरणासन्न हैं। चरखा जल की वह घूँट है जो हमारे करोड़ों दम तोड़ते भाई-बहनों में पुनः प्राण का संचार कर देगा। कोई पूछ सकता है, "मुझे तो अपने भोजन के लिए काम करने की जरूरत नहीं है, इसलिए मैं क्यों चरखा चलाऊँ?" उत्तर है, इसलिए कि मैं जो खा रहा हूँ, वह सचमुच मेरा नहीं है। मैं अपने देशभाइयों को लूटकर खा रहा हूँ। ...अगर हमारे करोड़ों देशभाइयों को अपने बेकार समय का उपयोग करना नहीं आता, तो उनके लिए स्वराज्य का कोई मतलब नहीं है। इस स्वराज्य को थोड़े ही समय में प्राप्त करना सम्भव है और इसका एकमात्र उपाय है कि हम फिर से चरखे की शरण में जाएँ। ...लोगों से चरखा अपनाने के लिए कहने का मतलब है श्रम की गरिमा स्वीकार करने को कहना। मैं तो कहता हूँ कि चरखे को खोकर हमने अपना बायाँ फेफड़ा ही खो दिया। इसलिए हम आज (अपनी श्री-समृद्धि के) भयंकर क्षय से पीड़ित हैं। चरखे को फिर से अपनाने से भयंकर रोग की बढ़ती रुक जाएगी। चरखा एक ऐसी चीज है जिसकी शरण में कम-से-कम इस सक्रान्ति काल में तो भारत के सभी लोगों को जाना चाहिए और एक बहुत बड़ी संख्या को उसे सदा अपनाये रहना चाहिए।"

फिर विदेशी कपड़ों एवं सामानों के बहिष्कार के औचित्य पर प्रकाश डालते हुए गाँधीजी ने लिखा—"चरखे को उसके गौरवपूर्ण स्थान से विदेशी वस्त्रों के प्रति हमारे आकर्षण ने ही च्युत किया। इसलिए मैं विदेशी वस्त्र पहनना पाप मानता हूँ। ...जो अर्थव्यवस्था एक देश को दूसरे देश को लूटने की छूट देती है वह अनैतिक है। जिनके श्रम का शोषण होता है, ऐसे मजदूरों द्वारा बनाई गयी वस्तुओं को खरीदना या उनका उपयोग करना पाप है। अमेरीका का गेहूँ खाना और अपने पड़ोस के अन्न-विक्रेता को ग्राहकों के अभाव में भूखों मरने देना पाप है। इसी तरह जब मैं जानता हूँ कि अगर मैंने पड़ोस के सूत कातने वालों और बुनकरों द्वारा तैयार किया गया कपड़ पहना होता तो मैं अपना बदन भी ढँकता और उन्हें भी अपनी रोटी-कपड़ा कमाने की सुविधा कर देता, तब वैसी हालत में रीजेंट

स्ट्रीट के सुन्दर और नये फैशन के कपड़े खरीदना मेरे लिए पाप है। अपने इस पाप की प्रतीति होते ही मेरा यह कर्तव्य हो जाता है कि विदेशी वस्त्रों को आग में होम कर अपने आपको पवित्र बना लूँ और भविष्य में अपने पड़ोसियों द्वारा बुनी खुरदरी खादी से ही सन्तोष करूँ। ...मैं कविवर से निवेदन करना चाहता हूँ कि मैं उन्हें वही कपड़े जलाने को कहता हूँ जो उन्हीं के हों और सचमुच उन्हीं के हैं भी। अगर वे उन कपड़ों को गरीबों और अधनंगे लोगों के मानते तब तो उन्होंने उन्हें कब का उन गरीबों के सुपुर्द कर दिया होता। अपने विदेशी कपड़े को जलाकर मैं अपनी लज्जा के कारण को जलाता हूँ।''

असहयोग की विधारधारा के सम्बन्ध में कवीन्द्र ने यह भी आक्षेप किया था कि वह संकीर्ण राष्ट्रवाद से प्रेरित है और उसमें दूसरों के वर्जन की भावना है। इसका भी निराकरण करते हुए गाँधीजी ने लेख में कहा—''यह भी सही नहीं है कि असहयोग और स्वदेशी की योजना के पीछे दूसरों के वर्जन की भावना है। मैंने किसी ऊँचे मंच पर चढ़कर कभी यह घोषणा नहीं की कि असहयोग, अहिंसा और स्वदेशी का सन्देश अखिल विश्व के लिए है। इसका कारण मेरी विनयशीलता ही है। इसके सिवा, जिस भूमि पर यह सन्देश दिया गया है, उस भूमि पर अगर यह फलित नहीं होता है, तो निश्चित है कि यह सन्देश बेकार है। इस समय तो भारत के पास पतन, गरीबी और कष्ट के सिवा दुनिया को देने के लिए कुछ भी नहीं है। क्या हम दुनिया में उसके प्राचीन शास्त्रों का प्रचार करें? उनके तो संस्करण पर संस्करण प्रकाशित होकर पड़े हुए हैं, लेकिन यह दुनिया उनकी ओर ध्यान नहीं देती। कारण यह है कि हम, जो शास्त्रों के विरासतदार और रक्षक हैं, उनके अनुसार आचरण ही नहीं करते। इसलिए दुनिया को कुछ देने की सोचने से पहले मैं स्वयं कुछ प्राप्त कर लूँ, किसी लायक तो बन जाऊँ। हमारा असहयोग न अँग्रेजों के खिलाफ है, न पश्चिमी दुनिया के खिलाफ। हमारा असहयोग तो उस प्रणाली के खिलाफ है जो अँग्रेजों ने स्थापित की है, हमारा असहयोग इस भौतिकवादी सभ्यता और उसके साथ जुड़े लोभ-लालच तथा कमजोरों के शोषण की प्रवृत्ति के खिलाफ है। हमारे असहयोग का मतलब है, अँग्रेज शासकों के साथ उनकी ही शर्तों पर सहयोग करने से इंकार करना। हम उनसे कहते हैं—''आप आइए और हमारी शर्तों पर हमसे सहयोग कीजिए। यह हम सबके लिए कल्याणकारी होगा, आपके लिए कल्याणकारी होगा और दुनिया के लिए भी।'' हमें अपने पैर दृढ़ता से अपनी मिट्टी पर जमाये रखने चाहिए। जो खुद डूब रहा हो, वह दूसरों को क्या बचाएगा? भारतीय राष्ट्रवाद कोई वर्जनशील, आक्रामक या ध्वंसात्मक प्रवृत्ति नहीं है। यह स्वास्थ्यकर, धार्मिक और इसलिए

मानवतावादी है। भारत को मानवता के लिए मर-मिटने की सोचने से पहले स्वयं जीना सीखना चाहिए। जो चूहे असहाय अवस्था में किसी बिल्ली के दाँतों के बीच पड़े हुए हों, उनकी इस लाचारी के बलिदान का क्या मोल?"

उपर्युक्त वक्तव्यों के आलोक में स्पष्ट है कि आध्यात्मिकता एवं आदर्शवादी चिन्तन के लिए लगभग बदनाम से कर दिये गये गाँधीजी की मुख्य चिन्ता मनुष्य के भोजन-वस्त्र जैसी बुनियादी भौतिक आवश्यकताओं की थी। उनके असहयोग या स्वदेशी के आन्दोलन की प्राथमिकता देशवासियों के आध्यात्मिक उत्कर्ष की नहीं, अपितु भौतिक खुशहाली की थी। आहार की आवश्यकता पर प्रकाश डालते हुए उन्होंने अपने इस लेख का समापन किया—"कवि-सुलभ प्रवृत्ति के अनुसार ही कविवर कल के लिए, सुन्दर भविष्य के लिए जी रहे हैं, और वे चाहते हैं कि हम भी कल के लिए ही जिएँ। वे हमारी चमत्कृत आँखों के सामने एक सुन्दर चित्र प्रस्तुत करते हैं—"उषा काल में पंछी अपने बसेरों से निकलकर आकाश में ईश्वर का गुणगान करते हुए उड़े चले जा रहे हैं। वे भूल जाते हैं कि इन पंछियों को उस रात से पहले के दिन में पूरा आहार मिला था और जब ये प्रातः काल आकाश में उड़ चले तब इनके डैने काफी विश्राम पा चुके थे, और उनकी नसों में पिछली रात नये रक्त का संचार होता रहा था। लेकिन मैंने तो शोकविह्वल मन से ऐसे पंछी भी देखे हैं जो शक्ति के अभाव में लाख प्रोत्साहन और हिम्मत देने पर भी अपने डैने फड़फड़ा तक नहीं पाये। भारतीय आकाश के तले रहनेवाले मानव-पंछी को रात में नींद नहीं आती, वह सोने का बहाना करता है और प्रातः काल जब वह उठता है, तब वह पिछले दिन से भी ज्यादा कमजोर उठता है। यहाँ करोड़ों लोगों का जीवन सतत जागरण और चिन्ता का या सतत संज्ञाशून्यता का जीवन है। यह एक ऐसी दुःखद स्थिति है, जिसका वर्णन नहीं किया जा सकता, और उसका एहसास किसी को तभी हो सकता है जब कोई स्वयं उस स्थिति को भोग कर देखे। मैंने तो किसी रुग्ण व्यक्ति की पीड़ा को कबीर का कोई भजन सुनाकर दूर कर पाना असम्भव ही पाया है। करोड़ों भूखे लोग आज एक ही कविता की माँग कर रहे हैं—भूख मिटाने वाली भोजन-रूपी कविता की। लेकिन वह उन्हें कोई नहीं दे पा रहा है। उन्हें अपना भोजन स्वयं प्राप्त करना है, और वे प्राप्त कर सकते हैं सिर्फ भाल से पसीना बहाकर।"[17]

गाँधीजी के इस लेख में व्यक्त विचारों के आलोक में एकदम साफ है कि उनके असहयोग आन्दोलन का लक्ष्य देश के करोड़ों बेरोजगार, भूखे लोगों को रोजगार एवं भरपेट भोजन दिलाना था और इसके लिए उनकी दृष्टि में काम पर आधारित चरखा ही एकमात्र विकल्प था। इसलिए श्रम से परहेज करने एवं वितृष्णा

रखने वाले सामन्तों एवं अवकाशभोगी बुद्धिजीवियों पर उन्होंने करारा प्रहार अपने लेख में किया और उनसे भी विदेशी कपड़ों एवं सामानों का बहिष्कार करते हुए राष्ट्र निर्माण के लिए चरखे चलाने जैसे श्रम साध्य कर्म में प्रवृत्त हो जाने का आह्वान किया। विदेशी कपड़ों का बहिष्कार असहयोग के सारे कार्यक्रमों में सबसे अधिक सफल हुआ। इसने सरकार के राजस्व को सीधे-सीधे प्रभावित किया। प्रसिद्ध इतिहासकार डॉ. मृदुला मुखर्जी ने 'द नान-कोअपरेशन मूवमेन्ट' नामक लेख में बतलाया है कि "इस कार्यक्रम का सबसे सफल पक्ष था विदेशी कपड़ों का बहिष्कार। स्वयंसेवक घर-घर जाकर विदेशी कपड़ों को इकट्ठा करते और उन्हें एक जगह ढेर करके जला देते। इस आन्दोलन के दौरान गाँधी के राष्ट्रव्यापी दौरे में साथ रहनेवाले प्रभुदास गाँधी बताते हैं कि जिस स्टेशन पर ट्रेन रुकती थी, वहाँ गाँधी के दर्शनार्थ लोगों की भीड़ जुट जाती थी। कुछ मिनटों के ठहराव में गाँधी सबसे यही आग्रह करते थे कि वे कम-से-कम शिरोधार्य वस्त्रों का तो परित्याग कर दें। इसके परिणामस्वरूप आनन-फानन वहाँ टोपी, दुपट्टा और पगड़ियों का अम्बार लग जाता और जब ट्रेन स्टेशन छोड़ती तो उन्हें उस अम्बार से आग की लपटें उठती दिखाई देतीं। विदेशी कपड़े बेचने वाली दुकानों की पिकेटिंग बहिष्कार का एक प्रमुख रूप थी। 1921-22 के बीच विदेशी कपड़ों का आयात का मूल्य 102 करोड़ से घटकर 57 करोड़ तक आ गया। देश के विभिन्न भागों में जिस एक अन्य चीज को बड़ी लोकप्रियता मिली, वह थी शराब की दुकानों की पिकेटिंग। इससे सरकार के राजस्व में भारी कमी आयी और इसने सरकार को यह प्रचार करने के लिए बाध्य कर दिया कि अच्छी शराब स्वास्थ्य के लिए अच्छी चीज है। बिहार और उड़ीसा की सरकार ने तो वैसे महान इतिहास-पुरुषों के नामों की, जो शराब पीने के शौकीन रहे थे, एक सूची ही जारी कर दी जिसमें मोसेज, अलेक्जेंडर, जुलियस सीजर, नेपोलियन, शेक्सपियर, ग्लैडस्टोन, टेनीसन और बिस्मार्क के नाम शामिल थे।"[18]

असहयोग का प्रचंड रूप और तब हुआ जब 16 नवम्बर 1921 को प्रिंस ऑफ वेल्स का भारत-आगमन हुआ। जिस दिन प्रिंस मुम्बई पहुँचे, उस दिन पूरे देश में हड़ताल मनाई गयी। उस दिन गाँधीजी ने एलिफिन्सटन मिल के अहाते में एक बहुत बड़े जमावड़े को सम्बोधित किया और वहाँ पर प्रचुर मात्रा में एकत्र किये गये विदेशी कपड़ों की होली जलायी। कुछ राजभक्तों ने जरूर व्यवधान उपस्थित किये, किन्तु इससे जनता के विरोध पर कोई फर्क नहीं आया। प्रिंस जहाँ भी गये वहाँ की गलियाँ सूनी और दुकानें बन्द पड़ी थीं। सरकार ने इसका बदला लिया और देशबन्धु चितरंजन दास, लाला लाजपत राय और पं. मोतीलाल नेहरू

जैसे बड़े नेताओं को गिरफ्तार कर लिया।

इस प्रकार हम देखते हैं कि असहयोग आन्दोलन पूरे देश में पढ़े-लिखे तबके से लेकर आम जनता को शासन के विरोध में सड़कों पर उतारने में सफल रहा तो इसका बहुत बड़ा कारण था गाँधीजी द्वारा उन्हें यह भरोसा दिलाना कि शोषण-लूट पर टिकी व्यवस्था को अपदस्थ करके, पशुओं से भी गयी-बीती जिन्दगी जीनेवाले देशवासियों के उद्धार के लिए स्वराज्य की स्थापना होगी, लेकिन जैसा कि सर्वाविदित है कि लक्ष्य को प्राप्त किये बगैर ही गाँधीजी को मार्च 1922 में इस आन्दोलन को स्थगित करने के लिए विवश होना पड़ा, कारण कि चौरी-चौरा में उग्र भीड़ द्वारा पुलिसकर्मियों को जिन्दा जला देने की हिंसक घटना ने इस आन्दोलन को अहिंसक नहीं रहने दिया जो गाँधीजी के लिए बहुत बड़ा सदमा था। तूफान के गुजर जाने के बाद जिस तरह की नीरवता-खामोशी वातावरण में पसर जाती है, ठीक वैसे ही असहयोग आन्दोलन के स्थगित किये जाने के बाद हुआ। गाँधीजी को राजद्रोह के अपराध में गिरफ्तार कर छह वर्षों के लिए कारावास में डाल दिया गया, हालाँकि स्वास्थ्य सम्बन्धी कारणों से दो वर्षों के बाद उनकी कारावास की सजा समाप्त कर दी गयी।

किन्तु ध्यान रहे गाँधीजी ने भले ही हिंसक वारदात के कारण इस आन्दोलन को स्थगित कर दिया, किन्तु सरकार से असहयोग करने की नीति का उन्होंने कभी परित्याग नहीं किया। जब उन पर 18 मार्च को अहमदाबाद के शाही बाग के सर्किट हाउस में मुकदमा चलाया गया, तो अपने ऊपर लगाये गये आरोपों को स्वीकार करते हुए दो टूक शब्दों में कहा—"...मेरी इच्छा इस न्यायालय से इस तथ्य को छिपाने की कतई नहीं है, मौजूदा शासन-व्यवस्था के प्रति अप्रीति की भावना का प्रचार करने की मुझे एक धुन-सी हो गयी है। मुझे मालूम था कि मैं आग से खेल रहा हूँ। फिर भी मैंने खतरा मोल लिया और यदि मुझे छोड़ दिया गया तो फिर वही करूँगा। ...इसलिए मैं यहाँ हल्की ही नहीं, बल्कि बड़ी-से-बड़ी सजा स्वीकार करने के लिए तैयार हूँ। मैं दया की भीख भी नहीं माँगता। जुल्म को हल्का करने वाली किसी कार्रवाई को अपने बचाव के लिए पेश नहीं कर रहा हूँ। अत: कानून की दृष्टि से जो एक सोच-समझ कर किया गया अपराध है, किन्तु जो मुझे एक नागरिक का सर्वोच्च कर्तव्य लगता है, उसके लिए मुझे जो बड़ी-से-बड़ी सजा दी जा सकती है, मैं वही देने को कहता हूँ और उसे खुशी से स्वीकार करूँगा। आपके लिए न्यायाधीश के रूप में एक ही रास्ता है—या तो अपने पद से इस्तीफा दे दें और इसी तरह अपने को इस बुराई से अलग कर लें या फिर आप भारी-से-भारी दंड मुझे दें यदि आप समझते हैं कि जिस

व्यवस्था और कानून के अमल में आप सहायता कर रहे हैं, वे इस देश की जनता के लिए लाभप्रद हैं और इस कारण मेरी गतिविधि सार्वजनिक हित के विरुद्ध है।" न्यायाधीश ने दूसरा विकल्प ही अपनाया और गाँधीजी को छह साल का कारावास दंड देते हुए यह टिप्पणी जोड़ दी—"इस बात की अवहेलना करना असम्भव है कि अपने करोड़ों देशवासियों की दृष्टि में आप एक महान देशभक्त और एक महान नेता हैं। जो राजनीति में आपसे भिन्न मत रखते हैं, वे आपको एक ऊँचे आदर्शों का व्यक्ति और आपका जीवन संत सदृश्य समझते हैं, किन्तु मुझे तो आपके साथ अपराधी के रूप में ही व्यवहार करना है। दंड का निर्णय करने में मैं एक ऐसे उदाहरण का अनुसरण करना चाहता हूँ जो बहुत सी बातों में इसी मुकदमा की तरह था और जिसका फैसला आज से कोई बारह वर्ष पहले किया गया। मेरा अभिप्राय बाल गंगाधर तिलक के विरुद्ध इसी धारा के अधीन चलाये गये मुकदमे से है। उन्हें जो दंड दिया गया वह छह साल का साधारण कारावास था। मैं समझता हूँ कि यदि आपको तिलक की श्रेणी में रखते हुए सब मिलाकर आपको छह साल कारावास का दंड दिया जाए, तो आप इसे अनुचित नहीं समझेंगे। ऐसा करना मेरा कर्तव्य है। ऐसा करते समय भी मैं यह कहना चाहता हूँ कि यदि भारत में ऐसी स्थिति हुई कि आपकी सजा में कमी कर दी गयी और आप रिहा कर दिये गये तो इससे मुझसे अधिक खुशी किसी को न होगी।"[19]

ब्रिटिश भारत के अदालती इतिहास में यह फैसला भी अद्भुत था जिसमें न्यायाधीश ने अभियुक्त के प्रति अपनी सारी सदाशयता उंडेल दी थी। इस फैसले पर टिप्पणी करते हुए गाँधीजी ने कहा—"चूँकि आपने स्वर्गीय लोकमान्य बालगंगाधर तिलक के मुकदमे की याद दिला कर मुझे गौरव प्रदान किया है, इसलिए मैं यह कहना चाहता हूँ कि उनके नाम के साथ संयुक्त होना मेरी दृष्टि में बहुत ही सौभाग्य और सम्मान की बात है। जहाँ तक सजा का सवाल है, निश्चय ही मेरी दृष्टि में हल्की से हल्की सजा है ओर मुकदमे की पूरी कार्यवाही के सम्बन्ध में मैं यह कहे बिना नहीं रह सकता कि इससे अधिक सौजन्य की आशा नहीं की जा सकती।" इसके बाद के घटनाक्रम में गाँधीजी दो वर्षों के बाद ही रिहा कर दिये गये और वे फिर देश में स्वराज्य-जागरण की मुहिम में पिल पड़े। ब्रिटिश सरकार को शैतानी कहने की बात से वे पीछे नहीं हटे। दिसम्बर 1924 को लाहौर में 'पंजाबी कौमी विद्यापीठ' के दीक्षान्त समारोह में भाषण करते हुए गाँधीजी ने कहा—"इस समय मैंने राष्ट्रीय कार्यक्रम के रूप में असहयोग को स्थगित करने की जो सलाह दी है, उसका कारण यह नहीं है कि मैं शिक्षा की इस दूषित

पद्धति को बरकरार रखना चाहता हूँ। महाकवि तुलसीदास ने मुझे सीख दी है कि धर्म और अधर्म के बीच किसी भी तरह का सौहार्द, स्नेह या एका नहीं हो सकता। इसलिए जब तक मेरा विश्वास है कि यह सरकार शैतानी सरकार है और यह कमजोर जातियों के अहंकारपूर्ण शोषण पर खड़ी है, तब तब इससे असहयोग करना मेरा कर्तव्य है और मैं इस मार्ग पर दृढ़ रहूँगा, चाहे मुझे इस पर अकेले ही चलना पड़े।''[20]

वास्तव में 1924 में असहयोग के मार्ग पर 'अकेले ही चलने' का गाँधीजी द्वारा ऐलान करने का बहुत बड़ा कारण यह था कि उनके बहुत सारे काँग्रेसी सहयोगी इसे नापसन्द करने लगे थे और इस नीति में परिवर्तन करते हुए वे कौंसिलों में जाकर सरकार का विरोध करना चाहते थे। इन्हें ही 'प्रो चेन्जर' यानी 'परिवर्तन पक्षी' रूप में जाना जाता है जिनमें चितरंजनदास, मोतीलाल नेहरू आदि प्रमुख थे। इसके अतिरिक्त देश के युवा वर्ग में भी गाँधीजी द्वारा असहयोग को अचानक स्थगित किये जाने से काफी असन्तोष था। उस समय गाँधीजी की काफी आलोचना हुई इसके लिए और आज भी कतिपय इतिहास लेखक गाँधीजी को इस बात के लिए दोषी ठहराते हैं कि उन्होंने असहयोग को स्थगित कर देश में ब्रिटिश राज को 'एक्सेंटशन' दे दिया। इन सारी आपत्तियों के बावजूद भारत के स्वाधीनता संग्राम में असहयोग का एक युग परिवर्तनकारी घटना के रूप में महत्त्व कम नहीं हो जाता।

पहली उल्लेखनीय बात तो यह है कि असहयोग आन्दोलन न केवल गाँधीजी के 1920 तक के राजनीतिक जीवन का, बल्कि पूरे भारतवर्ष के राजनीतिक इतिहास में बड़ा राजनीतिक आन्दोलन था जिसके जरिये गाँधीजी ने देश के उत्तर से दक्षिण तक, पश्चिम से पूर्व तक के शहरों से लेकर गाँवों तक लोगों में स्वराज्य की आकांक्षा पैदा कर दी। यह सही है कि 1924 से गाँधीजी ने सरकार विरोधी आन्दोलन चलाने के बजाय अछूतोद्धार, स्त्री-उद्धार, देशी शिक्षा एवं राष्ट्रभाषा का प्रचार, खादी एवं ग्रामोद्योग का प्रचार जैसे रचनात्मक कार्यक्रमों में अपने को लगा दिया, लेकिन यह तो मानना ही पड़ेगा कि असहयोग आन्दोलन ने, विफलता के बावजूद पूरे देश में सरकार के विरोध का एक ऐसा भयमुक्त एवं तेजस्वी वातावरण पैदा किया जिससे कई साम्राज्य विरोधी संगठनों के निर्माण का सिलसिला शुरू हो गया और ये सभी संगठन स्थानीय या प्रान्तीय चिन्ता से मुक्त, राष्ट्रीय परिप्रेक्ष्य से सम्पन्न थे। उदाहरण के लिए, सशस्त्र संघर्ष में विश्वास करनेवाले रामप्रसाद बिस्मल, योगेश चटर्जी, शचीन्द्रनाथ सान्याल जैसे क्रान्तिकारी द्वारा अक्टूबर 1924 में कानपुर में इकट्ठे होकर 'हिन्दुस्तान रिपब्लिकन एसोसियेशन' (या आर्मी) की

स्थापना करने का उद्देश्य औपनिवेशिक शासन को सशस्त्र क्रान्ति द्वारा अपदस्थ करना और संयुक्त राज्य अमेरिका की तरह संघीय गणतन्त्र स्थापित करना था। इसी संगठन से जुड़े क्रान्तिकारियों ने 9 अगस्त 1925 को काकोरी नामक जगह पर ट्रेन से सरकारी खजाने की लूट को अंजाम दिया था। इस कांड में ही रामप्रसाद बिस्मिल, अशफाक उल्ला खाँ, रोशन सिंह और राजेन्द्र लाहिड़ी जैसे क्रान्तिकारी युवकों को फाँसी की सजा दी गयी। यह इस संगठन के लिए बहुत बड़ा सदमा था। लेकिन विजय कुमार सिन्हा, शिव वर्मा और जयदेव कपूर (उत्तर प्रदेश के) भगत सिंह, भगवती चरण बोहरा और सुखदेव (पंजाब के) ने चन्द्रशेखर आजाद के नेतृत्व में इस संगठन को पुनः सशक्त बनाने के लिए 9 और 10 सितम्बर 1928 में दिल्ली के फिरोजशाह कोटला मैदान में बैठक कर सामूहिक नेतृत्व का सिद्धान्त स्वीकार करते हुए समाजवादी विचारों के प्रभावान्तर्गत संगठन का नाम बदल कर उसे 'हिन्दुस्तान सोशलिस्ट रिपब्लिकन एसोसियेशन' (आर्मी) कर नये रूप में स्थापित किया। ध्यान रहे, मार्क्सवादी सिद्धान्तों से प्रेरित 'भारतीय कम्युनिस्ट पार्टी' की स्थापना भी 1925 में ही हुई। और समाजवादी इरादों से लैस काँग्रेस समाजवादी पार्टी की स्थापना इसी श्रृंखला की अगली कड़ी के रूप में 1934 में हुई। निस्सन्देह ऐसे साम्राज्यवाद विरोधी संगठनों का निर्माण उस परिवेश के कारण सम्भव हो सका जो असहयोग आन्दोलन के कारण पैदा हुआ था। किन्तु विडम्बना यह कि इन संगठनों और इनकी क्रान्तिकारी गतिविधियों का इतिहास लिखने वाले गाँधी और उनके असहयोग आन्दोलन को खलनायक के रूप में ही प्रस्तुत करते हैं।

असहयोग आन्दोलन की दूसरी उपलब्धि इस रूप में, मेरी समझ में, देखी जा सकती है कि गाँधीजी ने भारतीय राजनीति में धर्मनिरपेक्षता को 'सर्व धर्म समभाव' के अर्थ में प्रतिष्ठित किया जैसा कि हमने देखा कि असहयोग आन्दोलन को उचित सिद्ध करने के लिए गाँधीजी ने 'गीता', 'रामायण', 'जेन्देवेस्ता', 'बाइबिल', 'कुरान' जैसे विभिन्न धर्मग्रंथों और कृष्ण, ईसा मसीह, पैगम्बर मुहम्मद साहब जैसे धर्म प्रतिपादकों के विचारों को सभी धर्मावलम्बियों के सामने रखते हुए उन्हें असहयोग जैसे एक धागे में संगठित करने का काम किया। यह प्रकारान्तर से गाँधीजी द्वारा भारतीय राजनीति में यहाँ पर विद्यमान सभी धर्मों एवं धर्मावलम्बियों में एक दूसरे के प्रति आदर रखने, एक दूसरे को अपने जैसा समझने का दृष्टिकोण विकसित करने का प्रयास था। उनका यह कार्य वैसा ही था जैसा ईसा मसीह का यह कहना था कि 'अपने पड़ोसी को अपनी ही तरह प्यार करो।' वस्तुतः गाँधीजी के इन कार्यों ने ही भारतीय राजनीति में धर्मनिरपेक्षता को 'सर्व धर्म

समभाव' के अर्थ में समाहित किया जो तब से लेकर अब तक भारत के राजनीतिक एवं सामाजिक जीवन का अंग बना हुआ है। यह जरूर है कि इसके बावजूद धर्म के आधार पर देश का विभाजन हुआ और आजादी के बाद भी राजनीतिक फायदे के लिए जब-तब साम्प्रदायिक विद्वेष फैला दिया जाता है, लेकिन उससे भी बड़ा सच यह है कि धर्मनिरपेक्षता 'सर्वधर्म समभाव' के अर्थ में हमारी लोकतान्त्रिक व्यवस्था का अभिन्न अंग बन चुकी है जिसका श्रेय निस्सन्देह गाँधीजी को देना पड़ेगा।

भारतीय राजनीति में असहयोग आन्दोलन का महत्त्व एक और उपलब्धि को लेकर भी है और यह है कि जनजातीय क्षेत्रों में बरसों से पृथक-पृथक रूप से चले आ रहे आन्दोलनों को भी मुख्य राष्ट्रीय धारा से जोड़ने में यह काफी कामयाब रहा जिसका बहुत बड़ा कारण था गाँधी जी के व्यक्तित्व का प्रभाव। कुमार सुरेश सिंह ने अपनी पुस्तक 'ट्राइबल सोसाइटी इन इंडिया' में काफी विस्तार से विभिन्न जनजातीय सम्प्रदायों द्वारा चलाये गये आन्दोलन का विश्लेषण करते हुए बतलाया है कि बहुत सारे जनजातीय सम्प्रदाय और उनके नेता गाँधीजी से प्रभावित होकर काँग्रेस से जुड़ गये। श्री सिंह ने तथ्यों के हवाले से बताया है कि 'महात्मा गाँधी और उनके आन्दोलन के प्रति अनुकूल रुख प्रकट करनेवाले जनजातीय सम्प्रदायों में मुख्य थे संताल, ओरांव, भिल और गोंड। अनुकूल रुख प्रकट करनेवालों का बहुत बड़ा हिस्सा वैष्णव मत में सुग्रहित हो चुका था। इस सम्प्रदाय के नेता भक्ति-परम्परा से काफी ओत-प्रेत थे। इसलिए वे उस बोली को समझने में समर्थ थे जिसमें गाँधी अपना सन्देश व्यक्त कर रहे थे। ओरांवों के बीच भिल भगत, ताना भगत, और संतालों के बीच सफा होर, होस के बीच हरिबाबा आन्दोलन, और गोंड के बीच राजमोहिनी के आन्दोलन आदि ने गाँधी के नेतृत्व में चलने वाले स्वाधीनता आन्दोलन में जनजातीय राज एवं कृषक समुदाय के अधिकारों के समुत्थान का अवसर देखा। इन भगत सम्प्रदायों के अधिकांश ने स्वाधीनता आन्दोलन को पहले रखा। गाँधी के रचनात्मक कार्यक्रम में उन्हें जीवन का एक ताजा स्फुरण प्राप्त हुआ। बहुत सारे भगत भारतीय राष्ट्रीय काँग्रेस के निष्ठावान अनुयायी बन गये और सर्वाधिक प्रतिकूल परिस्थितियों में इसके साथ जुड़े रहे। पिछड़े इलाकों में जनजातियों के बीच वे स्वाधीनता आन्दोलन के ध्वजारोही बन गये। दिलचस्प बात तो यह हुई कि होस और भीलों के बीच आन्दोलन के नेता अपने को 'गाँधी का चेला' कहने लगे। ...ओरांव प्रदेश के हृदयस्थल में ताना भगत आन्दोलन 1921 में असहयोग आन्दोलन में विलीन हो गया। काँग्रेस ने उन्हें अहसास कराया कि देश के असली राजा वे ही थे जो कुली

बना दिये गये हैं। अगर वे शराब पीना और विदेशी कपड़ों का इस्तेमाल करना छोड़ दें, तो वे फिर राजा बन सकते हैं। उनके लिए, गाँधी एक देवता थे जो एक अँग्रेजों को बन्दूक और सिपाहियों की मदद के बिना ही खदेड़ बाहर करेंगे और एक धर्मराज्य की स्थापना करेंगे। इस अहसास के फलस्वरूप ताना आन्दोलन मुख्य राष्ट्रीयधारा और काँग्रेस की विचारधारा में सम्मिलित हो गया।''[21] इस कथन के आलोक में स्पष्ट है कि गाँधीजी के असहयोग आन्दोलन से 'जल जंगल जमीन' से वास्ता रखने वाले जनजातीय समूह भी अछूते नहीं रहे और उनके अन्दर भी राष्ट्रीय मुक्ति के अभियान के साथ एकाकार होने की चेतना का आविर्भाव हुआ। निस्सन्देह गाँधीजी के असहयोग आन्दोलन की राष्ट्रीय एकता-अखंडता की दृष्टि से यह एक महत्त्वपूर्ण उपलब्धि थी।

गाँधीजी के स्वराज्य-जागरण अभियान के विवेचन को आगे बढ़ाने से पूर्व यहाँ उन पर लगाए जानेवाले इस आरोप पर भी विचार कर लेना प्रसंगानुकूल है कि उन्होंने 'रामराज्य' जैसे शब्द का प्रयोग कर स्वाधीनता-आन्दोलन में हिन्दूवादी उभार को प्रश्रय दिया। वस्तुतः ऐसा आरोप भारतीय संस्कृति एवं यहाँ के लोक मानस को अच्छी तरह न समझ पाने के कारण ही लगाया जाता है। हमने देखा कि असहयोग-आन्दोलन के दौरान गाँधीजी ने अपने लेखों एवं भाषाणों में ब्रिटिश शासन के आततायी रूप से जनता को अवगत कराने के लिए 'रावण-राज्य' के रूपक का सहारा लिया और उसी क्रम में उसकी तार्किक परिणति के रूप में उन्होंने ब्रिटिश शासन रूपी रावण-राज्य की जगह विकल्प के तौर पर 'राम राज्य' के रूपक का सहारा लिया। ध्यातव्य है कि सदियों से भारतीय जन मानस में रावण-राज्य बुराई एवं राम राज्य अच्छाई के प्रतीक रूप में रचे-बसे हैं। आम जनता आँकड़ों और तथ्यों का अम्बार खड़ा कर देने से ब्रिटिश शासन के दमनकारी रूप को उतना नहीं समझ पाती जितना केवल एक शब्द 'रावण राज्य' से समझ लेती। उसी तरह स्वराज्य का आशय भी उसके सामने उनकी लम्बी-विस्तृत व्याख्या से उतना स्पष्ट नहीं हो पाता जितना एक शब्द ''राम राज्य' से। वैसे वह यह सर्वविदित है कि गाँधीजी रस्किन की पुस्तक 'अनटु द लास्ट' पढ़कर काफी प्रभावित थे और उसके सर्वोदय जैसे सिद्धान्त को आत्मसात कर चुके थे; लेकिन भारतीय सन्दर्भ में उन्होंनें 'राम राज्य' जैसे शब्द का चयन किया तो इसलिए कि उन्हें अच्छी तरह मालूम था भारतीय जनता रस्किन की पुस्तक से नहीं, अपितु तुलसीदास वर्णित 'राम राज्य' से परिचित है, अतएव वह सहज रूप से 'राम राज्य' शब्द के सहारे स्वराज्य का मतलब समझ लेगी कि ऐसा राज्य जिसकी विशेषता की एक चौपाई सबकी जबान पर रहती है—''दैहिक दैविक भौतिक तापा, राम राज्य काहू नहिं

व्यापा।''

सचमुच उस समय स्वराज्य का तात्पर्य बड़े-बड़े बौद्धिक नेताओं की समझ में भी नहीं आ रहा था। पं. जवाहरलाल नेहरू की 'आत्मकथा' और पट्टाभि-सीतारमैया की 'भारतीय राष्ट्रीय काँग्रेस का इतिहास' जैसी पुस्तकों में देखा जा सकता है। सारे लोग उस समय स्वराज्य के अर्थ को लेकर परेशान थे। किन्तु गाँधीजी ने स्वराज्य की कोई लम्बी-चौड़ी परिभाषा न गढ़कर उसका आशय 'राम राज्य' से जोड़ दिया और वे अवाम को लगातार यही समझाते रहे कि उनके आन्दोलन का लक्ष्य 'रावण राज्य' को मिटाकर 'राम राज्य' की स्थापना करना है और वह ऐतिहासिक सत्य है कि उनके द्वारा इन शब्दों के प्रयोग ने जनता में वह उत्साह पैदा किया जिससे व्यापक पैमाने पर स्वराज्य की लड़ाई में उसकी सहभागिता सम्भव हो पायी। कहने में अत्युक्ति नहीं कि ऐसा राष्ट्रव्यापी साम्राज्यवाद विरोधी उत्साह न तो सशस्त्र क्रान्ति के नारों ने, न ही मार्क्सवाद या वैज्ञानिक समाजवाद के सिद्धान्तों ने पैदा करने में कभी सफलता पायी। जाहिर है कि गाँधीजी ने इस शब्दों का प्रयोग हिन्दूवाद को प्रतिष्ठित करने के ध्येय से कदापि नहीं किया। उन्होंने तो लोकमानस को पहचानते हुए ऐसा किया और ध्यान रहे, लोक मानस में 'राम राज्य' जैसी परिकल्पना का रचा-बसा होना 'हिन्दूवादी' होने का नहीं, अपितु अपने सांस्कृतिक रिक्थ को संजो कर रखने का प्रमाण है और इस सांस्कृतिक रिक्थ का ही गाँधी जी ने इस्तेमाल किया। स्पष्टत: ऐसे सांस्कृतिक रिक्थ को भी साम्प्रदायिक नजरिये से देखने को संस्कृति और धर्मनिरपेक्षता का गला घोंटना ही कहा जा सकता है। इस चर्चा को यहीं विराम देते हुए अब हम असहयोग आन्दोलन के परवर्ती चरण के स्वराज्य-जागरण-अभियान पर दृष्टिपात करेंगे।

जैसा कि हमने देखा कि मार्च 1922 में असहयोग-आन्दोलन को स्थगित करने के बाद गाँधीजी को गिरफ्तार कर लिया गया और उन्हें दो वर्षों के बाद रिहा कर दिया गया। रिहाई के बाद गाँधीजी ने तुरन्त कोई सरकार विरोधी मुहिम नहीं चलायी और वे रचनात्मक कार्यों में लग गये। 1924 से 1928 तक गाँधीजी सरकार विरोधी आन्दोलन को लेकर लगभग खामोश से रहे जिससे उनके सम्बन्ध में अँग्रेजों को भ्रम हो गया कि जनता में उनका प्रभाव नहीं रहा और साम्राज्य के लिए उनसे कोई खतरा नहीं रह गया। हालाँकि इस दौरान शासन विरोधी कई गतिविधियाँ होती रहीं, जैसे क्रान्तिकारियों द्वारा काकोरी में रेलगाड़ी से सरकारी खजाने से का लूटना, साइमन कमीशन का देशव्यापी बहिष्कार, लाला लाजपत राय का पुलिस लाठी से घाायल होकर मरना, क्रान्तिकारियों द्वारा पुलिस अधिकारी सांडर्स की हत्या कर इसका प्रतिशोध लेना, राष्ट्रीय एसेम्बली में भगत सिंह एवं

बटुकेश्वर दत्त का बम फेंकना; लेकिन पूरे देश में स्वराज्य जागरण की लहर फैला देने वाले गाँधीजी चुप ही रहे। उनका यह मौन टूटा 1929 में जिसके फलस्वरूप उसी साल दिसम्बर महीने में काँग्रेस के वार्षिक अधिवेशन में 'पूर्ण स्वराज्य' का प्रस्ताव स्वीकृत किया गया।

ध्यातव्य है कि यह अधिवेशन लाहौर में हुआ था जिसके अध्यक्ष बनाये गये थे—जवाहरलाल नेहरू। पं. नेहरू पहली बार काँग्रेस के अध्यक्ष बने थे और चूँकि उनकी अध्यक्षता में 'पूर्ण स्वराज्य' का प्रस्ताव पारित हुआ था, इसलिए कतिपय नेहरू प्रेमी इसका सारा श्रेय जवाहरलाल जी को देते हैं, किन्त वास्तव में इसका श्रेय गाँधीजी को ही जाता है, क्योंकि नेहरू जी काँग्रेस के अध्यक्ष गाँधीजी के चाहने के कारण ही बन सके थे। जैसा कि कृपलानीजी ने अपनी पुस्तक 'महात्मा गाँधी' में लिखा कि उस साल काँग्रेस के अध्यक्ष पद के लिए गाँधीजी, सरदार बल्लभभाई पटेल और जवाहरलाल नेहरू तीनों के नाम प्रस्तावित थे, लेकिन गाँधीजी ने अपना नाम वापस लेते हुए जवाहरलाल के नाम का समर्थन किया तो सरदार पटेल ने भी अपना नाम वापस ले लिया। दूसरी बात कि 'पूर्ण स्वराज्य' का प्रस्ताव स्वीकार कराने का माहौल बनाने में गाँधीजी 1929 के शुरू होते ही जुट गये जब फरवरी 1929 में उन्होंने फिर स्वराज्य जागरण के लिए सिंध प्रदेश से अपना देशव्यापी दौरा शुरू कर दिया।

1929 में गाँधीजी द्वारा किये दौरे का एक संक्षिप्त ब्यौरा यूँ है—"दौरा 12 फरवरी 1929 को सिन्ध से शुरू हुआ। ...गाँधीजी ने बड़ी-बड़ी सभाओं में भाषण दिये और लोगों से स्वदेशी चीजें प्रयोग करने का अनुरोध किया। कपड़े के मामले में खादी अपनाने और रचनात्मक कार्य में जुटने के लिए कहा। उन्होंने लोगों से विदेशी वस्त्रों को जलाने के कार्य में जुटने के लिए कहा। जहाँ भी वे गये, उन्हें अपने कार्य के लिए थैलियाँ दी गयीं। सिन्ध के दौरे के बाद वे कलकत्ता गये। उसके बाद वे बर्मा चले गये। गाँधीजी पन्द्रह दिनों तक बर्मा में रहे। उनकी इस अनुपस्थिति की अवधि में सरकार ने दमन करने का निश्चय किया। बम्बई, उत्तर प्रदेश, पंजाब और बंगाल के इकत्तीस मजदूर नेता गिरफ्तार कर लिये गये। इनमें कुछ कम्युनिस्ट थे। इन पर सरकार को उलटने का षड्यन्त्र करने का अभियोग चलाया गया और मुकदमा चलाने के लिए मेरठ लाये गये। चार साल तक मुकदमा चला और इससे लोगों में व्यापक रोष फैला। गाँधीजी की यह टीका थी कि सरकार भयभीत और घबराई हुई है और उसकी यह पोल गिरफ्तारियों से खुलती है। उन्होंने यह भी कहा—"यह आनेवाले त्रास के युग की पूर्व सूचना है। इस बार हजारों के लिए खतरा मोल लेने की बात नहीं, बल्कि जेल जाने की बात होगी, यदि

कानून के नाम पर चलाये जानेवाले कानूनहीन राज्य को हमेशा के लिए खत्म करना है। मुझे ऐसा लगता है कि इस प्रकार के मुकदमे चलाने का उद्देश्य कम्युनिज्म को खत्म करना न होकर लोगों में त्रास पैदा करना है। ...लेकिन स्वराज्य आन्दोलन की जड़ें लोगों के दिलों में इतनी अधिक गहरी हैं कि वे हिलाई या नष्ट नहीं की जा सकतीं। इन गिरफ्तारियों और आजादी के आन्दोलन पर सरकार द्वारा घातक आघात करने के इरादों से उसे बल ही प्राप्त होगा।''[22]

गाँधीजी की इन चेतावनियों का सरकार पर कोई असर नहीं हुआ और उसने पूरे वेग से दमनचक्र चलाया।'' गिरफ्तारियाँ, साहित्य का जब्त किया जाना और तलाशियाँ नियमित रूप से होने लगीं। 'माडर्न रिव्यू' के सम्पादक रामानन्द चटर्जी, डॉ. संडरलैंड की पुस्तक 'इंडिया इन बांडेज' प्रकाशित करने के अपराध में गिरफ्तार किये गये। बंगाल आर्डिनेंस नाम का एक विशेष कानून बनाया गया। बंगाल, उत्तर प्रदेश, पंजाब और दूसरे स्थानों में आतंकवादियों की कार्रवाईयाँ फिर से भड़क उठीं। लाहौर जेल में एक राजनीतिक बन्दी जतीनदास की 61 दिनों के उपवास के बाद 18 सितम्बर को मृत्यु हो गयी। इनके उपवास का उद्देश्य था राजबन्दियों के लिए जेल में विशेष श्रेणी को उपलब्ध कराना। ...जतीनदास की मृत्यु से जनता को बड़ा धक्का लगा और उनके शोक में सारे भारतवर्ष में प्रदर्शन हुए। देश में एक नया वातावरण पैदा हुआ। गाँधीजी ने बड़े पैमाने पर सत्याग्रह चलाने का संकेत देते हुए 6 अप्रैल से आन्ध्र का दौरा शुरू कर दिया। यह दौरा अपनी व्यापकता में उल्लेखनीय था, क्योंकि गाँधीजी बहुत से ग्रामीण क्षेत्रों में गये। बहुत बड़ी संख्या में लोग उन्हें सुनने और देखने आये। उनकी मोटर एक चलता-फिरता मंच हो गयी और उन्होंने उसी पर खड़े होकर भाषण देना शुरू कर दिया। इस दौरे में वे अपने देश के करोड़ों लोगों के प्रत्यक्ष सम्पर्क में आये।''[23]

इस प्रकार गाँधीजी ने 1929 में फिर शासन विरोधी व्यापक जनअभियान शुरू कर दिया जिसके परिणामस्वरूप देश स्वराज्य प्राप्ति की दिशा में करवटें लेने लगा। यही वह राजनीतिक पृष्ठभूमि थी जिसमें गाँधीजी की स्वीकृति से लाहौर काँग्रेस में 31 दिसम्बर 1929 को 'पूर्ण स्वराज्य' का लक्ष्य घोषित किया गया और ''31 दिसम्बर की अर्धरात्रि को रावी नदी के तट पर बड़े उत्साह से, संगीत और नृत्य के बीच, जिसमें नवयुवक अध्यक्ष ने भी भाग लिया, भारत का तिरंगा झंडा फहराया गया। भारत स्वतन्त्र घोषित किया गया।''[24] लेकिन काँग्रेस की इस घोषणा के अनुरूप सरकार के रवैये में कोई परिवर्तन नहीं पाकर गाँधीजी ने विरोध का दूसरा तरीका अपनाया और वह था सरकार द्वारा बनाये गये नमक कानून के

विरुद्ध सत्याग्रह करना।

कुम्भकर्णी नींद में सो रही सरकार की नींद को तोड़ने एवं पूरे देश को आन्दोलित करने की मंशा से गाँधीजी ने नमक कानून के विरुद्ध सत्याग्रह करने का फैसला लिया। नमक जैसी मामूली चीज को लेकर आन्दोलन करना सतही तौर पर हास्यास्पद-सा लगता है, लेकिन यह गाँधीजी की गहरी जनवादी सूझ-बूझ का कमाल था जो उन्होंने सरकार के विरुद्ध जनमत को जगाने के बड़े कारगर हथियार के रूप में इसका इस्तेमाल किया। वस्तुत: नमक ऐसी चीज है जिसका वास्ता महल से लेकर झोपड़ी में रहने वाले, राजा और रंक, जमींदार और किसान, पूँजीपति और मजदूर सबसे होता है और इस पर सरकार ने कर लगाकर तथा दूसरों द्वारा बनाने पर प्रतिबन्ध लगाकर अपने दमनकारी एवं शोषणकारी चरित्र का ही प्रमाण दिया था। इसलिए गाँधीजी ने ऐसे अनुचित कानून का विरोध करना जनता को सरकार के विरुद्ध सक्रिय करने के लिए बहुत माकूल मुद्दा समझा। मार्च 1930 में गाँधीजी नमक-सत्याग्रह के लिए तैयार हो गये। इसके लिए उन्होंने जो योजनाएँ बनायीं उनमें यह बताया गया कि घृणित नमक कानून भंग किया जाएगा, नमक बनाया जाएगा और सरकारी नमक भंडारों पर सत्याग्रहियों द्वारा धरने दिये जाएँगे। उन्होंने 11 मार्च की तिथि तय की साबरमती आश्रम से 'दांडी' नामक समुद्र तक पहुँचने के लिए पदयात्रा शुरू करने की। लेकिन इसके पहले उन्होंने वाइसराय लार्ड इर्विन को एक लम्बा खत लिखकर सरकार को आगाह करने का भी काम किया। वह पत्र भी गाँधी के स्वाधीनता-संग्राम का एक महत्त्वपूर्ण दस्तावेज है जिसकी कुछेक मुख्य बातों की चर्चा करना यहाँ अत्यन्त प्रासंगिक जान पड़ता है।

2 मार्च 1930 को वाइसराय को लिखे पत्र में गाँधीजी ने उनका ध्यान इन बातों की ओर आकृष्ट किया—"प्रिय मित्र, यह सच है कि मैं भारत में अँग्रेजी राज्य को एक अभिशाप मानता हूँ, लेकिन इस कारण मैं यह तो कभी नहीं मानता कि सबके सब अँग्रेज दुनिया के दूसरे लोगों के मुकाबले ज्यादा दुष्ट हैं। मुझे बहुतेरे अँग्रेजों के साथ गहरी दोस्ती रखने का सौभाग्य प्राप्त हुआ है; यही नहीं, बल्कि अँग्रेजी राज्य ने हिन्दुस्तान को जो नुकसान पहुँचाया है उसके बारे में बहुत-सारी वास्तविकताओं की जानकारी मुझे उन अनेक अँग्रेजों की लिखी चीजों से प्राप्त हुई है जिन्होंने उस शासन के बारे में कठोर सत्य निर्भीकतापूर्वक प्रकट किये हैं। और मैं अँग्रेजी राज्य को अभिशाप-रूप क्यों मानता हूँ"?

"इसका कारण है कि इस राज्य ने क्रमिक शोषण की प्रणाली द्वारा और अपने तन्त्र के तबाह कर डालने वाले फौजी और दीवानी खर्च के द्वारा, जिसे कि यह देश कभी बर्दाश्त नहीं कर सकता, इस भूमि के करोड़ों मूक मानवों को

दरिद्र बना दिया है। राजनीतिक दृष्टि से इस राज्य ने हमें लगभग गुलाम बनाकर रख छोड़ा है। इसने हमारी सभ्यता और संस्कृति की बुनियाद को हिला दिया है और लोगों से हथियार छीन लेने की सरकारी नीति ने तो हमारी आत्मा को कुचल ही डाला है। अब तो बस यही शेष रहा गया है कि हममें से किसी को कोई मामूली से मामूली हथियार भी न रखने देने का कानून बना दिया जाए। आन्तरिक शक्ति से रहित हम लोगों पर इस नीति का प्रभाव यह हुआ है कि हम लगभग कायरताजन्य असहायावस्था में पहुँच गये हैं।''

ऐसे शोषित एवं गरीब भारतीयों पर नमक कर लगाने का विरोध करते हुए गाँधीजी ने उसी पत्र में आगे यह लिखा—''यह जाहिर है कि मौजूदा सरकार दुनिया में सबसे ज्यादा खर्चीली है और इसे बनाये रखने की गरज से ही ये सारे अन्याय किये जा रहे हैं। आप अपने वेतन को ही लीजिए—वह माहवार 21,000 रु. से भी ज्यादा है। इसके सिवा उसमें भत्ता और दूसरे सीधे-टेढ़े आमदनी के जरिये हैं ही। इंग्लैंड के प्रधानमन्त्री को सालाना 5,000 रु. पौंड यानी मौजूदा विनिमय-दर के हिसाब से माहवार 5,400 रु. से कुछ अधिक मिलता है। जिस देश में हर एक आदमी की औसत रोजाना आमदनी दो आने से भी कम है, उसमें आपको रोजाना 700 रु. से भी अधिक मिलते हैं। उधर इंग्लैंड के बाशिन्दों की औसत दैनिक आय लगभग दो रुपये है और वहाँ के प्रधानमन्त्री को सिर्फ 180 रु. ही मिलते हैं। ...मैं आपसे हाथ जोड़कर प्रार्थना करता हूँ कि आप इस आश्चयर्चजनक विषमता पर ध्यानपूर्वक थोड़ा विचार कर देखें।''

जिन भारतीयों की औसत दैनिक आय दो आने से भी कम थी, जाहिर है कि उन पर नमक कर लगाना कितना अन्यायपूर्ण था। इसलिए इस कानून को वापस करने की माँग करते हुए गाँधीजी ने उस पत्र में आगे यह लिखा—''मेरे इस पत्र का आप पर कोई असर नहीं होगा तो इस महीने की ग्यारह तारीख को मैं अपने आश्रम के जितने साथियों को ले जा सकूँगा उतने साथियों के साथ नमक सम्बन्धी कानून तोड़ने के लिए कदम बढ़ाऊँगा। गरीबों के दृष्टिकोण से यह कानून मुझे सबसे ज्यादा अन्यायपूर्ण मालूम होता है। आजादी की यह लड़ाई खासकर देश के गरीब-से-गरीब लोगों के लिए है। अतः यह लड़ाई इस अन्याय के विरोध से ही शुरू की जाएगी। मैं जानता हूँ कि मुझे गिरफ्तार करके मेरी योजना को निष्फल बना देना आपके हाथ में है, परन्तु मुझे उम्मीद है कि मेरे बाद लाखों आदमी अनुशासित ढंग से इस काम को अपने सिर उठा लेंगे और नमक कानून को, एक ऐसे कानून को तोड़ने के लिए दिया जानेवाला सारा दंड खुशी-खुशी भोगेंगे जो विधान-पुस्तक को विरूपित कर रहा है और इसलिए जो कभी बनाया

ही नहीं जाना चाहिए।''[25]

इस पत्र का एक-एक शब्द औपनिवेशिक शासन के विरोध से भरा हुआ है—इतनी शिष्ट भाषा में, आँकड़ों के साथ वाइसराय को साम्राज्य के शोषणकारी चरित्र का बोध कराते हुए उसके विरोध का इससे अधिक बेधक तरीका क्या हो सकता था? फिर भी उन दिनों देश एवं विदेश में वैज्ञानिक विचारधारा के कुछ अग्रधावक गाँधीजी को 'रनिंग डॉग ऑफ इम्परियलिज्म' कहने से बाज नहीं आते थे। यह भी गौरतलब है कि गाँधीजी जनता से संवाद आँकड़ों में नहीं, प्रतीकों में करते थे, लेकिन यहाँ वाइसराय के साथ उन्होंने आँकड़ों में बात की यानी आँकड़ों और तथ्यों की कमी उनके पास नहीं थी; हाँ, कहाँ बात आँकड़ों के साथ रखनी है और कहाँ उसे प्रतीकों के माध्यम से प्रस्तुत करना है, यह उनके रणकौशल का अंग था। बहरहाल वाइसराय के दिलो दिमाग पर गाँधीजी के पत्र के एक शब्द का भी असर नहीं हुआ, नतीजतन 12 मार्च 1930 को उन्होंने साबरमती आश्रम से अपना सत्याग्रह आरम्भ कर दिया—आश्रम के 78 चुने हुए और प्रशिक्षित सदस्यों को साथ लेकर समुद्र तक पहुँचने की पदयात्रा शुरू कर दी। पदयात्रा शुरू करने के पहले गाँधीजी ने जनता से कहा था कि वे तब तक रुके रहें जब तक वे समुद्र तट पर नहीं पहुँच जाते और नमक नहीं उठाते। उसके बाद हर व्यक्ति जो नमक बना सकता है बनाये और नमक बनाने पर सरकार द्वारा लगाये गये प्रतिबन्ध का उल्लंघन करे।

गाँधीजी की इस कार्रवाई ने जनता में कैसा उफान पैदा किया, इसका एक चित्र प्रस्तुत है कृपलानीजी के शब्दों में—''साबरमती से दांडी का समुद्र तट करीब 385 किलोमीटर की दूरी पर है। सत्याग्रहियों की इस सेना के पास कोई शस्त्रास्त्र नहीं थे। इनका सैनिक बैंड एक तम्बूरा था और इनका सैनिक संगीत थे—भजन। 12 मार्च से 5 अप्रैल तक गाँधीजी ओर सत्याग्रहियों के जत्थे ने पदयात्रा की। जहाँ भी ये लोग गये, भक्त जनता ने झण्डों और फूलमालाओं से उनका अभिनन्दन किया। मार्ग में गाँधीजी ने हर जगह सभाओं में और अपनी प्रातः और सायं की प्रार्थना-सभाओं में भाषण किये। मार्च की प्रगति के साथ-साथ भीड़ बढ़ती गयी। हजारों लोग आ मिले। स्थानीय प्रशासन डिगने लगा। करीब 400 गाँवों के मुखियाओं ने अपने पदों से त्यागपत्र दे दिये। मार्ग में इस दल में श्रीमती सरोजनी नायडू सम्मिलित हो गयी। जैसे-जैसे गाँधीजी और उनके चुने हुए सत्याग्रही मार्च करते गये, सारे भारत में जनता का उत्साह भी बढ़ता गया। हर जगह स्त्री और पुरुष बेचैनी से राह देख रहे थे कि कब गाँधीजी दांडी तट पर नमक उठायें और नमक वे बनाना शुरू कर दें। जिन अधिकारियों ने पहले

आन्दोलन का मजाक बनाया था, अब उससे डरने लगे। उन्होंने दमन की नीति अपनाने का निर्णय लिया। 6 अप्रैल को भोर में गाँधीजी ने तट की ओर मार्च किया जहाँ नमक की मोटी तह जमी हुई थी और प्रतिबन्ध लगे नमक को मुट्ठी में उठाया और लिए रहे ताकि सभी लोग देख सकें। वे इसी क्षेत्र में अपना काम तब तक करते रहे जब तक कि वे 4 मई 1930 को अर्धरात्रि में गिरफ्तार नहीं कर लिये गये। वे पूना की यरवडा जेल में ले जाए गये। उनकी गिरफ्तारी ने व्यापक हड़ताल के लिए एक सिगनल का काम किया। बम्बई की कपड़ा मिलें और रेलवे वर्कशाप बन्द हो गयी। शोलापुर में मजदूरों ने अधिकारियों की आज्ञाओं का उल्लंघन कर किया। वहाँ फौजी कानून लगा दिया गया। उन्होंने मजदूरों का निष्ठुरतापूर्वक दमन किया और पच्चीस मजदूरों को गोली से उड़ा दिया।''[26]

कठोर दमनचक्र चलाने के बावजूद सरकार इस आन्दोलन को देश भर में फैलने से रोक नहीं सकी। देश के विभिन्न भागों में बड़े-बड़े नेताओं के नेतृत्व में जनता ने नमक कानून का उल्लंघन किया। मृदुला मुखर्जी ने अपने लेख 'सिविल डिसओबेडियंस 1930-31' में बताया है कि ''दांडी में एक बार गाँधीजी द्वारा नमक कानून का उल्लंघन करने से देशभर में उसके उल्लंघन का रास्ता साफ हो गया। तमिलनाडु में सी. राजगोपालचारी ने त्रिचिनापल्ली से जत्थे के साथ तंजौर समुद्र तट के लिए मार्च किया। 30 अप्रैल को उन्हें गिरफ्तार कर लिया गया, लेकिन इसके पूर्व वे बड़ी संख्या में आन्दोलन को जारी रखने के लिए स्वयंसेवकों को इकट्ठा कर चुके थे। मालाबार में के. केलप्पन ने नमक कानून तोड़ने के लिए कालिकट से प्यानूर तक का मार्च किया। सत्याग्रहियों के एक जत्थे ने आसाम के सिलहट से बंगाल के समुद्र तट नोआखाली तक की यात्रा की नमक बनाने के लिए। आन्ध्र प्रदेश के विभिन्न जिलों में नमक सत्याग्रह के लिए बड़ी संख्या में शिविरों की स्थापना की गयी।''[27]

इस प्रकार यह आन्दोलन एक तरफ पूरे देश में फैलता गया तो दूसरी तरफ सरकार नेताओं एवं सत्याग्रहियों को गिरफ्तार करने लगी। नमक कानून तोड़ने के लिए जवाहरलाल नेहरू को 14 अप्रैल को गिरफ्तार कर लिया गया जिसके जवाब में मद्रास, कलकत्ता और कराची जैसे शहरों में विशाल प्रदर्शन हुए और पुलिस के साथ झड़पें भी हुईं। सबसे घोर दमन पश्चिमोत्तर सीमा प्रान्त में पेशावर में अहिंसक पठान खुदाई खिदमतगारों पर किया गया। 23 अप्रैल को खान अब्दुल गफ्फार खाँ की गिरफ्तारी के बाद दल के दल अहिंसक सत्याग्रही, जिनमें स्त्री, पुरुष और बच्चे भी थे, गोलीबारी की बौछार होने पर भी आगे बढ़ते रहे। उन्होंने

अपनी छातियाँ खोलकर अधिकारियों को चुनौती दी। पेशावर में घंटों गोली चलती रही जिससे बहुत से लोग मारे गये। अन्त में वहाँ की गढ़वाली पलटन ने निहत्थे आदमियों पर गोली चलाने से इंकार कर दिया। वाकई अब तक के स्वाधीनता आन्दोलन में यह एक अभूतपूर्व घटना थी जब किसी पलटन ने लोगों पर गोली चलाने से इंकार कर दिया।

इन विवरणों के आलोक में स्पष्ट है कि असहयोग आन्दोलन के बाद नमक सत्याग्रह ही पुनः पूरे देश को सरकार के विरुद्ध सघर्षरत करने वाला था, लेकिन इसका अंजाम भी अन्ततः असहयोग आन्दोलन जैसा ही हुआ। स्वराज्य का लक्ष्य न तब हासिल हो सका था, न अब ही हो सका। सारे बड़े नेता गिरफ्तार कर लिये गये थे। उनके अतिरिक्त काफी संख्या में सत्याग्रहियों की भी गिरफ्तारियाँ हुई। गिरफ्तारों की संख्या एक लाख तक पहुँच गयी थी। फिर असहयोग आन्दोलन और नमक आन्दोलन में एक फर्क यह आया कि इस बार सरकार समझौते करने को विवश हुई और उसने 26 जनवरी 1931 को गाँधीजी को जेल से रिहा कर दिया। 27 फरवरी को दिल्ली में गाँधीजी और वाइसराय लार्ड इर्विन मिले। इनकी आपस में कई बैठकों के बाद गाँधी–इर्विन समझौता हुआ जिसकी घोषणा 5 मार्च 1931 को हुई। इस समझौते में गाँधीजी ने भारत को लेकर लन्दन में की जानेवाली गोलमेज परिषद की दूसरी बैठक में भाग लेने पर अपनी सहमति दी।

समझौता तो गया, किन्तु इसका परिणाम देश के लिए अच्छा नहीं हुआ। इसके बाद असन्तोष एवं अवसाद का दौर शुरू हो गया। देश में,विशेषकर युवा वर्ग में गाँधीजी से नाराजगी इस बात की थी कि वे समझौते में भगत सिंह, राजगुरु एवं सुखदेव जैसे क्रान्तिकारियों को दी गयी फाँसी की सजा को रद्द नहीं करवा सके। 5 मार्च 1931 को समझौते की घोषणा हुई और 23 मार्च को इन तीनों क्रान्तिकारियों फाँसी दे दी गयी। मार्च के अन्त में काँग्रेस का वार्षिक अधिवेशन सरदार वल्लभभाई पटेल की अध्यक्षता में कराची में हुआ तो रास्ते से लेकर अधिवेशन स्थल तक इस फाँसी के कारण गाँधीजी से नाराज नौजवानों ने उन्हें काले झंडे दिखाये और जैसा कि यशपाल ने अपनी किताब 'सिंहावलोकन' में लिखा है कि 'गाँधीवाद, मुर्दाबाद' के नारे भी लगाये। आज भी इन क्रान्तिकारियों के प्रति श्रद्धा भाव रखने वाले गाँधीजी को इस विफलता के लिए क्षमा नहीं करते हैं। हालाँकि गाँधीजी भी चाहते थे कि इन क्रान्तिकारियों को फाँसी न हो, भले ही वे समझौते की इसे अनिवार्य शर्त नहीं बना सके। यह बात उस पत्र से भी सिद्ध होती है जो गाँधीजी ने 23 मार्च 1931 को वाइसराय इर्विन को लिखा था जिसमें इन क्रान्तिकारियों की सजा बदल देने का अनुरोध था। चूँकि भगत सिंह आदि के

सम्बन्ध में गाँधीजी के दृष्टिकोण को अब तक कतिपय बुद्धिजीवियों द्वारा गलत समझा जाता रहा है, अतएव उस पूरे पत्र को यहाँ जस का तस उद्धृत करना अत्यन्त प्रासंगिक प्रतीत होता है:—

पत्र वाइसराय को

दरियागंज, दिल्ली,
23 मार्च 1931

प्रिय मित्र,

आपको यह पत्र लिखना आपके प्रति क्रूरता करने जैसा लगता है; पर शान्ति के लिए अन्तिम अपील आवश्यक है। यद्यपि आपने मुझे साफ-साफ बता दिया था कि भगत सिंह और अन्य दो लोगों की मौत की सजा में कोई रियायत किये जाने की आशा नहीं है, फिर भी आपने मेरे शनिवार के निवेदन पर विचार करने को कहा था। डॉ. सप्रू मुझसे कल मिले और उन्होंने मुझे बताया कि आप इस मामले से चिन्तित हैं और आप कोई रास्ता निकालने का विचार कर रहे हैं। यदि इस पर पुनः विचार करने की कुछ गुंजाइश हो, तो मैं आपका ध्यान निम्न बातों की ओर दिलाना चाहता हूँ।

जनमत, वह सही हो या गलत, सजा में रियायत चाहता है। जब कोई सिद्धान्त दाँव पर न हो तो लोकमत का मान करना हमारा कर्तव्य हो जाता है। प्रस्तुत मामले में स्थिति ऐसी है कि यदि सजा हल्की की जाती है, तो बहुत सम्भव है कि आन्तरिक शान्ति की स्थापना में सहायता मिले। यदि मौत की सजा दी गयी तो निस्सन्देह शान्ति खतरे में पड़ जाएगी।

मैं आपको यह सूचित कर सकता हूँ कि क्रान्तिकारी दल ने मुझे यह आश्वासन दिया है कि इन लोगों की जान बख्श दी जाए तो यह दल अपनी कार्यवाहियाँ बन्द कर देगा। यह देखते हुए मेरी राय में मौत की सजा को, क्रान्तिकारियों द्वारा होने वाली हत्याएँ जब तक बन्द रहती हैं, तब तक तो मुल्तवी कर देना एक लाजमी फर्ज बन जाता है।

राजनीतिक हत्याओं के मामलों में इससे पहले भी तरजीह दी जा चुकी है। यदि ऐसा करने से बहुत-सी निर्दोष जानें बचाई जा सकती हों, तो उनका बचाना लाभदायक होगा। हो सकता है कि इससे क्रान्तिकारियों की आतंकपूर्ण कार्यवाहियाँ लगभग समाप्त हो जाएँ।

चूँकि आप शान्ति-स्थापना के लिए मेरे प्रभाव को, जैसा भी वह है, उपयोगी समझते प्रतीत होते हैं, इसलिए अकारण ही मेरी स्थिति को भविष्य के लिए और

ज्यादा कठिन न बनाइए; यों ही वह कुछ सरल नहीं है।

मौत की सजा पर अमल हो जाने के बाद तो वह कदम वापस नहीं लिया जा सकता। यदि आप यह सोचते हैं कि फैसले में थोड़ी भी गुंजाइश है, तो मैं आपसे यह प्रार्थना करूँगा कि इस सजा को, जिसे फिर वापस नहीं लिया जा सकता, आगे और विचार करने के लिए स्थगित कर दें।

यदि मेरी उपस्थिति आवश्यक हो, तो मैं आ सकता हूँ। यद्यपि मैं बोल नहीं सकूँगा, (उस दिन मौनवार होने के कारण) पर मैं सुन सकता हूँ और जो कुछ कहना चाहता हूँ, वह लिखकर बता सकूँगा।

दया कभी निष्फल नहीं जाती।

मैं हूँ

आपका विश्वस्त मित्र[28]

तो यह था गाँधीजी द्वारा वाइसराय लार्ड इर्विन को लिखा पत्र जो उनके अन्दर दया का उद्रेक करने में विफल रहा और वाइसराय ने यह उत्तर दिया—"मैंने आपकी हर बात पर दुबारा बड़े गौर से विचार किया है और मैं आपका काम कदापि कठिन नहीं बनाना चाहूँगा, खासकर वर्तमान हालात में। लेकिन मुझे लगता है कि उन कारणों से, जिन्हें बातचीत के दौरान मैंने आपको पूरी तरह समझाने की कोशिश की थी, मुझे किसी तरह ऐसा नहीं लगता कि आप जो कुछ करने का अनुरोध कर रहे हैं, उसे करना ठीक होगा।"[29]

वाइसराय ने गाँधीजी की प्रार्थना ठुकरा दी और विदित है कि उन क्रान्तिकारियों को फाँसी दे दी गयी, ठीक 23 मार्च 1931 को ही। उन्हें फाँसी दिये जाने पर गाँधीजी ने उसी दिन जो वक्तव्य जारी किया, वह भी क्रान्तिकारियों के सम्बन्ध उनकी भावनाओं को समझने के लिए काफी महत्त्व रखता है—"भगत सिंह और उनके साथी फाँसी पाकर शहीद बन गये हैं। ऐसा लगता है मानो उनकी मृत्यु से हजारों लोगों की निजी हानि हुई है। इन नवयुवक देशभक्तों की याद में प्रशंसा के जो शब्द कहे जा सकते हैं, मैं उनके साथ हूँ। तो भी देश के युवकों को उनके उदाहरण की नकल करने के विरुद्ध चेतावनी देता हूँ। बलिदान करने की अपनी शक्ति, अपने परिश्रम और त्याग करने के अपने उत्साह का उपयोग हम उनकी तरह न करें। इस देश की मुक्ति खून करके प्राप्त नहीं की जानी चाहिए।"

सरकार के बारे में मुझे ऐसा लगे बिना नहीं रहता कि उसने क्रान्तिकारी पक्ष को अपने पक्ष में करने का सुनहरा अवसर गँवा दिया है। समझौते को दृष्टि में रखकर और कुछ नहीं तो फाँसी की सजा को अनिश्चित काल तक अमल में न लाना उसका फर्ज था। सरकार ने अपने काम से समझौते को बड़ा धक्का

पहुँचाया है और एक बार फिर लोकमत को ठुकराने और अपने अपरिमित पशु-बल का प्रदर्शन की शक्ति को साबित किया। पशुबल से काम लेने का यह आग्रह कदाचित अशुभ का सूचक है और यह बताया है कि वह मुँह से तो शानदार और नेक इरादे जाहिर करती है, पर सत्ता नहीं छोड़ना चाहती। फिर भी प्रजा का कर्तव्य तो स्पष्ट है।

काँग्रेस को अपने निश्चित मार्ग से नहीं हटना चाहिए। सजा में कमी करना समझौते का भाग नहीं था, यह हमें समझ लेना चाहिए। हम सरकार पर गुंडाशाही का आरोप तो लगा सकते हैं, किन्तु हम उस पर समझौते की शर्तों को भंग करने का आरोप नहीं लगा सकते। मेरा निश्चित मत है कि सरकार द्वारा की गयी इस गम्भीर भूल के परिणामस्वरूप स्वतन्त्रता प्राप्त करने की हमारी शक्ति में वृद्धि हुई है और उसके लिए भगत सिंह और साथियों ने मृत्यु को भेंटा है। थोड़ा भी क्रोधपूर्ण काम करके हम मौके को हाथ से न गवाँ दें। सार्वजनिक हड़ताल होगी, यह तो निर्विवाद ही है। बिल्कुल शान्त और गम्भीरता के साथ जुलूस निकालने से बढ़कर और किसी दूसरे तरीके से हम मौत के मुँह में जाने वाले इन देशभक्तों का सम्मान कर भी नहीं सकते।''[30]

गाँधीजी द्वारा वाइसराय को लिखे पत्र से शीशे की तरह साफ है कि गाँधीजी भले ही भगत सिंह आदि की सजा में कमी करने को समझौते की शर्त नहीं बना सके, किन्तु इस सम्बन्ध में वाइसराय से उनकी बातें हुई थीं और वाइसराय ने उन पर विचार करने का आश्वासन भी दिया था। गाँधीजी अन्त-अन्त तक वाइसराय से मिलकर इस मुद्दे पर बात करने को व्यग्र थे, किन्तु वाइसराय को यह मंजूर नहीं हुआ जो उनके द्वारा दिये गये उत्तर से स्पष्ट है। दूसरी बात जो अत्यन्त महत्त्व की और ध्यान में रखने की है कि जब-जब गाँधीजी पर सरकार ने मुकदमे चलाये, उन्होंने अपना अपराध स्वीकार करते हुए कठोर-से-कठोर सजा देने की अपील की, जैसा कि चम्पारण-सत्याग्रह या असहयोग आन्दोलन के अवसर पर हम देख चुके हैं। अपने इस स्वभाव के विरुद्ध जाकर वे अगर वाइसराय से इन क्रान्तिकारियों की सजा कम करने की प्रार्थना कर रहे थे, तो इसे निस्सन्देह इन क्रान्तिकारियों के प्रति उनकी गहरी सहृदयता, संवेदनशीलता का ही प्रमाण समझा जाना चाहिए। फिर फाँसी के बाद उन्होंने जो-जो वक्तव्य दिया, उससे भी स्पष्ट है कि वे सरकार के 'पशुबल-प्रदर्शन' और 'गुंडाशाही' से कितने मर्माहत थे। इन क्रान्तिकारियों के हिंसक तरीके से असहमत होते हुए भी देशभक्ति के लिए किये गये उनके बलिदान के प्रति उनमें कितना सम्मान का भाव था, यह भी स्पष्ट है।

जाहिर है कि गाँधीजी सच्चे मन से इन क्रान्तीकारियों को फाँसी की सजा

से बचाना चाहते थे। इसके बावजूद यह कहना कि गाँधीजी चाहते तो उन्हें फाँसी से अवश्य बचा लेते, उस समय के शासन के दमनकारी चरित्र के प्रति अज्ञान प्रकट करना ही कहा जाएगा। वैसे गाँधीजी की हर बात सरकार आसानी से मान ही लेती, तब भला उन्हें 1920 से लेकर 1942 तक इतने सारे आन्दोलन करने की जरूरत ही क्यों पड़ती? समझौते के बाद भी सरकार ने गाँधीजी के समक्ष जिस प्रकार के अवरोध खड़े किये, उससे हम अवगत हैं। दूसरी गोलमेज परिषद में गाँधीजी और दलित नेता डा. अम्बेडकर के बीच टकराव पैदा करने के सिवा साम्राज्य ने क्या किया? यह चर्चा हम पहले प्रकरण में ही कर चुके हैं कि गोलमेज परिषद के बाद सरकार ने दलित वर्ग को गाँधीजी के विरोध के बावजूद पृथक निर्वाचन मंडल दिया जिसके खिलाफ उन्हें उपवास करने से लेकर हरिजनों के लिए मन्दिर-प्रवेश का आन्दोलन चलाना पड़ा। अतएव इन बातों को ध्यान में रखने पर यही मानना पड़ेगा कि औपनिवेशिक शासन की निर्ममता कठोरता के समक्ष इन क्रान्तिकारियों को बचाने के लिए गाँधी क्या ईसा-मसीह भी आकर अनुरोध करते तो उसका भी कोई प्रभाव नहीं होता, हालाँकि वाइसराय लार्ड इर्विन भारत आये सभी वाइसरायों में सबसे अधिक श्रद्धालु ईसाई माने जाते थे।

बहरहाल गाँधी-इर्विन समझौते से पूरे देश को यही लगा कि गाँधीजी ब्रिटिश सरकार द्वारा फिर ठगे गये। नतीजतन स्वराज्य का सपना बिखरता-सा नजर आने लगा। सचमुच 1933 से लेकर लगभग जुलाई 1942 तक पूरे देश के माहौल में छिटपुट गतिविधियों को छोड़कर लगभग सन्नाटा पसरा हुआ दिखाई देता है। यद्यपि काँग्रेस के अन्दर ही नेहरू, पटेल, राजगोपालाचारी, सुभाषचन्द्र बोस जैसे राष्ट्रीय ख्याति के बड़े-बड़े नेता थे और देश में भी अन्य राजनीतिक दल स्थापित हो चुके थे; किन्तु कोई नेता या कोई दल इस अवधि में कोई राष्ट्रव्यापी आन्दोलन नहीं कर सका। खुद काँग्रेस के अन्दर ही स्वाधीनता आन्दोलन के लिए गाँधीजी के नेतृत्व एवं उनके अहिंसक तरीके को लेकर असन्तोष गहराने लगा था जिसकी अभिव्यक्ति हुई 1937 में जब गाँधीजी के न चाहने के बावजूद सुभाषचन्द्र बोस काँग्रेस के अध्यक्ष पद के चुनाव में पट्टाभि सीतारमैया को पराजित कर चुने गये और गाँधीजी को कहना पड़ा था ''सीतारमैया की हार मेरी हार है। किन्तु सुभाषचन्द्र के लिए काँग्रेस के अन्दर अपने मन मुताबिक काम करना आसान नहीं रहा। वे गाँधीजी की अहिंसा का परित्याग कर काँग्रेस को शासन के विरुद्ध सशस्त्र संघर्ष के मार्ग पर ले जाना चाहते थे जिसका बहुमत ने विरोध किया। क्षुब्ध होकर सुभाषचन्द्र बोस ने काँग्रेस छोड़ी और ब्रिटिश शासन के विरुद्ध शक्तिशाली मोर्चा बनाने के उद्देश्य से वे अन्ततः देश छोड़कर चले गये और जर्मनी-जापान के साथ

हो लिये। ध्यार रहे यह वही समय है जब जवाहरलाल नेहरू भी, जैसा कि उन्होंने अपनी 'आत्मकथा' में लिखा है, काँग्रेस के अन्दर काफी घुटन महसूस कर रहे थे जड़ता की स्थिति देखकर। वे घुटते रहे, लेकिन गाँधीजी का नेतृत्त्व छोड़ना उन्हें गवारा नहीं हुआ और यह अच्छा ही हुआ।

कुल मिलाकर यही कहा जा सकता है कि 1931 के गाँधी-इर्विन समझौते के बाद देश के राजनीतिक परिवेश में जो गतिरोध एवं जड़ता की स्थिति आयी, उसे तोड़ने में, दूर करने में कोई नेता, कोई दल कारगर नहीं हो सका। अन्ततः इस राजनीतिक गतिरोध को तोड़ने एवं पुनः पूरे देश को साम्राज्यवाद विरोधी संग्राम में ला खड़ा करने का काम गाँधीजी ने ही किया जब बम्बई में काँग्रेस महासमिति की बैठक में 8 अगस्त 1942 को उनके निर्देश पर 'भारत छोड़ो' प्रस्ताव पारित हुआ और गाँधीजी ने 'करो या मरो का' नारा दिया। हालाँकि गाँधीजी और काँग्रेस के लगभग सभी बड़े नेता उसी रात गिरफ्तार कर लिये गये, लेकिन जिस तरह धनुष से छूटा बाण वापस नहीं लौटता, उसी प्रकार गाँधी की वाणी से निःसृत 'करो या मरो' को पूरे देश में फैलने से सरकार नहीं रोक सकी और देखते-देखते साम्राज्यवाद विरोधी अहिंसक-हिंसक सभी प्रकार की गतिविविधयों से पूरा देश दहल उठा। गाँधीजी और अन्य नेताओं की गिरफ्तारी के बावजूद जनता रुकी नहीं और नेताओं के निर्देश का मोहताज हुए बिना वह सरकार के विरुद्ध नाना कार्रवाइयों में संलग्न हो गयी। इस बार के आन्दोलन में देश में व्यापक पैमाने पर हिंसक घटनाएँ भी हुईं, किन्तु इस बार असहयोग आन्दोलन की तरह गाँधीजी ने इसे वापस नहीं लिया। गाँधीजी के अद्भुत क्रान्तिकारी निर्णय एवं नेतृत्व से सुभाषचन्द्र बोस जो उस समय जापान में रहकर ब्रिटिश शासन से लड़ने के लिए आजाद हिन्द फौज का गठन करने में लगे हुए थे, इतने अभिभूत हुए कि उन्होंने गाँधीजी को 'राष्ट्रपिता' कहकर सम्बोधित किया। ध्यान रहे गाँधीजी को 'राष्ट्रपिता' पहली बार सुभाषचन्द्र ने ही कहा था। इस आन्दोलन की कोख से जयप्रकाश नारायण, राममनोहर लोहिया, अच्युत पटवर्धन, युसुफ मेहर अली, अरुणा आसफ अली, उषा मेहता जैसे कई तेजस्वी व्यक्ति उभर कर राष्ट्र के सामने आये। पहली बार हुआ कि आन्दोलनकारियों ने 'काँग्रेस रेडियो' नाम से अपनी प्रसारण सेवा शुरू की ताकि पूरे देश में आन्दोलन से जुड़ी सही खबरें दी जा सकें।

इस दौरान एक विचित्र राजनीतिक विरोधाभास यह देखने में आया कि अपने स्थापना-वर्ष से ही पूँजीवाद एवं साम्राज्यवाद के विरुद्ध हमेशा संघर्ष की बात करने वाली भारतीय कम्युनिस्ट पार्टी अन्तरराष्ट्रीय कारणों से इस आन्दोलन के विरुद्ध रही और इस आन्दोलन को कुचलने में ब्रिटिश सरकार की सहयोगी बनी

रही। इसके बावजूद इस आन्दोलन के वेग ने शासन को हिलाकर रख दिया। इसका जिक्र करते हुए श्री ब्रजमोहन गुप्त अपने लेख 'भारत छोड़ो आन्दोलन और काँग्रेस रेडियो में लिखते हैं—"दिस इज द कांग्रेस रेडियो कालिंग ऑन 42.32 मीटर्स फ्रॉम समव्हेयर इन इंडिया'। भारत छोड़ो आन्दोलन के दौरान गाँधीवादी युवती उषा मेहता की इस खनकती आवाज ने अँग्रेजी हुकूमत की नींद उड़ा दी। बम्बई से लेकर बर्मा और बिहार से लेकर बड़ौदा तक आन्दोलनकारी सच्ची खबरों के लिए 'काँग्रेस रेडियो' सुनने लगे। सरकार चकित। गाँधीजी, सरदार बल्लभ भाई पटेल, जवाहरलाल नेहरू और मौलाना अबुल कलाम आजाद सरीखे नामी नेता तो जेल में हैं, आन्दोलन कौन चला रहा है? उन्हें क्या पता था कि नेताओं की दूसरी पंक्ति अपने काम में जुटी है। भूमिगत नेता डॉ. राम मनोहर लोहिया ने 'करो या मरो' का बिगुल बजाने के लिए अपनी प्रिंटिंग प्रेस का इस्तेमाल किया। चोरी-छिपे पोस्टर, हैंडबिल और बुलेटिन छपकर बँटने लगे। अरुणा आसफ अली की मदद से वे काँग्रेस पार्टी के मुख पत्र 'इंकलाब' का सम्पादन भी करते रहे। आन्दोलन को दबाने के लिए सरकार ने सेंसर का सहारा लिया। भारत छोड़ो आन्दोलन से जुड़ी खबरों के प्रचार-प्रसार पर रोक लगा दी गई। संवाददाताओं समाचार एजेंसियों और खबरों को हिदायत मिली कि वे केवल सरकारी खबरें ही छापें। 'सूचना के अकाल' के इस दौर में बाइस साल की नवयुवती उषा मेहता आगे आयी। उन्होंने गोपनीय ढंग से काँग्रेस रेडियो चलाने का बीड़ा उठाया। उनके प्रमुख साथी बने बिट्ठलभाई झवेरी।"[31]

तो ऐसा उफान था भारत छोड़ो आन्दोलन का पूरे देश में जिसे दबाने में सरकार ने कोई कसर नहीं छोड़ी। अन्ततः उषा मेहता भी 12 नवम्बर 1942 को गिरफ्तार कर ली गयीं। इस तरह सभी बड़े नेता से लेकर हजारों आन्दोलनकारियों को सरकार ने जेल में डाल दिया। सारे नेता लगभग वर्ष 1945 के मध्य तक जेल में रहे। फिर द्वितीय विश्वयुद्ध की समाप्ति के बाद जो अन्तर्राष्ट्रीय परिदृश्य बदला उसमें सरकार ने सभी नेताओं को रिहा करते हुए अन्ततः भारत को भी 15 अगस्त 1947 को विभाजन की कीमत पर राजनीतिक दासता से मुक्त किया। इस प्रकार 1920 में स्वराज्य-प्राप्ति के लिए गाँधीजी द्वारा असहयोग आन्दोलन के रूप में शुरू की गई साम्राज्यवाद विरोधी मुहिम की परिणति देश की स्वाधीनता के रूप में सामने आयी। यद्यपि इस स्वाधीनता संग्राम में गाँधीजी के अतिरिक्त अन्य नेताओं, देशभक्तों का भी काफी योगदान रहा, किन्तु इसमें गाँधीजी की जिन कारणों से विशिष्ट भूमिका रही, उसकी तरफ ध्यान देना आवश्यक है।

पहली बात कि देश में 1857 से ही साम्राज्यवाद विरोधी भावनाएँ कभी

प्रत्यक्ष, कभी परोक्ष ढंग से जो चली आ रही थी, उसे अखिल भारतीय राष्ट्रीयता के एक सूत्र में पिरोने का काम गाँधीजी ने किया। स्वराज्य-जागरण को राष्ट्रव्यापी बनाने का श्रेय उन्हें ही है। हम देख चुके कि कैसे अहिंसक तरीके से उन्होंने विश्व के सबसे शक्तिशाली साम्राज्य के विरुद्ध स्वाधीनता की चेतना देश के कोने-कोने में फैलायी। उल्लेखनीय है कि ब्रिटिश सरकार के शोषणकारी चरित्र को बेनकाब करने का काम उन्नीसवीं सदी में ही दादाभाई नौरौजी ने 'ड्रेन थ्योरी' की बात कर तथा रमेशचन्द्र दत्त, विलियम डिवी जैसे राजनीतिशास्त्री-अर्थशास्त्रीय विश्लेषकों ने किताबें लिखकर किया था। हमारे हिन्दी साहित्य में भारतेन्दु हरिश्चन्द्र जैसे साहित्यकार उसी सदी में यह कह चुके थे 'अँग्रेज राज सुख-साज भारी, पै अति धन विदेश चली जात यही अति ख्वारी।' इसी काम को आगे बढ़ाते हुए बीसवीं सदी के प्रथम दशक में ही सखाराम गणेश देउस्कर ने 1904 में बांग्ला में 'देशेर कथा' नाम की पुस्तक लिखी जिसमें विस्तार से भारत में अँग्रेजी लूट का पर्दाफाश किया गया था। इसका हिन्दी अनुवाद प्रसिद्ध पत्रकार बाबूराव विष्णु पराड़कर ने 'देश की बात' नाम से 1910 में किया था। यह पुस्तक इतनी लोकप्रिय हुई कि सरकार ने घबरा कर 1910 में इस पर प्रतिबन्ध लगा दिया। ध्यातव्य है इसी वर्ष गाँधीजी की पुस्तक 'हिन्द स्वराज्य' भी प्रकाशित हुई थी जिस पर बम्बई सरकार ने प्रतिबन्ध लगा दिया था। देउस्कर की पुस्तक का हिन्दी संस्करण पुनः 2005 में छप कर आया जिसकी लम्बी भूमिका लिखी है—हिन्दी के वरिष्ठ समालोचक डॉ. मैनेजर पांडेय ने।

इस प्रकार लेखकीय स्तर पर ब्रिटिश राज के शोषणकारी चरित्र को बेनकाब करने का काम तो हो रहा था, किन्तु इनका प्रभाव मुख्यतः बुद्धिजीवी वर्ग तक ही सीमित था। देश की अन्य वास्तविकताओं को लेकर भी व्यापक स्तर पर जागरूकता नहीं थी। आम आदमी की कौन बात करे, देश का बुद्धिजीवी वर्ग भी देश-दशा से अच्छी तरह परिचित नहीं था। मसलन, जे. बी. कृपलानी मुजफ्फरपुर के कॉलेज में प्रध्यापक थे, परन्तु उसी से सटे जिले चम्पारण में किसानों के साथ निलहे अँग्रेजों का कैसा दुर्व्यवहार हो रहा था, उससे वे अच्छी तरह वाकिफ नहीं थे। इससे वे पूरी तरह अवगत हो सके जब गाँधीजी ने चम्पारण में सत्याग्रह किया। उस समय के उन जैसे बुद्धिजीवियों का देश-दशा को लेकर कैसा सरोकार था, इसे उन्हीं के शब्दों में देखना बेहतर होगा—''गाँधीजी ने मुझसे पूछा कि क्या मुझे गोरे निलहों और किसानों की समस्या की कुछ जानकारी है। मैंने उनसे कहा कि मुझे केवल इतना ही मालूम है कि गोरे निलहे जमींदार किसानों पर बड़ी क्रूरता से व्यवहार करते हैं। इससे अधिक मुझे कुछ नहीं मालूम है। उन दिनों

हमारी राष्ट्रीयता का यह हाल था कि हमें मालूम ही नहीं था कि गाँवों में क्या हो रहा है? हम शिक्षित लोग कुएँ के मेढ़क की तरह सबसे अलग-थलग पड़े थे। हमारी दुनिया नगरों और अपनी शिक्षित बिरादरी तक सीमित थी। हमारा जनता से सम्पर्क हमारे घरेलू नौकरों तक सीमित था और फिर भी हम जनता की गरीबी की बातें करते थे और देश से विदेशी जुए को उतार फेंकने के लिए व्यग्र थे।''[32]

ऐसे तथ्यों के आलोक में मानना पड़ता है कि भले ही दादाभाई नौरोजी, रमेशचन्द्र दत्त, गणेश देउस्कर आदि ने पुस्तकें लिखकर ब्रिटिश राज के शोषणकारी चरित्र को प्रकट कर दिया था, बंग-भंग जैसा आन्दोलन हो चुका था, 'स्वराज्य हमारा जन्मसिद्ध अधिकार है' की निर्भीक उद्घोषणा करने वाले लोकमान्य तिलक छह वर्षों के कारावास की सजा भोग चुके थे, 1916 में 'होमरूल' आन्दोलन भी हो चुका था, लेकिन इन सारी गतिविधियों का केन्द्र शहर और शिक्षित वर्ग ही अब तक रहता आया था—शहर और गाँव के बीच सम्पर्क-संवाद का कोई रिश्ता नहीं बन पाया था। गाँधीजी ने यही युगान्तरकारी काम किया—उन्होंने स्वराज्य के सवाल को गाँव-गाँव तक पहुँचाया। भारत में उन्होंने अपने सत्याग्रह का पहला प्रयोग चम्पारण के गाँवों में जाकर किया। सचमुच भारतीय राजनीति में शहरी शिक्षित वर्ग का किसानों से संवाद-सम्पर्क का सिलसिला चम्पारण के सत्याग्रह से ही शुरू हुआ माना जा सकता है। ध्यान रहे गाँधीजी भी बहुत बड़े लिक्खाड़ थे, किन्तु जनता को जगाने के लिए उन्होंने लेखन से अधिक महत्त्व दिया उनके बीच जाकर उनकी व्यथाओं को सुनने और फिर ब्रिटिश राज के शोषण से अवगत कराने को। दक्षिण अफ्रीका से आने के बाद गाँधीजी ने भारत-भ्रमण को भी अपने कार्यक्रम का एक अभिन्न अंग बना लिया। हमने देखा कि चम्पारण का सत्याग्रह हो या असहयोग आन्दोलन या सविनय अवज्ञा आन्दोलन हो, या 'अछूतोद्धार' एवं मन्दिर प्रवेश का आन्दोलन हो; गाँधीजी सदैव घूम-घूमकर जनता के बीच अपनी बात कहते रहे। चूँकि उन्होंने पूरे देश को अपना कार्य क्षेत्र बनाये रखा, इसलिए पूरे देश को साम्राज्यवाद विरोधी मुहिम में लामबन्द करने में वे सफल हुए। उनसे पहले किसी नेता ने इस तरह से देशव्यापी दौरा करके, जनता से सीधे-सीधे सम्पर्क करके स्वराज्य की चेतना पैदा करने का काम नहीं किया था।

उल्लेखनीय है कि कवीन्द्र रवीन्द्र 'सत्य की पुकार' वाले लेख में गाँधी और असहयोग आन्दोलन की आलोचना करने के बावजूद उनके महत्त्व को रेखांकित करने से अपने को रोक नहीं सके—''आज देश में चल रहा रहा आन्दोलन बंग-विभाजन के आन्दोलन से बहुत बड़ा है। उसका प्रभाव सारे भातरवर्ष पर पड़ रहा है। बहुत दिनों तक हमारे नेताओं ने अँग्रेजी शिक्षा प्राप्त लोगों के अतिरिक्त

किसी की ओर दृष्टिपात नहीं किया था। उनके लिए देश नाम की वस्तु वही थी जो अँग्रेजी इतिहास-पुस्तकों में मिलती है। वह देश अँग्रेजी भाषा की वाष्प से निर्मित एक मरीचिका जैसा था जिसमें बर्क, ग्लैडस्टन, मेजिनी, गैरीबाल्डी की अस्पष्ट प्रतिमाएँ ही दिखाई पड़ती थीं। उसमें प्रकृत आत्मायोग था देश के लोगों के प्रति यथार्थ सहानुभूति नहीं थी। ऐसे समय महात्मा गाँधी भारत के कोटि-कोटि गरीबों के द्वार पर आकर खड़े हुए। उन्होंने लोगों से उनकी अपनी भाषा में उनकी अपनी बातें कहीं। यह एक सत्य-वस्तु थी, इसमें पुस्तकीय 'दृष्टान्त' नहीं थे। इसलिए उन्हें जो महात्मा का नाम दिया गया है, वह सत्य नाम है। भारत के इतने लोगों को अपना आत्मीय समझनेवाला और कौन है?''

फिर भी गाँधीजी ने आजादी की लड़ाई जिस तरह लड़ी, उसके लिए उनकी आलोचना उनके जीवनकाल से लेकर अब तक होती रही है। इन आलोचकों की आलोचना का आधार यह रहा है कि गाँधीजी ने राजनीतिक स्वाधीनता की लड़ाई में साम्राज्यवाद-विरोध को तो प्रश्रय दिया, लेकिन पूँजीवाद एवं सामन्तवाद के विरुद्ध मजदूर-किसानों के संघर्ष को हमेशा हतोत्साहित करते हुए वर्ग-समन्वय, वर्ग-मैत्री जैसी बातों पर बल दिया। ऐसे आलोचक वामपन्थ जैसी वैज्ञानिक विचारधारा के कायल रहे हैं, लेकिन अब हमारे सामने इटली के महान वामपन्थी बुद्धिजीवी एवं फासिस्ट विरोधी योद्धा ग्राम्शी की 'वार ऑफ पोजिशन' की अवधारणा आ चुकी है जिसके अनुसार दुश्मन के साथ संघर्ष में सफल होने के लिए एक-एक मोर्चे पर क्रमशः विजयी होते जाना आवश्यक है, न कि एक ही साथ समस्त मोर्चों पर धावा बोल देना। गाँधीजी की भी यह रणनीति रही। वैसे वे हमेशा स्वराज्य का अर्थ राजनीतिक स्वाधीनता के साथ-साथ सामाजिक, आर्थिक, सांस्कृतिक, शैक्षिक क्षेत्रों में भी जागृति के सन्दर्भ में करते रहे; अस्पृश्यता उन्मूलन, 'पतित बहनों का उद्धार' आदि को स्वराज्य का अभिन्न अंग बताते रहे और उसके लिए वे जीवनपर्यन्त कार्य भी करते रहे, लेकिन जैसे-जैसे राजनीतिक स्वतन्त्रता उन्हें अधिक अनिवार्य लगने लगी, वे उसी अनुपात में देश के सभी वर्गों के संयुक्त प्रयास को साम्राज्यवाद के विरुद्ध लड़ने के लिए आवश्यक समझने लगे। चूँकि उनकी दृष्टि में देश की समस्त सामाजिक, आर्थिक एवं शैक्षिक समस्याओं के समाधान के लिए राजनीतिक सत्ता का प्राप्त होना अनिवार्य लगने लगा, इसलिए पूँजीपति बनाम मजदूर या जमींदार बनाम किसान या सवर्ण बनाम शुद्र के संघर्ष को तरजीह न देकर उन्होंने सबके सहयोग एवं समर्थन से अपने साम्राज्य विरोधी संघर्ष का ताना-बाना खड़ा किया। यही कारण था कि पूरे देश में साम्राज्यवाद विरोधी राष्ट्रीय आन्दोलन फैलाने में जो सफलता गाँधीजी को मिली, उसका शतांश

भी वर्ग-संघर्ष का जाप करने वालों को न तब मिला, न अब तक मिला है। ऐसा नहीं है कि गाँधीजी अन्य समस्याओं से परिचित नहीं थे। वे खूब परिचित थे, लेकिन इस यथार्थ को भी जानते थे कि एक ही साथ सबके खिलाफ मोर्चे खोलने का मतलब होगा आपस में ही बिखरकर, एक दूसरे के विरोधी होकर साम्राज्यवाद को भारत में बने रहने का अवसर प्रदान करना। इस बात को अच्छी तरह अनुभव करते हुए गाँधीजी ने वर्ग-संघर्ष या वर्ण-संघर्ष को कभी तरजीह नहीं दी। कई अवसरों पर उन्होंने अपने मन की यह बात प्रकट भी की थी। उदाहरणार्थ, जब 1931 में वे लन्दन में आयोजित गोलमेज सम्मेलन में भाग लेने गये हुए थे, तब एक भेंटवार्ता में किसी ने उनसे यह प्रश्न पूछा कि "संयुक्त प्रान्त में लगान में कमी करवाने के अपने आन्दोलन के बल पर आप किसानों की दशा सुधार तो सकते हैं, लेकिन आप इस प्रणाली की जड़ पर ही प्रहार क्यों नहीं करते?" गाँधीजी का इसका एक वाक्य में उत्तर था—"हाँ, नहीं कर रहा हूँ, लेकिन सब कुछ एक साथ तो नहीं किया जा सकता।"[33]

ध्यातव्य है गाँधीजी ग्राम्शी की 'वार ऑफ पोजिशन' की अवधारणा से तनिक भी परिचित नहीं थे, लेकिन प्रश्नकर्ता को उन्होंने जो उत्तर दिया वह ऊपरी तरह से इस अवधारणा के मेल में था। उनका यह कथन उनके पूरे साम्राज्यवाद विरोधी संघर्ष को समझने की एक महत्त्वपूर्ण कुँजी है। गाँधीजी भी यह महसूस करते थे कि जमींदारी प्रथा का नाश ही किसानों की दशा में सुधार का स्थायी उपचार था, लेकिन उस साम्राज्यवाद विरोधी संघर्ष में जमींदारों का सहयोग भी अपेक्षित था, इसलिए तात्कालिक रणनीति के तहत वे जमींदारी—उन्मूलन को अपने आन्दोलन का मुद्दा बनाना वांछनीय नहीं समझते थे। इसी तरह साम्राज्यवाद विरोधी संघर्ष में उन्हें देशी पूँजीपतियों का भी सहयोग मिल रहा था और सवर्णों का भी, इसलिए पूँजीपतियों के विरुद्ध या सवर्णों को रास आनेवाली वर्ण-व्यवस्था के विरुद्ध भी आन्दोलन करना वे स्वराज्य के आन्दोलन के लिए अपेक्षित नहीं समझते थे। गाँधीजी की प्राथमिकता थी कि पहले स्वराज्य प्राप्त हो जाए, तत्पश्चात राजसत्ता का इस्तेमाल सामाजिक, आर्थिक विसंगतियों को दूर करने के लिए किया जाए या उनके विरुद्ध मोर्चाबन्दी की जाए।

यह कहने में अत्युक्ति नहीं कि गाँधीजी की इस दूरदृष्टि सम्पन्न रणनीति को न उस समय रजनीपाम दत्त जैसे कम्युनिष्ट बौद्धिक समझ सके, न आज के दलित बुद्धिजीवी समझ पा रहे हैं, लेकिन गाँधी की इस रणनीति को उसी समय सही समझा था विश्व प्रसिद्ध फ्रांसीसी लेखक रोमां रोलां ने। उन्होंने गाँधीजी की कार्यशैली का विश्लेषण करते हुए अपनी पुस्तक 'महात्मा गाँधी: जीवन और दर्शन'

में लिखा था—"उनके साथ बातें करके मुझे ऐसा ही लगा है। वे विनयी और दृढ़ हैं, सामाजिक कार्यों के बारे में किसी भी अनुमान को हमेशा बड़े मनोयोग से जाँचकर देखते हैं और उपलब्ध सत्य के आधार पर एक के बाद दूसरा परीक्षण करते चलते हैं—लेकिन वे दूसरी तरह के परीक्षणों अथवा अन्य अभिज्ञताओं को प्राप्त करने के लिए भी सदा तैयार रहते हैं और जाँचकर उनको देखने के बाद, जरूरत होने पर, उसी के आलोक में अपनी कार्य कर्म पद्धति बदलने को भी राजी रहते हैं। वे अपने जीवन को कभी सजा-सँवार नहीं सके, लेकिन अगर वे दस बरस और बचे रहे, तो सामाजिक क्षेत्र में उन्हें बहुत बड़े-बड़े काम करते देखा जाएगा—मेरी तो यही धारणा है। तब तक ब्रिटिश पूँजीवाद और साम्राज्यवाद के विरुध उनका युद्ध समाप्त हो चुकेगा और भारतीय पूँजीपतियों और साम्राज्यवादियों के खिलाफ एक नये युद्ध में वे अपने देश की जनता को खड़ा करेंगे। उस समय इस तरह का परिवर्तन जिन्हें अप्रत्याशित जान पड़ेगा, उन्होंने गाँधी को समझने की चेष्टा नहीं की है। इंग्लैंड के खिलाफ भारत का सम्मिलित मोर्चा कायम रहे, इसके लिए उनका वर्तमान रणकौशल उद्योगशील है—फिर भी, यह सत्य होने के बावजूद, वे भविष्य में भारत के धनी सम्प्रदाय को किस दृष्टि से देखेंगे, इसका भी स्पष्ट आभास उन्होंने इसी बीच दे दिया है, धमकी देने से भी वे नहीं चूके (यहाँ तक कि लन्दन के गोलमेज सम्मेलन में भी नहीं)।"[34]

रोलां का यह कथन गाँधीजी की सोच एवं कार्यशैली के सम्पूर्ण स्वरूप को बहुत ही सही ढंग से प्रस्तुत करता है। अहिंसा, सत्य एवं साधन की पवित्रता में गाँधीजी की जीवनपर्यन्त अडिग आस्था अवश्य रही; किन्तु राजनीति, सामाजिक, आर्थिक मामलों में उनका दृष्टिकोण सत्य की प्रतीति के आधार पर बदलता रहा, यह हम पूर्व विवेचन में देख चुके हैं। उदाहरण के लिए हम देख सकते हैं कि 1920 में जो गाँधीजी ब्रिटिश राज के खिलाफ असहयोग का तूफान खड़ाकर उसके प्रचण्ड विरोधी बन गये, वे 1918 तक उसके प्रबल हितैषी थे, उसकी न्यायशीलता में अगाध आस्था रखनेवाले थे, किन्तु उन्हें जब सत्य का अहसास हुआ कि ब्रिटिश सरकार अन्याय, अत्याचार करने में राक्षसी राज्य सदृश्य है, तो उनकी सोच में परिवर्तन आया और वे उसके विरोध की दिशा में सक्रिय हो गये। यही नहीं, उनके विरोध के ढंग में भी अनुभवों के आलोक में परिवर्तन होते गये जो उनके 1920 के असहयोग आन्दोलन से लेकर 1942 के 'भारत छोड़े आन्दोलन' तक की विकास-यात्रा से स्पष्ट है। गाँधी में निरन्तर सकारात्मक विरोध का विकास होते दिखाई देता है। जबर्दस्त वेग से चलनेवाले असहयोग आन्दोलन को गाँधीजी ने एक झटके में स्थगित कर दिया, लेकिन उसके बाद वे जिस तरह साम्राज्यवाद

विरोधी अभियान में लगे रहे, उसका ही परिणाम हुआ कि 1942 में गाँधीजी समेत सारे बड़े नेताओं के गिरफ्तार कर लिये जाने के बाद भी आन्दोलन नहीं रुका और इस दौरान हुई किसी भी हिंसक घटना की गाँधीजी ने भर्त्सना भी नहीं की जो उनके बदले हुए रणकौशल का परिणाम था। अतएव रोलां का यह अनुमान बिलकुल सही था कि "ब्रिटिश पूँजीवाद एवं साम्राज्यवाद के विरुद्ध युद्ध समाप्त हो जाने पर भारतीय पूँजीपतियों एवं साम्राज्यवादियों के खिलाफ एक नये युद्ध में वे अपने देश की जनता को खड़ा करेंगे।" निस्सन्देह गाँधी की पूरी विकास-यात्रा को ध्यान में रखते हुए उनसे ऐसी उम्मीद करना तर्क एवं तथ्यसंगत था, किन्तु गोडसे की गोलियों ने उन्हे चिरनिद्रा में सुलाकर यह मौका नहीं दिया। जाहिर है यह गाँधी का दोष नहीं, बल्कि भारत की जनता का दुर्भाग्य था।

गाँधीजी के नेतृत्व में चले स्वाधीनता-संग्राम की तुलना जो लोग फ्रांस, रूस या चीन में हुई क्रांतियों के साथ करते हुए इसकी कमियों को रेखांकित करते हैं, वे भूल जाते हैं कि उन देशों में क्रान्तिकारियों एवं आन्दोलनकारियों को अपने देश में किसी औपनिवेशिक सत्ता का मुकाबला नहीं करना पड़ा। और जहाँ औपनिवेशिक आधिपत्य के खिलाफ संघर्ष चला, वहाँ समस्त आन्तरिक मुद्दों एवं मतभेदों को दरकिनार कर बाहरी दुश्मन के विरुद्ध सबकी एकता को प्रमुखता दी गयी। मिसाल के रूप में हम चीन को देख सकते हैं। वहाँ पर माओत्सेतुंग के नेतृत्व में 'लाल सेना' च्यांगकाई शेक की राष्ट्रीय बुर्जुवा सरकार से लड़ रही थी, लेकिन 1936 में जब जापान ने मंचुरिया पर हमला किया, तब माओत्सेतुंग ने ही च्यांगकाई शेक से सम्मिलित रूप से इस बाहरी आक्रमण का मुकाबला करने का प्रस्ताव रखा। नतीजतन बुर्जुवा एवं कम्युनिस्टों के संयुक्त मोर्चे ने जापानी हमले का प्रतिरोध किया, यह दीगर बात है कि बाहरी खतरे के टल जाने पर च्यांगकाई शेक ने संयुक्त मोर्चे को तोड़कर फिर कम्युनिस्टों का दमन शुरू कर दिया। चीन में तो अल्पकाल के लिए बाहरी शक्ति का खतरा आया तो संयुक्त मोर्चा बन गया, भारत में तो यह बाहरी औपनिवेशिक शक्ति दीर्घकाल तक उपस्थित रही, अतएव गाँधी का पूरा जीवन तो इसी का विरोध करते खप गया और इसके लिए उन्हें सम्मिलित मोर्चे की अपरिहार्यता बनी रही। अतएव गाँधीजी पर वर्ग-संघर्ष या वर्ण-संघर्ष की अनदेखी करने का आरोप इस ऐतिहासिक सन्दर्भ के अज्ञान का ही परिणाम है।

वास्तव में देखा जाए तो गाँधीजी द्वारा चलाया गया स्वाधीनता आन्दोलन विश्व की कई महान क्रान्तियों की तुलना में अपना अलग वैशिष्ट्य रखता है। इस सम्बन्ध में प्रसिद्ध पत्रकार निखिल चक्रवर्ती के एक लेख के कुछ अंशों को

उदधृत करने का लोभ में संवरण नहीं कर पा रहा हूँ। 'गाँधी के सन्देश में थी सबके मन की बात' शीर्षक से छपे इस लेख में श्री चक्रवर्ती ने गाँधीजी के नेतृत्व में चले स्वाधीनता आन्दोलन की, विश्व की कई क्रान्तियों से तुलना करते हुए, जिन मुख्य विशिष्टताओं पर 'फोकस' किया है, वे ध्यान में रखने लायक हैं। उनका कहना है—''देश के स्वतन्त्रता-आन्दोलन का आकलन ऐतिहासिक परिप्रेक्ष्य में किये जाने की जरूरत है। अपनी जिन विशेषताओं की वजह से यह इतिहास की दूसरी क्रान्तियों से अलग है उनमें महत्त्वपूर्ण है इसका गहरा प्रभाव। इतिहास की किसी अन्य क्रान्ति ने इतनी बड़ी तादाद में लोगों को सक्रिय नहीं किया। यह कोई निराधार दावा नहीं है बल्कि एक ऐसा ऐतिहासिक तथ्य है जिसे शिक्षाविद और राजनीतिज्ञ प्राय: भूल जाते हैं। अठारहवीं शताब्दी के आखिर में फ्रांस के पुरातन शासन के खिलाफ लोगों में असन्तोष बेशक था और इससे लोगों का मोहभंग हो गया था। पर वास्तविक क्रान्तिकारी कार्रवाई में कुछ हजार लोग शामिल थे। ऐसे लोग ज्यादातर पेरिस में थे। पर एक दफा जब शुरुआत हो गयी तो फ्रांस के विभिन्न हिस्सों में क्रान्ति फैल गयी, वह भी बिना किसी सशक्त नेतृत्व के। कुल मिलाकर यह अनायास उठी एक लहर थी और इसमें शुरू से जुड़ा नेतृत्व भी अपने मन की नहीं कर पाया। जिन लोगों ने शुरू में नेतृत्व दिया था वे भी या तो छूट गये या फिर खत्म हो गये। इससे यह मुहावरा चरितार्थ हुआ कि क्रान्ति ''अपने ही बेटों को निगल लेती है।''

''फ्रांसीसी क्रान्ति का नेतृत्व करनेवालों के मुकाबले रूसी नेतृत्व ज्यादा संगठित था। पर यह एक दृढ़ निश्चयी अतिवादी क्रान्तिकारियों का ऐसा छोटा समूह था जिसके नेता को एक क्षयोन्मुख साम्राज्यवादी व्यवस्था में सेना के विन्यास की अलौकिक समझ थी। इसलिए जब जार प्रणाली प्रथम विश्वयुद्ध में हार के बाद टूट गयी तो लेनिन ने सत्ता पर नियन्त्रण की अपील की। बोल्शेविकों ने इसे तत्काल पूरा किया। लाखों लोगों को क्रान्तिकारी कार्रवाई में शामिल करने के लिहाज से बोल्शेविक क्रान्ति मूलत: दृढ़निश्चयी क्रान्तिकारियों के छोटे समूह की कार्रवाई थी। वे हर जगह पहले सत्ता के महत्त्वपूर्ण ठिकानों पर कब्जा करते थे और फिर सामाजिक संरचना के पुनर्गठन की ऐसी कोशिश करते थे जिसे वे आमलोगों के हित में समझते थे। एक तरह से यह एक किस्म की प्रबन्धकीय क्रान्ति थी जिसका नेतृत्व ऐसी पार्टी करती थी जो सत्ता और सिर्फ सत्ता हासिल करने के मकसद से काम करती थी। विस्तृत ऐतिहासिक प्रभाव के मामले में चीनी क्रान्ति भी रूसी क्रान्ति जैसी थी। यह कुछ हजार लोगों का छोटा समूह था जिसका नेतृत्व विलक्षण नेता माओत्सेतुंग करते थे। लांग मार्च के नाम पर यह एक तरह

की हथियारबन्द पदयात्रा थी। यह एक दशक पुराना अभियान था जिसका मकसद काफी बड़े इलाके में फैले चीन के कुछ हिस्सों में किसानों को जागरूक करना था। माओ अपना प्रभाव गुरिल्ला युद्ध में महारत के कारण फैला सके। रूसी क्रान्ति कामकाजी वर्ग पर ज्यादा निर्भर थी, पर चीनी क्रान्ति उससे अलग थी। इसमें कृषि-वर्ग को महत्त्व देने का लक्ष्य था। यहाँ भी सामूहिक कार्रवाई में सक्रियता से लगनेवाले लोगों की संख्या कम थी—दृढ़ निश्चयी लोगों के समूह पर निर्भरता उतनी ही थी। कार्रवाई का तरीका हथियारबन्द गुरिल्ला हमला ही होता था। इसमें दुश्मन को परेशान करके आखिरकार उसे कब्जे में ले लिया जाता था। इस तरह सरकार के अधिकार पर विश्वास खत्म करके आखिरकार सत्ता के गढ़ पर कब्जा कर लिया जाता था।''

''भारत के स्वतन्त्रता संघर्ष की मुख्य बात यह रही है कि यह शुरू से ही लगभग पूरी तरह आम लोगों को सक्रिय करने पर निर्भर रहा। इसके लिए उनमें स्वतन्त्रता की चाह जगाई गयी और उन्हें बताया गया कि सामन्ती शासकों के मुकाबले भारत की जनता की ताकत कितनी ज्यादा है। अहिंसा को जिस ढंग से कार्यान्वित किया गया था उसमें शासकों के मुकाबले लोगों की शक्ति पर जोर दिया गया था। क्योंकि शासकों को अपना अधिकार बनाये रखने के लिए बन्दूक पर निर्भर रहना होता था। ...लोगों को बताया गया कि विदेशी शासकों को खदेड़ने के लिए लोगों को अपनी चेतना-शक्ति पर निर्भर रहना होगा। स्वतन्त्रता आन्दोलन के नेताओं को बड़ी तादाद में आम भारतवासियों की जागरुकता बढ़ाने के लिए काफी परिश्रम करना पड़ा जबकि अन्य महान क्रान्तियों में कतिपय दृढ़ निश्चयी क्रान्तिकारियों के छोटे वर्ग को ही जागरूक करना होता था। अँग्रेजी हुकूमत में भारतवासियों को हथियार रखने की इजाजत नहीं थी। इस बात से लाखों लोगों का उत्साह कम नहीं होने दिया गया। इसके उलट उनमें नयी शक्ति का संचार हुआ। भारतीय क्रान्ति का यह पहलू इसे आधुनिक समय की अन्य क्रान्तियों से एकदम अलग कर देता है। स्वतन्त्रता के लिए चलाये गये राष्ट्रीय संघर्ष का मुख्य धारा में बन्दूक के सवाल को कहीं भी सर्वोच्च या निर्णायक महत्ता नहीं मिलने दी गयी। इसका यह मतलब नहीं है कि विदेशी शासकों के खिलाफ हथियार उठाकर प्राणों की आहुति देनेवाले क्रान्तिकारियों का बलिदान बेकार गया है। अरविन्द घोष और सावरकर से लेकर भगत सिंह व चन्द्रशेखर आजाद तथा सुभाष चन्द्र बोस तक सबने स्वतन्त्रता आन्दोलन में श्रेष्ठ योगदान दिया है। पर भारत में अँग्रेजों का तख्ता पलट करने वाली जनक्रान्ति की निरन्तर लहर समर्पित क्रान्तिकारियों के छोटे समूह द्वारा हथियार उठाने पर निर्भर नहीं थी, बल्कि लोगों के विशाल

समुदाय में जागरुकता का स्तर बढ़ाने पर अवश्य निर्भर थी।''

''संक्षेप में यही गाँधीजी का बेजोड़ योगदान था। इतिहासकार और पत्रकार जब यह कहते हैं कि गाँधीजी ने राजनीति को बुद्धिजीवियों के एकाधिकार से अलग करके आम जनता के विस्तृत विश्व में ला दिया था तो यह सिर्फ स्वतन्त्रता आन्दोलन का आधार मजबूत करने का मामला नहीं था। यह महज आन्दोलन में भाग लेने वालों की संख्या में वृद्धि का सवाल नहीं था, बल्कि गुणात्मक रूप से यह एक अलग किस्म का आन्दोलन था जिसकी एक अलग पहचान थी। यह कैसे हासिल हुआ था, आम लोगों तक स्वतन्त्रता आन्दोलन का सन्देश कैसे पहुँचाया गया था? महान सन्देश सम्प्रेषक के रूप में गांधीजी की भूमिका यहीं से शुरू होती है, क्योंकि वे पूरी तरह इस बात पर निर्भर करते थे कि स्वतन्त्रता का सन्देश आम लोगों तक पहुँचाया जाए। इस तरह उन्होंने लोगों को जागरूक बनाना चाहा।''

''1905 में बँटवारे के खिलाफ बंगाल में चलाये गये आन्दोलन के दौरान एक सीमित क्षेत्र में ऐसा किया गया था। एक खास क्षेत्र में यह जन आन्दोलन का रूप ले चुका था और इसने अँग्रेज शासकों को इस बात के लिए मजबूर कर दिया कि वे राष्ट्रीय आन्दोलन को एक उग्रवादी क्षेत्र पर सख्ती की अपनी योजना रद्द कर दें। इसी तरह गाँधीजी का आन्दोलन और ज्यादा विस्तृत था। इसमें देश के सभी वर्गों और विविध क्षेत्रों को सक्रिय करने की कोशिश की गयी थी। प्रभावशाली वर्ग से लेकर गरीबों तक और बुद्धिजीवियों से लेकर निरक्षरों तक किसी को भी नहीं छोड़ा गया था। ...स्वतन्त्रता के लिए गाँधीजी के आन्दोलन की खासियत यह थी कि यह न सिर्फ बहुत ज्यादा व्यापक था बल्कि इसमें विदेशी शासकों की शक्ति के बारे में यह भी बताया गया कि लोगों के शक्ति-प्रदर्शन से अगर विदेशी शासकों को खदेड़ा जा सका तो देश कितनी तरक्की करेगा।''

''गाँधीजी ने दक्षिण अफ्रीका में रंगभेद के शासन के खिलाफ अपनी इस नयी तकनीक को आजमाया। वहाँ भी उन्होंने हथियार उठाने की वकालत नहीं की बल्कि आम लोगों को अपनी शक्ति का अहसास कराने की कोशिश की ताकि उन्हें पता चले कि वे गोरों के दमनकारी शासन को खत्म करा सकते हैं। विदेश में यह प्रशिक्षण लेने के बाद 1915 में जब वे भारत लौटे तो देश की राजनीतिक गतिविधियों में ठहराव था और यह बुद्धिजीवियों तक अस्त-व्यस्त अवस्था में सीमित थी। उनकी पहली कार्रवाई चम्पारण-सत्याग्रह थी। यह संघर्ष का ऐसा रूप था जो उस समय के भारतीय राजनीतिज्ञों के साथ-साथ अँग्रेज शासकों के लिए एकदम नया था। दक्षिण अफ्रीका में हुए अनुभवों के मद्देनजर उन्होंने इस बात का खास ध्यान रखा कि अल्पसंख्यक मुस्लिम समुदाय को आगे बढ़ाया जाए।

इसके बाद से ही खिलाफत आन्दोलन में उनकी दिलचस्पी हुई और फिर समझौता हुआ। 1920 में उन्होंने असहयोग आन्दोलन के रूप में पहला बड़ा राष्ट्रीय अभियान शुरू किया था। रॉलेट सत्याग्रह और खिलाफत उससे पहले हुए थे। राष्ट्रीय आन्दोलनों के इतिहास में पहली बार 1920 में एक राष्ट्रव्यापी अभियान चलाया गया था जिसमें आम लोग शामिल हुए थे। उन्होंने लोगों को जागरूक बनाने और आन्दोलन में उनकी सक्रिय भागीदारी की अनिवार्यता बताने के किसी भी साधन या तकनीक को नहीं छोड़ा। इसके लिए उन्होंने कई तरह की गतिविधियाँ शुरू कीं। इनमें शिक्षा से लेकर ग्राम-कल्याण, चरखे से लेकर पशुपालन तक सब कुछ शामिल था। गाँव के गरीब जैसे लगने के प्रयासों के तहत वे कपड़े भी ग्रामीणों जैसे पहनने लगे और उन्हीं की तरह रहते थे। वे मानते थे कि जनहित के काम करना मनुष्य का नैतिक कर्तव्य है, इसलिए वे स्वतन्त्रता के पूरे अभियान को सत्य के प्रयोग मानते थे। उनका मानना था कि सत्य के लिए संघर्ष की दिशा में देश की आजादी जरूरी थी। यह अपनी बात कहने का ऐसा तरीका था जिसे समझना शायद रीति-रिवाज माननेवाले अनपढ़ ग्रामीणों के लिए आसान था। ...ब्रिटिश शासन के खिलाफ राष्ट्रीय स्तर के पहले सच्चे जन अभियान में गाँधीजी ने ग्रामीण जनता का उत्साह बढ़ाने के लिए प्राय: धार्मिक बोलियों का इस्तेमाल किया क्योंकि ग्रामीण जनता धार्मिक जनुश्रुतियों से वाकिफ होती है।''

''सन्देश सम्प्रेषक के रूप में गाँधीजी हमारे ज्यादातर महान नेताओं की तरह बोलने के अलावा प्रेस का भी सहारा लेते थे। उनकी तमाम गतिविधियों के बीच 'इंडियन ओपिनियन', 'यंग इंडिया' और 'हरिजन' का नियमित प्रकाशन होता था। यह देशवासियों तक अपना सन्देश पहुँचाने का अकेला प्रयास था। गाँधीजी और दूसरे राष्ट्रीय नेता लिखे हुए शब्दों को जितना महत्त्व देते थे, उससे पता चलता है कि वे अपना सन्देश लोगों के बड़े से बड़े वर्ग को पहुँचाना चाहते थे। उनका सन्देश पहुँचाने का साधन प्राय: अपरिष्कृत होता था पर उन दिनों उपलब्ध किसी भी साधन को छोड़ा नहीं गया था। एक दूसरे को सन्देश देने से लेकर आने-जाने वाले चारण, बंगाल के घुमक्कड़ बाउल से लेकर पढ़े-लिखे छात्रों का साक्षरता सह स्वदेशी अभियान पर निकलना, देशभक्ति वाले गीत लिखना, गाँवों-मुहल्लों और बस्तियों में इन्हें एक साथ गाने से लेकर 'मैजिक लैंटर्न' तक सब कुछ। यह एक विशालकाय अभियान था जो स्वतन्त्रता आन्दोलन के उतार-चढ़ाव के साथ-साथ चला।

''एक सन्देश-संप्रेषक के रूप में गाँधीजी अपने पाठक या श्रोता की जागरूकता का स्तर जानने की जरूरत से वाकिफ थे। उन्होंने अपने महान आन्दोलनों के जो

नाम दिये उससे यह स्पष्ट है। वे सब वैसे ही नहीं शुरू हो गये थे बल्कि प्रत्येक की बारीकी से अच्छी तैयार की गयी थी। एक सन्देश सम्प्रेषक के सही मानकों के अनुसार गाँधीजी ने संघर्ष का रूप, लक्ष्य और यहाँ तक कि हरेक अभियान की भाषा का चुनाव करते समय आमलोगों की जागरूकता के स्तर का ख्याल रखा। सबसे पहले असहयोग आन्दोलन (1920) फिर दस साल बाद और ज्यादा दबाव डालने वाला सिविल नाफरमानी आन्दोलन (1930-32) चलाया गया। इसके एक दशक बाद आन्तरिक और बाह्य परिस्थितियों का ख्याल रखते हुए भारत छोड़ो आन्दोलन (1942) चलाया गया। हर चरण में उत्साह और जोश बढ़ जाता था, लोगों की भागीदारी और मजबूत तथा पहले के मुकाबले ज्यादा विस्तृत होती थी। आखिरकार 'करो या मरो' का नारा दिया गया। यह उस महान सन्देश सम्प्रेषक की जबर्दस्त संवेदनशीलता की अभिव्यक्ति है।''[35]

इस प्रकरण के पूरे विवेचन को श्री चक्रवर्ती के विश्लेषण सहित ध्यान में रखने पर गाँधीजी पर बुर्जवा एवं सामन्त-समर्थक तथा दलित-विरोधी आदि होने का शायद ही कोई आरोपपत्र प्रस्तुत करने की गलती करे। चक्रवर्ती के मूल्यांकन का विशेष महत्त्व इसलिए है कि वे स्वतन्त्रता आन्दोलन के विभिन्न चरणों को बहुत नजदीक से देखने वाले पत्रकार रहे, लेकिन कभी वे गाँधी-भक्त नहीं रहे। उल्टे उनका सम्बन्ध उस साम्यवादी विचारधारा एवं उसकी ध्वजारोही कम्युनिस्ट पार्टी से रहा, जो गाँधी के नेतृत्व की कटु आलोचना के लिए विख्यात रही। चक्रवर्ती ने अपने इस व्याख्यान के आरम्भ में अपने सम्बन्ध में स्वयं निवेदन भी किया है—''मैं गाँधीजी के महान जीवन का अध्ययन करने वाला कोई विद्वान नहीं हूँ, बल्कि मैंने अपनी युवावस्था स्वतन्त्रता आन्दोलन के बुजुर्गों के अक्खड़ आलोचक के रूप में गुजारी है। पचास से भी ज्यादा वर्षों तक पत्रकारिता करने के बाद मैंने इस व्याख्यान का विषय चुना है। महात्मा गाँधी : महान सन्देश-सम्प्रेषक। यह एक बहुत ही आत्मनिष्ठ प्रयास है जो गाँधीजी के नेतृत्व में चलाये गये स्वतन्त्रता-आन्दोलन की अनूठी खासियतों और उनकी वजहों के बारे में मेरे निजी विचारों पर आधारित है।'' अब ऐसे अक्खड़ आलोचक द्वारा गाँधीजी का यह मूल्यांकन निर्दोष एवं वस्तुनिष्ठ तो माना ही जाएगा। इतने के बावजूद कोई गाँधीजी के नेतृत्व की भर्त्सना करने को तत्पर दिखाई पड़े, तो यही कहा जा सकता है—'लेट अस एग्री टू डिसएग्री।'

सन्दर्भ

1. महात्मा गाँधी : जीवन और चिन्तन, ले. जे. बी. कृपलानी, पृ. 57
2. उप.
3. स. गां. वां., खंड— 13, पृ. 215-18, वांङ्मय में एक जगह लिखा है कि यह भाषण गाँधीजी ने 4.2.1916 को शिलान्यास-समारोह में दिया, तो दूसरी जगह पर भाषण देने की तिथि 6.2.1916 बताई गयी है। लगता है कि समारोह आरम्भ हुआ होगा 4.2.1916 को और गाँधीजी का भाषण हुआ होगा 6.2.1916 को, क्योंकि समारोह दो-तीन दिनों तक चला था।
4. महात्मा गाँधी : जीवन और चिन्तन, पृ. 60 से उद्धृत
5. स. गां. वां. खंड— 13, पृं. 219
6. यह विवरण कृपलानी जी की पुस्तक 'महात्मा गाँधी ...' पृ. 68-69 से उद्धृत है।
7. स. गां. वां. खंड—13, पृ. 377-78
8. महात्मा गाँधी ...पृ. 65-66
9. उप.
10. उप. पृ. 72
11. उप. पृ. 76
12. स. गां. वां. खंड—18, पृ. 126
13. उप. पृ. 137-38
14. उप. पृ. 429
15. उप. पृ. 456
16. 'महात्मा गाँधी ...' पृ. 92
17. स. गां. वां. खंड— 21, पृ. 300-05
18. इंडियाज स्ट्रगल फॉर इंडिपेंडेंस, सं. विपनचन्द्रा, पृ. 187,-88, प्र. पेंग्यूइन बुक्स, नई दिल्ली, संस्करण—1989
19. स. गां. वां. खंड— 23, पृ. 123-29
20. उप. खंड 25, पृ. 432
21. ट्राइबल सोसाइटी इन इंडिया, ले. के. एस. सिंह, पृ. 158, मनोहर पब्लिकेशन, नई दिल्ली, 1985
22. महात्मा गाँधी : जीवन और चिन्तन, पृ. 124-26
23. उप. पृ. 126
24. उप. पृ. 130
25. स. गां. वां. खंड— 43, पृ. 03-08
26. महात्मा गाँधी ..., पृ. 132
27. इंडियाज स्ट्रगल फॉर इंडिपेंडेंस, पृ. 272-73
28. स. गां. वां. खंड— 45, पृ. 353-54
29. उप.
30. उप. पृ. 356-57
31. गाँधी मार्ग (पत्रिका) सं. अनुपम मिश्र, अंक-जनवरी-फरवरी 2007, गाँधी शांति प्रतिष्ठान, नई दिल्ली से प्रकाशित।
32. महात्मा गाँधी ..., पृ. 63
33. स. गां. वां. खंड— 48, पृ. 268

34. महात्मा गाँधी : जीवन और दर्शन, ले. रोमां रोलां, (हिन्दी अनुवाद), पृ. 223-24, लोक भारतीय प्रकाशन, इलाहाबाद, संस्करण 1981

35. यह लेख प्रख्यात पत्रकार निखिल चक्रवर्ती द्वारा 30 जनवरी 1995 को 'गाँधी निर्वाण दिवस' पर गाँधी शान्ति प्रतिष्ठान, नई दिल्ली में दिये व्याख्यान का लिखित रूप है जो 19 फरवरी 1995 के दैनिक पत्र 'जनसत्ता' (दिल्ली संस्करण) के 'रविवारी' में छपा है। लेख के उद्धृत अंश उसी से लिए गये हैं।

उपसंहार

अब तक के विवेचन के आलोक में यह तथ्य निरभ्र आकाश की तरह साफ हो जाता है कि वर्तमान दौर में 'दलित' शब्द को जिस तरह एक जाति-विशेष तक सीमित कर के रख दिया गया है, उस तरह यह पहले नहीं था। गाँधीजी जैसे व्यक्ति के लिए यह शब्द बहुत व्यापक था और जहाँ तक भारतवर्ष जैसे देश के सन्दर्भ में 'दलित' का प्रश्न था, तो पूरा देश ही एक तरफ नाना सामाजिक कुरीतियों के जबड़े में जकड़े होने के कारण, तो दूसरी तरफ औपनिवेशिक दासता के बन्धनों में बँधे होने के कारण दलित था। इस दलित राष्ट्र के जिन प्रमुख चार पक्षों का विवेचन किया गया है, वे ही गाँधीजी के नेतृत्व में चलाये गये राष्ट्रव्यापी जागरण-अभियान के चार स्तम्भ थे।

यह सत्य है कि भारतीय राजनीति में गाँधीजी के सक्रिय होने के पूर्व ही देश के पूर्वी एवं पश्चिमी छोरों पर स्त्री-शिक्षा, विधवा-पुनर्विवाह, जाति प्रथा का विरोध, मातृभाषाओं एवं राष्ट्रभाषा आदि के सवाल पर धर्म-सुधार एवं समाज सुधार के रूप में जागरण का काम शुरू हो चुका था। लेकिन ये धाराएँ एक दूसरे से अलग-थलग थीं। जो बौद्धिक धर्म एवं समाज सुधार के कार्यों में प्रवृत्त थे, उन्होंने अपने को राजनीतिक प्रश्न से अलग ही रखा। 1885 ई. में राष्ट्रीय कांग्रेस की स्थापना हुई, लेकिन शायद ही उससे किसी धर्म या समाज सुधारक का सम्बन्ध रहा। राजा राममोहन राय, केशवचन्द्र सेन, ईश्वर चन्द्र विद्यासागर, स्वामी विवेकानन्द, गोविन्द रानाडे, ज्योतिबा फूले, स्वामी दयानन्द सरस्वती, पंडिता रमाबाई जैसे धर्म एवं समाज-सुधारकों के लिए 'स्वराज्य' का प्रश्न अछूता ही रहा। इसके अतिरिक्त उन्नीसवीं सदी में सर सैयद अहमद खाँ ने मुस्लिम समुदाय के आधुनिकीकरण या जागरण जाने का जो प्रयास किया, वह भी यहाँ के अन्य सम्प्रदायों से अलग-थलग रह कर अपने ही मजहबी दायरे में चलता रहा और स्वराज्य-जागरण का विरोधी रहा। उनकी इस अलगाववदी विरासत की अगली कड़ी के रूप में ही

1906 ई. में 'मुस्लिम लीग' की स्थापना हुई, तो उसकी प्रतिक्रिया में 1915 में 'हिन्दू महासभा' वजूद में आयी। कांग्रेस के अन्दर भी 'उदारपन्थी' एवं 'गरमपन्थी' के रूप में दो धाराएँ चलती रही थीं।

मतलब यह कि भारतीय राजनीति में गाँधीजी के पदार्पण के पूर्व विभिन्न सुधारवादी-राष्ट्रवादी एवं मजहबी धाराएँ चल रही थीं। अब तक ऐसी कोई शख्सियत सामने नहीं आयी थी जो उपर्युक्त सभी धाराओं को एक भारतीय राष्ट्रीयता के धागे में पिरो सके। यहीं पर गाँधीजी का सबसे बड़ा मौलिक अवदान हो जाता है कि भारतीय मंच पर चली आ रही समाज-सुधार, धर्म-सुधार, भाषा-शिक्षा का उत्थान, स्वराज्य-जागरण आदि की धाराओं को उन्होंने एक साथ अन्तर्लीन, अन्तर्भुक्त कर दिया। यही नहीं, हिन्दू-मुस्लिम नाम से अलग-अलग धाराओं में विभक्त भारतीय समुदाय को भी उन्होंने असहयोग आन्दोलन के समय से ही एक राष्ट्रीय धारा में समायोजित करने का काम किया। गाँधीजी द्वारा खिलाफत आन्दोलन का समर्थन करना, जैसा कि कुछ लोग कहते रहे हैं, मुस्लिमों के तुष्टिकरण की नीयत से नहीं, अपितु उनकी धार्मिक भावनाओं के प्रति संवेदनशील होते हुए उनके साथ सहकार का सम्बन्ध विकसित करने के उद्देश्य से था। इसीलिए असहयोग आन्दोलन 1857 के बाद पहली बार हिन्दू-मुसलमानों को अँग्रेजों के विरुद्ध एक साथ व्यापक पैमाने पर उठ खड़ा करने वाला आन्दोलन बन सका।

वस्तुत: गाँधीजी ने 'दलित भारत' के उद्धार के लिए पूर्वोक्त सभी समस्याओं का निदान अपरिहार्य समझा, इसलिए उन्होंने समाज-सुधार, साम्प्रदायिक सौहार्द, भाषा एवं राष्ट्रभाषा का महत्त्व, आर्थिक स्वावलम्बन, राजनीतिक स्वाधीनता आदि सबको अपने भारत-जागरण अभियान के अन्तर्गत स्थान दिया, स्वराज्य जागरण को केवल राजनीतिक स्वाधीनता के सवाल तक सीमित नहीं रहने दिया। उन्होंने लोगों के नैतिक-आध्यात्मिक उत्कर्ष को भी अपने कार्यक्रम से अलग नहीं रहने दिया। उन्होंने स्वराज्य को परिभाषित करते हुए कई अवसरों पर इस आशय की बात कही भी। मसलन, 'थोपा हुआ वैधव्य' नामक लेख में उन्होंने बताया था—"राजनीतिक जागृति का अर्थ है—जनजागृति। राष्ट्रीय प्रगति के किसी भी अंग पर इसका प्रभाव पड़े बिना नहीं रह सकता। उन्नति मात्र का अर्थ जागृति ही है। एक बार जागृत हो जाने पर केवल किसी एक ही क्षेत्र में सुधार करके राष्ट्र का चुप बैठना असम्भव है। इसलिए सभी आन्दोलनों को साथ-साथ चलते रहना चाहिए।"[1] अपनी इस मान्यता के मुताबिक ही गाँधीजी ने सभी आन्दोलनों को अपने राष्ट्रीय मुक्ति-अभियान के स्थापत्य में विन्यस्त किया।

इस क्रम में ही हमने देखा कि गाँधीजी छुआछूत की समस्या को अपने

जीवन-मरण का प्रश्न बनाकर उसके उन्मूलन की दिशा में जीवनपर्यन्त प्रयासरत रहे। अछूतों को समाज में हर तरह से समानता-सम्मान का दर्जा मिले, इसके लिए उन्होंने उनके लिए आर्थिक कार्यों से लेकर मन्दिर-प्रवेश जैसे धार्मिक कार्यों को महत्त्व दिया। 'हरिजन' शब्द के प्रयोग पर आज के 'दलित बन्धु' लाख आपत्ति करें, किन्तु जिस कालखंड में गाँधीजी ने इस शब्द का प्रयोग किया था, उसने इस समुदाय में आत्म-गौरव के भाव का संचार किया था, यह मानने से इंकार करने का अर्थ है—ऐतिहासिक सन्दर्भ को अनदेखा करना। वरिष्ठ पत्रकार-लेखक राजकिशोर ने सही कहा है कि "भारत के अछूतों ने मोटे तौर पर डॉ. अम्बेडकर के बजाय महात्मा गाँधी का नेतृत्व स्वीकार किया और अपने लिए 'हरिजन' शब्द को नाराज निगाह से नहीं देखा। दलित गुस्से का शब्द है, जबकि 'हरिजन' प्रेम का। स्पृश्य हिन्दू समाज ने भी गाँधी का नेतृत्व स्वीकार किया और अछूतों को हरिजन कहने की आदत डाली। ...गाँधीजी को 'हरिजन' शब्द प्रिय था, तो इसके कारण थे। वे दलितों को सवर्ण समाज की ओर से सम्बोधित कर रहे थे। जब हम उस वर्ग को अपने द्वारा चुना गया नाम देना चाहते हैं, तो इसके लिए हमें समुचित प्रयास करना होगा—उस वर्ग में अपनी स्वीकार्यता बढ़ानी होगी। गाँधीजी ने अपनी तमाम व्यस्तताओं के बावजूद यह कोशिश की, किन्तु उनके चेले इतने संवेदनशील नहीं निकले।"[2] राजकिशोर जी की इन बातों में सिर्फ एक संशोधन यह कहना है कि 'हरिजन' शब्द का चयन गाँधीजी ने अपने मन से नहीं किया था, बल्कि गुजरात के एक अस्पृश्य भाई के सुझाव पर किया था। इसका जिक्र प्रथम प्रकरण में किया जा चुका है।

आज 'दलित' शब्द को उत्कृष्ट और 'हरिजन' शब्द को निकृष्ट, अधम, अपमानजनक सिद्ध करने का चलन बहुत ही दुर्भाग्यपूर्ण है और यह गाँधीजी को दलितों के सन्दर्भ में बदनाम करने की चाल है। सच तो यह है कि हमारे साहित्य में 'हरिजन' शब्द के प्रयोग की प्रदीर्घ परम्परा रही है। इस सन्दर्भ में आचार्य किशोर कुणाल का यह कथन द्रष्टव्य है—"सन्त-साहित्य में भक्तों के लिए 'हरिजन' शब्द बहुधा प्रयुक्त हुआ है और चूँकि इन सन्तों में बहुत से दलित थे; अतः कहीं-कहीं उनके लिए 'हरिजन' शब्द का भी प्रयोग किया गया है। 'दलित' और 'वंचित' अपेक्षाकृत नूतन शब्द हैं, जो आजकल अधिक व्यवहृत हो रहे हैं। कुछ काल पहले से एक शासनादेश द्वारा दलितों के लिए 'हरिजन' शब्द के प्रयोग पर प्रतिबन्ध है और इसके लिए पर्याप्त औचित्य भी हैं; किन्तु जिस प्रकार संकीर्ण स्वार्थों की सिद्धि के लिए सन्त-साहित्य के सर्वाधिक शोभन शब्द 'हरिजन' को व्यर्थ विवाद की संकुचित परिधि में डालकर विश्ववन्द्य बापू

के विराट् व्यक्तित्व को वामन बनाने की जो कुत्सित चेष्टा कुछ तत्वों द्वारा की गयी, वह अत्यन्त अनुचित थी, क्योंकि राष्ट्रपिता महात्मा गाँधी ने एक दलित बन्धु के परामर्श पर जब इस शब्द को अपनाया था; तब उनका उद्देश्य दलितों का अपमान करना नहीं था; बल्कि उन्हें समुचित सम्मान प्रदान करना था।''[3] कुल मिलाकर देखा जाए तो अस्पृश्यों के प्रति सवर्ण-सोच में परिवर्तन लाने एवं उनके उत्थान के लिए विशेष सुविधाएँ देने जैसे कार्यों के पीछे गाँधीजी के अछूतोद्धार आन्दोलन का प्रभाव किसी भी दलित आन्दोलन से कम नहीं रहा है। सबसे बड़ी बात तो यह है कि अछूतोद्धार का आन्दोलन पूरे राष्ट्रीय स्तर पर गाँधीजी ही चला सके, ज्योतिबा फूले और डा. अम्बेडकर का प्रभाव कभी महाराष्ट्र प्रान्त से आगे नहीं बढ़ सका।

गाँधीजी का भारतीय राजनीति को दूसरा महत्त्वपूर्ण अवदान है-धर्मनिरपेक्षता को एक सकारात्मक अवधारणा के रूप में प्रतिष्ठित करना। असहयोग आन्दोलन के दौरान ही उन्होंने हिन्दू, मुस्लिम, पारसी, ईसाई आदि के धर्मग्रन्थों एवं धर्म-प्रतिपादकों के मतों का सम्मानपूर्वक अपने पक्ष में उपयोग करते हुए भारतीय राजनीति में 'धर्मनिरपेक्षता' को धर्म निषेध के बदले, 'सर्वधर्म समभाव' के अर्थ में समझने का दृष्टिकोण विकसित किया। ज्ञातव्य है कि यूरोप में, विशेषकर इंग्लैंड में, जब धर्मनिरपेक्ष राजनीति की हिमायत की गयी, तो वहाँ पर एक ईसाई धर्म का प्रभुत्व था और चर्च का राजसत्ता पर नियन्त्रण हुआ करता था। अतएव चर्च जैसे धार्मिक संस्थान के प्रभाव से वहाँ की राजनीतिक व्यवस्था को मुक्त करने के लिए राजनीति में धर्मनिरपेक्षता का सिद्धान्त प्रतिपादित करते हुए उसे धर्म-विमुख बनाया गया। कहा जा सकता है कि उन देशों में एक धर्म की उपस्थिति रहने के कारण राजनीति में धर्म निषेध के अर्थ में धर्मनिरपेक्षता का स्वीकृत हो सकना, सम्भव हो पाया। किन्तु भारतवर्ष जैसे बहु-धार्मिक समुदायों से परिपूर्ण देश में ऐसा करना सम्भव नहीं था। इसलिए गाँधीजी ने राजनीति से सभी धार्मिक मतों का बहिष्कार करने के बजाय, उसके अन्दर एक जैसे सार-तत्वों का समावेश करते हुए, सबके प्रति समान रूप से सम्मान रखते हुए धर्मनिपेक्षता का अर्थ 'सर्वधर्म समभाव' कर दिया। एक कट्टर मतवाद के रूप में बदनाम धर्म जो राजनीति के लिए अस्पृश्य बन चुका था, उसे सभी धार्मिक, नैतिक एवं आध्यमिक मूल्यों का समुच्चय सिद्ध कर गाँधीजी ने राजनीति के लिए स्वीरकार्य बना दिया, यह विश्व-राजनीति को उनकी एक मौलिक देन है।

गाँधीजी को आमतौर पर भारतीय परम्पराओं का अन्धभक्त भी समझ लिया जाता है। इस सम्बन्ध में गौरतलब है कि वे कई बातों में भारतीय परम्पराओं की

महानता के कायल थे, लेकिर वे लकीर के फकीर नहीं थे। उन्होंने सदैव विवेक-बुद्धि की कसौटी पर परम्पराओं या आप्त-वाक्यों को भी परखते हुए स्वीकार या अस्वीकार करने का साहस प्रकट किया। अस्पृश्यता, बाल-विवाह, विधवा विवाह निषेध, जैसी कुरीतियों के विरोध के सिलसले में जहाँ भी आवश्यक हुआ, उन्होंने पुराधों-स्मृतियों के प्रावधानों से असहमति प्रकट करने में संकोच नहीं किया। 'मनुस्मृति' को भले ही अपने अहिंसक सिद्धान्त के कारण उन्होंने डॉ. अम्बेडकर की तरह जलाने का काम नहीं किया, लेकिन उसमें शूद्रों-स्त्रियों के सम्बन्ध में कही गयी आपत्तिजनक बातों को क्षेपक मानकर मानने से इंकार कर दिया। तुलसीदास उनके सर्वप्रिय कवि थे, फिर भी उनकी 'ढोल गंवार शूद्र पशु नारी, सकल ताड़ना के अधिकारी' जैसी चौपाई के सम्बन्ध में उन्होंने अपनी असहमति व्यक्त की। वस्तुतः परम्परा के प्रति वे 'संग्रह त्याग न बिना पहिचाने' वाले सूत्र के अनुसार व्यवहार करते रहे। हिन्दी आलोचना में जो 'दूसरी परम्परा' की बात प्रगतिशीलता-क्रान्तिकारिता के अर्थ में की जाती हैं, उससे गाँधीजी खूब परिचित थे—इससे भी अधिक सच तो यह है कि न केवल दूसरी, अपितु सभी परम्पराओं का उन्हें गहरा ज्ञान था और उनमें उसी को अंगीकार किया जो धर्म, लिंग, वर्ण आदि विभेद से मनुष्य को मुक्त करते हुए उसे राष्ट्र से लेकर विश्व-समुदाय तक ले जा सके। इस दृष्टि से गाँधीजी किसी भी विद्रोही या क्रान्तिकारी की तुलना में जड़ परम्परा या रूढ़ि के कम विरोधी नहीं थे।

गाँधीजी ने अपने जागरण-अभियान के अन्तर्गत जितना महत्त्व बाह्य परिस्थितियों के अनुकूल परिवर्तन को दिया, उससे भी अधिक उन्होंने मनुष्य के आन्तरिक रूपान्तरण को महत्त्व दिया, यानी सोच-विचार के स्तर पर भी वे लोकतान्त्रिक, मानवतावादी एवं समतामूलक दृष्टिकोण के उन्मेष के लिए प्रयासरत रहे। इसके लिए वे देश के एक-एक आदमी में विवेक-बुद्धि का विकास करने में विश्वास करते थे। उदाहरण के लिए 'महान प्रहरी' वाले लेख का यह कथन गौरतलब हैं—"अगर हम अपने विवेक को दूसरे के हवाले कर देते हैं, तो इसमें कोई शक नहीं कि हमारी परवर्ती स्थिति पूर्ववर्ती स्थिति से भी बुरी होगी और यह देखकर मुझे बड़ा दुःख होगा कि देश ने बिना सोचे-विचारे, आँख मूँदकर मैंने जो कुछ कहा या किया, उसका अनुसरण किया।" ध्यातव्य है कि गाँधीजी ने कवीन्द्र रवीन्द्रनाथ को 'महान प्रहरी' कह कर सम्बोधित किया था इसलिए कि 'वे हठधर्मी, बौद्धिक आलस्य, असहिष्णुता, अज्ञान, जड़ता और इसी तरह के अन्य शत्रुओं के आगमन के खिलाफ आगाह करनेवाले थे।" इसके बावजूद जो लोग गाँधीजी पर व्यक्ति के विवेक एवं सोचने-विचारने की शक्ति के विकास को बाधित

करने का आरोप लगाते हैं, वे समझ सकते हैं कि गाँधीजी के सम्बन्ध में उनकी यह समझ कितनी निराधार है।

यह भी सिद्ध है कि गाँधीजी के पूरे जागरण अभियान को केवल राजनीतिक स्वाधीनता प्राप्ति के लक्ष्य तक सीमित करके देखना उनके समग्र कृतित्व एवं अहुआयामी जागरण अभियान के प्रति अज्ञान प्रकट करना है। हमारे हिन्दी जगत की आलोचना का एक गिरोह तो वर्षों से गाँधीजी के सम्बन्ध में यही प्रचार करता रहा है कि उन्होंने किसान, मजदूर, गरीब आदि के शोषण की समस्याओं को दरकिनार कर केवल मध्यवर्ग के हित में आवश्यक राजनीतिक स्वाधीनता की प्राप्ति तक ही अपना ध्यान केन्द्रित रखा। ये लोग गाँधीजी के कद को छोटा करने के लिए कभी भगत सिंह के कुछ लेखों को, तो कभी प्रेमचन्द के कुछ वक्तव्यों को आगे कर देते हैं। मसलन, प्रेमचन्द की एक कहानी 'आहुति' का यह वाक्य "स्वराज्य का यह अर्थ नहीं है कि जॉन की जगह गोविन्द बैठ जाए।" अक्सर उद्धृत कर वे सिद्ध करते हैं कि प्रेमचन्द जैसे जागरूक लेखक केवल राजसत्ता का परिवर्तन ही पर्याप्त नहीं समझते थे जबकि गाँधीजी का सारा उद्यम केवल राजसत्ता के परिवर्तन यानी गोरे अँग्रेजों की जगह पर शासन में काले भारतीयों को (मध्य वर्ग) आसीन करने तक सीमित था। लेकिन पूरे विवेचन को हम ध्यान में रखें तो यह आक्षेप सरासर निराधार एवं भ्रामक है। गाँधीजी ने किसान, गरीब, अछूत, स्त्री आदि के उद्धार को राजनीतिक स्वाधीनता के प्रश्न से अधिक महत्त्व दिया। भारत में उन्होंने अपने जागरण अभियान का आरम्भ ही किसानों की चिन्ता से किया था जो उनके काशी हिन्दू विश्वविद्यालय के शिलान्यास-समारोह में दिये भाषण से स्पष्ट है—"देश में जहाँ कोई बड़ा भवन उठाया जा रहा है, तो मेरा मन दुःखी हो जाता है और सोचने लगात हूँ कि यह पैसा तो किसानों के पास से इकट्ठा किया गया पैसा है।" ध्यान रहे किसानों के आर्तनाद ने ही उन्हें चम्पारण सत्याग्रह करने को विवश किया था।

देश की गरीबी और गरीबों की चिन्ता गाँधीजी का मुख्य सरोकार रही। असहयोग आन्दोलन के पीछे भी देश के करोड़ों भूखे-नंगे आदमियों के उद्धार का सवाल प्रमुख था। द्रष्टव्य है 'महान प्रहरी' वाले लेख में उनका व्यक्त यह उद्‌गार—"भारतीय आकाश के तले रहने वाले मानव पंछी को रात में नींद नहीं आती, वह सोने का बहाना करता है और प्रातःकाल जब वह उठता है, तब वह पिछले दिन से भी ज्यादा कमजोर होकर उठता है। ...करोड़ों भूखे लोग आज एक ही कविता की माँग कर रहे हैं—भूख मिटाने वाली भोजन रूपी कविता की।" पूर्व विवेचित बातों की आवृत्ति का कोई औचित्य नहीं, यहाँ पर निवेदन करने

का अभिप्राय इतना ही है कि गाँधीजी को देश की अन्य समस्याओं के प्रति उदासीन बताने वाले इन तथ्यों को देखें और तब कोई निर्णय दें।

वस्तुतः गाँधीजी की दृष्टि में राजसत्ता एक ऐसा साधन थी जिसके जरिये देश एवं समाज की समस्याओं का अपने ढंग से कारगर तरीके से निराकरण किया जा सकता था। इसलिए राजनीतिक स्वाधीनता का प्रश्न भी उनके लिए महत्त्वपूर्ण बन गया, लेकिन इसके साथ ही वे लगातार मनुष्य को अन्दर से बदलने, उसे नैतिक, सत्यवादी, अहिंसक, समताप्रेमी, दूसरों के प्रति संवेदनशील आदि से संस्कारित करने का भी प्रयास करते रहे ताकि जब उसके हाथों में राजसत्ता आये, तो उसे अपनी सुख-सुविधा-स्वार्थ सिद्धि का साधन न समझकर 'आखिरी आदमी' तक के उत्थान का साधन समझे।

कुल मिलकर देखा जाए तो गाँधीजी के सन्दर्भ में 'दलित भारत जागरण' का मतलब है भारत के आम आदमी के जीवन को आर्थिक, सामाजिक एवं राजनीतिक शोषण, उत्पीड़न दमन, अन्याय आदि से मुक्त कर उसके समक्ष उन समस्त अवसरों को उपलब्ध कराना जो उसके अन्दर मानवीय सदगुणों के विकास के लिए आवश्यक हैं। दक्षिण अफ्रीका से लेकर भारतवर्ष तक उनके समस्त सत्याग्रह-संघर्ष के केन्द्र में 'सामान्य मनुष्य' ही रहा। यह 'सामान्य मनुष्य' दक्षिण अफ्रीका में दमन-दलन का शिकार गिरमिटिया था, यह 'सामान्य मनुष्य' चम्पारण का वह किसान था जो गोरे निलहों के 'तीन कठिया' नियम की चक्की में पिसा जा रहा था; यह 'सामान्य मनुष्य वह भंगी, वह अछूत था जो वर्ण व्यवस्था के विभेदकारी अमानवीय जंजालों में दम तोड़ रहा था, यह 'सामान्य मनुष्य' वह हर औरत थी जो आर्थिक पराधीनता, वैधव्य, देह-व्यापार जैसी कुरीतियों के जुए तले बिलख रही थी, और यह 'सामान्य मनुष्य' भारत का हरेक भूखा, फटेहाल, बेरोजगार इंसान था। गाँधी का यह 'सामान्य मनुष्य' न किसी एक सम्प्रदाय का, न किसी एक वर्ण या वर्ग का था; अपितु वह हिन्दू, मुसलमान, पारसी, इसाई, स्त्री-पुरुष, किसान-मजदूर अछूत आदि का पूँजीभूत रूप था जो या तो सामाजिक विसंगतियों के कारण या फिर औपनिवेशिक दासता के कारण शोषण, दोहन, दमन एवं अपमान का शिकार था।

निष्कर्ष रूप में यह निर्विवाद सत्य है कि सामाजिक, आर्थिक, राजनीतिक, शैक्षिक, सांस्कृतिक, भाषाई, मानवतावादी आदि किसी भी पक्ष को गाँधीजी ने अपने जागरण एवं सत्याग्रह अभियान से पृथक नहीं रखा। सबको मनकों की तरह अखिल भारतीय राष्ट्रीयता के धागे में पिरोकर उन्होंने जो माला तैयार की वह थी पूरे दलित भारत का स्वराज्य-जागरण और विश्व-मानव के इतिहास में सत्य एवं

अहिंसा का पुनर्जागरण। इस राष्ट्र को अपने पूरे इतिहास में अगर किसी एक व्यक्ति का पहली बार राष्ट्रव्यापी नेतृत्व मिला और जिसे पूरे राष्ट्र ने स्वीकार किया, तो वह महात्मा गाँधी ही थे। इस दृष्टि से नेताजी सुभाष चन्द्र बोस ने उन्हें 'राष्ट्रपिता' के रूप में सम्बोधित कर सर्वथा उपयुक्त काम किया। आज भले ही विखंडनवाद से प्रेरित होकर दलित, स्त्री, अल्पसंख्यक, जनजातीय जैसे पृथक-पृथक विमर्श और आन्दोलन उभर रहे हों, किन्तु गाँधीजी को श्रेय है कि उन्होंने सारे सवालों को अपने कार्यक्रम में समाहित करते हुए राष्ट्रीय स्वराज्य-जागरण का विराट अभियान खड़ा किया। सच तो यह है कि दक्षिण अफ्रीका, यूरोप भारत (एशिया) तीन महादेशों तक मुनष्य को अन्याय-उत्पीड़न, असमानता-शोषण के विरुद्ध जगाने का गाँधी जैसा व्यापक काम मानव-इतिहास में कोई नहीं कर सका था—न बुद्ध, न ईसा, न मार्क्स, लेनिन या माओ-त्से-तुंग। आज ने केवल भारत को, बल्कि पूरे विश्व को पुनः एक गाँधी की आवश्यकता है। मीडिया की कृपा से नायक और महानायक तो पैदा हो सकते हैं और हो भी रहे हैं; लेकिन दूसरे गाँधी के पैदा होने की दूर-दूर तक कोई सम्भावना नजर नहीं आती। ऐसे में हम गाँधी के विचारों को अपनी विकास-यात्रा का पाथेय बना सकें, तो सम्भवतः हम विकास के उन्माद में विनाश की ओर बढ़ रहे विश्व-समुदाय को बचाने में कामयाब हो सकें।

सन्दर्भ

1. स. गां. वां. खंड—31, पृ. 273
2. 'हरिजन से दलित', सं. राजकिशोर, पृ. 5, वाणी प्रकाशन, नई दिल्ली, संस्करण 1997
3. 'दलित-देवो भव', ले. आचार्य किशोर कुणाल, प्रस्तावना, पृ. सं. 9, प्रकाशन विभाग, सूचना और प्रसारण मन्त्रालय, नई दिल्ली, प्रथम संस्करण 2005

परिशिष्ट—एक

सत्य का आह्वान

परजीवी कीट या जन्तु दूसरे का रक्त-शोषण करके जीवित रहता है! उसका देह-यन्त्र तो सदा बेचैन रहता है—चाहता है अपनी शक्ति द्वारा खाद्य को अपने शरीर का उपकरण बना लेना। लेकिन ऐसा न करने से प्राणी-लोक में इन जन्तुओं का अध:पतन होता है—वह इनके आलस्य-पाप का दंड है। मनष्य के इतिहास में भी यही बात लागू होती है। लेकिन परजीवी मनुष्य केवल वह नहीं है जो जड़भाव से दूसरे पर निर्भर। जो व्यक्ति परम्परागत वस्तुओं से जकड़ा रहता है, जो बहती हुई धारा में निष्क्रिष भाव से आत्मसमर्पण करता है, वह भी परजीवी है। हमारे आन्तरिक पक्ष के लिए बाह्य-जगत् 'पराया' है। जब यह बाह्य-जगत् अभ्यास के जोर से हमें चलता है तो हमारा अन्त:करण निरुद्यम हो जाता है। ऐसी हालत में, मनुष्य में जो असाध्य को साध्य बनाने की आकांक्षा है, वह पूर्ण नहीं होती।

इस तरह के परासक्त प्राणी दुनिया में हैं। प्रचलित धारा में उनका शरीर तैरता रहता है। वे प्राकृतिक निर्वाचन सिद्धान्त के अनुसार जीवित रहते हैं या मर जाते हैं, आगे बढ़ते हैं या पीछे हटते हैं। उनके अन्त:करण का विकास नहीं होता। वह सिकुड़ा हुआ रहता है। लाखों बरसों तक मधुमक्खी जिस तरह छत्ता बनाती आयी है वैसे ही बनाती है—उसमें लेशमात्र फेर-बदल करना उसके लिए सम्भव नहीं हैं। छत्ता तो त्रुटिहीन बनता है, लेकिन मधुमक्खी अपने अभ्यास के दायरे में आबद्ध हो जाती है। इस तरह के सभी प्राणियों के सम्बन्ध में प्रकृति के व्यवहार में साहस का अभाव दिखाई पड़ता है। ऐसा लगता है कि प्रकृति ने उन्हें अपने आँचल में सुरक्षित रखा है, उन्हें विपत्तियों से बचाने के लिए उनकी आन्तरिक गतिशीलता को ही प्रकृति ने घटा दिया है।

लेकिन सृष्टिकर्त्ता ने मनुष्य की जीवन-रचना में साहस का परिचय दिया है। उसने मानव के अन्त:करण को बाधाहीन बनाया है; बाह्य रूप से उसे विवस्त्र, निरस्त्र और दुर्बल बनाकर उसके चित्त को स्वच्छन्दता प्रदान की है। इस मुक्ति

से आनन्दित होकर मनुष्य कहता है—'हम असाध्य को सम्भव बनाएँगे'—अर्थात् 'जो सदा से होता अया है और होता रहेगा, उससे हम सन्तुष्ट नहीं रहेंगे। जो कभी नहीं हुआ, 'वह हमारे द्वारा होगा।' इसीलिए मनुष्य ने अपने इतिहास के प्रथम युग में जब प्रचंडकाय प्राणियों के भीषण नखदन्तों का सामना किया तो उसने हिरन की तरह पलायन करना नहीं चाहा, न कछुए की तरह छिपना चाहा। उसने असाध्य लगने वाले कार्य को सिद्ध किया—पत्थरों को काटकर भीषणतर नखदन्त निर्माण किये। प्राणियों के नखदन्त की उन्नति केवल प्राकृतिक निर्वाचन पर निर्भर होती है। लेकिन मनुष्य के ये भीषणतर नखदन्त उसकी अपनी सृष्टिक्रिया से बने थे। इसलिए पत्थर की चट्टानों पर ही वह निर्भर रहा—पत्थर के हथियारों को छोड़कर उसने लोहे के हथियार बनाये। इससे प्रमाणित होता है कि मानवीय अन्त:करण सन्धानशील है, उसके चारों ओर जो कुछ है उस पर ही वह आसक्त नहीं हो जाता। जो उसके हाथ में नहीं है उस पर वह अधिकार करना चाहता है। पत्थर उसके सामने रखा है; लेकिन पत्थर से वह सन्तुष्ट नहीं। लोहा है धरती के नीचे, वहाँ से मानव उसे बाहर निकलता है। पत्थर को घिस-माँजकर हथियार बनाना आसान है, लेकिन उससे मानव को सन्तोष नहीं होता। लोहे को आग में गलाकर, साँचे में ढालकर, हथौड़े से पीटकर—सब बाधाओं को पार करके—उसने अपने अधीन बनाया। मनुष्य के अन्त:करण का धर्म यही है कि वह परिश्रम से केवल सफलता नहीं बल्कि आनन्द भी प्राप्त करता है। वह ऊपरी सतह से गहराइयों तक पहुँचना चाहता है; प्रत्यक्ष से अप्रत्यक्ष तक, सहज से कठिन तक, परनिर्भरता से आत्मकर्तृत्व तक, प्रवृत्ति की ताड़ना से विचार की व्यवस्था तक पहुँचना चाहता है। इसी तरह वह विजयी होता है।

यदि कुछ लोग ऐसा कहें—'यह पत्थर का फलक हमारे दादा-परदादाओं का फलक है, इसको यदि हम छोड़ दें तो हमारी जाति नष्ट होगी'—तो इन शब्दों से उनके मनुष्यत्व की जड़ पर आघात लगेगा। उनके विचारों से जिसको वे 'जाति-रक्षा' कहते हैं वह सम्भव हो भी सकती है, लेकिन सबसे महान 'जाति'—अर्थात् मनुष्य जाति की कुलीनता को चोट लगती है। जो लोग आज भी 'पत्थर के फलक' से सन्तुष्ट हैं उनको मनुष्य ने जाति से बाहर कर दिया है—वे जंगलों में छिपकर जीवन व्यतीत करते हैं। वे बाह्य परिस्थिति पर पूर्णतया निर्भर हैं, परम्परा की लगाम में जकड़े हुए हैं, उनकी आँखों पर पट्टी पड़ी है। उन्हें आन्तरिक स्वराज्य नहीं मिला, इसीलिए बाह्य स्वराज्य के अधिकार से भी वे वंचित हैं। वे यह नहीं जानते कि मनुष्य को अपनी शक्ति से असाध्य को साध्य बनाना है; जो हुआ है उसी के बीच आबद्ध नहीं रहना है वरन् जो नहीं हुआ उसकी ओर कदम बढ़ाना है—

ताल ठोंककर, छाती फुलाकर नहीं, आन्तरिक साधना की शक्ति से, आत्मशक्ति के उद्‌बोधन से।

तीस वर्ष पहले जब मैं 'साधना पत्रिका' में लिखा करता था, अपने देशवासियों से यही बात कहने की मेरी चेष्टा थी। उन दिनों अँग्रेजी-शिक्षित भारतवासी दूसरों से अधिकारों की भिक्षा माँगने में व्यस्त थे। उस समय मैंने बार-बार यह समझाने का प्रयत्न किया था कि मनुष्य को अधिकार माँगना नहीं होता, अधिकार की सृष्टि करनी होती है। आन्तरिक पक्ष में ही मनुष्य कर्त्ता है, बाहर के लाभ से अन्दर की हानि हो सकती है। मैंने कहा था कि अधिकार से वंचित रहने का दु:ख उतना भारी नहीं है जितना भारी हमारे सिर पर रखा हुआ आवेदन-पत्रिकाओं का थाल है। फिर जब 'बंगदर्शन'[2] के अंक हमारे हाथों में आये, बंग-विभाजन के आर्त्तनाद-स्वर से सारी बंगभूमि विचलित थी। क्षोभग्रस्त बंगाली उन दिनों मेनचेस्टर-निर्मित कपड़ों का परित्याग करके बम्बई के सौदागरों के लोभ को बढ़ावा दे रहे थे। अँग्रेजी सरकार के प्रति अप्रसन्नता ही इस 'वस्त्र वर्जन' का आधार था। इस आन्दोलन का प्रत्यक्ष लक्ष्य इंग्लैंड था—भारत तो केवल उपलक्ष्य था; इसकी मूल उत्तेजना देशवासियों के प्रति प्रेम नहीं बल्कि विदेशियों के प्रति नाराजगी थी। उस समय लोगों को सावधान करने के लिए यह समझाना जरूरी था कि कि भारत में अँग्रेजों का राज्य एक बाहरी घटना है, लेकिन देश का अपना अस्तित्व-एक आन्तरिक सत्य है। यही चिरसत्य है, बाहर की घटना तो 'माया' है। माया तभी विशाल रूप धारण करती है जब हम उसकी ओर समस्त मन-प्राण से ताकते रहते हैं—चाहे इस एकाग्रता के पीछे क्रोध हो या अनुराग। भक्तिभाव से किसी के पाँव पकड़ना आसक्ति ही है, लेकिन क्रोध से किसी के पाँव में दाँत गड़ाना भी तो आसक्ति ही है। 'नहीं चाहते, नहीं चाहते' कहते हुए हम किसी के ध्यान में लगे रहें तो भी हमारा हृदय रक्तवर्ण हो उठता है। माया अँधकार की तरह है, 'बाह्यशक्ति से उसका अतिक्रमण नहीं किया जा सकता। उसको पानी से धोने का प्रयत्न करें तो 'सात समुद्र तेरह नदी' सूखने पर भी कोई असर नहीं होगा। सत्य आलोक की तरह है, उसको शिखा जलते ही हम देख पाते हैं कि माया

1. ठाकुर-परिवार के युवक सदस्यों द्वारा संचालित बंगला मासिक पत्रिका।
2. इसके प्रकाशन के चौथे और अन्तिम वर्ष सन् 1894 में इसका सम्पादन रवीन्द्रनाथ ने किया था। इन चार वर्षों में पत्रिका में रवीन्द्रनाथ की लिखी एक तिहाई से भी अधिक कहानियाँ छपी थीं। बंकिमचन्द्र चट्टोपाध्याय द्वारा स्थापित बंगला की प्रसिद्ध साहित्यिक पत्रिका।

का अस्तित्व वास्तविक नहीं है। तभी शास्त्र में कहा गया है—

'स्वल्पमप्यस्य धर्मस्य त्रायते महतो भयात्।'

भय है मन की नास्तिकता। उसे नकारात्मक रूप से परास्त नहीं किया जा सकता उसका एक कारण समाप्त होते ही दूसरा उत्पन्न होता है और वह जीवित रहता है। धर्म सत्य है, मन की आस्तिकता है। उसके अल्पमात्र प्रभाव से प्रकांड 'नहीं' की पराजय होती है। भारत में अँग्रेजों का आविर्भाव एक ऐसी सत्ता है जिसके कितने ही रूप हो सकते हैं। आज वह अँग्रेज की मूर्ति धारण कर रही है; कल किसी अन्य विदेशी का रूप और परसों स्वयं भारतवासी का निदारुण रूप उसमें देखा जा सकता है। यदि इस परतन्त्रता का हम तीर-कमान हाथ में लेकर पीछा करें, तो अपने आवरण बदल-बदलकर वह हमें थका देगी। लेकिन जब हम अपने देश के अस्तित्व को ही सत्य समझें और उसे प्राप्त करें तो बाहर की माया अपने-आप दूर होगी।

अपने देश में विश्वास एक ऐसी आस्तिकता है जिसके लिए साधना आवश्यक है। देश में जन्म लेने से ही देश को अपना समझना उन्हीं लोगों का काम है जो विश्व के बाह्य व्यवहार में दूसरों पर निर्भर हैं। मनुष्य का यथार्थ स्वरूप उसकी आत्म-शक्ति-सम्पन्न अन्तः प्रकृति में है। इसलिए मनुष्य अपने ज्ञान, कर्म, प्रेम और बुद्धि द्वारा जिस देश की सृष्टि करता है, वही उसका स्वदेश है। सन् 1905 में मैंने बंगालियों को पुकारकर यही बात कही थी—'आत्मशक्ति द्वारा देश का निर्माण करो। सृष्टि से जो उपलब्ध किया जता है वही सत्य है।' विश्वकर्मा अपनी सृष्टि से अपने-आपको प्राप्त करता है। देश को पाने का अर्थ है देश के बीच अपनी आत्मा को व्यापक भाव से उपलब्ध करना। जब हम चिन्तन, कर्म और सेवा द्वारा देश का निर्माण करते हैं तभी आत्मा को देश के बीच सत्य रूप से देख पाते हैं। देश मनुष्य के चित्त की सृष्टि है, इसीलिए देश में आत्मा की व्याप्ति है, उसकी अभिव्यक्ति है।

'स्वदेशी समाज' शीर्षक लेख में कई वर्ष पहले मैं इस प्रश्न की विस्तृत समीक्षा कर चुका हूँ कि जिस देश में हमने जन्म-ग्रहण किया है उसे सम्पूर्ण रूप से 'अपना' बनाने का क्या उपाय है। उस समीक्षा में त्रुटियाँ हो सकती हैं, लेकिन उसमें यह बात जोरदार शब्दों में कही गयी है कि देश को दूसरों के हाथ से नहीं, बल्कि अपने ही औदासीन्य और अकर्मण्यता से बचाना है। देश की उन्नति के लिए हम सर्वदा अँग्रेज सरकार के दरवाजे पर खड़े रहे हैं, तभी हमारी अकर्मण्यता बढ़ती रही है। अँग्रेजी सरकार की कीर्ति हमारी कीर्ति नहीं। वह बाह्य रूप से हमारा जो कुछ भी

उपकार करे, आन्तरिक पक्ष से उससे हम अपने देश को खो देते हैं; आत्मा का मूल्य देकर हम सफलता प्राप्त करते हैं। याज्ञवल्क्य के शब्द हैं—

'न वा रे पुत्रस्य कामाय पुत्रः प्रियो भवति।
आत्मनस्तु कार्याय नूनं पुत्रः प्रियो भवति॥'

देश के सम्बन्ध में भी यही कहा जा सकता है। देश हमारी आत्मा है, इसलिए ही वह हमें प्रिय है—जब यह बात हम जान लेते हैं, देश के सृष्टि-कार्य में पराये का मुँह जोहना हमें असह्य लगता है।

उस दिन मैंने देश के सामने जो कहने का प्रयत्न किया वह कोई नयी बात नहीं थी, और न उसमें कुछ ऐसा था जो स्वदेश-हितैषियों के कानों को कटु लगता। किन्तु, चाहे और लोग भूल गये हों मुझे अच्छी तरह याद है कि मेरी बातों से लोग बहुत नाराज हुए थे। मैं उन साहित्यिक गुंडों का उल्लेख नहीं कर रहा हूँ जिनके लिए कटुभाषा एक व्यवसाय-सा हो गया है। कुछ गण्यमान्य, शिष्ट, शान्त लोग भी मेरी बातों से अधीर हो उठे थे। इसके दो कारण थे—एक क्रोध, और दूसरा लोभ। क्रोध की तृप्ति का साधन एक तरह का भोगसुख ही होता है। उन दिनों इस भोगसुख के नशे में हम चूर थे। हमने अपने मानसिक आनन्द के लिए कपड़ा जलाया, 'पिकेटिंग' की, जो लोग हमारे मार्ग पर नहीं चले उनका रास्ता रोका, और अपनी भाषा में संयम का त्याग किया। इस अशिष्टता-प्रदर्शन के कुछ समय बाद एक जापानी सज्जन ने मुझसे पूछा: 'आप लोग शान्ति और दृढ़ता से, धैयपूर्वक काम क्यों नहीं कर पाते? शक्ति को बेकार ही खर्च करना तो उद्देश्य-साधन का सदुपाय नहीं है?' इसके उत्तर में मुझे यही कहना पड़ा था कि उद्देश्य-साधन की उज्ज्वल भावना जब मन में होती है तो मनुष्य स्वभावतः आत्मसंयम करता है और अपनी समस्त शक्ति को उद्देश्य की दिशा में प्रयुक्त करता है। लेकिन जब क्रोध-तृप्ति की उन्मत्तता तार सप्तक तक पहुँचती है और उद्देश्य-साधन पीछे रह जाता है तब हम शक्ति बेकार खर्च कर डालते हैं और दिवालिये बन जाते हैं। जो कुछ भी हो, उन दिनों जब बंगाल के लोग कुछ समय के लिए क्रोध-तृप्ति का सुख भोग रहे थे, मैंने एक दूसरे पथ की बातें की, जिससे मुझे लोगों की नाराजगी सहनी पड़ी। इसके अलावा लोगों में लोभ भी था। इतिहास में सभी देशों ने दुर्गम मार्ग पर चलकर दुर्लभ वस्तुओं को प्राप्त किया हैं, लेकिन हमें हर चीज आसानी से मिलेंगे; हाथ जोड़कर, भीख माँगकर नहीं, आँखें लाल करके, अप्रसन्नता दिखाकर—इस भ्रम के आनन्द में उन दिनों हमारा देश चूर था। अँग्रेज दुकानदार जिसे Reduced price sale कहते हैं, वही सस्ते दाम का माल उस

समय बंगालियों के भाग्य में था। जिसका सामर्थ्य कम होता है वह सस्ते माल का उल्लेख सुनते ही खुश हो जाता है; माल कैसा है, किस हालत में है, वह नहीं देखता; और यदि कोई व्यक्ति सन्देह व्यक्त करता है तो उसे वह मारने दौड़ता है। असल बात यह है कि उन दिनों हमारा ध्यान बाहर की माया पर केन्द्रित था। तभी उस समय के एक नेता ने कहा था—'हमारा एक हाथ अँग्रेज सरकार की गरदन पर है, दूसरा हाथ उसके पाँव पर।' अर्थात् देश-कार्य के लिए कोई हाथ खाली नहीं था। उस समय और उसके परवर्ती युग में शायद यह द्विधा मिट गयी है—कुछ लोगों के दोनों हाथ सरकार की गरदन पर हैं, अन्य लोगों के दोनों हाथ सरकार के पैरों पर। लेकिन इनमें से कोई पथ माया से मुक्ति नहीं दिलाता। कोई अँग्रेजों के दाहिने ओर है, कोई बायीं ओर। कोई 'हाँ' कहता है, कोई 'नहीं'—लेकिन दृष्टि दोनों की अँग्रेजों पर ही है।

उस दिन चारों ओर से बंगदेश के हृदयावेग को ही उत्तेजित किया गया। लेकिन केवल हृदयावेग आग की तरह जलाकर खाक कर सकता है, सृष्टि नहीं कर सकता। मनुष्य का अन्तकरण धैर्य, निपुणता और दूरदर्शिता के साथ इस आग में कठिन उपादानों को गलाकर अपने प्रयोजन की सामग्री तैयार करता है। देश के इस सृष्टिशील अन्तकरण को उस दिन जागरित नहीं किया गया। इसीलिए इतने तीव्र हृदयावेग से कोई स्थायी परिणाम नहीं निकल सका।

यह जो हुआ उसका कारण बाहर नहीं, हमारे भीतर ही है। दीर्घकाल से हमारे धर्म और कर्म के एक ओर हृदयावेग रहा है, दूसरी ओर अभ्यस्त आचार। हमारा अन्तकरण बहुत दिनों से निष्क्रिय रहा है, उसे डरा-धमकाकर दबाया गया है। इसलिए जब भी हमसे किसी ठोस काम की माँग की जाती है, हम झटपट हृदयावेग की शरण लेते हैं और तरह-तरह के जादू-मन्त्रों की आवृत्ति से मन को मुग्ध करते हैं। मतलब यह हुआ कि देश-भर में एक ऐसी अवस्था निर्माण की जाती है जो अन्तकरण की सक्रियता के बिलकुल प्रतिकूल होती है।

अन्तकरण की जड़ता से जो क्षति होती है उसे पूरा करना सम्भव नहीं होता—जब हम क्षतिपूर्ति करना चाहते हैं तो मोह का सहारा लेते हैं। कमजोर मन का लोभ अलादीन के चिराग का चमत्कार सुनते ही फड़क उठता है। सभी मानेंगे कि अलादीन के चिराग-जैसी सुविधाजनक वस्तु दूसरी कोई नहीं हो सकती। इसमें केवल एक ही असुविधा है—यह वस्तु कहीं मिलती नहीं! लेकिन जिस व्यक्ति में लोभ अधिक और सामर्थ्य कम हैं, वह स्पष्ट शब्दों में यह नहीं कह पाता कि 'ऐसी कोई वस्तु नहीं है।' जैसे ही अलादीन के चिराग के अस्तित्व का विश्वास उसे कोई दिलाता है, उसका उद्यम जाग उठता है। उसका विश्वास यदि हम उससे

छीनना चाहें तो वह चीत्कार करता है, कहता है कि उसका सब-कुछ लुट गया।

बंग-विभाजन के उन उत्तेजनापूर्ण दिनों मे युवकों के एक दल ने राष्ट्र-क्रान्ति द्वारा देश में युगान्तर लाने का प्रयत्न किया। और जो कुछ भी हो, इस प्रलय-यज्ञ में उन्होंने अपनी आहुति दी, इसके लिए वे वंदनीय हैं—केवल देश में ही नहीं, सभी देशों में। उनकी निष्फलता भी आत्मा की दीप्ति से उज्ज्वल है। परम त्याग और दुःख सहकर उन्होंने यह स्पष्ट देखा है कि जब तक राष्ट्र तैयार नहीं है तब तब क्रान्ति का प्रयत्न करना गलत मार्ग पर चलना है। यह मार्ग उचित मार्ग की तुलना में छोटा है, लेकिन उस पर चलकर हम लक्ष्य तक नहीं पहुँचते, रास्ते में दोनों पाँव काँटों से जख्मी हो जाते हैं। प्रत्येक वस्तु का पूरा दाम देना होता है—यदि आधा ही दाम दिया गया तो रुपया भी जाता है और वस्तु भी नहीं मिलती। वे दुःसाहसी युवक समझते थे कि सारे देश के लिए यदि कुछ लोग आत्मोत्सर्ग करें तो क्रान्ति सफल होगी। उनके लिए इसमें सर्वनाश था, देश के लिए एक सस्ती बात। देश का उद्धार समस्त देश के अन्तःकरण से होना चाहिए, उसके एक अंश से नहीं। रेलगाड़ी के फर्स्ट क्लास का मूल्य कितना ही हो, वह कितना ही सुन्दर हो, अपने साथ के थर्ड क्लास को वह आगे नहीं बढ़ा सकता। मैं सोचता हूँ, ये युवक अब समझ गये हैं कि राष्ट्र की सृष्टि देश के समग्र लोगों के सम्मिलित प्रयास से होती है—इस सृष्टि में सारे देश की हृदय-वृत्ति, बुद्धि और इच्छा-शक्ति व्यक्त होती है, यह योगलब्ध धन है। इस योग के द्वारा मनुष्य की सारी वृत्तियाँ अपनी सृष्टि के बीच संयत होकर रूपलाभ करती हैं। केवल राजनैतिक येाग या आर्थिक योग सम्पूर्ण योग नहीं है—सभी शक्तियों का योग जरूरी है। दूसरे देशों के इतिहास में हम राजनैतिक घोड़े को ही सबसे आगे देखते हैं और सोचते हैं, इसी चतुष्पद के जोर से सब लोग आगे बढ़ रहे हैं। हम यह भूल जाते हैं कि उसके पीछे 'देश' नाम की जो गाड़ी है उसके पहियों में पारस्परिक सामंजस्य है। उसके सभी हिस्सों को अच्छी तरह एक-दूसरों से जोड़ा गया है। इस गाड़ी के तैयार करने में केवल आग-हथौड़ी और पेंच-कब्जे ही नहीं लगे, इसके पीछे बहुत-से लोगों का दीर्घ चिन्तन, साधना और त्याग भी है।

ऐसे भी देश हैं जो बाह्यतः स्वाधीन हैं, लेकिन जब पोलिटिकल वाहन उनको घसीटता है तो उनकी गाड़ी की गड़गड़ाहट से मोहल्ले भर की नींद उचट जाती है; धक्के के जोर से सवारी की पीठ मे कीलें चुभती रहती हैं; रास्ते में गाड़ी टूट जाती है; रस्सी से उसे बार-बार बाँधना पड़ता है। अच्छी हो या बुरी, उसके स्क्रू चाहे ढीले हों और पहिये टेढ़ें हों, है तो यह भी गाड़ी। लेकिन जो चीज

घर-बाहर दोनों ही जगह टूट रही है, जिसमें समग्रता तो है ही नहीं, बल्कि स्वगत-विरोध है, उसे क्रोध, लोभ या और किसी प्रवृत्ति के बन्धन से बाँधकर जबरदस्ती खींचा जाए तो कुछ देर तक आगे बढ़ाया जा सकता है; लेकिन क्या ऐसी यात्रा को हम राष्ट्रदेवता की रथयात्रा कहेंगे? प्रवृत्ति के बन्धन में कुछ दम भी है? घोड़े को अस्तबल में ही रखकर गाड़ी को ठीक करना ही क्या प्रथम आवश्यकता नहीं है? यमराज के द्वार से जो बंगाली युवक घर लौटे हैं उनकी बातें सुनकर और उनके लेख पढ़कर मुझे लगता है कि वे भी अब बात समझ गये हैं। अब वे कहते हैं, सबसे पहले हमें योग-साधना की जरूरत है—देश की चित्त की सारी शक्तियों का मिलन, उनकी परिपूर्णता-साधना का योग आवश्यक है। किसी बाह्य दबाव द्वारा यह सम्भव नहीं हैं, आन्तरिक प्रेरणा से, ज्ञानालोकित चित्त की आत्मोपलब्धि द्वारा ही सम्भव है। जो कुछ भी देश के अन्तःकरण से उद्‌बोधित और अभिभूत नहीं है उससे इस काम में बाधा पड़ेगी।

अपनी सृष्टि-शक्ति से देश को अपना बनाने का आह्वान बहुत बड़ा आह्वान है। वह किसी बाह्य अनुष्ठान की माँग नहीं है। मैं पहले ही कह चुका हूँ, मनुष्य मधुमक्खी की तरह नहीं है जो एक ही तरह का छत्ता बनाती है, न वह मकड़ी की तरह है जो एक ही 'पैटर्न' का जाल बुनती है। उसकी सबसे बड़ी शक्ति है उसका अन्तःकरण। मनुष्य का पूरा दायित्व अन्तःकरण के सामने है, अभ्यासपरता के सामने नहीं। यदि किसी लोभ से प्रेरित होकर मनुष्य से हम कहें—'तुम विचार न करो, केवल काम करो', तो उसी मोह को हम प्रश्रय देंगे जिससे आज हमारे देश का विनाश हो रहा है। मानव-मन के सर्वोच्च अधिकार, अर्थात् विचार करने के अधिकार को अनुशासन और प्रथा के हाथों बेचकर इतने दिन तक हम आलसियों की तरह निश्चिन्त बैठे रहे। हमने कहा—''हम समुद्र-पार नहीं जाएँगे, क्योंकि मनु ने इसका निषेध किया हैं, मुसलमान के पास बैठकर भोजन नहीं करेंगे, क्योंकि यह शास्त्र के विरुद्ध हैं।' अर्थात् जिस प्रणाली में मानव-मन की जरूरत नहीं पड़ती, विचारहीन अभ्यासनिष्ठता से ही काम चल जाता है, उसी प्रणाली से हमारी जीवन-यात्रा का अधिकतर भाग सम्पन्न होता रहा है। जो मनुष्य सदा बाह्य आचार से ही चालित होता है उसकी पंगुता वैसी ही होती है जैसी कि प्रत्येक विषय में दास पर निर्भर रहने वाले मालिक की। आन्तरिक मनुष्य ही स्वामी है, वह जब बाह्य प्रथा पर पूर्णतया अवलम्बित होता है तब उसकी दुर्गति का कोई अन्त नहीं होता। आचार-संचालित मनुष्य कठपुतली की तरह है, बाध्यता की चरम सीमा तक वह पहुँच चुका है। परतन्त्रता के कारखाने में उसका निर्माण हुआ है; इसलिए जब उसे एक चालक के हाथ से निष्कृति मिलती है तो किसी और चालक

के सामने आत्मसमर्पण करना पड़ता है। पदार्थ-विद्या में जिसे 'इनर्शिया' कहते हैं, उसी की साधना को जो पवित्र समझता है, ऐसे मनुष्य के लिए स्थावरता और जंगमता समान है; दोनों में से किसी में भी उसका अपना कर्तृव्य नहीं है। अन्तःकरण का जो जड़त्व सर्व प्रकार की क्षमता का कारण है उससे मुक्ति-लाभ का उपाय न तो परावलम्बन है न बाह्यानुष्ठान।

आज देश में जो आन्दोलन चल रहा है वह बंग-विभाजन के आन्दोलन से बहुत बड़ा है। उसका प्रभाव सारे भारतवर्ष पर पड़ रहा है। बहुत दिन तक हमारे नेताओं ने अँग्रेजी-शिक्षा प्राप्त लोगों के अतिरिक्त किसी की ओर दृष्टिपात नहीं किया; उनके लिए 'देश' नाम की वस्तु वही थी जो अँग्रेजी इतिहास पुस्तकों में मिलती है। वह देश अँग्रेजी भाषा की वाष्प से निर्मित एक मरीचिका जैसा था। उस मरीचिका में बर्क, ग्लड्स्टन, मेजिनी, गैरीबाल्डी की अस्पष्ट प्रतिमाएँ ही दिखाई पड़ती थीं। उसमें प्रकृत आत्मयोग या देश के लोगों के प्रति यथार्थ सहानुभूति नहीं थी। ऐसे समय महात्मा गाँधी भारत के कोटि-कोटि गरीबों के द्वार पर आकर खड़े हुए। उन्होंने लोगों से उनकी अपनी भाषा में उनकी अपनी बातें कहीं। यह एक सत्य वस्तु थी, इसमें पुस्तकीय 'दृष्टान्त' नहीं थे। इसलिए उन्हें जो महात्मा का नाम दिया गया है वह सत्य नाम है। भारत के इतने लोगों को अपना आत्मीय समझने वाला और कौन है? आत्मा में जो शक्ति का भंडार है वह सत्य का स्पर्श लगते ही उन्मुक्त हो जाता है। जैसे ही सत्य, प्रेम भारतवासियों के अवरुद्ध द्वार पर खड़ा होता है, वह द्वार खुल जाता है। चातुर्य पर आधारित राजनीति वंध्या है—इस बात की शिक्षा हमारे लिए बहुत दिन तक आवश्यक रही है। महात्मा के प्रसाद से आज हमने प्रत्यक्ष देखा है कि सत्य में कितनी शक्ति है। लेकिन चातुर्य हैं भीरु और दुर्बल लोगों का सहज धर्म—उसका विनाश करना हो तो उसे जड़ से काटना पड़ता है। आजकल बहुत-से बुद्धिमान लोग महात्मा के प्रयत्न को भी अपने राजनैतिक खेल की गुप्त चालों में शामिल कराना चाहते हैं। उनका मन, जो मिथ्या से जीर्ण हो गया, यह नहीं समझ पाता कि महात्मा के प्रेम से देश के हृदय में जो प्रेम छलक उठा वह कोई अवान्तर चीज नहीं है—उसमें ही मुक्ति है, उसमें ही देश अपने-आपको प्राप्त कर सकता है; अँग्रेजों का यहाँ होना-न-होना इस प्रेम के लिए गौण है। यह प्रेम स्वयं प्रकाश है, यह 'हाँ' है, किसी 'नहीं' के साथ यह बहस नहीं करना चाहता, क्योंकि उसे बहस करने की जरुरत नहीं हैं।

प्रेम की पुकार से भारत के हृदय में यह जो आश्चर्यजनक उद्‌बोधन हुआ है, उसका स्वर मैं भी समुद्र पार थोड़ा-बहुत सुन पाया था। बड़े आनन्द के साथ

मैंने सोचा, इस उद्‌बोधन के दरबार में सभी को बुलाया जाएगा, भारत की चित्तशक्ति के जो विचित्र रूप प्रच्छन्न हैं वे प्रकाशित होंगे। इसी को मैं मुक्ति समझता हूँ—प्रकाशन ही मुक्ति है। एक दिन भारत में बुद्धदेव ने सर्वभूतों के प्रति मैत्री का मन्त्र अपनी सत्य साधना से प्रकाशित किया था। उसके परिणामस्वरूप, सत्य की प्रेरणा से भारत का मनुष्यत्व-शिल्प-कला और विज्ञान के ऐश्वर्य में व्यक्त हुआ था। राजनैतिक पक्ष में उस दिन भी भारत ऐक्य-साधन के क्षणिक प्रयत्नों के बाद बार-बार विच्छिन्न हुआ था; लेकिन उसके चित्त को निद्रा और प्रच्छन्नता से मुक्ति मिली थी। इस मुक्ति में इतना बल था कि भारत अपने-आपको देश की छोटी सीमाओं से आबद्ध न रख सका। समुद्र और पर्वत-राशि के पार जिस दूर-देश को भी उसने स्पर्श किया उसी के चित्त को ऐश्वर्य प्रदान किया। आज कोई वणिक् या सैनिक यह काम नहीं कर सकता—ये पृथ्वी के जिस हिस्से को स्पर्श करते है वहाँ विरोध-पीड़ा और अपमान जगाते हैं, विश्व-प्रकृति की सम्पाद नष्ट कर देते हैं। ऐसा क्यों होता है? इसलिए कि लोभ सत्य नहीं, प्रेम ही सत्य है। प्रेम जो मुक्ति देता है वह आन्तरिक पक्ष से देता है; लेकिन लोभ जब स्वतन्त्र्यय के लिए चेष्टा करता है, बलपूर्वक अपने उद्देश्य तक पहुँचने के लिए अस्थिर हो उठता है। बंग-विभाजन के दिनों में यह बात हमने देखी—उस समय हमने गरीबों को त्याग और दुःख स्वीकार करने के लिए बाध्य किया, प्रेम द्वारा नहीं, बल्कि तरह-तरह के बाह्य दबाव डालकर। लोभ अल्प समझ में ही एक विशिष्ट संकीर्ण फल प्राप्त करना चाहता है; लेकिन प्रेम का फल एक दिन का नहीं होता, कुछ दिनों का भी नहीं होता, प्रेम के फल की सार्थकता प्रेम के ही बीच होती है।

मैं इसी कल्पना के साथ घर लौटा कि बहुत दिनों के बाद हमारे देश में मुक्ति की वायु बहने लगी है। लेकिन यहाँ एक बात से मैं हताश हो गया हूँ; मैं देखता हूँ देश के मन पर एक विषम भार हैं। किसी बाह्य शक्ति की ताड़ना से सबको एक बात कहने और एक काम करने के लिए कठोर आदेश मिला है।

जब मैं कोई सवाल करना चाहता हूँ, सोचना चाहता हूँ, मेरे हितैषी व्याकुल होकर मेरा मुँह बन्द करते हैं और कहते हैं—'इस समय तुम कुछ मत कहो।' देश के वातावरण में एक प्रबल उत्पीड़न है—वह लाठी-छुरी का उत्पीड़न नहीं, उससे भी भयंकर है, क्योंकि वह अदृश्य है। आजकल जो किया जा रहा है उसके बारे में किसी के मन में तिल-मात्र संशय हो, और डरते-डरते वह अपना सन्देह व्यक्त करे, तो फौरन उसके विरुद्ध एक दमन-शक्ति तैयार हो उठती है। किसी अखबार में एक दिन विदेशी कपड़ा जलाने के सम्बन्ध में कुछ लिखा गया था। लेखक ने अत्यन्त मृदुल भाषा में अपनी आपत्ति का आभास-मात्र दिया था।

सम्पादक का कहना हैं कि दूसरे हो दिन पाठक-मंडली की अस्थिरता से वह स्वयं विचलित हो गया। जिस आग ने कपड़ा जलाया उसे कागज जलाने में कितनी देर लगती! मैं देखता हूँ, एक पक्ष के लोग अत्यन्त व्यस्त हैं, दूसरे पक्ष के लोग अत्यन्त त्रस्त। लोग कह रहे हैं, सारे देश की बुद्धि पर पर्दा डालना चाहिए, और समस्त विद्या पर भी। केवल आज्ञाकारिता को पकड़े रहना चाहिए। किसके प्रति आज्ञाकारिता? मन्त्र के प्रति? या अन्धविश्वास के प्रति?

आखिर आज्ञाकारिता क्यों? फिर वही बात उठती है, लोभ और इन्द्रिय-प्रवृत्ति की बात। थोड़े समय में और सस्ते दाम पर अतिदुर्लभ धन प्राप्त करने का विश्वास देश में जाग रहा है। यह संन्यासी की मन्त्र-शक्ति से सोना उत्पन्न करने के विश्वास-जैसा है। इस विश्वास के प्रलोभन से मनुष्य अपनी विचार-बुद्धि को अनायास ही तिलांजलि दे सकता है, और जो ऐसा करने के लिए राजी नहीं हैं उन पर क्रुद्ध होता है। बाहर के स्वातन्त्र्य के नाम पर मनुष्य के आन्तरिक स्वातन्त्र्य को इस तरह विलुप्त करना आसान हो जाता है। सबसे अधिक शोचनीय बात तो यह है कि सभी लोगों के मन में यह विश्वास नहीं होता, फिर भी वे कहते हैं कि इस प्रलोभन से देशवासियों के एक विशेष दल को प्रेरित करके एक विशेष उद्देश्य की पूर्ति की जा सकती है। इनके अनुसार जिस भारत का मन्त्र है 'सत्यमेव जयते नानृतम्', वह भारत स्वराज नहीं प्राप्त कर सकता। और मुश्किल यह है कि इस लोभ को एक नाम दिया गया है, पर उसकी व्याख्या नहीं की गयी। भय का कारण अस्पष्ट हो तो भय और भी बढ़ जाता है; उसी तरह लोभ का विषय अस्पष्ट होने से लोभ अधिक तीव्र हो जाता है क्योंकि इस अवस्था में कल्पना स्वच्छन्द होती है और प्रत्येक व्यक्ति उस लोभ विषय को अपनी इच्छानुसार रूप देता है। जिज्ञासा द्वारा उसे पकड़ने की कोशिश की जाए तो वह एक आवरण से हटकर दूसरे आवरण में जा छिपता है। इस तरह एक ओर लोभ के लक्ष्य को अनिर्दिष्टता द्वारा विशाल बनाया गया है और दूसरी ओर लक्ष्य-प्राप्ति की साधना को समय और उपाय की अत्यन्त संकीर्ण सीमाओं में निर्दिष्ट किया गया है। व्यक्ति के मन को मोहाविष्ट करके जब उससे कहा जाता है: 'अपनी बुद्धि-विद्या, प्रश्न-विचार सब छोड़ दो—केवल आज्ञाकारिता रहने दो, तब उसके राजी होने में देर नहीं लगती। किसी विशेष बाह्यानुष्ठान द्वारा शीघ्र ही स्वराज्य मिलेगा—एक विशेष महीने की विशेष तारीख को मिलेगा—यह बात देश के अधिकांश लोगों ने आसानी से, बिना तर्क किये, स्वीकार कर ली; हाथ में गदा लेकर तर्क को पराजित करने के लिए वे प्रवृत्त हुए; अर्थात् अपना बुद्धि-स्वतन्त्र्य विसर्जित करके दूसरे के बुद्धि-स्वातन्त्र्य को छीनने के लिए उद्यत हुए—

यह क्या अत्यन्त चिन्ताजनक बात नहीं है? क्या इसी भूत को भगाने के लिए हमने ओझा को नहीं ढूँढ़ा है? लेकिन भूत जब स्वयं ओझा के रूप में दिखाई देने लगे तब तो हमारी विपद् की सीमा न रहेगी।

महात्मा ने अपने सत्य प्रेम से भारत का हृदय जीत लिया है और इसके लिए हम सब उनकी श्रेष्ठता स्वीकार करते हैं। इस सत्य की शक्ति को प्रत्यक्ष देखकर आज हम कृतार्थ हैं। चिरन्तन सत्य के बारे में पुस्तकों में पढ़ते हैं, उसकी चर्चा करते हैं, लेकिन जब उसे अपने सामने देखते हैं वह हमारे लिए पुण्य क्षण है। बहुत दिनों के बाद अकस्मात् हमें यह सुयोग मिला है। कांग्रेस तो हम रोज बना सकते हैं और भंग कर सकते हैं, भारत के प्रदेश-प्रदेश में अँग्रेजी भाषा में राजनैतिक भाषण देना भी हमारे लिए सरल है, लेकिन सत्य प्रेम का वह स्वर्णदंड जिसके स्पर्श से सदियों के बाद चित्त जाग उठता, मोहल्ले की सुनार की दुकान में नहीं बनता। जिनके हाथ में यह दुर्लभ वस्तु देखी उन्हें हम प्रणाम करते हैं।

लेकिन सत्य को प्रत्यक्ष देखने के बाद भी यदि उसके प्रति हमारी निष्ठा दृढ़ न हुई तो हमें फल क्या मिला? जिस तरह एक ओर हम प्रेम के सत्य को मानते हैं उसी तरह दूसरी ओर बुद्धि के सत्य को भी मानना होगा। कांग्रेस के द्वारा, या अन्य किसी बाह्य अनुष्ठान के द्वारा, देश का हृदय नहीं जागा—महान् अन्त:करण के अकृत्रिम प्रेम स्पर्श से ही जागा है। आन्तरिक सत्य का यह प्रभाव जब आज तक हम स्पष्ट देख सकते हैं, तो स्वराज्य प्राप्ति के समय भी क्या उसी सत्य पर हमारा विश्वास नहीं होगा? उद्‌बोधन के क्षण जिसे हमने माना उसे कार्य-सम्पादन के समय हम विसर्जित कर देंगे?

मान लीजिए, मैं वीणा के उस्ताद को ढूँढ़ रहा हूँ। पूर्व-पश्चिम कितने ही लोगों की परीक्षा की, लेकिन हृदय तृप्त नहीं हुआ। वे बातें खूब करते हैं, उनके पास कौशल काफी है, रोजगार भी यथेष्ट करते हैं—लेकिन उनकी बहादुरी से मन में प्रशंसा जाग सकती है, प्रेम नहीं। आखिर एक दिन अचानक ऐसा व्यक्ति मिलता है जिसके दो-चार मींड लगाते ही अन्त:करण का आनन्द-स्रोत, जो अब तक बन्द था, क्षण-भर में फूट निकलता है। ऐसा क्यों होता है? इसलिए कि उस्ताद के हृदय में जो आनन्दमयी शक्ति है वह सत्य वस्तु है; वह अपनी आनन्द शिखा से हृदय-हृदय में आनन्द-दीप जलाती है। मैं समझ गया, यही उस्ताद है; मैंने उसे मान लिया। इसके बाद एक वीणा तैयार करना आवश्यक हो गया। लेकिन वीणा बनाने के लिए एक-दूसरे ही प्रकार का सत्य जरूरी है। उसके पीछे भी विचार, शिक्षा, वस्तुत्त्व हैं, बड़ा अध्यवसाय है। इस समय यदि उस्ताद मेरी दीन अवस्था पर तरस खाकर कहे—"बेटा, वीणा बनाना एक बड़ा आयोजन है, तुमसे

वह नहीं होगा। इससे अच्छा तुम इस लकड़ी में तार बाँधकर उसी से झंकार उत्पन्न करते रहे। अमुक महीने की अमुक तारीख की यह लकड़ी ही वीणा बनकर बजने लगेगी।'' तो यह बात मैं नहीं मान सकता। वास्तव में मेरी अक्षमता पर दया प्रकट करना उस्ताद के लिए उचित नहीं है। उन्हें यही कहना चाहिए—''इतनी असानी से यह काम नहीं हो सकता।'' वही तो मुझे समझा सकते हैं कि वीणा में एक ही तार नहीं होता, उसके उपकरण बहुत-से होते हैं, रचना-प्रणाली सूक्ष्म होती है, नियम में जरा-सी त्रुटि हो जाने पर वीणा बेसुरी बजती है; इसलिए तत्त्व और नियम का विचारपूर्वक पालन करना होगा। देश के हृदय की गहराई से प्रतिक्रिया बाहर निकालना ही उस्ताद का वीणा-वादन है। इस विद्या में प्रेम का सत्य कितना बड़ा हैं यह हमने महात्माजी से विशुद्ध रूप से सीखा है और इस सम्बन्ध में उनके प्रति हमारी श्रद्धा सदा अक्षुण्ण रहे। लेकिन स्वराज्य-निर्माण का तत्त्व बहुत विस्तृत है, उसकी प्रणाली दुःसाध्य है, उसमें दीर्घ समय लगता है, उसमें आकांक्षा और हृदयावेग के साथ-ही-साथ तथ्यानुसन्धान और विचार-बुद्धि की जरूरत है। इसके लिए अर्थशास्त्रज्ञों को विचार करना होगा, यन्त्रशास्त्रज्ञों को परिश्रम करना होगा, शिक्षातत्त्व और राज्यशास्त्र के विद्वानों को ध्यान देना होगा, काम करना होगा। अर्थात् देश के अन्तःकरण को सभी दिशाओं से पूर्ण उद्यम में जाग्रत होना पड़ेगा। देश के लोगों की जिज्ञासा-वृत्ति का निर्मल और स्वतन्त्र रहना जरूरी है, किसी कठोर शासन से बुद्धि को भीरू और निश्चेष्ट नहीं होने देना है। इस तरह देश की वैचित्र्यपूर्ण शक्ति को समेटना और उसे काम में लगाना किसके लिए सम्भव है? सभी लोगों की पुकार तो देश नहीं सुनता, इस बात की परीक्षा कई बार हो चुकी है। देश की पूरी शक्ति को देश-निर्माण के कार्य में आज तक कोई नियुक्त नहीं कर सका, इसीलिए हमारा इतना समय व्यर्थ गया। तभी इतने दिनों तक हम आशा करते रहे कि जिसके पास देश के लोगों को पुकारने का सत्य अधिकार है ऐसा व्यक्ति आकर प्रत्येक मनुष्य की आत्मशक्ति को कार्य में नियुक्त करेगा। किसी दिन भारत के तपोवन से हमारे दीक्षागुरु ने सत्यज्ञान के अधिकार से देश के सारे ब्रह्मचारियों को पुकारा था और कहा था :

'यथापः प्रवहायन्ति यथा मासा अहर्जरम्।
एवं मा ब्रह्मचारिणो धात आयन्तु सर्वतः स्वाहा॥'

जिस तरह समस्त जल निम्न स्तर की ओर जाता है, जिस तरह सारे महीने संवत्सर को ओर जाते हैं, उसी तरह सभी दिशाओं से ब्रह्मचारीगण मेरे पास आएँ, स्वाहा! उस दिन की इस सत्यदीक्षा का फल अब तक पृथ्वी पर अमर है। और

उसका आह्वान अब तक विश्व के कानों तक पहुँचाता है। आज हमारे कर्मगुरु उसी तरह देश की सारी कर्मशक्ति को आह्वान क्यों नहीं देंगे? क्यों नहीं कहेंगे—'आयन्तु सर्वतः स्वाहा', चारों दिशाओं से मेरे पास आओ? देश की समस्त शक्ति के जागरण में ही देश का जागरण है, और उसी में मुक्ति है। महात्माजी को विधाता ने सबको पुकारने की शक्ति दी है, क्योंकि उनमें सत्य है। यही तो हमारा शुभ अवसर है। लेकिन उन्होंने एक संकीर्ण क्षेत्र में लोगों को पुकारा। उन्होंने कहा—''सब मिलकर केवल सूत कातो, कपड़ा बुनो। क्या यह पुकार 'आयन्तु सर्वतः स्वाहा'—जैसी है? क्या वह नवयुग की महासृष्टि की पुकार है? विश्व-प्रकृति ने जब मधुमक्खी को छत्ते की संकीर्ण जीवन-यात्रा में आमन्त्रित किया तब तक लाखों मधुमक्खियों ने कर्म की सुविधा के लिए अपने-आपको कमजोर बना दिया। अपने को छोटा करके जो आत्मराग उन्होंने किया उसके द्वारा उन्होंने मुक्ति के विपरीत दिशा में जाने वाला पथ अपनाया, तब किसी देश के बहुसंख्यक लोग किसी लोभ या अनुशासन के कारण अन्धभाव से अपने आपको कमजोर बनाते हैं, तब उनकी पराधीनता उनके अपने अन्तकरण में होती है। चरखा चलाना बहुत सरल है, तभी सबके लिए वह साध्य है। लेकिन सरलता की पुकार मनुष्य के लिए नहीं, मधुमक्खी के लिए है। मनुष्य से जब उसकी समस्त शक्ति माँगी जाती है तभी वह आत्मप्रकाश का ऐश्वर्य प्रदर्शित कर पाता है। स्पार्टा ने विशेष लक्ष्य की ओर दृष्टि जमाकर, मनुष्य की शक्ति को संकीर्ण क्षेत्र में प्रबल बनाने का प्रयत्न किया था; लेकिन स्पार्टा की विजय नहीं हुई। एथेन्स ने मनुष्य की पूरी शक्ति को उन्मुक्त करके उसे परिपूर्णता देने का प्रयत्न किया। एथेन्स की विजय हुई, उसकी जय-पताका आज तक मानव-सभ्यता के शिखर पर फहरा रही है। यूरोप में सैन्यावासों और कारखानों में क्या मानव-शक्ति को कमजोर नहीं बनाया जा रहा है? क्या लोभ और उद्देश्य के लिए मनुष्यत्व को संकीर्ण नहीं किया जा रहा है? और क्या इसीलिए यूरोपीय समाज में आज आनन्दहीनता घनीभूत नहीं हो रही है? मनुष्य को बड़े यन्त्र द्वारा भी छोटा बनाया जा सकता है, छोटे यन्त्र द्वारा भी; इंजिन के द्वारा छोटा किया जा सकता है और चरखे द्वारा भी। जहाँ चरखा स्वाभाविक है वहाँ वह कोई हानि नहीं पहुँचता वरन् उपकार ही करता है। लेकिन मानव-मन वैचित्यपूर्ण है, इसलिए चरखा जहाँ स्वाभाविक नहीं है वहाँ उसमें सूत के साथ-साथ मन भी कतता जाता है। मन सूत से कम मूल्यवान वस्तु नहीं!

यह कहा गया है कि भारत में अस्सी प्रतिशत लोग खेती करते हैं और साल में छह महीने उन्हें कोई काम नहीं होता; उन्हें सूत कातने का प्रोत्साहन देने के लिए शिक्षित लोगों को भी चरखा चलाना चाहिए। पहले यह देखना है

कि उपर्युक्त कथन में तथ्य कहाँ तक है। वास्तव में किसान कितने दिनों तक बेकार रहते हैं; जब खेती बन्द रहती है तब किसान जिन उपायों से जीविकार्जन करते हैं उनकी तुलना में सूत कातना कहाँ तक लाभप्रद होगा—इन सभी बातों पर विचार करना आवश्यक है। खेती के अतिरिक्त जीविकार्जन के किसी अन्य उपाय में सारे किसानों को लगाने से देश का कल्याण होगा या नहीं, इसमें भी सन्देह है। किसी के अनुमान पर निर्भर होकर हम एक ऐसे मार्ग को नहीं अपना सकते जिसका सम्बन्ध जनसाधारण से है। विश्वसनीय प्रणाली से तथ्यों का अनुसन्धान करना आवश्यक है। इसके बाद ही उपाय के औचित्य के विषय में सोचना सम्भव होगा।''

कुछ लोगों ने मुझसे कहा है: 'देश की चित्तशक्ति को हम चिरकाल के लिए संकीर्ण नहीं करना चाहते। यह संकीर्णता अल्प समय तक रहेगी।' लेकिन अल्पकाल के लिए भी संकीर्णता क्यों? इसलिए कि इस उपाय से हम अल्पकाल में स्वराज्य प्राप्त करेंगे? यह कहाँ का युक्तिवाद है! अपना कपड़ा स्वयं तैयार करना—केवल यही तो स्वराज नहीं है। स्वराज हमारी वस्त्र-स्वच्छता पर तो प्रतिष्ठित नहीं है। उसका यथार्थ आधार हमारा मन है—मन ही अपनी 'बहुधा-शक्ति' द्वारा, आत्मशक्ति पर आस्था द्वारा, स्वराज की सृष्टि करता है। किसी भी देश में यह स्वराज-सृष्टि की क्रिया समाप्त नहीं हुई—किसी-न-किसी अंश में प्रत्येक देश में लोभ या मोह की प्रेरणा से बन्धन की अवस्था बाकी रह गयी है। लेकिन इस बन्धन-दशा का कारण मनुष्य का चित्त ही है। सभी देशों में निरन्तर इस चित्त पर ही स्वातन्त्र्य का दायित्व-भार पड़ता है। हमारे देश में भी चित्त के विकास पर ही स्वराज की स्थापना निर्भर है। उसके लिए कोई बाह्य क्रिया या फल नहीं, ज्ञान-विज्ञान चाहिए। देश के चित्त पर प्रतिष्ठित इस स्वराज को कुछ दिन चर्खे पर सूत कातकर ही हम प्राप्त करेंगे, इस कथन में तर्क कहाँ है? युक्ति के बदले उक्ति से काम कभी नहीं चलेगा। मनुष्य के मुँह से यदि हम दैववाणी सुनने लगें तो हमारे देश में पहले ही जो हजारों तरह के विनाशकारी रोग हैं, उनमें यह अन्यतम और प्रबलतम होगा। यदि एक बार हम यह सोच लें कि दैववाणी के अलावा और किसी बात से देश प्रभावित नहीं होता, तो थोड़े-से प्रयोजन के लिए दिन-रात दैववाणी हो प्रस्तुत करनी होगी—दूसरी कोई वाणी नहीं टिक सकेगी। जिन लोगों को हम युक्ति के बदले उक्ति से सन्तुष्ट करेंगे उन पर आत्मा के बदले किसी-न-किसी 'कर्ता' का ही अधिकार होगा। मैं मानता हूँ कि हमारे देश में दैववाणी, दैवी औषधि, वाह्य जगत् में दैवी क्रिया—इन सबका बड़ा प्रभाव है। लेकिन इसीलिए यह और भी आवश्यक है कि स्वराज्य की

बुनियाद डालते समय दैववाणी के आसन पर बुद्धिवाणी को बिठाया जाए, क्योंकि— जैसा मैं एक और प्रबन्ध में कह चुका हूँ—दैव ने स्वयं आधिभौतिक राज्य में बुद्धि का राज्यभिषेक कराया है। आज बाह्य जगत् में वही लोग स्वराज प्राप्त करके उस स्वराज की रक्षा कर सकेंगे जो आत्मबुद्धि के जोर से आत्म-कर्तृत्व उपलब्ध कर सकते हैं, और जो इस गौरव को किसी लोभ या मोह से दूसरों के हवाले करना नहीं चाहते। आज वस्त्र के अभाव से लज्जित और कातर देश में कपड़ों के ढेर जलाये जा रहे हैं—इसकी माँग किस वाणी ने की है? उसी दैववाणी ने? कपड़े के व्यवहार अथवा वर्जन के साथ अर्थशास्त्र का घनिष्ठ सम्बन्ध है, इस शास्त्र की भाषा में ही इस विषय पर देश से कुछ कहा जा सकता है, यदि बुद्धि की भाषा मान्य करने का हमारा अभ्यास बहुत दिनों से छूट गया है, तो और सब काम छोड़कर सबसे पहले इस अनभ्यास के विरुद्ध लड़ाई करनी होगी। यह अनभ्यास ही हमारा आदिअपराध (original sin) है। इस भूल को ही प्रश्रय देकर आज यह घोषणा की गयी है—"विदेशी कपड़ा अपवित्र है, उसे जला डालो।" अर्थशास्त्र को बहिष्कृत करके उसके स्थान पर धर्मशास्त्र को जबरदस्ती बिठाया गया है। अपवित्रता की बात धर्मशास्त्र के क्षेत्र में है, अर्थशास्त्र से उसका कोई सम्बन्ध नहीं है। मिथ्या का वर्जन क्यों करना चाहिए? मिथ्या अपवित्र क्यों है? केवल इसलिए नहीं कि उससे हमारा प्रयोजन सिद्ध नहीं होता या अनिष्ट होता है; बल्कि इसलिए कि प्रयोजन सिद्ध हो या न हो, उससे हमारी आत्मा मलिन होती है। इसलिए यहाँ अर्थशास्त्र या राजनीति लागू नहीं होती, यहाँ धर्मशास्त्र की वाणीं ही प्रबल है। लेकिन किसी कपड़े के पहनने या न पहनने में यदि हम कोई भूल करते है, तो यह अर्थशास्त्र, स्वास्थ्य विज्ञान या सौन्दर्य-तत्त्व की भूल हैं, धर्मशास्त्र की नहीं। इसके उत्तर में कुछ लोग कहते हैं: 'जो भूल देह-मन को दुःख पहुँचाती है, वह अधर्म है:' लेकिन मैं कहूँगा, भूल चाहे जैसी भी हो, उससे दुःख तो मिलेगा ही। ज्योमेट्री की भूल से रास्ता बिगड़ जाता है, दीवार टेढ़ी बनती है, पुल का निर्माण इस तरह से होता है कि उस पर रेल चले तो दुर्घटना निश्चित है! लेकिन इस भूल का संशोधन धर्मशास्त्र से नहीं हो सकता; छात्र की जिस नोटबुक में ज्योमेट्री की अशुद्धि हो उसे अपवित्र कहकर नष्ट करने से अशुद्धि का संशोधन नहीं होता—ज्योमेट्री के सत्य नियम के अनुसार उस भूल को सुधारना होगा। लेकिन मास्टर के मन में यह विचार उठ सकता है—"यदि मैं इस नोटबुक को अपवित्र न कहूँ तो यह लड़का अपनी भूल की भूल नहीं मानेगा।" ऐसा विचार यदि मन में है, तो सबसे पहले किसी-न-किसी उपाय से मास्टर के इस चित्तगत दोष का संशोधन करना होगा, तभी छात्र का उचित

शिक्षा मिलेगी।

कपड़ा जलाने का आदेश आज हमें मिला है। प्रथमतः, वह आदेश है केवल इसीलिए उसे मानना होगा, यह बात मैं स्वीकार नहीं कर सकता। आँखें बन्द करके आदेश मानने की विषम विपत्ति से देश को बचाने के लिए हमें युद्ध करना है। देश को एक आदेश से दूसरे आदेश तक ले जाना, उसे आदेश-समुद्र के सात घाटों का पानी पिलाना, मुझे मंजूर नहीं; द्वितीयतः, जिसे जलाने का आयोजन चल रहा है वह कपड़ा मेरा नहीं है—जिन देशवासियों को कपड़े का अभाव है, उन्हीं का है। मैं उसे जलाने वाला कौन होता हूँ? यदि वे स्वयं कहें 'इसे जला दो' तो आत्महत्या का भार आत्मघाती पर ही पड़ेगा, हम पर नहीं। जो मनुष्य कपड़े का त्याग कर रहा है, उसके पास काफी कपड़े हैं; और जिससे जबरदस्ती त्याग कराया जा रहा है वह कपड़े के अभाव से घर से बाहर नहीं निकल पाता। इस तरह के बलपूर्वक कराए गये प्रायश्चित से पाप का क्षालन नहीं होता। बार-बार कह चुका हूँ, और फिर कहता हूँ, कि बाह्य फल के लोभ से हम अपने मन को नहीं खो सकते। जिस यन्त्र के दौरात्म्य से पृथ्वी पीड़ित है, उसका जब महात्माजी विरोध करते हैं तब मैं उनके साथ हूँ। लेकिन जो मोहमुग्ध, मन्त्र मुग्ध आज्ञाकारिता देश के दैन्य और अपमान की जड़ है उसकी सहायता करते हुए मैं यन्त्र के विरुद्ध लड़ाई नहीं करूँगा। उसी के विरुद्ध तो हमारा मुख्य संघर्ष है,उसको पराजित करके ही हमें अन्दर-बाहर स्वराज मिलेगा।

कपड़ा जलाना मुझे मंजूर है, लेकिन किसी उक्ति की ताड़ना से नहीं। काफी सोच-विचार के बाद, यथोचित उपायों से विशेषज्ञ प्रमाण संग्रह करें और हमें समझा दें कि कपड़ा पहनने के विषय में हमारी जो अर्थशास्त्रमूलक भूलें हैं उन्हें दूर करने की कौन-सी उचित व्यवस्था हो सकती है। बिना प्रमाण या तर्क के मैं कैसे कह सकता हूँ कि किसी विशेष कपड़े को पहनने का आर्थिक अपराध उस कपड़े को जला डालने से दूर होगा—कैसे कह सकता हूँ कि दूर होने के बदले इससे अपराध की जड़ें और नहीं फैलेंगी, मैनचेस्टर का फाँस और भी दृढ़ नहीं होगा? यह तर्क मैं विशेषज्ञ की हैसियत से नहीं बल्कि एक जिज्ञासु की हैसियत से प्रस्तुत कर रहा हूँ—मैं विशेषज्ञ नहीं हूँ। मैं यह नहीं कहता कि विशेषज्ञ का वचन वेद-वाक्य है; लेकिन सुविधा यही है कि विशेषज्ञ वेद-वाक्य की तरह बात करते ही नहीं, वे भरी सभा में हमारी बुद्धि को आह्वान देते हैं।

वह दिन आ गया है कि एक बात पर विचार करें—भारत का वर्तमान उद्‌बोधन सारी पृथ्वी के उद्‌बोधन का अंग है। महायुद्ध की तूर्यध्वनि से नये युग का आरम्भ हुआ है। महाभारत में हम पढ़ते हैं, आत्म-प्रकाशन के पहले का काल

अज्ञातवास का काल था। कुछ समय से पृथ्वी पर मानव-मानव में जो घनिष्ठ सम्बन्ध स्थापित हुए हैं वे अब तक अज्ञात थे। इन सम्बन्धों का रूप बाह्य था, उसने हमारे मन में प्रवेश नहीं किया था। युद्ध के आधान में जब क्षण-भर के लिए सारी मानव-जाति विचलित हो उठी, तब ये सम्बन्ध छिपे नहीं रहे। एक दिन अचानक आधुनिक सभ्यता—अर्थात् पाश्चात्य सभ्यता—की दीवार काँप उठी। यह बात समझ में आयी कि इस कम्पन का कारण स्थानिक या क्षणिक नहीं था, वह विश्वव्यापी था। मनुष्य का मनुष्य के साथ सम्बन्ध एक महादेश से दूसरे महादेश तक व्याप्त है; उसमें जब तक सत्य का सामंजस्य नहीं होगा यह कारण दूर नहीं होगा। जो भी देश अपने-आपको बिल्कुल अलग रूप से स्वतन्त्र देखेगा उसका वर्तमान युग से विरोध होगा, और उसे किसी तरह शान्ति नहीं मिलेगी। लोगों ने समझा कि अब से प्रत्येक देश जब अपने विषय में विचार करेगा तो उसके विचार का क्षेत्र दुनिया-भर में व्याप्त होगा। चित्त की इस विश्वोन्मुख वृत्ति को विकसित करना ही वर्तमान युग की शिक्षा-साधना है। कुछ दिनों से हम देख रहे हैं कि भारतीय राजनीति में एक मूलगत परिवर्तन हो रहा है। इसके पीछे भारत की राष्ट्रीय समस्या को विश्व-समस्या के अन्तर्गत करने का प्रायास है। युद्ध ने हमारे मन के सामने से एक पर्दा हटा दिया है—जो कुछ भी विश्व के लिए हितकारी नहीं है, वह हमारे अपने स्वार्थ के विरुद्ध है, यह बात हमारा मन किताबों के पन्नों में नहीं, प्रत्यक्ष व्यवहार में देख पाता है। और वह समझ लेता हैं कि जहाँ अन्याय है वहाँ बाह्य अधिकार होने पर भी सत्य-अधिकार नहीं हो सकता। बाह्य अधिकार को संकुचित करके भी यदि सत्य-अधिकार मिल सकता है तो इसमें लाभ ही है, नुकसान नहीं। मनुष्य की बुद्धि में यह जो विराट् परिवर्तन हुआ है, जिससे उसका चित्त संकीर्णता को छोड़कर भूमा की ओर जा रहा है, उसी से भारतीय राजनीति में भी परिवर्तन आरम्भ हुआ है। इसमें असम्पूर्णता है, बाधाएँ हैं—स्वार्थबुद्धि-शुभबुद्धि पर आक्रमण करेगी ही—लेकिन यह सोचना अन्याय होगा कि स्वार्थबुद्धि ही पूरी तरह स्वाभाविक है, और शुभबुद्धि केवल चालाकी पर आधारित है। मैंने अपनी साठ वर्षों की अभिज्ञता से एक बात जान ली है—कपाटता जैसी दुःसाध्य, और इसीलिए दुर्लभ, दूसरी कोई चीज नहीं है। नितान्त कपटी मनुष्य विरला होता है। वास्तव में प्रत्येक मनुष्य में किसी-न-किसी मात्रा में चारित्र्य का द्वैध होता है। हमारी बुद्धि के पास 'लॉजिक' का जो अधिकार है उससे दो विरोधी पदार्थों को एक-मात्र पकड़ना कठिन हैं; इसीलिए जब हम अच्छे के साथ बुरे को देखते हैं तो झटपट तय कर लेते हैं कि इनमें से जो अच्छा लगता है वह 'चातुर्य' मात्र है। आजकल पृथ्वी में जो सर्वजनीय प्रचेष्टाएँ चल

रही हैं उनमें पग-पग पर मानव-चरित्र का यही द्वैध दिखाई पड़ेगा। ऐसी अवस्था में यदि हम मानव-चरित्र का अतीत के पक्ष से विचार करें, तो सोचेंगे कि स्वार्थबुद्धि हो यथार्थ है; क्योंकि पिछले युगों की नीति भेदबुद्धि की नीति रही है। लेकिन यदि हम उसे भविष्य के पक्ष से देखें तो शुभबुद्धि को ही यथार्थ समझेंगे; क्योंकि आगामी काल की प्रेरणा मनुष्य को संयुक्त करने की प्रेरणा है। जो बुद्धि सबको संयुक्त करती है। वही शुभबुद्धि है। 'लीग ऑफ नेशंस', भारतीय शासन-सुधार, इन सबमें भावी युग के सम्बन्ध में पश्चिम की वाणी सुनाई पड़ती है। यद्यपि वह वाणी सत्य को पूर्णतया प्रकाशित नहीं करती फिर भी इसका प्रयास सत्य की ही ओर अभिमुख है।

आज इस विश्वचित्त-उद्‌बोधन के प्रभात में हमारी राष्ट्रीय प्रचेष्टा में यदि विश्व की सार्वजनीन वाणी न हो तो हमारी दीनता व्यक्त होगी। मैं नहीं कहता कि हमारे प्रस्तुत प्रयोजन के जो कार्य हैं उन्हें हम छोड़ दें। लेकिन जब भोर का पक्षी जाग उठता है, उसका जागरण केवल आहार ढूँढ़ने के ही लिए नहीं होता—आकाश के आह्वान को उसके दो अथक पंख स्वीकार करते हैं; आलोक के आनन्द से उसके कंठ से गान फूट निकलता है। आज सर्वमानव के चित्त ने हमारे चित्त को पुकारा है। हमारा चित्त अपनी भाषा में उसे स्वीकार करे, क्योंकि आह्वान स्वीकार करने की क्षमता प्राणशक्ति का लक्षण है। किसी समय हमारी राजनीति दूसरों का मुँह ताकने की नीति थी; हम दूसरों के दोषों की तालिका बनाते थे, दूसरों को उनकी त्रुटियों की याद दिलाते रहते थे। आज जब हम अपनी राजनीति को परपरायणता से अलग करना चाहते हैं, हम फिर दूसरों के अपराधों की सूची बार-बार पढ़कर अपनी वर्जन-नीति का पालन-पोषण कर रहे हैं। इससे जो मनोभाव उत्तरोत्तर प्रबल हो रहा है, वह हमारे चित्ताकाश में रक्तिम धूल उड़ाकर हमारे चिन्तन से विशाल जगत् को ओझल रख रहा है; प्रवृत्ति का जल्दी-से-जल्दी समाधान करने के लिए हमें उत्तेजित कर रहा है। समस्त विश्व के साथ जुड़े हुए भारत के विराट् रूप पर हमारी दृष्टि नहीं जाती, इसलिए हमारे कर्म और चिन्तन से भारत का जो परिचय मिलता है वह हीन है, उसमें दीप्ति नहीं, उसमें हमारी व्यवसाय बुद्धि ही प्रधान है। व्यवसाय बुद्धि कभी किसी महान् वस्तु की सृष्टि नहीं करती। पाश्चात्य जगत में आज इसका अतिक्रमण करके शुभबुद्धि को जगाने की आकांक्षा और उद्यम दिखाई देता है। मैंने वहाँ कितने ही लोग देखे हैं जो इसी संकल्प को हृदय में लेकर संन्यासी हो गये हैं, अर्थात् जो राष्ट्रीय बन्धनों को तोड़कर ऐक्य-साधना के लिए घर का त्याग करके बाहर निकल पड़े हैं, जो अपने अन्तःकरण में मनुष्य का आन्तरिक अद्धैत देख सके हैं। अँग्रेजों में

भी ऐसे संन्यासी मैंने बहुत देखे हैं; उन्होंने राष्ट्रीय अहंकार से दुर्बलों को बचाने के लिए अपने देश-बाँधवों के हाथ से आघात और अपमान निःसंकोच स्वीकार किया। फ्रांस में ऐसे संन्यासी देखे—इनमें रोमाँ रोला भी हैं—जिनका वहाँ के लोगों ने बहिष्कार किया है। यूरोप के अख्यात प्रदेशों में भी मैंने ऐसे संन्यासी देखे हैं। योरोप के छात्रों में भी ऐसे लोग हैं; मानवता की ऐक्य-साधना से उनका मुखमंडल दीप्तिमान है। वे भावी युग की महिमा के लिए वर्तमान युग के सारे आघात धैर्यपूर्वक वहन करना चाहते हैं, सारे अपमानों को वीरतापूर्वक क्षमा करना चाहते हैं। क्या केवल हम आज इस शुभ दिन की प्रभात बेला में दूसरों के अपराध ही स्मरण करेंगे? अपना राष्ट्रीय सृष्टिकार्य कलह के ऊपर प्रतिष्ठित करेंगे? क्या इस 'प्रभात में हम उस शुभबुद्धिदाता को स्मरण नहीं करेंगे 'य एकः' जो एक है: 'अवर्णः'—जो वर्णहीन है, जिसमें स्याह-सफेद का भेद नहीं; 'बहुधाशक्ति योगात् वर्णाननेकान् निहितार्थो दधाति'—जो अपनी बहुशक्ति के योग से अनेक वर्णों के लोगों के लिए उनके अन्तर्निहित प्रयोजन का विधान करता है, क्या हम उसी से यह प्रार्थना नहीं करेंगे:—'स नो बुद्ध्या शुभया संयुनक्तु'—वह हम सबको शुभबुद्धि द्वारा संयुक्त करे?

[यूनिवर्सिटी इंस्टीट्यूट हॉल में 29 अगस्त, 1921 को पठित। 1920 में गाँधीजी द्वारा चलाये गये असहयोग आन्दोलन की समीक्षा।]

परिशिष्ट–दो

महान प्रहरी

शान्ति निकेतन के गायक ने 'मॉडर्न रिव्यू' में वर्तमान आन्दोलन पर एक बड़ा सुन्दर लेख लिखा है। वास्तव में यह शब्द-चित्रों की एक आकर्षक मालिका है, जिसे केवल वे ही गूँथ सकते थे। इसमें आप्तत्व के खिलाफ, मानसिक दासता के खिलाफ—अर्थात् भय में आशा से किसी की सनकका आँख मूँदकर अनुकरण करने को जिस नाम से भी पुकारा जाए, उसके खिलाफ—एक जोरदार आवाज उठाई गयी है। वह हम सभी कार्यकर्त्ताओं को इस बात की याद दिलाता है कि हमें धीरज नहीं खोना चाहिए, किसी पर जबरदस्ती किसी का मत लादना नहीं चाहिए, चाहे वह मत कितने ही बड़े आदमी का क्यों न हो। इस रूप में यह लेख कल्याण- कर तथा स्वागत करने लायक है। कविवर हमसे कहते हैं कि जो चीज बुद्धि या हृदय को ठीक नहीं लगे, उसे तुरन्त अस्वीकार कर देना चाहिए। अगर हम स्वराज्य पाना चाहते हैं तो हमें हर हालत में सत्य के उस रूप पर दृढ़ रहना चाहिए जिस रूप में हम उसे जानते हैं। जो सुधारक इस बात पर नाराज हो जाता है कि उसके सन्देश को लोग स्वीकार नहीं कर रहे हैं, उसे तो पहले जंगल में जाकर जीवन-प्रवाह को तटस्थ बुद्धि से देखना, प्रतीक्षा करना और भगवान् का भजन करते हुए धीरज रखना सीखना चाहिए। इन सारी बातों से सभी हार्दिक रूप से सहमत होंगे, और सत्य तथा विवेक के पक्ष में अपनी आवाज उठाने के लिए कविवर अपने देशभाइयों के धन्यवाद के पात्र हैं। अगर हम अपने विवेक को दूसरे के हवाले कर देते हैं तो इसमें कोई शक नहीं कि हमारी परवर्ती स्थिति पूर्ववर्ती स्थिति से भी बुरी होगी। और यह देखकर मुझे बड़ा दुःख होगा कि देश ने बिना सोचे-विचारे आँख मूँदकर, मैंने जो-कुछ कहा या किया, उसका अनुसरण किया। मैं यह अच्छी तरह जानता हूँ कि प्रेम के आगे आँख मूँदकर आत्म-समर्पण कर देना अक्सर अत्याचारी के अत्याचार को लाचार होकर स्वीकार करने से भी अधिक अनिष्टकर सिद्ध होता है। जो अत्याचारी का गुलाम है, उसकी

यह है कि हम, जो उन शास्त्रों के विरासतदार और रक्षक हैं, उनके अनुसार आचरण ही नहीं करते। इसलिए दुनिया को कुछ देने की सोचने से पहले मैं स्वयं कुछ प्राप्त कर लूँ, किसी लायक तो बन जाऊँ। हमारा असहयोग न अँग्रेजों के खिलाफ है, न पश्चिमी दुनिया के खिलाफ। हमारा असहयोग तो उस प्रणाली के खिलाफ है जो अँग्रेजों ने स्थापित की है, हमारा असहयोग इस भौतिकवादी सभ्यता और उसके साथ जुड़े लोभ-लालच तथा कमजोरों के शोषण की प्रवृत्ति के खिलाफ है। हमारे असहयोग का मतलब है, हमारा लौटकर अपने घर आ जाना। हमारे असहयोग का मतलब है—अँग्रेज शासकों के साथ उनकी ही शर्तों पर सहयोग करने से इंकार करना। हम उनसे कहते हैं, "आप आइए, और हमारी शर्तों पर हमसे सहयोग कीजिए। यह हम सबके लिए कल्याणकारी होगा, आपके लिए कल्याणकारी होगा और दुनिया के लिए भी।" हमें अपने पैर दृढ़ता से अपनी मिट्टी पर जमाए रखने चाहिए। जो खुद डूब रहा हो, वह दूसरों का क्या बचाएगा? दूसरों को बचाने की सामर्थ्य प्राप्त करने के लिए पहले हमें अपने-आपको बचाने का प्रयत्न करना चाहिए। भारतीय राष्ट्रवाद कोई वर्जनशील, आक्रामक या ध्वंसात्मक प्रवृत्ति नहीं है। यह स्वास्थ्यकर, धार्मिक और इसलिए मानवतावादी है। भारत को मानवता के लिए मर-मिटने की सोचने से पहले स्वयं जीना सीखना चाहिए। जो चूहे असहाय अवस्था में किसी बिल्ली के दाँतों के बीच पड़े हुए हों, उसकी इस लाचारी के बलिदान का क्या मोल?

कवि-सुलभ प्रवृत्ति के अनुसार ही कविवर कल के लिए, सुन्दर भविष्य के लिए जी रहे हैं, और वे चाहते हैं कि हम भी कल के लिए ही जिएँ। वे हमारी चमत्कृत आँखों के सामने एक सुन्दर चित्र प्रस्तुत करते हैं—"उषाकाल में पंछी अपने बसेरों से निकलकर आकाश में ईश्वर का गुणगान करते हुए उड़े चले जा रहे हैं। वे भूल जाते है कि इन पंछियों को उस रात से पहले के दिन में पूरा आहार मिला था और जब ये प्रातःकाल आकाश में उड़ चले तब इनके डैने काफी विश्राम पा चुके थे, और उनकी नसों में पिछली रात नये नक्त का संचार होता रहा था। लेकिन मैंने तो शोक-विह्वल मन से ऐसे पंछी भी देखे हैं जो शक्ति के अभाव में लाख प्रोत्साहन और हिम्मत देने पर भी अपने डैने फड़फड़ा तक नहीं पाये। भारतीय आकाश के तले रहनेवाले मानव-पंछी को रात में नींद नहीं आती, वह सोने का महज बहाना करता है और प्रातःकाल जब वह उठता है, तब वह पिछले दिन से भी ज्यादा कमजोर उठता है। यहाँ करोड़ों लोगों का जीवन सतत जागरण और चिन्ता का या सतत संज्ञा-शून्यता का जीवन है। यह एक ऐसी दुःखद स्थिति है, जिसका वर्णन नहीं किया जा सकता, और उसका एहसास किसी

को तभी हो सकता है जब कोई स्वयं उस स्थिति को भोगकर देखे। मैंने तो किसी रुग्ण व्यक्ति की पीड़ा को कबीर का कोई भजन सुनाकर दूरकर पाना असम्भव ही पाया है। करोड़ों भूखे लोग आज एक ही कविता की माँग कर रहे हैं—भूख मिटानेवाली भोजनरूपी कविता की। लेकिन वन उन्हें कोई नहीं दे पा रहा है। उन्हें अपना भोजन स्वयं प्राप्त करना है; और वे प्राप्त कर सकते हैं सिर्फ अपने भाल से पसीना बहाकर।

इन श्लोकों में मेरे लिखे चरखे का समस्त साहित्य निहित है—उस चरखे का, जिसे चलाना मैं आज के भारत के लिए एक अनिवार्य यज्ञ मानता हूँ। अगर हम अपना वर्तमान ठीक कर लेते हैं, तो हमारे भविष्य की चिन्ता भगवान करेगा ही।

[अँग्रेजी से]

यंग इंडिया, 13 अक्टूबर, 1921

□□□

णाणं पयासयं

वीर नि.सं. 2470

ई.सन् 1944

भारतीय ज्ञानपीठ